김재홍 문학전집 ③

한국현대시의 형성론
현대시와 열린정신

국학자료원

일러두기

1. 전집은 단행본 발행연도를 기준으로 삼았으나, 학위논문인 『한용운 문학연구』는 1권에, 편저는 9권과 10권에 각각 수록했다.

2. 출판 당시 저자의 집필의도를 살리기 위해, 일부의 보완 원고는 그대로 두었다. 단, 내용이 중복된 것은 삭제하여 전집의 전체성을 유지했다.

3. 원문을 최대한으로 살리되, 의미와 어감을 해치지 않는 범위에서 현행 맞춤법에 따라 고쳤다.

4. 한문과 외국어는 괄호 안에 병기하는 원칙으로 하되, 필요한 부분은 노출하였다. 단, 제1권 『한용운 문학연구』는 원문 그대로 수록하였다.

5. 본문의 '인용' 부분은 필요에 따라 한글 표기를 했으며, 이외의 것은 원문에 충실하려고 노력했다.

한국 현대시 형성론

金載弘 著

1985年

인하대학교 출판부

머 리 말

이 땅에 새로운 시가 쓰이기 시작한 지도 벌써 한 세기 가까운 세월이 흘렀다. 따라서 현대시의 연구도 이제 그 형성과 발전과정에 대한 정리 작업은 물론 새로운 방법론을 모색해야 할 시기에 이르렀다고 본다. 특히 현대시의 가장 중요한 특성이 방법론의 확보와 적용에 있음에 비추어, 지금까지 현대시의 형성 과정에 있어 사용된 방법론의 여러 양상을 살펴보는 것은 시사(詩史)의 체계화나 앞으로의 시창작의 활성화를 위해서도 유익한 작업이 되리라 생각한다.

현대시의 방법론은 여러 각도에서 연구될 수 있다. 메타포와 역설, 상징, 아이러니, 텐션, 이미저리, 원형 등을 비롯하여 형태와 운율론까지도 포함할 수 있는 것이다. 이 중에서 본서는 현대시의 핵심 방법인 메타포의 관점에서 한국 현대시의 방법론적 전개 과정을 살펴보고자 한다. 재래의 시학에서 은유는 장식적인 것으로서 문채를 더하는 수단으로 생각되어 온 것이 사실이다. 그러나 현대시에서 은유는 시적 진리를 통찰하고 상상력을 전개시키는 핵심적인 방법으로서 그 중요성을 더욱 인정받게 되었다. 은유가 사용되지 않은 현대시란 생각할 수 없게끔 된 것이다. 따라서 본서에서는 먼저 제1부에서 방법론으로서의 은유의 원리와 형태를 검토해 보기로 한다. 제2부는 본론으로서 최남선에서 1930년대 후반의 시까지를 대상으로 은유의 방법론적 전개 과정을 분석하고, 3부에서는 지면 관계상 제대로 인용하지 못한 작품들을 망라하여 현대시의 사적 흐름을 간략히 파악할 수 있도록 배려하였다.

여기에서 한 가지 강조하고자 하는 것은 현대시로의 분기점이 흔히 정지용, 이상 등의 30년대 모더니즘시에 서로 일컬어지지만, 현대시적 방법론의 확립이라는 관점에서 볼 때는 20년대 중반 만해(萬海)시에서 그 시발점을 찾을 수 있다는 점이다. 만해시는 전통시의 정신과 방법을 실천적·창조적으로 계승했다는 점에서뿐만 아니라, 현대시의 방법론을 확립했다는 점에서 전통시와 현대시의 단절을 극복해 준 문학사적 다리이자 현대시의 기점일 수 있다는 것이 저자의 견해이다. (졸저 『한용운문학연구』(일지사, 1982)의 <문학사적 연구> 참조.)

이 책의 모태가 된 것은 1972년 필자의 석사논문 「한국 현대시의 방법론적 연구」이다. 이후로 이 논문을 구하는 분들이 많아서 수차 출판하려고 마음먹었으나 기회가 마련되지 않았다. 이번에 전의 논문을 새로이 수정하고 보완함은 물론 인용시의 원문까지 찾아서 수록함으로써 한국 현대시의 형성 과정을 구명하고자 시도하였다. 특히 도움이 된 논저는 정한모교수의 『한국현대시문

학사』와 김춘수(교수의 『한국현대시형태론』 등의 선구적 노작(勞作)임을 밝
혀둔다.

    끝으로 이 자리를 빌려 원고정리에 애를 쓴 이기형 군 등 인하대 국문과의
시학교실 학생들에게 감사하며, 출판부 여러분의 노고에 사의를 표한다.

1985년 봄

저자 씀

차 례

제1부

현대시의 방법론

Ⅰ. 시적 조사법

시적 조사법(poetic diction)이란 시어의 선택과 표현방법을 말한다. 고대의 시론가나 현대의 어떤 비평가들은 특별히 시적 언어가 따로 존재한다고 생각하였다. 일상적 언어가 자연스럽고 비속한 반면 시적 언어는 인공적이며 미적인 것으로서, 그것은 일상의 범상한 언어가 아니라 일반적으로 시적 혹은 미적이라고 생각되는 아어(雅語)이어야 한다는 것이다.

그러나 이것은 시어의 유기체적 구조성을 고려하지 않은데 그 원인이 있는 것으로 보인다. 시에서 쓰이는 언어, 즉 시어는 시 자체의 총체적 의미구조의 필연성에 의하여 결정되는 것이지 따로 존재하는 것이 아니다. 이와 같은 시어의 구조적 특성은 현대시론의 방향을 시에서의 언어문제를 구명하고 해결하고자 하는 노력으로 향하게 하였다. 먼저 이러한 노력은 "시는 전세기의 모든 전통에서 벗어나 가장 우수한 산문(masters of prose fiction)에서 새로운 언어기법을 발굴해야 한다"[1]는 포오드(F.M. Ford)에서 비롯된다.

그러나 이보다도 먼저 시어의 문제가 논의의 대상으로 된 것은 워즈워드(W. Wordsworth)의 『서정민요시집(Lyrical Ballads)』 재판 서문의 출현으로부터 비롯된다. 그는 거기에서 시적 언어는 일상적 언어 혹은 산문적 언어와 근

---

1) C. E. Pulos, *The New Critics & the Language of Poetry*, 10-11쪽.

본적으로 다른 것인가 하는 물음을 제기하여 시에만 쓰일 수 있는 시적 언어가 별도로 존재한다는 기존의 통설을 부정하기 시작했다.

한편 포오드의 주장은 "시어는 독창성을 구유하여 산문의 고정적 표현법을 벗어나야만 한다"[2]는 흄(T.E. Hulme)의 이론으로 이어졌으며 이 이론은 마침내 1908년 런던의 파운드(E. Pound)를 중심으로 한 이미지스트 운동으로 발전하였다. '언어의 혁명'(revolution of the word)을 근본적인 이념으로 삼는 이들은 시어의 문제가 시작과 비평의 중심 방법론이 됨을 역설하였다. 재래의 상투적인 아어위주의 조사법과 형식의 매너리즘에서 벗어나고자 하는 이 이미지스트운동은 시에 쓰이는 언어를 면밀히 분석함으로써 시의 본질과 기능을 구명하고자 하는 신비평(New Criticism)으로 전개되었던 것이다. 이 신비평의 방법론은 엘리오트(T.S. Eliot)의 통합된 감수성(unified sensibility)의 이론과 객관적 상관물(objective correlative) 이론[3]에서 출발하여 다분히 심리학과 미학에 기초를 둔 리챠즈(I.A. Richards)의 시 방법론을 거친 후 렌섬, 데이트, 워렌, 브룩스, 엠프슨 등으로 이어지면서 확고한 이론으로 정립되었다. 엘리오트 이후 신비평의 아버지로 알려진 리챠즈는 예술의 실체는 미적 경험이 아니라 일상경험에 조직과 통일이 부여된 것뿐이라고 주장함으로써 시적 세계와 일상적 세계의 거리를 최소한으로 좁히고, 포괄의 시(poetry of inclusion) 이론을 역설한 것은 주지의 사실이다.

한편, 엘리오트의 시어론은 파운드의 이미지 이론과 은유 이론에서 그 근원을 찾을 수 있으며 리챠즈의 이론 역시 포오드, 흄, 파운드 등의 이미지즘에 연원을 두고 있다. 그러나 리챠즈는 콜릿지의 상상력 이론이나 근대언어학에서 더욱 큰 영향을 받았다고 볼 수 있다. 특히 그의 시학의 근간을 이루는 포괄의 시, 문맥이론(context theorem)에 의한 신비평 이론은 시어의 상호작용을 강화

---

2) *Ibid.,* 19쪽. 재인용.
3) T.S. Eliot, *Selected Essays*(London: Faber & Faber, 1976)124-125쪽.

하는 면에서 은유의 기능을 강조하고 있다. 또한 이 은유의 기능에 의한 시 방법론을 핵심으로 하는 신비평은 엠프슨이 그의 주저인 『애매성의 일곱가지 유형(Seven Types of Ambiguity)』에서 보여주듯이 애매성(ambiguity)의 이론을 비롯하여 리이드, 랜섬, 블랙머, 윈터즈, 배비트, 브룩크, 테이트, 웰렉, 브룩스 등의 분화된 관점과 이론으로 전개 발전해 나간 것이다.

특히 브룩스는 시어를 전체적 구조 속에서의 유기적 조직체(organic form)로 파악하여 시를 총체적 문맥에서의 연관성의 조직체계(an organic system of relationship)로 보고 있다. 이런 점에서 브룩스는 시어의 중심적 기능을 이미지와 은유로 보아 흄과 리챠즈의 이미지론과 은유론을 종합 심화시키고 있는 것이다. 브룩스에 의하면 시는 생명과정의 이미지이며 동시에 인간 자신의 계발적 이미지이다.4) 또한 이미지는 모든 해석의 용구이며 시는 추상이 아니라 구체적 매체(concrete particulars)를 통하여 표현되어야 하는바, 이러한 이미지 표출에 부수되는 모든 형상화 과정은 바로 은유의 기능에 달려있는 것이다. 그런 까닭에 은유는 이미지를 고착화하여 시에 레알리떼를 부여하는 작용을 할 뿐만 아니라 시의 구조 자체로서 시적 진리를 발견하고 계시하는 통찰력의 중심기능을 수행하는 시의 주된 방법론이 되는 것이다.5)

이렇게 볼 때 은유는 단순한 시적 조사법으로만 머물지 않고 현대시의 중심 방법론이 될 수 있는 소지를 그 어느 것보다도 충분히 내포하고 있음을 알게 된다.

---

4) C. Brooks&R.P. *Warren, Understanding Poetry*(New York: Holt Rinehart&Winston, 1960)343쪽.
5) *Ibid.,* 270쪽.

1. 은유

1) 은유의 정의

은유(metaphor)는 희랍어 μεταφορά에서 나온 말로 본래의 의미, 즉 원의는 전의(transfer)이다. 이것의 어원을 분석하면 그것은 meta(over)와 phore(carry)의 결합으로 '넘겨줌', 즉 의미의 상승을 뜻한다. 이러한 은유는 아리스토텔레스(Aristoteles)가 최초로 전의 혹은 전이의 개념으로 파악한 이래 많은 굴절과 변용을 겪으면서 가장 중요한 문학적 요소로 수용되는 용어인바, 그 사전적 의미는 유추나 공통성의 암시에 의하여 사물이나 관념을 문학적으로 대치, 외연하는 언어 용법을 가리킨다.[6]

재래의 수사학에서는 은유를 단순한 전의법이나 문장의 장식적 수단으로 보는 것이 보편적인 견해였다.[7] 이 수사적 은유연구는 아리스토텔레스의 전의법(trope)에서 비롯된다. 그는 은유를 "하나의 사물에게 그것이 아닌 다른 것에 속해 있는 명칭을 부여함으로써 성립되는 수사법의 일종"[8]이라고 하여 평면적인 은유관을 보여주고 있다. 그는 또한 은유는 천재의 표징이며 다른 사람에게 전해질 수 없는 특징적인 것이며 일상어의 용법에서 벗어난 예외적인 수사법이라고 말하고 있다. 후에 이러한 아리스토텔레스의 주장은 리챠즈에 의해 그 부적합성이 지적되었지만 이 이론은 고전적인 은유관을 대표하는 것이었을 뿐만 아니라 후세에까지도 그 영향력을 미친 바 크다. 이 아리스토텔레스의 이론은 퀸틸리안(Quintilian)에게 계승되었는데, 그는 수사법의 종류로 은유를 비롯하여 환유, 제유, 남유(濫喩), 전유(轉喩), 통칭(通稱), 우유(寓喩), 미(謎), 반어법(反語法), 천설법(迂說法), 전치법(轉置法), 과장법(誇張法),

---

6) N. Webster, *Webster's Third New International Dictionary*(Massachusetts: G&C. Merriam Company, 1963)1420쪽 참조.

7) A. Preminger edit, *Princeton Encyclopedia of Poetry&Poetics*(New Jersey: Princeton Univ. Press, 1974) 490쪽.

8) I.A. Richards, *The Philosophy of Rhetoric*(London: Oxford Univ. Press, 1979), 86-99쪽.

의성법(擬聲法), 환칭(換稱) 등 표현과 관련이 있는 수사적 기법9)을 언급하고 있다. 이와 같은 문법적 수사학은 알렉산드리아, 로마 시대를 거쳐 중세 이후까지 그 전통이 이어져 오고 있으며 현대에 이르러서도 힐(A.S. Hill)과 같은 수사학자는 은유를 문장의 장식(ornament, decoration)적 수단으로 생각하고 있다.10) 그러나 근대에 와서 수사학은 수사적 가치의 재발견이라는 문제에 도달하였다. 리챠즈는 이에 관하여 『수사철학』(The Philosophy of Rhetoric)』 등을 통하여 깊은 성찰을 보여주었다.

또한 하야카와(S.I. Hayakawa)도 "오랫동안 은유와 직유 등은 언어의 장식적인 것이라고 생각되어 왔다. 즉 수를 놓는 것처럼 옷감의 외관을 좋게 하는 것으로 생각되었을 뿐 그 유용성은 무시되어 왔다"11)고 하여 수사관의 뚜렷한 변천상을 말해 주고 있다. 이러한 은유에 대한 관심은 이미지스트 운동 이후에 본격화한 시어 연구와 결부되어 신비평(New Criticism)의 주방법론으로 수용된다. 이 시론적 은유관으로 말미암아 은유연구가 더욱 다양화되고 본격화되었음은 물론이다.

그 실례로서 머리(J.M. Murry)는 은유를 "정확한 형용(epithet)을 탐구한 결과"12)라고 정의하여 재래의 장식적 은유관을 부정, 새롭게 변화시키고 있다. 또한 리이드(H. Read)는 "은유는 등가의 섬광적 조명"13)이라고 하여 리챠즈가 설정한 '원관념(tenor)과 보조관념(vehicle)의 상호작용'이라는 은유에 대한 견해를 발전시키고 있다. 이와 같은 리이드의 은유관은 시적 은유의 요체를 극명하게 지적한 것이 되며 은유가 시의 본질적 구조의 근간을 이루고 있음을 보여준다.

---

9) P. Guiraud, *La Semantique*(Paris: P.U.F., 1955)37쪽.
10) A.S. Hill, *The Principle of Rhetoric*(New York: Harper&Brothers, 1895)117-118쪽.
11) S.I. Hayakawa, *Language in Thought&Action*(김영준 역, 『의미론』(민중서관, 1977))170쪽.
12) J.M. Murry, *The Problem of Style*(London: Oxford, 1922)83쪽.
13) H. Read, *English Prose Style*(London: G. Bell & Sons, 1932)28쪽.

그리고 브룩스(C. Brooks)는 "은유는 시적 통찰력의 한 방법"[14]이라고 하여 은유가 현대시의 중심적인 방법이 되고 있음을 말해주며, 뮐러(M. Muller)는 은유를 시적 은유(poetic metaphor)와 기초적 은유(radical metaphor)[15]로 구분하여 은유의 두 가지 양상을 보여주고 있다. 그러므로 "은유는 시에서 특히 성취될 수 있는 내적 관련성의 근본적 과정"[16]이라는 정의는 현대의 은유에 대한 관점을 종합적으로 표현한 것이 된다고 할 수 있다.

위에서 간단히 살펴본 바와 같이 현대시학의 은유관은 고대의 전통적 수사학의 관점과 상당히 다르다. 다시 말하면 고대의 수사학이 은유를 문장 수사의 장식적인 기법으로 파악한 것과 달리 현대시학에서는 그것을 본질적, 창조적, 의식적으로 시의 생명인 자각적인 요소들을 자유롭게 활용하여 시의 중핵적인 관념을 형상화하는 필수 불가결한 시적 방법으로 보는 것이다.

2) 은유와 직유

본 절에서는 은유와 더불어 시적 수사법의 핵심을 이루는 직유(simile)를 살펴보기로 한다. 시에서 이미지란 개념은 일반적으로 언어로 조직된 회화[17]이지만, 이것은 단순한 심적 회화가 아니라 감각적 체험의 표현인 동시에 시의 중심구조이며 나아가서는 시 자체로 볼 수도 있다.

그러나 브룩스도 말했듯이 시인은 이미지를 단순한 기술형식(descriptive fashion)으로 표현하는 것이 아니라, 비유(comparison)를 통하여 표출하는 것이다. 이것이 브룩스의 용어로는 비유어법(figurative language)[18]이며, 이 비유어법에 가장 유용하고 공통적인 특성을 지니고 있는 것이 직유와 은유이다.

---

14) C. Brooks&R.P. Warren, *op. cit.,* 270쪽.
15) O. Barfield, *Poetic Diction,* 76쪽.
16) A. Preminger edit., *op. cit.,* 490쪽.
17) C.D. Lewis, *The Poetic Image*(London: Jonathan Cape, 1958)18쪽.
18) C. Brooks&R.P. Warren, *op. cit.,* 555쪽.

그러므로 루이스(C.D. Lewis)는 시적 이미지의 상대 축(opposite poles)으로 은유와 직유를 설정하고 이에 의해 시적 이미지가 창조된다[19]고 하고 있다.

직유는 보통 '드러난 비교(stated comparison)'를 사용하는 방법을 말한다. 은유가 '내포된 비교(implied comparison)'를 사용하는 반면, 직유는 공식적인 비교표현의 매체를 갖는 것이다. 다시 말하면 직유는 '~같은, ~처럼, ~듯이' 등의 말로 동등하게 비유하는 것이며, 은유는 그러한 연결사 없이 A를 B로 대치(A는 B다)해 버리는 것이다. 은유라는 한자어가 가리키듯이 그것은 '숨겨진 비유(hidden figure)'로서, 보조관념만이 표면에 드러나며 원관념은 이면에 숨는다.

한편 리이드는 은유와 직유의 차이를 단지 "문체적 세련의 정도(degree of stylistic refinement)"[20]에 있다고 한다. 그에 의하면 직유는 두 대상 간의 직접적인 관계에서 비유가 성립되며, 이것은 문학적 표현의 초기 단계가 된다고 한다. 이에 비해 은유는 등가의 섬광적 조명이며 의미를 고착 조명하는 효과를 갖고 있다[21]고 한다. 사실 직유는 공통성 인식 유추의 가장 직접적이고 효과적인 방법으로 오랫동안 사용되어 왔으며 아직도 그 표현상의 효과는 계속되고 있다. 이것은 비유법의 기본적인 단계에 속하는 것으로서 대표적인 방법 중의 하나이며 일상의 표현 속에서 얼마든지 찾아볼 수 있다. 또한 현대의 시적 표현에서뿐만 아니라 고대의 시작품 속에서도 많이 찾아볼 수 있다.

아리스토텔레스는 "은유는 디테일이 없는 직유이며 서로 대치될 수 있다"[22]하였고, 씨세로(Cicero)도 "은유는 직유의 단축형이다"[23]라고 말하였으며, 현대의 많은 수사학자들도 이와 유사한 의견을 보여주고 있다. 그러나 이

---

19) C.D, Lewis, *op. cit.,* 22쪽.

20) H. Read, *op. cit.,* 28쪽.

21) *Ibid.,* 28-30쪽.

22) C. Brooke-Rose, *A Grammar of Metaphor*(London: Secker&Warbourg, 1958), 14쪽.

23) *Ibid.,* 14쪽.

러한 일반적이며 수사학적인 개념과는 달리 시적 효과의 면에서는 현격한 차이를 볼 수 있음은 물론이다.

직유도 감정 가치가 형성되긴 하지만 새로운 의미의 정서 가치의 형성과 고착에는 한계를 갖는다. 직유는 제한된 시적 의미영역을 갖고 있을 뿐인 것으로 현대시에서 은유와 직유의 대치는 의미연관과 심상 구조상 불가능에 가깝다. 비록 직유의 다양한 표현 매체가 그 나름대로 독특한 시적 효과의 특성을 구유하고 있다 할지라도 현대시의 심화된 시적 특질에 적응하기엔 다소간 거리가 있기 때문이다.

한국 현대시에서 사용되고 있는 직유를 시적 효과의 특성으로 살펴보면 다음과 같다.[24] '같이'는 비유가 선명하고 확실 뚜렷하나 덜 시적이고, '처럼'은 감각적이며, '양', '인양'은 암시적 효과를 갖고, '듯'은 함축적이며 시적 여유를 보여주며, '보다'는 가치의 축적을 내포하고 있다고 보인다. 결국 직유는 크로이저(J.R. Kreuzer)의 말대로 시인의 독창력을 요구하고 예리한 관찰력을 요하는 점에선 은유와 비슷하지만 일방적인 고정성으로 인하여 시적 의미의 확대 및 심화에는 큰 기능을 발휘하지 못하는 차이가 있다.[25]

3) 은유와 상징

비유와는 다소 성질을 달리하고 있지만, 시에 있어서 비교와 통찰과 전달의 효과적인 방법으로 은유가 강조되듯이 시의 중추적 방법으로 사용되는 것에 상징이 있다. 랭거(S.K. Langer)에 의하면 상징(symbol)과 기호(sign)는 구별된다. 우선 기호는 사물과 사건과 상황에 대한 현재와 과거와 미래의 존재를 나타내며, 연기가 불의 존재를 의미하는 것과 같이 연상(association)에 의한 논리적 관계[26]를 말한다. 즉 기호는 기호와 대상과 의미의 직접적 관계이며 동물

24) 김윤식, 『Structural Properties of Poetry』(서울대석사학위논문, 1962) 참조.
25) J.R. Kreuzer, Elements of Poetry(N.Y.: The Macmillan Co, 1955)78쪽.

이나 사물에 편재하는 것이다. 그러나 상징은 인간 심리의 전체과정에 속해 있으며 대상의 대용이 아니라 대상의 개념에 대한 매개물(vehicle)이다. 다시 말하면 기호는 기호와 대상과 의미의 3각 관계이나, 상징은 주체와 상징과 개념과 대상의 4각 관계[27]로 나타나는 것이다. 이와 더불어 은유와 상징은 원관념(tenor)과 보조관념(vehicle)의 유무에 의해 구별되는 것이 일반적인 구분법이다.

브룩스에 의하면 상징은 은유로부터 원관념(first term)이 생략되어 있는 것이다. 예를 들면 "그 소녀는 장미다"하면 장미의 특질이 소녀에게 은유적으로 전이되는 것이나, 장미 자체만 사용되어 소녀를 의미하면 상징적 전이가 된다는 것이다. 그러므로 상징은 어떤 것을 대신하여 대상이나 사건을 생각하게 하는 것이라 볼 수 있다. 다시 말하면 상징은 의미를 지적하는 기호인 것이다.

이러한 상징은 크게 두 가지로 구별될 수 있는데, 그 하나는 관습적 상징이며 다른 하나는 창조적 상징이다. 십자가가 기독교를 상징한다든가 국기가 나라를 상징하는 것 등은 관습적 상징이며, 그와 같은 것을 넘어서서 시인의 독창적인 의미가 부여된 것은 창조적 상징이다. 그러나 시인에게서 중요시되는 상징의 용법은 관습적이며 보편적인 상징을 습용하는 것이 아니라 그 자신만의 독창적인 상징을 창조하여 창조적으로 활용하는 창조적 상징의 영역이다.

한편, 우리는 문학사에서 가끔 혼동된 채 사용되고 있는 상징과 상징주의(symbolism)에 대한 확실한 구별이 필요하다는 점을 지적해야 한다. (이에 관한 문제는 본고에서 제외하기로 한다).

지금까지 살펴본 바를 간단히 요약하면, 결국 은유는 하나의 관념과 대상을 설명하거나 혹은 그 특질을 묘사하기 위해서 다른 대상을 환기하는 것임에 비해, 상징은 하나의 대상만으로 감성과 지성의 정신기능을 융합하여 존재의 본

---

26) S.K. Langer, *Philosophy in A New Key*(Cambridge: Harvard Univ. Press, 1957)58쪽.
27) *Ibid.*, 63-64쪽.

질에 대한 인식을 꾀하는 것이다. 이렇게 볼 때 은유와 상징은 상호 보충되어 시 세계를 심화하는 시의 양대 방법론이 된다.

2. 이미지

일반적으로 이미지 (image)는 '언어로 짜여진 회화'라고 정의된다. 과거의 시가 운율과 리듬을 중시하는 음악적이고 외형적인 시였다면 현대시는 이미지를 중시하는 회화적인 성향을 지닌다. 그러나 시적 이미지는 단순한 언어의 그림에 불과한 것이 아니다. 루이스에 의하면 "시적 이미지는 문맥 속에 인간의 정서를 저류로 가지고 있는 다소간 비유적인 언어를 사용한 감각적인 회화"[28]이다. 즉 시적 이미지란 감각적 성질을 가지고 있는 생명적인 유기체라고 할 수 있다. 또한 브룩스(C. Brooks)와 워렌(R.P. Warren)은 감각 현상의 재현을 이미저리(imagery)라고 하는데 이미저리는 단순히 심적 영상으로 이루어지는 것이 아니라 감각의 어떠한 것에 호소한다[29]고 말했다. 이와 더불어 웰렉(R. Wellek)이나 워렌(A. Warren)은 이미지를 감각 혹은 지각적 체험을 지적으로 재생하는 인식의 수단[30]으로 보고 있다. 이 외에도 머리(J.M. Murry)나 리챠즈, 파운드 역시 이미지를 시적 인식의 한 방법으로 보고, 이미지는 단순히 시각적인 것이 아니라 수많은 과거 감각의 지적인 재생이라고 말한다. 결국 이미지란 시적 인식에서 이룩된 유기적 생명 혹은 체험의 심상회화라고 할 수 있다.

방대한 저작을 남기느니보다 오히려 일생에 있어서 오직 한 번만이라도 훌륭한 이미지를 만드는 것이 낫다고 주장한 파운드의 말을 빌릴 것도 없이 문

---

28) C.D. Lewis, *op. cit.*, 18-19쪽.
29) C. Brooks & R.P. Warren, *op. cit.*, 554쪽.
30) R. Wellek&A. Warren, *Theory of Literature*(Harmondsworth: Penguin Books, 1976) 186쪽.

학, 특히 시에 있어서 이미지의 중요성이란 아무리 강조해도 지나치지 않는다. 모든 예술은 이미지로 이루어진다. 문학은 이미지 없이 이루어지지 않으며 특히 시는 불가능하다[31]는 쉬콜로브스키(V. Shklovsky)의 말은 이러한 사실을 더욱 확실하게 해준다. 왜냐하면 이미지는 상상력의 발현 상태이며 상상력 그 자체라고 말할 수도 있기 때문이다. 따라서 이미지는 시적 사고와 인식의 기본수단이 된다. 실상 모든 시는 그 자체가 하나의 이미지라고 말할 수 있는 것이다.

그러면 이와 같은 이미지의 종류에는 어떠한 것이 있는가. 웰렉과 워렌이 든 것을 보면, 시적 이미지는 시각적 이미지(visual image), 청각적 이미지(auditory image), 미각적 이미지(gustatory image), 후각적 이미지(olfactory image), 근육 감각적 이미지(kinesthetic image), 색채적 이미지(colour image), 역동적 이미지(dynamic image) 및 공감각적 이미지(synaesthetic image)로 구분할 수 있다.[32] 또한 신화 비평가 프라이(N. Frye)는 이미지를 예시적 이미지(apocalyptic image)와 악마적 이미지(demonic image) 그리고 유추적 이미지(analogic image)로 구분하기도 한다. 현대에 와서는 그것을 정신적 이미지(mental image), 비유적 이미지(figurative image), 상징적 이미지(symbolic image) 등으로 나누는 것이 일반적이다.

그러면 이미지는 시 속에서 무슨 기능을 수행하는가. 이미지가 시의 다른 요소들과 유기적인 결합을 이룩하면서 시 속에서 구체적으로 나타내는 기능은 무엇인가. 간단히 말하면 이미지는, 첫째 시 속의 화자가 말하고 있는 제재(subject)를 현시한다. 화자가 시 속에서 말하고 있는 것은 이미지이며 그것은 화자의 앞에 현전하거나 뒤에서 회상된다. 둘째로 제재는 축어적 이미지에서 비유적 혹은 상징적 이미지로 전환되며, 화자의 진술을 통하여 주어진 제재가

---

31) V. Shklovsky, *Russian Formalist Crticism*(Univ. of Nebraska Press, 1965)5쪽.
32) R. Wellek & A. Warren, *op. cit.,* 187쪽.

다른 제재와 대조됨으로써 이미지는 제재이면서 동시에 상징이 되기도 한다. 셋째로 이미지들은 시 속에서 하나의 유추가 된다. 곧 축어적 양식에서 벗어나 순전히 비유적 양식으로서의 기능을 나타낸다.[33]

한편 현대에 와서 바슐라르(G. Bachelard)는 상상력 내지 이미지의 미학을 구축하는 데 공헌을 한 사람이다. 그에 의하면 상상력의 창조 활동의 산물인 이미지는 상상력의 유형에 따라 크게 두 가지로 구분된다. 그 하나는 물질적 상상력(l'imagination matérielle)의 소산인 물질적 이미지(l'image matérielle)이며 다른 하나는 형식적 상상력(l'imagination formelle)에 의하여 파악되고 산출되는 형태적 이미지(l'image formelle)이다. 그는 "그러나 우리는 물체를 가지고서는 깊게 꿈꾸지 못한다. 깊게 꿈꾸기 위해서는 물질을 가지고 꿈꾸어야 한다"[34]라고 말하고 있다. 이러한 사실은 궁극적으로 상상력 혹은 이미지의 역동성을 강조하기 위한 것이다.

앞에서도 언급했듯이 한 편의 시는 그 자체가 하나의 이미지라고 할 수 있으며, 시적 이미지가 현대시의 특징적인 방법 중의 하나로 활용됨은 명확하다. 그런데 이러한 이미지는 주제와 긴밀히 결합되어야 하며, 신선하고도 독창적이며, 탄력이 있어야 하고, 아울러 이미지 구현방법인 은유, 상징 등과도 유기적인 관련이 맺어져야만 함을 기억해야 한다. 하나의 이미지는 그것을 지탱해주는 여타의 요소들과 창조적인 결합을 획득함으로써 만이 구체적인 의미를 부여받을 수 있는 것이기 때문이다.

3. 역설

역설(paradox)이란 진실이 아닌 것처럼 보이지만 면밀히 살펴보면 타당성

---

33) 이승훈, 『시론』(고려원, 1978)124-125쪽.
34) G. Bachelard, *L'eau et les Rêves*(José Corti, 1973) 33쪽.

이 입증되는 진술 방법이다. 즉 표면적으로는 모순되지만 그 내면에는 진실을 내포하고 있는 표현방법을 말한다. 브룩스에 의하면 현대시는 은유와 역설로 구성된다고 한다. 특히 그는 현대시의 언어가 역설의 언어임을 강조하고 있다.35) 역설의 언어란 격렬하고 발랄하며 재치가 있는 기지의 언어이다. 따라서 정서의 언어라기보다는 지성적인 자질을 지니는 언어이다. 현대시가 주지성을 바탕으로 해서 이루어졌음을 고려할 때 이와 같은 특징을 내포하고 있는 역설은 시에 적합한 것이다. 과학의 언어는 개념(meaning)과 진술(referent)이 1:1대응(one to one correspond)의 관계를 추구하기 때문에 역설을 배제한다. 그러나 시어는 유추를 기초로 하기 때문에 역설이 필수적인 요소가 된다. 따라서 역설은 단순한 표현방법으로서뿐만 아니라 생의 진리를 통찰하고 해석하며 초극하는 정신의 힘으로 존재하는 것이다.

현대시에서 은유가 장식적인 표현기법이 아니라 상상력을 전개하고 관념을 드러내는 핵심 방법인 것처럼, 역설도 단순한 표현 방법이 아니라 시의 기본구조로서의 특성을 지닌다. 실상 근본적인 면에서 볼 때 정신과 육체, 현실과 이상, 운명과 자유 등의 모순의 주체로서의 인간의 삶 자체가 역설인 것이며, 물질문명과 과학주의가 지배하는 현대 문명 속에서 신화적 시간과 휴머니즘으로의 회귀를 지향하는 시가 공존할 수 있다는 사실 자체가 역설인지도 모른다. 그러므로 현대시가 기계주의의 현대 문명을 인간주의의 시로 끌어들이기 위해서는 역설이 불가결한 재원이 되는 것이다.

먼저 브룩스는 워즈워드의 시편들, 특히 「웨스트민스터 다리 위에서(Composed Upon Westminster Bridge)」를 분석함으로써 역설의 실례를 들어 보이고 있다.36)

---

35) C. Brooks, *The Well wrought Urn*(New York: Harcourt, Brace&World, Inc., 1975)3쪽.
36) *Ibid.,* 5-11쪽.

① Silent, bare,

　Ships, towers, domes, theatres, and temples lie

　Open unto the fields……

　고요하고 황량한

　배들, 탑들, 궁륭(穹窿)들, 극장, 사원들이

　벌판을 향해 펼쳐져 있느니

② Never did sun more beautifully steep

　In his first splendour, valley, rock, or hill……

　태양은 첫 햇살의 장엄한 광채로 이보다 더 아름답게

　물들일 수 없는 것을, 계곡이며, 바위며, 언덕을……

③ The river glideth at his own sweet will……

　강물은 빛나며 자유롭게 흘러가고

④ Dear God! The very houses seem asleep

　And all that mighty heart is lying still!

　주여! 모든 집들은 잠들어 있고

　모든 힘찬 생명들은 아직도 고요하기만 합니다.

　①에서는 잠든 도시 런던의 모습이 윤곽으로 떠오른다. 아침 일찍 잠든 도시의 모습이 벌판과 대조되어 역설적인 시적 상황(paradoxical situation)을 이룬다. 도회지 아침의 고요함이 전원의 아침으로 유추되어 있는 것이다. 몽블랑 산(Mt. Montblanc)과 같이 천연의 고요함이 아닌데도 런던이 그와 유사한 모습으로 묘사되는 역설인 것이다. ②에서는 인공의 도시 런던이 아침 햇살에 의해 새롭게 탄생하는 모습을 묘사한다. 여기서도 계곡과 바위 등 자연과 이미지 연관을 갖는다. 도회지의 번잡도 아침의 한순간에는 자연의 일부로서 청신한 아름다움을 획득한다는 역설인 것이다. 따라서 ③에서는 강(江)의 모습이 원초적인 형상을 지니게 된다. 즉 문명의 강이 아니라 아침결에는 유동적

이며 자연스러운 굴곡을 지닌 자연의 강으로서의 원래적 아름다움을 드러내는 것이다. 그러므로 ④에서의 "집들이 잠들어 있고"라는 표현이 가능해진다. "잠들어 있다"라는 표현은 그것들이 살아있다는 가설을 전제로 해야만 성립이 된다. 이처럼 런던이라는 도시가 자연의 일부로서 살아있다고 느낄 수 있는 시간은 도회지가 잠들어 있는 새벽에만 가능하다는 역설이 형성되게 되는 것이다. 결국 역설은 아이러니와 경이감을 속성으로 지니며[37] 시의 우수성을 드러낼 수 있는 잠재적 동인이 되는 것으로 볼 수 있다. 가장 전원적인 시인으로 알려져 있는 워즈워드의 경우에도 이처럼 우수한 역설이 잠재해 있다고 볼 때 역설은 시어의 언어적 속성과 시의 본질 자체에 기인된다고 보여진다.[38] 시인의 용어는 꾸준히 시 속에서 상호 침투하면서 사전적인 의미를 파괴하는 것이다. 즉 일상어로서의 의미가 역설에 의해 새로운 의미의 시어로 탄생하는 것이며, 동시에 모순이 모순을 극복하고 초월적 진리로 상승하는 과정, 그것이 바로 역설의 참된 의미인 것이다.

이러한 브룩스의 이론은 휠라이트(P. Wheelwright)에 이르러 구체적인 이론적 체계를 갖추게 된다. 그는 역설이 경이감과 흥미를 일으키고 새로운 투시(perspective)를 제시하는 현대시의 기본방법임을 주장하면서 역설의 세 가지 용법을 제시하였다.[39] 즉 ①표층적 역설(the paradox of surface)과 ②심층적 역설(the paradox of depth), 그리고 ③진술과 암시의 역설적 상호작용(the paradoxical interplay of statement and innuendo)이 그것이다. 표층적 역설이란 관습적인 모순어 법으로서 '차가운 불(cold fire)', '병든 건강(sick health)', '사랑의 증오(loving hate)' 등이 여기에 해당된다. 심층적 역설은 초월적인 진리를 더욱 강하게 지향하는데 이것은 의미 있는 개연성(probability)의 제시에 있어 신

---

37) *Ibid.,* 7쪽.
38) *Ibid.,* 8쪽.
39) P. Wheelwright, *The Burning Fountain*(Bloomington: Indiana Univ. Press, 1964) 70-73쪽.

비스름고 다면적이기 때문에 다분히 부적당하고 난해한 느낌을 준다. 이러한 예로는 '시간을 정복하는 것은 시간뿐이다(only through time is conquered)', '우리의 유일한 건강은 질병뿐이다(our only health is the disease)' 등 형이상학적 깨달음이 내포되어 있다. 따라서 심층적 역설은 창조 정신을 바탕으로 하는 시에 있어서 필수불가결한 방법이며 재원이 되는 것이다. 이것은 역설이 모순을 극복하고 초월적인 동일성을 획득하는 바탕이 되기 때문이다. 그리고 ③항은 이미저리 속에 잠재해 있는 암시에 의해 일어나는 역설이다. 시행에서 구체적으로 드러나는 직접적 진술이 이미저리 속에 내포돼있는 암시적 진리와 역설적인 상호작용을 일으킴으로써 시적 의미를 고양시키는 방법이다. 이것을 흔히 시적 역설(poetic paradox)로 표현하는 것은 이미저리가 구체적으로 드러나기 때문이다. 따라서 휠라이트에 의하면 역설은 동일성과 다양성, 단순성과 복합성, 정신성과 육체성 등 대립되는 명제들을 초월하고 극복하는 효과적인 방법이 되는 것이다.

요컨대, 역설은 모순을 극복하고 시적 초월과 비약을 성취시키는 원동력이 되는 동시에 시적 상상력을 전개하는 근본 원리로 사용되는 것이다. 그러므로 이러한 점에서 역설은 정신적 극복의 힘과 시상을 전개하는 방법론으로서 그 중요성이 인정되는 것이다.

Ⅱ. 현대시와 은유

1. 은유의 발생원리

시를 읽을 때 직접적으로 정서를 자극하는 것은 활자화된 언어문자이다. 시 창작에 따르는 시인의 형상화 과정과 이의 역작용인 독자의 반응과정을 시적 체험(éxpérience poetique)이라 할 때, 시인의 시 형상화는 우선 개념과 청각영상(I'image acoustique)의 결합으로 나타난다. 그런데 언어문자화란 이 형상화가 빠롤(parole)로 물리화하는 대신 시각적 기호로 표현되는 것을 말한다. 또한 이 언어는 그 자체의 의미작용에 있어서 울만(S. Ullmann)이 말하는 것[1]처럼 1)주의(begrifflicher inhalt; essential or central meaning) 2)부의(nebensinn; applied or contextual meaning) 3)주관적 의미(gefihls wert oder stimmungsgehalt; feeling tone)로 구분되어 진다. 시에서의 언어는 보다 정서적인 효과를 위해서 사용되며, 감각적 작용을 통한 암시적, 상징적 성격을 가져야 하는 것이다. 이것은 중심의미와 문맥적 의미, 그리고 정서가 상호 융합하여 의미작용을 상승시키는 언어의 구조적 차원성에 그 바탕을 두고 있는 것이다.

언어의 구조단위를 분석하면 그것은 speech-paragraph-sentence-phrase-word-

---

1) S. Ullmann, *Principles of Semantics*(London: Oxford, 1963)98쪽.

syllable-phoneme으로 나누어지며, 일반적으로 은유 형성의 언어단위는 단어(word) 이상의 위상으로 볼 수 있다. 그런데 이 단어은유는 문맥적 의미(contextual meaning)의 하위 은유 구조로서 언어의 개신력을 이루는 바탕이 된다는 점에서 중요한 의미를 갖는다. 은유의 기본 인자인 단어은유는 주로 단어의 의미 변화를 뜻하는바, 이것은 언어 자체의 불완전성에서 비롯된다. 언어는 자의적인 심벌(symbol)의 체계[2]이며 사상과 감정의 확대와 심화는 언어의 새로운 생성과 진보를 수반하게 된다. 언어 그 자체는 정지 상태에 있기 때문에 인간은 부단히 언어에 생명력을 부여하는 노력을 기울여야 한다. 또한 점점 복잡다기화해 가는 현대의 사회구조와 인간 심리는 필연적으로 새로운 언어 용법과 어휘의 증가를 요구하고 있다. 도우자(A. Dauzat)의 말처럼[3] 언어는 진화하며 무한히 분화될 가능성을 가지고 있으며, 현대어는 특히 어사의 의미를 강화해야 할 영속적 필요에 직면하고 있다. 은유는 이러한 언어 의미의 부족 상태를 보충하기 위하여 발생한 것이다.

다메스테터(A.Darmesteter)는 은유의 발생을 다음 세 방법으로 구분하고 있다.[4]

1)나무의 feuille(잎)와 책의 feuille(장), 동물의 bouche(입)와 대포의 bouche(포구)와 같이 물적인 두 대상을 비교하는 것으로 이것은 동식물, 공업기구 이름에 많다.

2)본래 정신적, 관념적 사실이던 것을 물질적 사물과 비교하는 방법.

3)추상적 관념을 구체적 사물에 적용하는 방법.

그러나 이러한 단어의 의미 전이를 문맥화(contextualize)하면 문학적 의미

2) F.D. Saussure, *Cours De Linguistique Génerale*(Paris: Payot, 1972)25쪽.

3) A. Dauzat, *La Philosophie du Langage*(이기문 역, 『언어학원론』, 민중서관, 1955) 81-108쪽.

4) A. Darmesteter, *La Vie des Mots*(최석규 역, 『낱말의 생태』, 대한교과서주식회사, 1963)42-46쪽.

로 상위 구조화하게 된다.

시 정신의 기본은 창조 정신이다. 그런 의미에서 시인은 그 자신이 사용하는 시어를 새롭게 통합하고 활용하여 새로운 의미를 끊임없이 창조해 내야 한다. 이와 같은 새로운 시적 의미와 개성적 이미지를 창조하고자 할 때 시인은 그 중요한 방법의 하나로서 은유적 표현법을 사용하게 되는 것이다. 이렇게 볼 때, 은유의 발생은 인간 체험영역의 확대와 심화에 기여하는 언어의 부족을 보완하며 동시에 시의 창조적 본성을 충족시키기 위하여 이루어졌다고 볼 수 있을 것이다. 랭거의 말5)대로 은유는 추상적 능력과 표상적 상징을 신봉하기 위한 인간의 정신력에 대한 가장 명확한 증거가 된다.

2. 이론적 접근

우리가 시에서 필요로 하는 언어기능의 세계는 습관적으로 형성되어 있는 인식과 평가의 인습적인 양식을 깨뜨리고 세계를 새롭게 볼 수 있는 것이어야 한다. 이러한 새로운 의미의 세계가 열리는 것은 은유의 창조적인 구조에서 비롯되는바, 은유는 시인의 개성적이며 참신한 이미지의 독창적인 표현방법이다. 그리고 이것은 가장 응축된 형태로 시의 중심 개념을 표현하는 기본방법 중의 하나다. 그 자체가 하나의 존재론적인 성격을 띠고 있는 시는 단순히 대상의 묘사에만 그 의의가 있는 것이 아니라, 만물의 근원으로부터 추상된 정신세계와 현실의 탐구와 묘사에 있다. 이러한 이유로 은유는 시적 방법으로서 그 중요성을 인정받으며, 시인은 은유를 사용하여 자신의 시적 체험을 투사한다. 은유는 시인의 내부에 있는 상상력의 용광로에서 이질적인, 그러나 다양한 시적 체험들을 용해시킨 후에 형상성을 성취한다. 랭보의 경우처럼 시는 행동의 운율화가 아니라 은유 형성의 소재들이 시인의 내부, 즉 상상력의

---

5) S.K. Langer, *Philosophy in A New Key*(Cambridge: Harvard Univ. Press, 1957)125쪽.

용광로에서 사상과 정서의 열기에 의하여 용해되어 새로운 의미의 세계에 도달하는 것이다.

다음은 은유 형성의 원리를 살펴보기로 한다. 은유의 기본방식은 'A=B'의 등식이다. 'A=B'의 등식 구문을 통하여 나타나는 이 구조는 일견 단순하고 평면적으로 보이지만 그 내부구조는 복잡하고 미묘하다. 리챠즈는 'A=B'의 구조에서 A를 원관념(tenor)으로 B를 보조관념(vehicle)으로 규정하여 은유는 이중 단위(double unit)로 형성되어 있다고 말한다. 또한 그는 "원관념과 보조관념의 은유적 결합은 원관념과는 확연히 구별되는 새로운 의미를 산출하게 되며, 원관념에 있어 보조관념은 단순한 장식이 아니라 이의 결합에 의해 좀 더 다양하고 생명력 있는 새로운 의미를 유도하는 작용을 한다"6)고 말하여 A와 B의 상호결합이 새로운 시적 의미를 형성한다고 한다. 실상 은유란 A와 B의 상호작용에 의하여 지금까지의 관념과는 다른 새로운 관념을 탄생시킴으로써 의미의 변질작용을 가져오는 한 방법인 것이다. 이와 같은 은유의 작용으로 인해 시적 상상력은 더욱 새로운 의미체계로 구성될 수 있는 것이다.

고대의 수사학자들처럼 단순히 수사적인 차원에서 살펴볼 때 은유는 'A=B'의 형태를 띠고 있다. 그러나 단순한 수사학적인 차원을 넘어서서 그것을 시적인 공간으로 이끌어 들였을 때 시적 은유는 새롭게 변질된 'A×B'의 형식으로 되어버린다. 그런데 이 A와 B의 결합은 일방적인 요구로 되는 것이 아니라 상대적인 적응력을 가지고 이루어진다. 유추된 B의 속성과 특질이 A 쪽으로 운반되어 서로 보이지 않는 암묵의 적응력에 의하여 융합되어 'A=B'의 형식으로 표현되지만 그 내용에 있어서는 개개의 의미와 전혀 다른 새로운 의미, 즉 'A×B'가 형성되는 것이다. 이것은 은유가 시적 창조 정신의 근간을 이루는 근본 이유가 된다. 그러므로 콘라드는 대상의 지배적 흔적으로 나타나는 'A=B'와 같은 것을 언어학적 은유(linguistic metaphor)로, 'A×B'처럼 대상의

---

6) I.A. Rihcards, *The Philosophy of Rhetoric*(London: Oxford Univ. Press, 1979)96-100쪽.

새로운 분위기와 인상을 형성하는 것을 미학적 은유(aesthetic metaphor)로 규정하고 있는 것이다.[7] 리이드는 은유적 결합에 의한 새로운 시적 의미의 형성 원리에 관해 다음과 같이 말하고 있다.[8] 그것은 두 가지 이미지, 혹은 사상과 이미지가 등가적으로 그리고 상대적으로 작용하여 그들이 서로 의미깊게 융합되고 반응하여 창조되는 것으로써 돌연한 빛(새로운 의미)으로 독자를 놀라게 하는 원리를 내포하고 있다고 하여, 등가의 섬광적 조명으로서의 은유의 요체를 잘 지적해 주고 있다. 이렇게 형성된 은유는 언어의 유기적 구조물인 시 속에서 스스로 생명력을 갖고 시의 총체적 구조 질서 속에서 발현된 의미 작용에 의해 일부는 제어되고 일부는 촉진되어서, 역으로 시적 상상력을 자극함으로써 시작의 역동성을 발휘하게 되는 것이다. 이 점에서 은유는 새로운 의미 창조의 문제에서뿐만 아니라 상상력의 자극 수단으로서의 중요성도 갖게 되는 것이다.

그런데 이 A와 B의 결합의 바탕을 이루는 공통성과 유사성의 관계를 인식하는 것은 인간의 유추 능력에서 비롯된다. 이러한 유추에는 형식 유추와 내용 유추가 있는바, 전자는 두 대상의 '형(形)'에 있어서 유사점이 발견될 때 이루어지는 것이고, 후자는 두 대상의 '상(象)'에 있어서 유사점이 파악될 때 이루어지는 것이다. 이러한 유추작용의 예를 들어 보면 'koz'이라는 표현에서 '화(花)'라는 의미가 형성되고 이것에서 다시 '여성'이라는 유추적 의미가 비롯되는 것이다. 그런데 이들은 단어 내의 유추적 의미 상징과정과 은유 과정을 동시에 내포하고 있는 경우가 많다. 이 기초이론은 아리스토텔레스의 종과 류(species/genus)[9]와 그 후계자인 지오프리, 퀸틸리안에 의해 주장된 정령화(the animate)와 비정령화(the inanimate), 사고의 영역(domain of thought), 그리고

7) R. Wellek&A. Warren, *Theory of Literature*(Harmondsworth: Penguin Books, 1976) 196쪽 재인용.
8) H. Read, *English Prose Style*(London: G. Bell&Sons, 1932)28쪽.
9) C. Brooke-Rose, *A Grammar of Metaphor*(Londen: Secker&Warbourg, 1958)3쪽 재인용.

우세한 특질에 의한 방법 등으로 나누어지고 있다. 카르납(R. Carnap)은 이 은유적 이중단위(double unit)가 생기는 원인으로 후관념(A)이 선관념(B) 보다 더 인상이 강하고 감명이 깊기 때문에 그렇게 더 뚜렷한 것인데, 이것은 희미하고 모호한 것을 보충하려는 심리적 욕구 때문이라고 한다.

휠라이트는 삶의 원리를 투쟁의 원리, 즉 긴장(tension)의 원리로 파악하고 있다. 그는 유기체에서 긴장이 종식되면 생명이 끊어진 것이나 다름없다고 말하면서 시의 경우 그 속에 사용된 언어는 장력 언어(tensive language)이며 그것은 투시적 시점(perspective individualize)을 지향한다고 하는데 이와 같은 그의 견해는 은유를 논의하는 데 있어서 한 해결점을 제시한다. 그에게 있어서 장력 언어는 의미론적 장력(semantic tension)을 지향하며 이것은 사물의 리얼리티를 표현하는 인간의 핵심적 활동이다.10) 이와 같은 휠라이트의 논리는 우리에게 은유가 무엇을 야기시키며 상호 침투성의 원리가 지향하는 세계가 무엇인가에 대해 좀 더 명확한 해답을 제공할 것이다. 여기서 우리는 리챠즈가 말하는 원관념과 보조관념의 관계를 넘어서는 은유의 논리를 획득하게 된다. 그리고 비로소 은유의 원리가 투쟁 혹은 장력 자체와 인간으로서의 개별적 시점이라는 명제에 연결됨으로써 은유의 양면성을 투시하게 되는 것이다.

은유 형성의 원리는 외견상 기본적 은유 형식인 'A=B'에서 출발한다. 그러나 시인의 이질적인 총체적 체험 요소들은 시인의 상상력의 용광로에서 서로 반응 충돌하여 초논리적인 정적 연쇄반응을 일으키고 이에 상징과정과 유추과정 그리고 창조적 직관과 합하여져 새로운 은유 세계를 창조하는 것이다. 동시에 여기에서 심미적 긴장체계의 섬광적인 조명이 이루어진다.

---

10) P. Wheelwright, *Metaphor&Reality*(Bloomington: Indiana Univ. Press, 1968), 89-90쪽.

3. 형태적 분석

보편적인 언어사용에 있어 은유를 식별할 수 있는 능력은 누구에게나 편재하는 원리이다. 그리고 시의 해석이란 시에 사용된 은유의 베일을 구조적으로 분석하여 걷어내며 그 내부에 축조되어 있는 사상과 정서의 형질을 명확히 밝혀내는 일이다. 그러나 보편적인 언어사용에 있어서 은유를 식별할 수 있는 능력은 대부분의 사람에게 부여된 자질이지만 고도화한 창조 정신과 복합한 시적 메커니즘을 통하여 형상화된 시에서 은유를 식별하고 면밀히 분석하는데는 상당한 분석능력 해석능력을 필요로 한다. 그러므로 루이스(L.L. Lewis)와 알탠번드(L. Altenberned)11)는 시를 해석하는 데 있어서 은유적 함축(metaphorical implicaton)을 명확히 분석해야만 올바른 시의 해석에 도달할 수 있다고 주장하는 것이다.

모든 시는 그 나름대로의 독특한 구조를 지니고 있다. 시란 개성의 표현이다. 따라서 각각의 시는 시인의 상상력을 통하여 표출된 시인만의 독특한 표현체계와 구조를 지니고 있는 것이다. 그러므로 각 시인의 독특하고 다양한 시적 특징처럼 현대시 형상화 방법에 있어 중요한 면을 점하고 있는 은유형태도 시인에 따라 다양성을 띠게 됨은 물론이다. 시인에 있어서 은유의 다양성은 단순한 수사적 양식이 아니라 시의 유기적인 내적 요구에 의해 알맞은 형태로 나타난다.

한국 현대시에 나타나고 있는 은유는 다음과 같은 몇 개의 형태로 분석이 가능하다. 가장 기본이 되는 형태는 이른바 계사형(copula form)12)인데, 이 계사형은 다음과 같은 네 가지 과정을 거쳐서 나타난다.

---

11) L.L. Lewis&L. Altenberned, *A Handbook for the Study of Poetry*(N.Y.: Macmillan Pub. Co, 1966), 18쪽.
12) 졸고, 「한국현대시 은유형태 분석론」(『서울신문』, 1969. 12. 2~9)

(1) 기본형태

A. 계사형 (copula form)

① 구상에서 구상으로

네 눈은 고만(高慢)스런 흑(黑)단추
네 입술은 서운한 가을철 수박 한점

— 정지용, 「저녁햇살」 부분

구름은 보라빛 색지(色紙)위에
마구 칠한 한다발 장미(薔薇)

— 김광균, 「뎃상」 부분

② 추상에서 구상으로

그칠 줄을 모르고 타는 나의 가슴은 누구의 밤을 지키는
약한 등불입니까

— 한용운, 「알 수 없어요」 부분

너의 마음은
우울한 해저(海底)

— 김기림, 「아스팔트」 부분

③ 추상에서 추상으로

인생(人生)은 하나의 회사(喜捨)

— 김남조, 「낙엽은 쌓여라」 부분

현실은
갈갈이 찢어진 두 날개의
장송(葬送)의 만가(挽歌)였읍니다.

— 김용호, 「싹」 부분

④ 구상에서 추상으로

이제금 저달이 설움인줄은
예전엔 미처 몰랐어요

— 김소월, 「예전엔 미처 몰랐어요」 부분

광화문(光化門)은
차라리 한채의 소슬한 종교(宗教)

— 서정주, 「광화문」 부분

이상과 같이 우리는 계사형을 네 가지로 나누어 볼 수 있다. 계사형 가운데 가장 빈번하게 그리고 효과적으로 사용되는 것은 추상→구상, 혹은 구상→구상의 과정으로 형성되는 은유다. 이것은 은유의 기초적 속성이 이미지를 표출하는 데 있기 때문이며 이미지의 기본적 특성이 시상화에 있기 때문이다. 배네트(J. Benett)가 추상→구상의 대응 관계에서 시적 이미지가 형성된다든지[13] 혹은 루이스와 알탠번드[14]가 은유의 기본형식을 intangible→tangible, invisible→visible, abstract→concrete로 파악하는 것은 바로 위의 메커니즘을 더욱 선명히 보여준다고 할 수 있다.

그러면 위의 인용시 중에서 서정주의 「광화문」에 표출된 '광화문'이 '종교'로 은유화되는 과정을 살펴보자. '광화문'과 '종교'는 시인이 아닌 일상인의 눈

---

13) J. Benett, *Four Metaphysical Poetry*, 3쪽.
14) L.L. Lewis&L. Altenberned, *op. cit.,* 18쪽.

으로 볼 때 상당히 이질적인 것임은 주지의 사실이다. 그러나 매우 이질적인 것처럼 보이는 이 '광화문'과 '종교'는 시인의 섬세하고 폭넓은 통찰력을 통하여 상상력의 내부에서 일어난 시적 체험 속에 투영되고 은유의 용광로에서 복합 용해된 후 서로 의미를 안고 반응하여 있다가, 여기에 시인의 상상력이 순간적인 연쇄반응을 일으키게 됨으로써 하나의 문맥 속에서 긴밀히 결합하게 된다. 바로 이 시점에서 시인은 날카로운 직관을 통한 유사성과 연관성을 유추하고 두 대상어와 관념 사이에 시적 조응이 일어나 암암리에 긴장체계 (crystallization)를 형성하게 됨으로서, '광화문'은 '종교'라는 낯설지만 새로운 은유 관계를 구축하게 되는 것이다. 그리고 한용운의 「알 수 없어요」에 나오는 '그칠줄을 모르고 타는 나의 가슴은 누구의 밤을 지키는 약한 등불입니까'에서 '가슴'은 본래 구체물이지만 여기서는 '그칠줄을 모르고 타는 가슴'으로 표현되어 가연적 의미의 추상은유가 된다. 이렇게 은유화된 '가슴'은 다시 '등불'이라는 구체어와 결합되어 원관념 '가슴'도, 보조관념 '등불'도 아닌 제3의 새로운 시적 의미를 창조함으로써 은유의 기능인 선명성, 복잡성, 광의성, 함축성을 드러내 주게 된다. 이 계사형은 은유 형태 가운데서 비교적 단순하고 평면적이며 직설적인 까닭에 현대시가 요구하는 고도의 심화된 은유법으로는 다소 부적당한 감이 없지 않지만, 아직도 여전히 기초적 은유법으로 가장 보편적인 형태의 하나로 활용된다. 그런데 이 은유 방법의 기본형태인 계사형은 몇 가지의 변이형을 형성한다.

B. 동격형-명사형

> 말갛게 씻은 얼굴 고운 해야 솟아라
>
> — 박두진, 「해」 부분

라일락 숲에
내젊은 꿈이 나비처럼 앉는 정오(正午)
계절(季節)의 여왕(女王) 오월(五月)의 푸른 여신(女神)앞에
　　　　　　　　　　　　　— 노천명, 「푸른 오월」 부분

　님의 사랑은 불보다도 뜨거워서 근심 산(山)을 태우고 한(恨) 바
다를 말리는데
　　　　　　　　　　　　　— 한용운, 「님의 손길」 부분

　이 형태는 명사 또는 구를 중복함으로써 계사를 생략하는 방법인데 운율적
으로 생략되고 압축된 형태를 특징으로 한다. 크롤로우(K. Krolow)가 말하
듯[15] 이와 같은 형태의 은유는 시의 '안쪽사정'이라든가 힘의 배분 혹은 균형
에 책임을 갖고 있기 때문에 파생하는 것으로 볼 수 있다. 이 형태에는 자체 내
에서 연관 유추가 생기는 또 다른 변형이 있다.

　　이 여울을 끼고는
　　한켠에서는 소년(少年)이, 한켠에서는 소녀(少女)가
　　두 눈에 초롱불을 밝혀 가지고
　　　　　　　　　　　　　— 서정주, 「마른 여울목」 부분

C. 돈호법형(apostrophe form)

　　비애(悲哀)! 오오 나의 신부(新婦)!
　　오오 비애(悲哀)! 너의 불사조(不死鳥) 나의 눈물이여!
　　　　　　　　　　　　　— 정지용, 「불사조」 부분

---

15) K. Krolow, "명쾌(明快)한 지성(知性)"(Hans Bender, *Mein Gedichte ist Mein*
Messery), 『현대시학』(1971. 10.), 84~91쪽 재인용(再引用).

바위!

그것은 허무유암(虛無幽暗)한 우주의지(宇宙意志)의 구상(具象)

— 유치환, 「현시」 부분

원래 돈호법이란 수사학에서 갑자기 사물의 이름을 불러 주의를 환기시키는 방법인데 이것은 시 속에서 그 환기적 효과와 서술적 이미지를 형성하는데 독특하게 쓰인다. 이 영탄적인 은유 형태는 대상의 명확한 지시와 시적 감정의 직접적 노출로 인하여 시의 기본 특성인 암시, 응축, 절제, 극기의 정신에 비추어 볼 때 다소 부적당하다. 그러나 적시나 축시, 한문시 등 감정적인 효과를 유발하려는 시에는 흔히 쓰이고 있다.

위의 인용시에서도 명백히 드러나듯이 '비애! 오오', '바위!' 등 지나친 감정 유로의 편향성으로 인해 이들 작품은 시적 긴장 및 감정의 응결작용을 수행하는 데는 다소 부족한 느낌이 있다.

그리고 은유의 기본형태는 「A＝B of C」, 혹은 「A of B＝C of D」의 형태로 나타나기도 한다.

너는 내 말을 믿는 「마리아」-내 침실(寢室)이 복활(復活)의 동굴(洞窟)임을 네야 알련만……

— 이상화, 「나의 침실로」 부분

리별의눈물은 물거품의꼿이오 도금(鍍金)한금(金)방울이다
리별의눈물은 저주(咀呪)의마니주(摩尼珠)요 거짓의수정(水晶)이다

— 한용운, 「리별」 부분

(2) 조사활용형

조사활용형은 기본형태와 아울러 은유의 필수불가결한 재원으로 활용된다. 이 조사활용형은 조사 혹은 그 변이형태와 특수조사를 활용하는 은유법으로서 기본형태인 계사형과 유사한 역할을 하며 여기에는 '동격「-의」형'(appositive「of」metaphor)과 '속격「-의」형'(genitive「of」metaphor) 및 '특수조사형' 등의 제유형이 있다.

A. 동격「-의」형(appositive「of」metaphor)[16]

① 구상에서 추상으로

　　햇볕의 분수(噴水)에 목욕하는
　　어린 마돈나
　　　　　　　　　　　　　　　　　　　　　　－ 김기림, 「분수」 부분

　　눈부신 칠보(七寶)의 숲은 떠오르고
　　　　　　　　　　　　　　　　　　－ 신석초, 「유파리노스 송가」 부분

　　황금(黃金)의 꽃가티 굿고빗나든 옛맹서(盟誓)는 차듸찬씨쓸이되
　　야서 한숨의 미풍(微風)에 나리갓슴니다
　　　　　　　　　　　　　　　　　　　　　－ 한용운, 「님의 침묵」 부분

② 추상에서 구상으로

　　바다는 대낮에 등불을 켜고
　　추억(追憶)의 꽃물결 우에 소북이 지다
　　　　　　　　　　　　　　　　　　　　　　－ 김광균, 「풍경」 부분

---

16) C. Brooke-Rose, *A Grammar of Metaphor*(London: Secker & Warbourg, 1958) 146-205쪽.

수없는 나라의 기억(記憶)으로 짠
향수(鄕愁)의 비단폭을 펴놓습니다

— 김기림, 「호텔」부분

③ 구상에서 구상으로

뜨거운 햇빛 오랜 시간의 회유에도
더 휘지않는
마를 대로 마른 목관악기(木管樂器)의 가을

— 김현승, 「견고한 고독」부분

아아 나는 날마다날마다 눈물의선경(仙境)에서 한숨의옥적(玉笛)
을 듯습니다.

— 한용운, 「눈물」부분

④ 추상에서 추상으로

사랑의속박(束縛)은 단단히 얼거매는것이 푸러주는것입니다.
그럼으로 대해탈(大解脫)은 속박(束縛)에서 엇는것입니다.

— 한용운, 「선사의 설법」부분

이와 같은 '동격「-의」형'은 계사형이 직접 도치된 변형으로서, '의'는 계사의 역할을 한다고 볼 수 있다. 즉 「A=B」('가을은 목관악기다')의 형식을 「B of A」('목관악기의 가을')로 치환하는 방법이다. 이러한 「B of A」, 즉 '동격「-의」형'은 「A=B」의 계사형보다 압축되고 간결화된 표현방식으로 고도의 시적 응축 효과를 유발한다. 또한 이 형태는 설명을 배제한 간편한 형식으로 대상 관념과 이미지 사이의 조응을 보다 섬광적으로 이루어지게 함으로써 은밀한 은유 관계를 형성하여 점차 그 내용이나 방법이 심화되어 가는 현대시에 적절하게 작용하고 있다.

이 형태 역시 계사형과 마찬가지로 '추상→구상' 혹은 '구상→구상'의 방법이 빈번하게 쓰이는데, 이것은 시가 이미지의 구상화 내지 시각화를 요구하는 까닭이며, 이와 같은 형태가 복잡한 내부의식 세계를 구상적으로 하고 작품의 구조를 견고하게 하는 구속력을 지니기 때문이다. 아울러 이 방법은 웰렉이 말하듯 성과 색, 성과 성, 그리고 색과 색의 감각을 혼용하는 공감각적 은유(synaesthetic metaphor)로 사용되기도 한다.

이 은유 형태는 앞에서도 언급했듯이 가장 압축되고 응결된 은유 구조를 갖기 때문에 시의 관념을 표현하는 중핵적인 효과적 방법이 된다. 그러나 시에서 이 방법만이 너무 빈번하게 사용되면 그 시는 표현의 묘미가 감쇄하고 사고의 유연성과 역동성을 저해함으로써 굳어진 은유의 고정성 내지 일정성만을 초래하는 형식의 매너리즘에 빠질 우려가 없지 않다.

B. 속격 「-의」 형(genitive 「of」 metaphor)

봉우리에 잎은 피어
신앙의 불붙는 고운 잔디

— 김소월, 「신앙」 부분

물결의 흰 채찍에
말없이 등을 얻어 맞는
늙은 바위

— 김기림, 「바위」 부분

모혀드는 안개의 비밀(秘密)의 곡조(曲調)올시다
— 주요한, 「하아얀 안개」 부분

맑은 새암은 내 영혼의 얼굴

— 김영랑, 「맑은 새암」 부분

위의 인용시에서도 볼 수 있듯이 '속격 「-의」 형'은 '동격 「-의」 형'과 외관 상으로는 동류의 것처럼 보이는 게 사실이다. 그러나 이들을 문맥적으로 엄밀히 살펴보면 의미구조에 있어서 서로 차이를 갖고 있다. 예를 들어 '동격 「-의」 형'의 '향수(鄕愁)의 비단폭'(김기림, 「호텔」)에서는 '향수(鄕愁)'가 '비단폭'과 동격을 이루어 '향수(鄕愁)'와 '비단폭'에 동일한 양의 비중이 부여되지만, '속격 「-의」 형'에서 '물결의 흰 채찍'(김기림, 「바위」)의 경우는 물결과 흰 채찍의 관계가 속격, 즉 소유격의 관계이며 '물결'이 '흰 채찍' 보다 더욱 강한 의미를 지니고 있다. 브룩크로즈(C. Brooke-Rose)[17]의 말대로 문학적 해석(literal interpretation)의 다양한 가능성이 이 '「-의」 형 은유'를 현대시에서 매우 왕성하게 사용하도록 만든 이유가 되었지만, 이 '「-의」 형'은 'A=B'형식의 은유와 단순대치(simple replacement)의 가능성 여부에 따라 동격과 속격의 '「-의」 은유'로 구분되어지는 것이다. 즉 '동격 「-의」 은유'는 이론상 계사형과 단순대치가 가능하지만 '속격 「-의」 은유'는 불가능하다. 이렇게 볼 때, '동격 「-의」 은유'만이 순수한 의미의 은유가 되는 것이기는 하지만 '속격 「-의」 은유'도 두 대상 관념 사이에서 그 등가의 섬광적 조명이 형성되는 이중단위 형식을 구유하고 있는 점으로 볼 때는 또한 은유가 될 수 있다는 것을 알 수 있다. 그런데 이러한 '속격 「의」 은유' 형태는 많은 경우 소유적·관형적 등가관계를 형성하는 서술적 은유(descriptive metaphor)가 된다.

---

17) *Ibid.*, 159쪽.

C. 특수조사형

비개인
아침해에
가야금 소리로
피는 꽃을 아시는가

— 서정주, 「석류꽃」 부분

내 살던 이승이
개천(開天)으로 불리울 먼 훗날에도

— 이동주, 「잡가」 부분

나도 한가지 꽃으로 서서
기꺼이 흔들려 보노라면

— 마종기, 「나도 꽃으로 서서」 부분

눈시울의 안팎에서
어둠이
진한 무게로 몰려 오기만 하는

— 정지용, 「부한」 부분

이 특수조사형은 조사의 변형 내지는 특수조사를 사용해서 두 대상을 은유 구조로 연결하며, 조사가 관계언인 만큼 뒤에는 용언을 동반하는 경우가 많다. 이 형태는 브링크만(F. Brinkmann)[18]이 설정한 metaphor with the copula 'fit or heissen'과 같은 형태로 볼 수 있다. 이 은유 형태는 기본형이나 조사형보다도 오히려 비약이 심하고 원관념과 보조관념의 관계가 역동적으로 상호작용하기 때문에 초월적 이미지 혹은 생명감 있는 이미지를 표출하는 데 상당히 효과적이다.

---

18) *Ibid.*, 18쪽 재인용.

(3) 용언활용형

A. 형용사적 은유형

① 투사형

가득히 감람물결 위에 뜬
한떨기 수련화(睡蓮花)

— 김동명, 「진주만」 부분

천년(千年)을 불붙는
바다

— 이성교, 「노을」 부분

② 관형형

보석이 끓는
물면(面)에

— 박남수, 「갈매기 소묘」 부분

칼날위에 춤추는 인생(人生)이라고
물속에 몸을 던진 몹쓸 계집애

— 김소월, 「고락」 부분

보드레한 에메랄드 얇게 흐르는
실비단 하늘을 바라보고 싶다.

— 김영랑, 「돌담에 소색이는 햇발」 부분

형용사적 은유형은 원관념이 드러나지 않고 제목으로 던져지는 투사형과 관형사로 수식되는 관형형으로 구분되는데, 이것은 브링크만의 형용사 속에 내포된 은유(metaphor contained in the adjective)로서 한국 현대시에서도 어떤 대상을 묘사하거나 형상화할 때 많이 쓰이는 방법이다. 그리고 위의 예시에서 볼 수 있듯이 투사형은 원관념이 드러나지 않는 것으로 상징과 밀접하게 관련되어 있으며, 관형형은 서술적 은유 결합으로 대상을 해석하는 감각적 은유(sensuous metaphor) 형식을 취한다.

B. 동사은유[19]

> 황금(黃金)의꽃가티 굿고빗나든 옛맹서(盟誓)는 차듸찬씩슬이되
> 야서 한숨의 미풍(微風)에 나러갓슴니다.
> — 한용운, 「님의 침묵」 부분

> 이 구멍에다가 그녀 바다를 조여 끼어 두었었지만
> 그것은 구름되어 하늘로 날라가고…
> — 서정주, 「비인 금가락지 구멍」 부분

> 언어(言語)는 꽃잎이 닿자
> 한마리 나비가 된다.
> — 문덕수, 「꽃과 언어」 부분

이 동사은유는 두 단어, 즉 '맹세-씩슬, 바다-구름, 언어-나비'를 시인의 가변적 상상력에 의하여 결합시키는 방법이다. 따라서 이와 같은 동사은유에 의해 우리는 이미지의 역동성을 획득하게 된다. 그런데 동사은유의 연결은 공통

---

19) *Ibid.*, 206-237쪽.

성과 유추에서 발생하기보다는 시인의 상상력과 지성이 면밀히 작용하여 상상의 비약과 역동성을 유발함으로써 이루어지는 것이다. 이것은 이른바 리챠즈가 말하는 정적 연쇄(emotional use of metaphor)[20]의 연쇄반응에 기초를 둔 것이다. 상상의 도약으로 이루어진 이와 같은 은유가 중요성을 인정받을 수 있는 것은 시란 다소의 추론적 요소를 갖기는 하지만 전체적인 면에서 비추론적 표현이기 때문이다. 이러한 동사은유는 은유 의미의 역동적 이원성에 의하여 카타르시스를 유발하고 이어서 전개되는 시상을 통일체로 이끄는 가교적인 역할을 수행한다. 또한 이 은유 형태는 시인의 상상력을 역으로도 자극하여 시적 일치를 가능케 하는 특성을 지니기도 한다. 이렇게 볼 때 이 은유 형태는 시어를 생명력 있는 '살아있는 언어'로 만드는 고차적 방법이며 앞에서 서술한「-의」은유형과 상호변이 될 수 있는 특성을 지니고 있다.

> 몰난결에쉬어지는 한숨은 봄바람이되야서 야윈얼골을비치는 거울에 이슬꽂을핍니다
> 나의주위(周圍)에는 화기(和氣)라고는 한숨의봄바람밧게는 아모것도업슴니다
> 하염업시흐르는 눈물은 수정(水晶)이되야서 쌔끗한슮음의성경(聖境)을 비침니다
>   -중략(中略)-
> 한숨의봄바람과 눈물의수정(水晶)은 써난님을긔루어하는 정(情)의추수(秋收)임니다
>
>   — 한용운,「생의 예술」부분

인용된 만해 한용운의 시「생의 예술」에서 드러나는 바와 같이「A＝B」의 계사형은「B of A」의 '「-의」은유'로, 다시 이 '「-의」은유'는 동사은유 'A＝B

---

20) I.A. Richards&C.K. Ogden, *The Meaning of Meaning*(Londen: Routledge&Kegan Paul LTD, 1969)378쪽.

되다'로 상호변이 될 수 있는 유기적 상관성을 갖고 있는 것이다.

C. 어미활용형

죽엄이 한방울의 찬이슬이라면 리별은 일천줄기의꽃비다.
　　　　　　　　　　　　　　　　　 ― 한용운, 「리별」 부분

고독은 자유항
밤이라는 언덕이며
　　　　　　　　　　　　　　　 ― 조병화, 「스카이라운지」 부분

이 형태는 계사형, 즉 「A=B」 형을 보조관념의 어미에서 혹은 원관념의 어미에서 변형시킨 것으로서 조건, 접속 등의 기능이 강하며 지시된 은유 대상을 간접적인 설명 방식으로 표현한다.

(4) 특수변이형

이 형태는 은유의 특수한 형태인 바, 활물변질형과 의인은유형으로 구분된다. 먼저 활물변질형을 살펴보기로 한다.

여럿의 말씀은 무쇠도 녹인다고
물속 천리를 뚫고
　　　　　　　　　　　　 ― 서정주, 「수로부인의 얼굴」 부분

그러나 당신이 오시면 나는 사랑의칼을가지고 긴밤을베어서 일천(一千)도막을 내겠습니다.
　　　　　　　　　　　　　　 ― 한용운, 「여름밤이 길어요」 부분

칠흑(漆黑)의 머리칼 속에
삼동(三冬)의 활을 꽂는다.

— 김영태, 「첼로」부분

　이 특수변이형의 은유는 매우 특수한 언어 용법으로 시의 본질적이고도 중요한 불가결의 재원이라고 할 수 있다. 지금까지 논의된 것의 대부분은 기본형인 계사형의 변형 내지 변종이었지만 이 은유는 표현형식이 일정하지 않고 의미 세계가 활물 혹은 변질됨으로써 일상어의 상식적 범위를 넘어서 그 의미가 고차한 시적 세계로 상승된다는 점에 특징이 있다.

　"말씀은 무쇠도 녹이고 물속 천리를 뚫고//사랑의 칼로 긴 밤을 베고//머리칼 속에 삼동의 활을 꽂고" 등과 같이 일상적인 개념은 존재하지 않고 고차한 역동적 상상의 은유 세계로 상승되어 존재로서의 언어가 아닌 당위로서의 언어가 되는 것이다. 그러므로 이 은유 형태는 초월적인 시의 언어를 가능케 하며 인간의 사고 영역과 인식 능력에 무한한 확산을 가져오는 기능을 담당한다. 이러한 점에 비추어 볼 때, 특수변이형의 은유뿐만 아니라 일반적인 은유 전체가 시의 중심 방법론으로 그 본질적 가치를 인정받게 되는 것이다.

　또한 이 특수변이형 은유법으로 소위 의인법(personification)이라 불리우는 의인은유형을 설정할 수 있다. 이것은 고대 수사학이나 지오프레이, 퀸틸리안[21] 등이 말하는 바에 의하면, 무생명에서 생명으로 전이되는 은유법이다. 본래 이 의인법은 웰렉이 말하는 것처럼, 은유의 네 가지 기본요소 가운데 정령론적 투영[22]의 요소를 갖고 있는 것으로서 은유의 한 종 개념, 즉 의인은유형으로 볼 수 있는 것이다. 한편 퐁스[23]의 신비적 상상력 이론에 비춰 볼 때 이 의인은유형에는 사물에 활력을 주고 인격화하는 Beseltypus법과 자기를 비

---

21) C. Brooke-Rose, *op. cit.*, 5쪽.
22) R. Wellek& A. Warren., *op. cit.*, 197쪽.
23) *Ibid.*, 204쪽.

정령화하거나 비주관화하는 Erfühltypus의 두 가지 방법이 있다고 한다. 결국 프리스코트(F.C. Prescott)[24]의 말처럼 의인법은 은유의 한 변형으로 볼 수 있는데, 보통 은유가 대상과 대상 사이의 융합인 데 비해 이 의인법은 대상과 인간의 융합이다. 이러한 융합은 원시적인 상상력의 한 특성으로 볼 수 있기 때문에 의인은유형의 설정은 그 타당성을 인정받을 수 있는 것이다.

24) F.C. Prescott, *The Poetic Mind,* 229쪽.

제2부
한국 현대시 형성론

Ⅰ. 초기 시단의 형성

마리땡(J. Maritain)[1]에 의하면 현대시의 발전과정은 특유한 시적 언어의 진화를 의미한다. 이러한 시의 발전이란 그 자체의 광대하고 영속적인 언어기능으로 인해 지속적인 것이다. 한 시대는 그 시대에 알맞은 감수성의 체계와 특수한 표현가치를 지닌다. 그러므로 시에서도 필연적으로 정신 내용과 방법론의 변천을 겪게 되는 것이다. 또한 웰렉과 워렌에 의하면[2] 각 시대는 그 시대 특유의 세계관(Weltanschauung)과 수사적 특징을 지니며, 은유와 같은 기본적 조사법의 경우에도 각 시대는 은유 방법(metaphoric method)의 특유한 사용방식을 갖고 있다고 한다. 가령 신고전주의(Neo-Classicism)나 바로크 시대 혹은 카톨릭 수사학자들은 각기 특수한 은유법을 사용하고 있다는 것이다. 따라서 한국현대시의 은유 방법론의 변천 과정을 탐구한다는 것은 한국현대시의 형성과 발전과정을 이해하는 것이 됨은 물론이다. 그러므로 한국현대시에서 은유적 방법론의 형성과 발전과정을 시사적 관점에서 분석해 나아가기로 한다.

---

1) J. Maritain, *Creative Intution in Art&Poetry*(New York: Meridian Books, 1955)52쪽.
2) R. Wellek&A. Warren, *Theory of Literature*(Harmondsworth: Penguin Books, 1976) 197쪽.

1. 육당시가(六堂詩歌)의 경우

일반적으로 한국의 신문학사는 육당 최남선의 신시「해에게서 소년에게」에서 비롯되는 것으로 이해된다. 그러므로 한국 현대시사는3) 육당의 제신시가들에서 시작된다고 한다. 그런데 김춘수는 육당의「해에게서 소년에게」부터『창조』지 출현까지를 소위 신체시 시대라 하고, 그 이전 개화기의「애국가」(이용우,『독립신문』,「건양원년칠월칠일」) 등이 불리던 시대를 창가가사시대라고 부르고 있다.4) 이것(창가→신체시)은 학계에서 한때 통용되던 주장이었으나 정한모의 다음과 같은 주장5)에 의해 명백하게 부정되어졌다.

> 그동안 창가(唱歌)-신(新)(체(體))시(詩)-자유시(自由詩)라는 발전단계가 거의 정설(定說)로 되어 있으며…중략(中略)…이러한 정설(定說)은 시정(是正)되어야 한다. 개화가사(開化歌辭)까지도 창가(唱歌)로 취급하고 있는 범(汎)칭으로서의 창가는 구별되어야 하고…중략(中略)…육당(六堂)의 시가(詩歌)는 창가(唱歌)와 신시(新詩)가 병존(併存)하고 있을 뿐 아니라「청년(靑年)」기(期)엔 신시(新詩)보다 창가(唱歌)가 우세한 편이다. 육당(六堂)의 신시(新詩)가 그의 창가의식(唱歌意識)의 소산이기는 하지만 창가(唱歌)와 신시(新詩)는 구별할 필요가 있다. 가사(歌辭), 시조(時調), 찬송가(讚頌歌)의 리듬이 신시형성(新詩形成)에 각기 작용한 것처럼 창가(唱歌)도 신시(新詩)를 이루는 데 하나의 모티브가 되었다고 보아야 한다.… 하략(下略)… (인용자 가점)

이처럼 육당의 시가는 창가 시대에서 신체시 시대로의 변천이 아니라 서로

---

3) 본고에서 현대시란 명칭은 광의로는 육당 이후 현재까지를 포괄하는 개념이며, 간혹 사용되는 근대시란 명칭은 완전한 현대시적 전환을 이루기 전인 1920년대 만해시 이전까지를 의미하기로 한다.

4) 김춘수,『한국현대시형태론』(서울 : 해동문화사, 1958)18-20쪽.

5) 정한모,「한국현대시사」(『현대시학』25집, 현대시학사 1971. 10) 참조.

병존하며 존재한 것이다. 실상 육당은 신시의 창작에 있어서도 시적인 포에지의 결함을 보여준 것이 사실이다. 이것은 그가 『청춘』지에 많은 고시조를 소개하고 아울러 손수 전통적 양식의 시조를 창작 발표한 후에 '조선문학의 정화이며 조선 시가의 본류6)라고 하는 시조집 『백팔번뇌』(동광사, 1926. 12. 1) 속에 안주하고 만 사실에서 알 수 있다. 그러면 그가 쉽사리 신시 창작을 포기하고 다시 정형의 시조 속에 갇혀버린 이유는 무엇일까. 이것은 단적으로 당시의 시대적 배경이나 개인적 능력의 한계를 반영한 것뿐 아니라, 그가 시를 젊은 세대, 즉 소년들을 계몽·계발하고자 하는 메시지 전달의 수단7)으로 생각하였기 때문일 것이다. 그러므로 육당의 신시들이 비록 전통적인 것과 새로운 것과의 과도기적인 위치에서, 형태 면으로 새로운 시를 위해 크게 공헌하였다 하더라도 그 내용의 깊이획득이나 시의 미학적 구조형성에는 실패하고 있는 것으로 보인다. 이것은 육당의 은유사용에서 쉽게 증명할 수 있는 일이다.

> 크고도 넓으고도 영원(永遠)한 태극(太極)
> 자유(自由)의 소년대한(少年大韓) 이런 덕(德)으로
> 빗나고 쓰거웁고 강건(剛健)한 태양(太陽)
> ……(중략(中略))……
> 바위틈 산ㅅ골중(中) 나무끗짜디
> 자유(自由)의 큰소래가 부르딋도록
> 소매안 듀머니속 가래짜디도
> 자유(自由)의 맑은긔운 꼭꼭탸도록
> — 「소년대한」(『소년』第一年一卷) 부분

우선 육당 시의 은유는 "자유의 소년대한//자유의 큰소래//자유의 맑은긔운" 등과 같이 서술적 이미지의 '속격 「-의」 은유'가 그 대부분을 이루고 있다. 이

---

6) 최남선, 『시조류취』(한성도서주식회사, 1928), 서문 참조.
7) 정한모(제18회, 1970. 12) 앞의 책 참조.

서술격의 은유는 시의 핵심구조로서 보다는 단순한 전달의 표현 가치를 지니고 있는 것이다. 이러한 서술적 이미저리에 의한 전달적 언어(communicative language)는 리챠즈[8]가 말하듯 시의 언어로는 매우 부적당한 것이다.

> 그에겐저의 춘속(春屬)이나재산(財産)의
> 사유(私有)한것은 아모것도다업시
> 사해팔방(四海八方) 제몸이가난대가
> 저의 집이요
> 일천하(一天下) 억만생(億萬生)이 모다형제(兄弟)오
> 싸우헤 생식(生殖)하난 온갖품물(品物)이
> 저의재산(財産) 아닌것이업난듯
> 지극(至極)히 공평(公平)하더라.
>
> — 「신대한소년」(『소년』(第二年一卷) 부분

이처럼 "천하 억만생이 형제//온갖 품물이 재산" 등과 같이 은유라고도 할 수 없는 서술적 표현이 시를 형성하고 있어서, 시는 미적인 유기적 구조가 아니라 단순한 전달의 표현 도구가 되고 마는 것이다. 그러나 그의 시에서 우리는 희귀하게나마 은유의 싹 같은 것을 찾아볼 수 있다.

> 소용돌아 뱅뱅뱅 소용돌아라
> 네힘것은 돌아라 째의 물결아
> 날랑은 알이 되여 가운대 박혀
> 내둘레서 긔쓰고 돌물보리라
>
> — 「물레방아」[9] 부분

---

8) I.A. Richards, *The Meaning of Meaning*(London: Routledge&Kegan Paul LTD, 1969)149쪽.
_____, *The Principles of Literary Criticism*(London: Routtedge&Kegan Paul, 1973), 261쪽 ; (*The Two Uses of Language*) 참조.
9) 『청춘』 제2호(1914. 10. 1).

털관(冠) 머리에 쓰고
몸에 금수(錦繡) 옷닙고

— 「우리님」10) 부분

아츰해에 취(醉)하야 낫붉힌 구름
인도(印度)바다의 집에 배부른 바람
훗혼한 소근거림 너줄때마다
간지러울사 우리 날카론 신경(神經)

— 「어린이 꿈」11) 부분

「물레방아」에서 "때의 물결//날랑은 알이되여"라는 동격은유, 「우리님」에서 "털관"의 명사은유, 「어린이 꿈」에서 "낫붉힌 구름//배부른 바람" 등의 의인은유는 서술적 표현에 비해 아주 드물게 사용되는 은유이다. 육당의 시가에는 의외로 의인법이 많이 쓰이고 있음을 볼 수 있다.

처ㄹ썩 철-썩 척 쏴아
따린다, 부순다, 문허바린다
태산(泰山)같은 높은 뫼 집채같은 바위돌이나
요것이 무어야 요게 무어야
나의 큰힘 아느냐 모르느냐 호통까지 하면서
따린다, 부순다, 문허바린다
처-ㄹ썩 처-ㄹ썩 척 튜르릉 콱

— 「해에게서 소년에게」12) 부분

앞에서 의인법을 은유의 일종으로 볼 수 있다고 하였지만, 의인법은 고대로부터 활물론(holojosmus)의 일종으로서 다양한 활용을 보여왔으므로 본고에

---

10) 『소년』 3년 5권(1910. 5. 15).
11) 『청춘』 제2호(1914. 10. 1).
12) 『소년』 창간호(1908. 11).

서는 상세하게 다루지 않기로 한다. 의인법의 직정적인 감화력(evocativeness)은 고전시가에서도 흔히 사용되어 왔기 때문이다.

결국 육당의 시에서 은유법은 비교적 드물게 사용되었으며 대부분의 이미지는 서술적 표현을 통해 제시되었다. 이것은 육당이 시어의 정서적 기능을 인식하지 못하고 다만 시어의 전달적 기능만을 주로 의식했다는 것을 뜻한다. 또한 드물게나마 사용된 은유는 문화사적 계몽의식과 사회의식에서 차츰 개인의식에 눈뜨기 시작함으로써, 시가 언어의 미적 구조라는 것을 희미하게나마 인식한 데서 사용되기 시작한 것으로 보인다. 그러나 김열규의 지적[13]처럼 민족의식과 사회의식에 가득 차 있던 육당으로서는 근대인의 심리적, 의식적 세계나 상징주의적인 미의식의 시적 구조에는 쉽게 공감할 수 없었으며, 이러한 것들을 인식했을 때는-가령 「꽃두고」 등-이미 육당의 딜레탕티즘적인 시의 창조적 상상력이 한계점에 놓여있었던 것이다. 그러므로 육당은 1920년대에 들어서서 신시 창작을 등한히 하고 주로 시조의 창작과 그 옹호에 힘쓰게 되는 것이다. 바로 이 점에서 "육당이 근대문학의 선구자가 되긴 했으나 그 뒤에 오는 문학을 위한 중개자가 되지 못했다"[14]라는 지적처럼 육당 신시의 한계가 드러날 수밖에 없는 것이다.

2.『태서문예신보』-김억의 시

『태서문예신보』는 서구의 일반 문예를 소개하기 위하여 1918년 9월 26일에 창간된 반시지적 주간문예지이다. 이 신보는 전대의 육당에 의한『소년』,『청춘』지 등과 그 내용구성에 있어서 큰 차이는 없으나 이들보다 훨씬 시 쪽에 비중을 두고 있는 것이 특징이다. 즉『소년』,『청춘』등이 문화사적 내용

---

13) 김열규,「한일근대시의 일반문학적 고찰」, 7쪽.
14) _____, 위의 글, 9쪽.

중심인 데 비해『태서문예신보』는 문화의 기본단위인 문학, 특히 시를 본격적으로 다루기 시작했다는 점이 특색이다. 이런 점에서 기존의 문학사에서는『태서문예신보』를 최남선, 이광수의 2인 문단 시대에서 근대시로의 발전과정에 이르는 과도기적 성격의 잡지로 보고 있는 것이다.

먼저 1호부터 16호까지(8, 15호 결) 이 신보의 시는 창작시와 번역시 그리고 시론으로 나누어진다. 창작시는 1호에 해몽 장두철의「신춘향가」(기우의 권을 필두로 하여 H.M(해몽), 안서 김억, 백대진, 이일, 최영택, 구성서, 이성태, 계병두, 상아탑 황석우 등의 작품 38편이 수록되었고, 번역시는 역자 미상의「연애의 부르지즘(K. Roy 작)」을 비롯하여 롱펠로, 투르게네프, 베르레느, 아나크레온, 예이츠, 에머슨, 모리스, 포칸스, 태프, 민스키, 프리바르, 구르몽 등 미·영·불·러 등의 시작품이 김억, 해몽, 삼전, 김인식 등에 의해 역시 30여 편 가량 실려있다. 특히 번역시는「소년」,「청춘」의 것이 영국, 인도 등에 국한되었던 반면, 김억에 의해 불란서와 러시아의 상징주의 계열이 소개되었으니 이것은 중요한 시사적 의미를 갖게 된다. 또한 여기에는 시론이 처음으로 등장하는바, 김억이 프랑스의 상징주의를 소개함은 물론 최초의 창작시론인「시형의 음율과 호흡」(14호)을 쓰고 있는 것이다. 이러한 창작시와 번역시, 시론에 있어 가장 두각을 나타낸 사람은 김억으로, 근대시사에서 이 김억의 출현은 최초의 전문적 시인의 탄생을 의미하게 된다.

김억의 문학적 궤적은 대략『태서문예신보』(1918년) 전후와『해파리의 노래』(1923. 6. 30) 전후 및『안서시집』(1929. 4. 1) 전후로 나눌 수 있겠지만 본고에서는 근대시 초기의 은유법을 살펴보는 관계로『태서문예신보』에 주로 국한시키기로 한다.

『태서문예신보』에 실려있는 김억의 창작시는「밋으라」(5호 6)를 최초로「오히려」(5호 6),「봄」,「봄은 간다」,「무덤」(6호 9),「나의 몸을 비하면」(10호 7),「겨울의 황혼」,「나리는 눈」,「육월의 낮잠」(13호 8),「북방의 짜님」(14

호 6), 「악군」, 「탑제석의 유자」(16호 7) 등 12편이다.

> 방향(芳香)의 바람 바람의 방향(芳香)
> 풀밧우에 홀로 누우면
> 싱각의 가슴 거문고줄
> 그대의 손에 다처 소리나도다.
>
> 맑은 하늘 끗이 업는데
> 종달새의 노래 들으면
> 끗업는 졸음에 맘의 표박(飄泊)
> 그대의 나릭에 붓터돌도다.
>
> ─「봄」부분

　비록 이 안서의 시가 형태적인 면에서는 정형적 율조를 벗어나고 있지 못하지만, 이 시는 전대 육당 등의 신시에 비해 시적 우수성을 지니고 있다. 육당의 시가 대체로 서술적이며, 설명적 산문성을 바탕으로 하여 문화사적 영탄이나 계몽을 노래한 데 비해, 이 시는 은유법의 적절한 사용으로 자아의식의 발굴과 심화를 꾀하고 있는 것이다. 이 '대외적 커뮤니케이션'에서 '영혼의 로고스'[15]에로의 비약적 변화는 안서가 시어의 감정 가치에 눈뜬 것으로 볼 수 있으며, 이것은 육당에게서 거의 보이지 않던 은유의 다양한 사용으로 나타난다.

　"바람의 방향, 방향의 바람"이 부는 풀밭 위에 홀로 누운 안서가 "생각의 가슴"을 뒤채이고, 아울러 "거문고줄"인 "가슴"은 봄의 손(그대의 손)에 다쳐 소리가 나는 것이다. 그러므로 끝없이 맑은 하늘에 종달새 소리 높고, 안서는 "그대의 손"인 "봄의 날개"에 "마음의 관박"을 이루는 것이다. 이처럼 안서는 이 시에서 '속격 「-의」 은유'의 다중구조를 '동격 「-의」 은유'와 암시적으로 결합하고 다시 '거문고줄=가슴'처럼 명사은유를 사용하여 시의 중심구조를 은

---

15) _____, 위의 글, 18쪽.

유적 방법에 의해 형성하고 있는 것이다. 이것은 바로 안서의 시가 육당의 신시와 확연히 구분되는 차이점이 된다. 이와 같은 안서의 은유를 통한 시어의 감정 가치에 대한 인식은 「봄은 간다」, 「무덤」 등에서는 "깊은 생각 아득이는 때/바람소리에 새가 울고/말도 없는 밤의 설움/소리없는 봄의 가슴/종소리 빗기고"와 같이 감각적인 이미지의 조응으로 발전하고 있다. 특히 「북방의 짜님」은 『태서문예신보』에 실린 안서의 대표적 작품이 된다고 볼 수 있다.

> 맑은 물결 황포(黃浦)의
> 고요한 바닷가에 나서
> 프른 들가에 닙아레
> 남몰으게 자라난 짜님이노라.
>
> 떠도는 갈매기 소리 높은데
> 큰물결 밀어 오는 별애가의
> 해당화(海堂花)의 향기(香氣)아래서
> 깔고 누웠음은 나의 어린 꿈
>
> 빗나는 샛별이 이즈러지고
> 초춘(初春)의 아침볏이 오를때
> 잔풀밧의 첫이슬을 발브며
> 어린 초채(草菜)꽃도 뜯엇노라
> …(중략(中略))…
> 애닯아라 북방(北邦)의 겨울이여
> 바다난 어름되야 물결이 업고
> 프른 풀빗은 흰눈에 덥히여
> 즐기는 자최조차 업서라.
>   ─「북방(北邦)의 짜님」[16] 부분

─────────────

16) 김억, 『해파리의 노래』(『태서문예신보』 14호 6면, 조선도서주식회사, 1923)137-
    142쪽.

이 작품은 아직도 "이노라/엇노라/업서라" 등 어미의 상투성에서 벗어나지 못하고 있지만 몇 가지 점에서 그 시적 우수성이 인정된다. 제2연의 경우 안서는 "떠도는 갈매기 소리 높은데"의 소리(성(聲))와 "해당화(海棠花)"의 색깔(색(色))과 "향기(香氣)아래서"의 향(香)을 시적 상관물로 결합하여(Baudelaire의 correspondence처럼) 상징풍의 이미지를 형성하고 있다. 비록 운율의 형태적 구속으로 유현하고 음악적인 상징시와는 먼 거리에 있는 것이 사실이지만 안서가 동(同)『신보(新報)』에 「프랑스 시단(詩壇)」이라는 상징주의 시론 소개와 아울러 베르레느, 구르몽 등의 불란서 상징주의시를 번역한 것으로 볼 때, 안서는 '피상적이긴 하지만 의식적으로, 기술을 말아라 다만 암시'라는 베르레느 작시법의 상징풍을 흉내 내려고 한 것임에 틀림없다. 또한 3연에서 "빗나든 샛별/초춘의 아침볏/잔풀밧의 첫이슬을 발브며/어린 초채꽃도 뜯엇노라" 등과 같은 이미지의 신선한 조응은 이 시가 언어의 정서적 기능에 관한 자각을 보여주고 있다는 증거가 된다. 또한 전체적으로 볼 때도 "목숨인 사랑"에 매달려 사는 북방의 소녀가 겪는 애절한 사랑의 이야기가 은유적 결합을 통해 시적 드라마로 형상화되고 있는 것이다. 이것은 개인의식의 시적 포에지가 시어의 적절한 결합과 구조를 획득하여 비로소 근대시의 시적인 그 무엇에 도달하게 된 것을 뜻한다. "목숨인 사랑/맘의 암야/하늘눈/가슴의 곡조" 등 다양화하고 있는 은유들은 단순한 표현만이 아닌 시의 중심구조로 활용되어 시의 밀도와 심도를 유지해 주고 있으며, 이러한 것들은 안서가 시의 미학적 인식 없이 시작된 우리 근대시사에서 처음으로 시의 언어 미학에 대한 한 지표를 세운 것으로서 시사적 계선이 될 수 있음을 뜻한다.

이러한 안서시의 은유는 「겨울의 황혼」[17]에서는 감각적 색채를 띠기 시작한다.

---

17) 『태서문예신보』 13호 8면.

가득한 눈의 저녁하늘
찬바람은 나뭇가지를 흔드난데,
하로길을 마친 파육(坡肉)한 햇볏
금색(金色)을 노흐며 고요히 넘는다.

꼿수레를 타고 나리는 밤은
산(山)이나 고을, 들이나 또한 바다에
다가치 검은 옷을 입힌다
　　　　　　　　　　　　　　　—「겨울의 황혼」 부분

　　우선 이 시는 그 형식에 있어 자수율로부터 거의 해방되고 있어서, 리이드
가 말하는 시 자체의 내적 요구와 법칙에 따른 유기적 형식(organic form)에 가
깝다. 4행 1연의 연구분은 안서 나름으로 추구하고 모색하던 한국적 자유시의
개념이므로 사실상 한국의 근대시 시발은 주요한의 「불노리」가 아니라 안서
의 이 「겨울의 황혼」 등 일련의 작품이 되어야 할 것이다. 실상 이러한 연구분
의 일정성은 『정지용시집』에서도 그 중심 시 형태가 되고 있다. 또한 시의 내
용 및 정서를 표출하는데 있어서도 그 중심기능을 은유적 이미지로 수행하고
있음을 보아도 이러한 가설은 타당성이 충분히 인정된다. "저녁하늘/찬 바람
은 나뭇가지를 흔들고"라는 시적 배경은 "저녁하늘/찬바람/나뭇가지"라는 객
관적 상관물(objective correlative)를 사용하여 겨울 저녁의 쓸쓸함을 유발하고
있다. 여기에 "하로길을 마친 햇볏"이라는 은유 의미가 "금색을 놓으며/고요
히 넘는다"는 감각적 유추에 의한 동사은유와 결합하여 '황혼'의 이미지를 조
형하고, 다시 "꼿수레를 타고 내리는 밤"의 상징적 동사은유는 "산과 들과 바
다에 검은 옷을 입힌다"는 활물변질형 의인은유와 다중으로 결합하여 조소성
(plasticité)을 획득하여 이 시의 중핵적 구조를 형성하게 되는 것이다. 현대시
가 불란서 상징주의의 음악성과 영국을 중심으로 한 이미지즘의 회화성 및 조
소성을 기본특성으로 한다고 생각할 때 안서의 이 「겨울의 황혼」은 충분히 한

국근대시 초기의 모범적 작품이 될 수 있다. 그러므로 각 작가와 작품이 전통 속에서 차지하고 있는 정확한 위치를 확립하는 것이 문학사의 제1의 임무[18]라고 보면 안서의 현대 시사적 위치는 선구적인 위치로 평가돼야 마땅하다고 생각한다. 이것은 단지 그가 신시 최초의 전문시인이라든가 또는 시 번역가 혹은 시론가라는 표면적 관점에서보다는 그의 작품이 실증적으로 보여주고 있는 것이다. 또한 이것은 소월 이전에 최초로 한국적 릴리시즘 미학을 발굴·개척했다는 사실이나, 후에 『번뇌의 무도』(1921. 3. 20)라는 최초의 번역시집과 창작시집 『해파리의 노래』를 간행하여 1920년대 초기 시단의 분위기와 골격 형성에 지대한 공헌을 했다는 문학사적 사실과도 크게 관련을 갖고 있음은 물론이다.

　　실상 안서가 이처럼 비교적 우수한 시를 창작하게 된 요인은 자신이 번역한 서구의 시작품과 시론에 지대한 영향을 받았었던데 연유하며, 이것은 은유법의 형성에 미친 서구시의 영향을 볼 때 더욱 확연히 드러나고 있다.

　　　　거리에 나리는 비인듯
　　　　내 가슴에 눈물의 비 오나니
　　　　　　　　　　── 베를레느, 「거리에 나리는 비」[19] 부분

　　　　내가 만일 광명(光明)의
　　　　황금(黃金), 백금(白金)의 짜아내인
　　　　하늘의 수(繡)노혼 옷
　　　　…(중략(中略))…
　　　　어둠의 물들인 옷을 가졌다 하면

　　　　　　　　　　　　── 예이츠, 「꿈」[20] 부분

---

18) R. Wellek&A. Warren, *op. cit.,* 259쪽.
19) 『태서문예신보』 6호 5면.
20) 『태서문예신보』 11호 7면.

갓가히 오너라 한번은 우리도 불상한
낙엽(落葉)이 될 것이다

— 구르몽, 「낙엽」21) 부분

내 혼(魂)은 부는
모딘 바람에
날아 홋터지는
낙엽(落葉)이어라

— 베를레느, 「가을의 노래」22) 부분

지금까지 살펴본 것처럼, 여타 시인들이 아직도 육당의 신시와 같은 구투에서 벗어나지 못하고 있는 반면,『태서문예신보』에 수록된 안서의 시는 기초적 은유법을 통한 시어의 정서 가치에 대한 인식과 함께 내용에 있어 근대적 자아의식의 맹아 및 그것의 발굴로 인해 육당의 신시와는 근본적인 차이점을 드러내고 있다. 그런 의미에서 "육당의 신체시를 시 없는 시사이전의 시라고 한다면 안서와 요한을 기다려 근대시는 비로소 유사시대에 들어선다"23)는 주장은 그 타당성이 인정될 수 있다. 결국 김억의 시는 이 땅의 현대시사가 출발하는 밑거름이 될 수 있는바, 지금까지『창조』지의「불노리」등에 부여된 과도한 비중의 시사적 위치는『태서문예신보』에 그 상당한 부분이 넘겨져야 마땅한 것이다.

3.『창조』지 ― 주요한의 시

『창조』는 1919년 2월 김동인, 주요한, 전영택, 김환 등에 의해 동경에서 창

---

21)『태서문예신보』 13호 9면.
22)『태서문예신보』 7호 1면.
23) 김열규, 앞의 글, 22쪽.

간되어 9호까지 계속된 신문학사상 초유의 순문예 동인지이다. 그러므로 백철은[24] 이 『창조』의 출현으로 우리 문학사는 육당, 춘원 등에 의한 제1기의 문학을 획하고 제2기로 들어선다고 말하고 있는 것이다. 일반적으로 『창조』지의 문학사적 위치는 주요한의 「불노리」를 거론하는 데서 출발하고 있다. 실상 「불노리」는 작자 자신의 말대로 고래의 형식을 폐하고 자연스러운 리듬에 맞춰 쓴 자유율의 형태로 되어 있다.

아아 날이 저문다 서편(西便)하늘에 의로운 강물위에 스러져가는 분홍빛 놀……아아 해가 저물면 해가 저물면, 날마다 살구나무 그늘에 혼자 우는 밤이 또 오건만……
　　　　　　　　　　　　　　　—「불노리」(『창조』 창간호) 부분

그러나 이 주요한의 「불노리」가 정형률에서의 자유, 즉 산문체적 내재율을 가진 자유시 율격을 가졌다고 해서 근대시의 금자탑으로 과찬되는 것은 적당치 않다고 생각한다. 그것은 이미 형태적 자유화는 육당·안서에게서 찾아볼 수 있는 것이기 때문이다. 이것은 정한모[25]의 다음과 같은 지적에서 그 반증을 얻을 수 있는 것이다.

……육당시가(六堂詩歌)의 형태(形態)는 이미 상술(詳述)된 바와 같이 이러한 전통적(傳統的)인 정형률(定型律)에서 벗어난 새로운 리듬을 위한 시도와 창가체(唱歌體) 신시체(新詩體) 자유시체(自由詩體) 산문시체(散文詩體) 등 실로 형태면(形態面)에 있어서는 현대시에서 볼 수 있는 모든 것을 육당(六堂)의 시가(詩歌)에서 이미 찾아볼 수 있다. …중략(中略)…"어수(語數)와 구수(句數) 제목(題目)은 수의(隨意)"라고 명시(明示)하고 있는 시가모집(詩歌募集)광고의 이 항목은 형태면(形態面)에 대한 육당(六堂)의 시론(詩論)으로 보아도 좋을 것이다.

24) 이병기·백철, 『국문학전사』(신구문화사, 1960)277쪽.
25) 정한모, 앞의 책 참조.

또한 요한시의 내용 면에서 흔히 운위되는 상징성도 상징주의나 상징이라는 이름을 붙이기에는 너무나 피상적이고 막연한 분위기에 불과한 것이다. 다만 내용에 있어서 개성이 심화되고 시어의 정서적 가치와 기능에 관하여 요한 자신의 개안을 보여주는 등 근대시적 면모를 인정할 수 있지만 이것도 이미 『태서문예신보』항에서 지적한 것처럼 안서의 일련의 작품에서 이미 찾아볼 수 있었던 것이다. 그러므로 지금까지 최초의 현대시라고 강조되어온 「불노리」에 대한 과대평가는 확 실히 시정되어야 마땅하다. 따라서 근대시의 시발은 전항에서 논했듯이 『태서문예신보』에 발표된 김억의 시편들에서 찾아질 수 있는 것으로 보아야 한다. 안서와 요한의 상보적 관계에 의해 우리의 근대 시사는 두 번째 출발점을 갖게 된 것이다.

그러면 요한의 시들이 갖는 은유적 특성을 『창조』지에 수록된 작품들을 주로 하여 구체적으로 분석해 보기로 한다.

> 푸른 이슬 맺치는 성당위에
> 깃발을 날리는 바람에 입술조차 떱니다
> (아아 잿빛말을 타고 거니는 잿빛가을)
> 지금 나의 마음은 소리없이 피는 꽃같이 잠깰 때
> 안개는 아지못할 이상(異象)의 집, 흰 바람은
> 그 비밀(秘密)을 나의 가슴에 귓속합니다
> ―「하아얀 안개」(『창조』第一年一號) 부분

「불노리」와 함께 발표된 이 시는 다양한 은유 형태가 그 뼈대를 형성하고 있다. "깃발을 날리는 바람"이라는 형용사 은유는 "잿빛 말을 타고 거니는 잿빛 가을"이라는 상사성 및 유사성에 의한 수사적 진술로서 프라이(N. Frye)[26]의 기술적 은유(descriptive metaphor)와 은유 의미의 결합작용을 이룬다. 그러

---

26) N. Frye, *Anatomy of Criticism*(Princeton, N.J.: Princeton Univ. Press, 1957)366쪽.

므로 "안개는 아지못할 이상의 집"이라는 계사형 은유로 중심 은유 구조를 형성하여 "안개의 비밀의 곡조"라는 「하아얀 안개」의 중심관념을 적절하게 형상화하고 있는 것이다. 특히 "잿빛 말을 타고 거니는 잿빛 가을"이라는 동사의 묘사적 은유는 정지용의 "뷔인 밭에 밤바람 소리 말을 달리고"「향수」를 연상케 하는 당대 발군의 것으로 평가된다. 또한 안서의 비교적 평면적이고 제한적이던 은유법보다 요한의 그것은 다양화되어 있음을 본다.

> 간절한 쯧의 화관(花冠)을, 그 찬 입설에 선물로 보낼지라도
> —「선물」(『창조』第一年一號) 부분

> 님 마음속에 자라나는
> 사랑의 고은 풀은
>
> —「풀엄」(『창조』第五號) 부분

> 나는 녯날 성도(聖徒)의 거름으로
> 외로움의 기픈 골에 홀로 나려가며
> 추억(追憶)의 무거운 바다, 물밑에 업드려
> —「외로움」(『창조』第二年三號) 부분

> 햇빗에 빛나는 황금의 쏫닙을 보아라
> —「쓸어진 꽃줄기」(『창조』第九號) 부분

우선 가장 많이 나타나는 은유는 '속격' 및 '동격'의 '-의」 은유'로, 이것은 안서의 경우에서와 비슷하게 '추상-구상'(쯧의 화관, 사랑의 고은 풀, 추억의 바다 등)과 '구상-구상'(황금의 꽃잎)의 메커니즘을 거친 것이 많다. 이것은 초기의 은유가 시상화(visualization)에 그 근본적인 동인을 두고 있음을 말하는 것이 된다.

땅에 떠러진 님의 우슴
마음속 기리 간직했더니
그속에 피어나 꼿이 되어
이 타는 속을 미칠듯이

—「꽃」(『창조』 第五號) 부분

저 하늘 볼 때마다 놀뛰는 가슴,
그 속에 숨겨둔 애타는 생각을
저 파란 하늘 위에 노아 주면은
금(金)가튼 소리되여 님의 귀에,
불가튼 볕이되여 님의 속에,

—「하늘」(『창조』 第五號) 부분

또한 이 시편들에서는 동사은유가 활용되어 있음을 본다. 「꽃」에서는 시 전체가 "님의 우슴 마음속 꽃이 되어"에서 보는 바와 같이 동사은유로 짜여져 있으며, 「하늘」의 경우는 "생각이 금가튼 소리되여/불가튼 볕이 되어"와 같이 직유와 결합된 유기적 동사은유로 짜여져 시가 성공적으로 형상화되고 있는 것이다. 특히 다음과 같은 시는 시 전체가 은유로 구성되어 있다.

「생(生)」은 석양(夕陽), 피의 바다
강(强)하고 요란한 하늘이여
「사(死)」는 여명(黎明), 흰 안개
깨끗한 호흡(呼吸) 소박(素朴)한 색채(色彩)

생(生)은 보기실흔 희극(喜劇)
사(死)는 아름다운 비극(悲劇)
생(生)은 펄럭이는 촛불
사(死)는 빛나는 금강석(金剛石)
……(중략(中略))……

「삶」은 주금에 니르는 비탈길

「주금」은 새로운 삶의 새벽

　아아! 미묘히 섞어짜는 주금의 실로 무거운 삶의 폭우에 성결(聖潔)
한 광택을 이루리로다

　　　　　　　　　　—「생과 사」(『창조』第二年四號) 부분

　이 시는 A＝B, C("생은 석양, 피의 바다"), A＝B("사(死)는 빛나는 금강석"),
A＝B of C("죽음은 삶의 새벽") 및 A of B("주금의 실/삶의 폭우") 등과 같이 다
양하고 조직적인 은유의 활용으로 구조가 형성되어 있다. 분명 이 점은 요한
의 은유가 안서의 그것보다 발전된 것으로 볼 수 있는 것이다. 그러나 이러한
도식화한 은유의 공식성은 감동을 불러일으키는 '그 무엇'에 도달하기에는 거
리가 있는 것임에 틀림없다. 한편 은유 형식의 매너리즘은 시적 정서 유발을
제한함은 물론 시적 사고 영역의 심화와 확대를 방해하여 시의 질을 격하시키
는 요인이 되기 때문이다. 이것은 요한이 시어의 은유적 기능을 분명히 인식
하고는 있었지만 그 상징적 가치, 곧 언어는 순수한 대상의 세계와는 별도로
그 자신의 의미를 실존시킴으로써 비로소 싱징적이 된다는 사실을 인식하지
는 못했기 때문이라고 생각된다.[27] 실상 주요한은 삼목로풍 등의 일본 상징주
의 시인들에서 영향을 받았고 자신의 말대로 "의식적으로 데카당티즘을 피했
다"[28]고 하지만, 실제 작품들은 이상의 시들에서 보듯이 불란서 상징주의 시
의 암시와 신비의 깊이와는 거리가 있는 것이다. 그의 시들은 사물에 대한 인
상을 은유에 의해 구상화하고 감각화하여 형상성을 획득함으로써 이것이 그
의 시가 근대시 초기에 인정받는 이유가 되는 것이다. 그러나 이러한 은유법
을 통한 시 구조형성 의식은 비록 그것이 실험적인 것이었다 해도 충분히 시
사적 가치를 인정받을 수 있다. 이처럼 요한의 은유법은 기본형식의 매너리즘

27) 김열규, 앞의 글, 30쪽.
28) 주요한, 「아름다운 새벽」(『조선문단사』, 1924. 12. 15) 발문 참조.

에 빠진 단점이 있다 해도 안서의 그것보다는 조직성을 띤 가운데 구조적 틀을 형성하고 있다.

결국 현대시 초기의 은유 시학은 안서와 요한에 의한 시어의 정서적 가치에 대한 인식으로부터 비롯되어 실험기에 들어서게 되는 것이다. 바로 이 점에서 육당으로부터 비롯된 신시는 안서와 요한에 의해서 시어의 미학적 방법론을 차츰 획득함으로써 현대시적인 것으로 발전하게 되는 것이다.

II. 현대시의 모색과 실험

1. 상아탑 황석우의 시

시어의 미적 구조성과 정서적 가치성에 관한 확실한 인식이 없이 서술적 진술과 주장으로 출발했던 육당의 신시는 안서와 요한의 상징주의 소개와 도입에 따른 시어의 미적 구조성에 대한 자각과 모색으로 이어졌다. 또한 이러한 시어의 정서적 가치 인식과 모색은 『창조』, 『폐허』, 『개벽』, 『백조』 등에 이르는 초기 시단의 태동과 형성 운동으로 나타났다. 그런데 육당과 안서 요한에 이어 초기 시단의 선두주자로 나타난 사람은 상아탑 황석우이다. 사실 황석우는 『태서문예신보』 14호에 「은자의 가」와 16호에 「어진 제매에게」, 「봄, 밤, 열매, 앵」 등을 발표하여 등단하였지만, 본격적인 출발은 『폐허』 1호에 「석양은 꺼지다」, 「벽모의 묘」 등을 발표하고 「장미촌」(1921. 5. 24)을 주재함으로써 비롯된다.

황석우는 보통 상징파 시인으로 불리지만 실제에 있어 그의 시는 상징주의와는 거리가 있는 것이다. 그리고 그가 주장하는 상징주의 시론도 산궁윤의 논문을 소개하는 데 불과한 것이었다. 그러나 황석우는 자기 나름으로 상징주의를 변용 해석해서 '구상성이 부'한 은유시를 만드는 데는 일차적으로 성공하고 있다.

> 고독(孤獨)은 내 령(靈)의 월세계(月世界)
> 나는 그우의 사막우에 깃드려 있다
> 고독은 나의 정열(情熱)의 불사(佛士)
>
> —「장미촌의 향연」에서

> 잠은 별들의 넋이랍니다
> 그넋은 술과 같은 파란 액체랍니다
>
> —「잠」부분

> 나비의 비행가(飛行家)님! 하얀 푸로펠라, 노란 푸로펠라 곱게 오무
> 리고 공중으로부터 내려오십시요
>
> —「나비 사랑하는 어느꽃」부분

> 공중으로부터 날라오는 피난민
> 오오 공중으로부터 날라오는 가난한 이주민(移住民)!
>
> —「오오 제비들이여 오너라」부분

> 네웃음이 나에게만 열어뵈이는
> 너의 비애(悲哀)의 비밀한 화폭(畵幅)일진댄,
> 나는 내마음이 홍수(洪水)가 되도록, 울어 주마.
>
> —「석양은 꺼지다」부분

> 태양(太陽)은 아침마다 와서
> 넓은 광선(光線)의 부채로서
> 만상(萬像)의 눈으로부터 잠을 날러 쫓읍니다
>
> —「광선의 부채」부분

깊이도 헤아릴 수 없는 무시무시한 시퍼런 하늘 가운데
지구(地球)라는 한 섬-떠있는 조그마한 절도(絶島)가 있다
— 「하늘 가운데 섬」 부분

우선 황석우의 시에는 은유적인 발상법에서 시작되는 작품이 눈에 띄게 많음을 본다. 또한 그 은유는 다양한 형태로 사용되어 시의 구조를 이끌어 나가는 중심역할을 하고 있다.

계사형/잠＝별들의 넋/
동격「-의」은유(oppositive 「of」 metaphor)/나비의 비행가(飛行家)님/
투사형(投寫型)/제비＝공중으로부터 날라오는 피난민, 가난한 이주민!/
관형형(冠形型)/하늘에 지구(地球)라는 한섬/
동사은유/내마음이 홍수(洪水)가 되도록/
의인은유/태양(太陽)은 아침마다 와서/
특수조사은유/넓은 광선(光線)의 부채로서/

이와 같이 발상법 그 자체가 은유 구조로 짜인 다양하고 조직적인 형상화 작업을 전개하고 있는 것이다. 또한 그의 시에는 전문이 은유 구조로만 되어 있는 작품이 매우 많다.

봄의 치마는 동풍(東風), 그 빛은 초록!
봄의 얼굴은 둥글고 눈같이 희다.
봄의 눈은 분홍빛의 비둘기 눈
봄의 마음은 꿀빛의 사랑의 샘!
봄의 직업은 꽃 제조(製造), 빛 제조(製造), 노래 제조(製造)!
봄은 곧 아리따운 생명(生命)을 맨드는 여류기사(女流技師)!
봄은 태양(太陽)의 젊은 영부인(令夫人)!
— 「봄」 전문

이처럼 시 전체가 은유 구조로 형성되어 있는 시는 「봄비」, 「나비 사랑하는 어느 꽃」, 「물 자아 올려가는 태양」, 「꿈의 병아리」, 「사계의 바람」 등 여러 작품이 있다. 그런데 문제는 바로 이 점에 있다. 「봄」의 경우, 이 시는 시라기 보다는 한 편의 봄에 대한 '설명서'에 불과한 것이다. 봄의 속성과 특질만을 유추에 의해 기계적으로 나열해 놓은 것으로서 이것을 시라고 보기에는 힘든 면이 있다.

> 봄바람은 안기기 잘하는 나비
> 여름바람은 핥기 잘하는 곰
> 가을바람은 울기 잘하는 송아지
> 겨울바람은 뛰어 달리는 성낸말
>
> ─「사계의 바람」 전문

이 시에서 볼 때도 이 시는 네 계절의 바람에 대한 설명서로 되어 있다. 각 계절 바람의 특징을 유사성에 의한 유추은유[29]를 통해서 시를 형상화하고 있는 것이다. 이러한 은유 구조의 단순성과 도식성은 시적 긴장(poetic tension)의 이완은 물론 상상력의 활동에 한계를 초래하게 된다.

그러므로 그의 시는 외계의 인상에 대한 사실적 묘사에 얽매여 감각성만으로 시적 형상을 유지할 수 있었다고 볼 수 있다. 그의 이러한 은유법은 자신이 생각한 상징시의 개념이 산궁윤의 이론에서 차용한 협의의 상징주의인 정서적 상징주의, 즉 '구상성이 부함'에서 비롯되고 있음을 말해준다. 즉 황석우는 상징시의 '주요특질=구상성'이라는 공식을 염두에 두고 이 구상성을 형성할 수 있는 방법을 은유(간혹 직유법도 보이지만)로 생각한 것이다. 그러므로 그의 시는 사상성이 결여되었지만, 시에서 비유에 의한 내면 공간(Weltinnenraum)을 형성할 줄 아는 현대시사 초유의 시인이 되기도 했다. "하얀 나비가 아무도

---

29) R. Wellek&A. Warren, *op. cit.*, 197쪽.

없는/처녀 혼자있는 집같은/노란 칸나속으로 엉큼하게/날라뛰어 들어갔소"
(「나비가 날라뛰어 들어갔소」)처럼 그는 시적 트릭과 패러디를 형성할 줄 알
았던 것이다. 이러한 것은 상아탑의 시가 비록 상징주의의 정곡을 찌른 것이
되지 못했었다 해도 초기의 현대시로서는 충분히 의미 있는 실험이었음을 뜻
하는 것이 된다. 사실 황석우는 현대시사의 초기 시단 형성 과정에 있어 실제
이러한 시의 실험뿐 아니라 『중앙시단(中央詩壇)』이나 최초의 시 전문지인
『장미촌』등을 주재하였다는 시사적 사실, 그리고 『폐허』의 중심 멤버로 이
땅 시사의 출발에 있어 비록 딜레땅뜨적이긴 하였지만 허무주의를 심화함으
로써 초기 시단 풍토를 다원화하였다든지 하는 점들로 볼 때 공헌적인 시인의
한 사람으로 평가된다.

한편 김춘수에 의하면 황석우는 시의 형태적인 면에서 비교적 뚜렷한 자각
을 보여준 시인으로서 "한국의 자유시는 상아탑에 와서 비로소 정착되었다고
할 것이다"라고 한다. 그렇다면 한국의 현대시는 형태 면이나 은유적 방법론에
의한 시 형상화에 있어서 비록 실험적인 요소를 띠고 있다고 해도 황석우의 시
에서 어느 정도 형상성을 얻은 것으로 생각할 수 있을 것이다.

결국 황석우는 안서와 요한에서 눈떠진 시의 언어 미학적 구조 의식을 '상
징시=은유법(비유법)을 통한 구상시'로 인식함으로써, 다양화되고 분화된 은
유법을 사용하여 한국 현대시 초기의 전형적 모습을 형성하게 된 것이다.

바로 이러한 점에서 초기 시단의 형성 문제와 관련해서 황석우의 시사적 위
치가 바르게 논의되어야 할 것으로 생각한다.

2. 『백조』지 — 회월과 상화의 시

육당의 『소년』, 『청춘』에서 시작된 신시의 도입과 창작은 『태서문예신보』
의 안서와 『창조』의 요한에 의하여 시의 미적 구조성에 대한 인식과 모색으로

이어졌으며, 이것은 1920년대에 들어서서『폐허』,『개벽』,『장미촌』,『백조』 등 순문예 동인지의 발간과 아울러 본격적인 초기 시단의 형성으로 나아가게 되었다. 그러므로『폐허』,『장미촌』의 중심인물이던 황석우의 본격적인 현대 시에 관한 실험은 회월 박영희, 월탄 박종화, 이상화, 노춘성, 김팔봉 등에 의 해 발전되었으며, 그 특징은 첫째 시 중심이라는 것, 둘째 경향이 '로맨틱 무 브먼트'로서의 심볼리즘으로 그 내용은 퇴폐적이며, 셋째 그 특징으로서는 언어의 미적 선택, 치밀한 감정의 표시 및 미묘한 기분의 감염을 주장하는 것30)들이었다.『백조』의 출현으로 우리의 신문학이 낭만주의의 화려한 시대 를 맞이하였다는 주장31)이 비록 지나친 과장이라고 해도, 실상『백조』에 이 르러 이 땅의 시사는 내용적 다원화와 방법론적인 실험을 본격화하게 된 것이 사실이다.『백조』파의 이 은유적 방법론의 특징적 실험은 회월과 상화에게서 발견된다.

　『장미촌』창간호(1921. 5. 24.)에「적의 비곡」으로부터 시작되는 회월의 시 작(詩作)은『백조』창간호에「미소의 허화시」,「객」및「꿈의 나라로」(2호), 「월광으로 짠 병실」(3호) 등을 발표하면서 본격화되었다.

　우선 그의 시는 제목 자체가 은유적인 것이 많다.「적의 비곡」,「미소의 허 화시」,「월광으로 짠 병실」,「환영의 황금탑」,「과거의 왕국」등 제목에서 볼 수 있듯이 회월은 두 대상 관념 사이에서 상호조응의 유발을 꾀하고 있는 것 이다. 그러나 이 이중단위(double unit)에 의한 두 대상 관념의 결합은 "적=비 곡/미소=허화시/월광=병실/환영=황금탑/과거=왕국"과 같이 속격 및 동격 의 은유로 결합된 것이 대부분임에도 불구하고 관념의 구상화는 물론 이미지 의 상승적 조응 및 미적 긴장체계는 형성되어 있지 않다. 또한 실제로 시에 있 어서도 그의 작품은 실체가 잡히지 않는 생경한 관념의 이중적 은유 구조가

---

30) 김윤식,「회월박영희연구」(『학술원논문집』7, 학술원, 1968), 177-178쪽.
31) 백철, 앞의 책, 304쪽.

대부분이다.

> 우숨의 저자를 다시 못보고
> 독주(毒酒)의 허화시(虛華市)를 네가 볼 때에
> 너의 우름을 엇더케 들으며
> 너의 붉은 입살에서 흘으는
> 마르지 안는 피방울을 엇더케 볼까?
> 아 미소(微笑)의 허화시(虛華市)는 어지럽도다
>
> 만흔 우숨을 벌여서놋코
> 토(吐)하는 마왕(魔王)에게 파는 처녀(處女)여!
> 어린이의 우숨을 다시 못보고
> 그의 몸에는 허화시(虛華市)의 독주(毒酒)가 뭇었도다
> 그러나 자는 어린이를 깨우지는 말어라
> 미소(微笑)의 허화시(虛華市)는 어지럽도다
>
> ―「미소의 허화시」부분

회월의 이 작품은 "우숨의 저자"와 "독주의 허화시" 등의 '「-의」 은유'가 구조의 핵심을 이루고 있다. "마왕과 처녀/붉은 입술과 핏방울/우숨과 독주"의 시적 콘트라스트는 회월의 퇴폐적인 탐미주의 경향을 단적으로 나타내는 것이 되며, 이러한 것은 "고뇌의 현실=독주의 허화시"라는 은유의 뼈대구조를 통해 「미소의 허화시」를 형상화하는 것이다.

> 어둔 물결우에서 빗틀거리는
> 황금탑(黃金塔)우에 안즌 나의 애인(愛人)이여!
> 황금탑(黃金塔)의 넷향기(香氣)를 가슴의 품고
> 두사람의 헛된 꿈속의 미소(微笑)를
> 너의 햇슥한 얼굴에 띄우다

물결에 떠나가다 압초(岩礁)에 붓드쳐
황금탑(黃金塔)이 깨뜨러질제
옛날 향기(香氣)는 음풍(陰風)이 되고
꿈속의 미소(微笑)는 거품이 되어

　　　　　　　　　　　— 「환영의 황금탑」 부분

　이 작품에서도 회월은 화관 쓴 애인과의 사랑이 암초에 부딪혀 환상의 황금
탑으로 스러져가는 과정을 '현실의 파멸=환상의 파멸=환영의 황금탑'이라
는 은유 구조를 통하여 형상화하고 있다. 또한 이 시는 "꿈/빗틀거리는/햇슥한
얼굴/눈물만흔/푸른별/푸른 호수/황금탑" 등 몽환적이고, 병적이며, 감상적이
고, 유미적인 경향의 시어들이 범람하여 회월의 시 세계를 잘 드러내고 있다.
사랑은 환영의 황금탑이라는 자각에 따른 현실적 비애와 고뇌를 노래하는 주
제가 "애의 환상"과 "환영의 황금탑"과 "금광석 갓흔 눈물방울"이라는 은유
구조 속에 나타나 있는 것이다. 특히 이 시는 "향기는 음풍되고/꿈속의 미소는
거품이 되어"라는 동사은유의 가변성이 암시되어 있다.
　그러므로 회월은 참담한 현실의 비애와 고통을 「적의 비곡」에 담고 몽환적
환상과 동경으로 「과거의 왕국」에서 구원을 희구하지만 이것 역시 「미소의
허화시」이며 「환영의 황금탑」에 지나지 않는 것을 깨닫게 되어, 마침내 "붉은
비 내리는 고개"를 넘어 「꿈의 나라」, 「월광으로 짠 병실」로 도피하게 되는
것이다. 여기에서 '백조'파의 병적 낭만주의의 특성이 단적으로 드러나게 됨
은 물론이다. 이와 같은 사실은 '꿈과 잠재의식의 표상인 밤의 낭만주의'[32]적
경향이 백조에 나타난 한국 낭만주의 시의 한 특질이 됨을 설명해 준다.
　결국 회월의 시는 현실과 환상세계의 대립과 좌절에 따른 불안과 고통, 병
적 갈망과 동경이 시의 중심축을 이루고 있으며, 이것은 이중단위의 은유 구
조를 통하여 관념 일변도의 유미주의적 수사성으로 나타나고 있다. 그러나 비

---

32) R. Wellek&A. Warren, *op. cit.*, 178쪽.

록 회월의 시가 실체가 잡히지 않는 관념적 은유 구조로 구성되어 있다 해도 실제적인 면에서 그는 시어의 미적 구조성 및 치밀한 정서의 표시와 감염을 이론적으로 주장한 최초의 시인이며,『백조』의 시적 특질을 보여주는 대표적 시인의 한 사람이 된다는 점에서 그 시사적 위치가 인정될 수 있다.

한편 회월과 더불어『백조』파 은유 구조의 특질을 보여주는 시인은 이상화이다. 이상화는『백조』창간호에「말세의 희탄」을 발표하여 시단에 등장하였으며 이후『백조』3호에「나의 침실로」를 발표하여 그 시적 재질을 인정받았다.

> 저녁의 피문은 동굴(洞窟) 속으로
> 아-밋업는 그 동굴(洞窟) 속으로
> 끝도 모르고
> 끝도 모르고
> 나는 걱구러지련다
> 나는 파뭇치이련다
>
> 가을의 병든 미풍(微風)의 품에다
> 아-꿈꾸는 미풍(微風)의 품에다
> 낫도 모르고
> 밤도 모르고
> 나는 술취한 몸을 세우련다
> 나는 속아픈 웃음을 빗으련다.
>
> —「말세의 희탄」전문

일반적으로『백조』창간의 시대적 배경은 3·1운동의 실패로 인한 좌절의 검은 구름이 일고, 일본에서 간접적으로 수용된 낭만적 유미적 경향이 안서의 『오뇌의 무도』(1921. 3. 20) 발간으로 문학 내에 직접적으로 세기말적 데카당스를 형성하게 된데 기인하는 것으로 보인다. 그러므로 낭만주의를 부르짖으며 나타난 『백조』파는 그 화려한 기치와는 달리 절망과 불안, 회의와 감상으로 세기말적 낭만주의의 체질을 형성할 수밖에 없었던 것이다.

상화도 그 예외는 아니었으며 「말세의 희탄>」이라는 "피묻은 동굴"에서 "속아픈 웃음을 빚으려/술취한 집을 세워/병든 미풍의 품에/꺼구러지는" 시를 쓰게 된 것이다. 회월의 시가 관념적 은유의 이중단위로 조직되어 있었으나, 상화는 같은 내용의 병적, 퇴폐적 주제를 읊고 있음에도 그의 은유는 보다 구상적 은유조직으로 시의 밀도를 고착시키고 있다.

> <마돈나> 지금은 밤도 모든 목거지에 다니노라 파인(波因)하야 돌아가려는도다
> 아 너도 먼동이 트기전으로 수밀도(水密桃)의 네가슴에 이슬이 맺도록 달려오너라
> ……(중략(中略))……
> <마돈나> 짧은 심지를 더우잡고 눈물도 없이 하소연하는 내 맘의 촉(燭)불을 봐라,
> 양(羊)털가튼 바람결에도 질식이 되어 얄푸른 연기로 꺼지려는도다
> ……(중략(中略))……
> <마돈나> 언젠들 안갈 수 있으랴. 갈테면 우리가 가자 끄을려 가지 말고!
> 너는 내말을 믿는 <마리아> 내 침실(寢室)이 복활(復活)의 동굴(洞窟)임을 네야 알련만……
> ― 「나의 침실로」 부분

상화는 각 연의 중심의미를 "수밀도의 네가슴/내 맘의 촉불/침실이 복활의 동굴" 등 은유조직으로 구상화하고 있어, 황석우의 과도한 은유의 남용이나 회월의 관념 일변도에서 벗어나 어느 정도 밀도 있는 은유 구조를 형성하고 있는 것이다. "복활의 동굴인 나의 침실"은 부제인 '가장 오랜 것은 꿈속에만 있어라'라는 상화의 유미적 동경의 세계를 구상한 중심 관념인 것이다. 이런

점에서 상화의 시에 있어서 은유는 시 방법의 중핵이 되는 것이다. 실상 여기에 상화의 시, 특히「나의 침실로」,「빼앗긴 들에도 봄은 오는가」가 초기 시의 대표적 작품으로 인정받을 수 있는 소이가 있는 것이다.

　또한 상화의 은유법을 보면

> 계사형; /내 침실이 부활의 동굴임을/
> 조사형; /내 맘의 촛불은 얄푸른 연기로/
> 동사형; /우리들은 피울음우는 두견(杜鵑)이 되지/
> 속격「-의」은유; /미풍(微風)의 품/
> 동격「-의」은유; /성경(聖經)속의 생명수(生命水)/
> 돈호법형; /금강(金剛)! 아 자연(自然)의 성전(聖殿)이여 /
> 형용사형; /병(病)드러 힘없이 섯는 잔디풀/

등 그 방법이 다양하게 사용되고 있다. 그러나 상화가 사용한 은유법 중에는 「이별」,「쓸어져가는 미술관」,「서러운 해조」,「이중의 사망」등의 시에서 볼 수 있는 바와 같이 시 전체가 작위적이고 산문적이며 중복되는 은유사용으로 시의 밀도와 구성의 불균형상태를 이루는 작품이 의외로 많음을 본다. 이것은 상화의 시가 상당한 수준에 올라 있으면서도 아직도 내용과 방법론에 있어 모색과 실험을 거듭하고 있음을 뜻한다. 이와 같은 사실은『백조』에 이르러서도 이 땅의 현대시는 아직 방법론상의 모색과 실험기에 머물고 있다는 점을 드러내 주는 것이 된다.

3. 소월시의 미학

　소월은『창조』5호에「낭인의 봄」이하 5편의 시를 발표하여 작품을 쓰기 시작한 시인이다. 그는 평북 오산학교 출신으로 안서 김억에 의해 발굴되었으며, 이러한 사실은 소월시의 성격 형성에 안서의 영향이 매우 컸다는 것을 말해준다.

안서가 『태서문예신보』에서 최초로 서구 상징주의의 시와 시론을 소개하고 또한 퇴폐적 상징주의 경향이 지배적인 번역시집 『오뇌의 무도』를 출간하여 1920년대 초기 시단의 체질 형성에 결정적 역할을 한 것은 주지의 사실이다. 그러나 안서는 차츰 리리시즘 쪽으로 그 시풍이 변해간바, 이것은 그가 처음에는 서구의 상징시에 흥미와 매력을 느꼈지만 이 상징시가 그의 한국적 체질에 쉽게 토착화할 수 없었다는 것을 의미한다.

소월은 20년대 초부터 시작을 했지만, 당대 시의 주류인 상징풍이나 퇴폐풍 혹은 병적 낭만풍에 쉬 물들지 않고 스스로의 리리시즘 시학을 구축해 나간 시인이었다. 그의 시는 한국의 전통적이며 토속적인 정감을 재래의 민요적 율조로 형상화한 것이며, 현대시사상 처음으로 한국적 리리시즘을 형성하여 한국시가의 내적 전통·질서를 회복한 것으로 그 시사적 위치가 인정된다.

소월시의 은유법은 지금까지의 시인들과는 다르게 퍽 간결하고 단순한 것을 특징으로 하고 있다.

> 금실은실의 가는 비는
> 비스듬히도 내리네 뿌리네.
>
> ─「장별리」 부분

> 풀자리 솔이불
> 쓸쓸도 하지만
> 바람치마 입고요
>
> ─「소소소무덤」 부분

> 평안이 괴로움의 씨도 되고요
> 쓰림은 즐거움의 씨가 됩니다

…(중략(中略))…
칼날위에 춤추는 인생이라고
물속에 몸을 던진 몹쓸 계집애

　　　　　　　　　　　　　　　　　　　—「고악」부분

선채로 이자리에 돌이 되어도
부르다가 내가 죽을 이름이여!
사랑하던 그 사람이여!

　　　　　　　　　　　　　　　　　　　—「초혼」부분

　　물론 시 전체가 은유적 발상법에서 비롯되었거나 (「개여 울의 노래」, 「님의 노래」 등), 은유 구조만으로 형성되어 있는 시 (「비단안개」, 「구름」, 「신앙」, 「둥근해」), 또는 은유적 내용이 이미저리를 이루고 있는 시들이 대부분이지만 일반적으로 그의 은유법은 표현구조의 일반적 용법으로 사용되는 경우가 많다. 또한 표현 구조로서의 은유법이 위 인용에서만 보더라도 매우 다양하게 나타나고 있으며, 소월의 은유법은 계사은유, 명사은유, 속격 및 동격의 은유가 많이 쓰인다.

눈들이 비단 안개에 둘리울 제
그때는 차마 잊지 못할 때러라

　　　　　　　　　　　　　　　　　　　—「비단 안개」부분

꽃 촉(燭)불 켜는 밤, 깊은 골방에 만나라.
아직 젊어 모를 몸

　　　　　　　　　　　　　　　　　　　—「꽃 촉불 켜는 밤」부분

심심산천에 붙는 불은
가신님 무덤가에 금잔디

　　　　　　　　　　　　　　　　　　　—「금잔디」부분

이제금 저달이 설움인줄은
예전엔 미처 몰랐어요

— 「예전엔 미처 몰랐어요」 부분

노전 벌에
오는 비는
숙낭자의
눈물이라

— 「항전애창 명주딸기」 부분

그지없이 거룩한 하늘로서는
젊음의 붉은 이슬 젖어내려라

— 「여름의 달밤」 부분

오늘은 하룻밤
단잠의 팔베게
내일은 상사(想思)의
거문고 베게라

— 「팔베게 노래」 부분

　"비단안개/꽃촉불/바람치마" 등 간결한 표현의 명사은유와 "붙는 불=금잔
디/달=설움/비=눈물"의 단순한 계사은유, 또 "젊음의 붉은 이슬/단잠의 팔
베게/상사의 거문고 베게" 등의 '「-의」 은유'는 소월 시에서 불가결의 재원이
되고 있다. 또한 그의 유일한 시론인 「시혼」에도 "미의 옷/운율의 발걸음/정조
의 불붙는 산마루/심상의 적은배/추억의 수레"등 무수한 '「-의」 은유'가 쓰이
고 있다. 소월이 이처럼 간결하고 단순한 은유 구조를 애용한 것은 그가 말하
는 다음 주장에서 그 원인을 찾을 수 있다.

"그러한 우리의 영혼이 우리의 가장 이상적(理想的) 미(美)의 옷을 입고 완전한 운율(韻律)의 발걸음으로 미묘한 절조(節操)의 풍경(風景) 많은 길위를 정조(情調)의 불붙은 산마루로 향하여……(중략(中略)) ……즉흥(卽興)의 드레박을 들어놓기도 할 때에는 곧 이르는 바 시혼 (詩魂)으로 그 순간에 우리들에게 현현(顯現)되는 것입니다."……(하 략(下略))……

즉 그의 시혼의 발현은 "아름다운 미의 옷(간결한 은유 구조)"과 "완전한 운율의 발걸음(민요적 운율 구조)"에 의해서 형성되는 것이다. 그러므로 소월시의 은유는 운율 구조와 등가를 이루는 간결한 표현구조인 계사형, 명사형 및 '「-의」 은유'를 특징적으로 사용하고 있는 것이다. 소월에 이르러서, 내용 면에 치우쳤던 재래의 은유법이 운율적 세련을 더하여 비로소 종합적 실험을 할 수 있었다는 점에서 소월의 시사적 위치가 평가될 수 있는 것이다. 그의 「시혼」이 말하듯, 소월시는 도회문명이 아닌 자연과 토속을 혼으로 하여 아름답고 간결한 은유 구조와 민요의 전통적이며 리드미컬한 운율을 통하여 형성된 것이다. 소월시의 형태적 심미성은 이러한 리리시즘의 시 정신과 간결하면서도 응축된 은유 구조에서 비롯되는 것이며, 바로 이런 점들에서 소월시의 미학이 중요한 시사적 의의를 갖게 되는 것이다.

결국 황석우는 안서와 요한의 미분화된 시어의 미학적 구조 의식을 '상징시=은유법을 통한 구상시'로 생각하여 은유 구조로 짜여진 시를 실험하였으며, 회월은 현실 세계와 환상 세계의 갈등과 좌절을 관념적인 이중단위의 은유 구조로 형상화하였고, 같은 『백조』파 시인인 상화는 구상적인 은유 구조를 중심적인 구조로 하는 실험을 계속하였던 것이다. 또한 대부분의 경우 이들의 은유법은, 은유가 시의 내용에 과도한 비중을 차지하고 있다는 데 그 특징이 있다. 그러나 소월에 이르러 이러한 내용편중의 은유 구조는 외형적인 실험을 기하게 되어 소월시의 은유는 표현구조성을 획득하게 된다. 그러므로 소월시는 현대시의 양대 원리인 은유와 운율을 종합적으로 실험하게 된 것이며 바로 여기에서 상아탑과 회월과 상화 그리고 소월을 은유 시학의 실험기로 파악한 필자의 가설이 타당성을 얻을 수 있게 되는 것이다.

III. 현대시에로의 전환

1. 만해 시학의 원리

육당에 의한 신시의 도입과 출발, 그리고 안서와 요한에 의한 현대시적 모색은 상아탑과 회월, 상화와 소월의 종합적인 실험으로 이어져 왔다.

이러한 현대시 초기의 꾸준한 모색과 실험은 만해에 이르러 비로소 은유적 방법론을 구체적으로 확립하게 된다.

만해 한용운은 1918년 『유심』지에 처녀 시작 「심」을 발표하기 시작하여 전통적 불교의 정신 배경과 세계관의 깊은 통찰로 독립적인 시 세계를 형성해 간 시인이다.

송욱에 의하면 만해의 시는 우리 신문학사에서 가장 높고 넓으며 깊은 인간성을 표현한 작품이며, 그의 산문시는 지금 우리나라에서 시로서 표방되는 것보다 훨씬 더 높고 절실한 '시'를 싱싱하게 담고 있기 때문에 탁월한 시사적 위치를 지니게 된다[33]고 하였다. 실상 만해의 유일한 시집 『님의 침묵』(1926. 5. 20)은 우리 시사에 있어 내면적인 정신적 방법론은 물론 은유 시학의 방법론을 확립했다는 점에서 그 시사적 의의를 지니게 된다. 사랑과 이별을 중심으

---

33) 송욱, 『시학평전』(일조각, 1967)296쪽.

로 한 존재의 본질에 대한 깊은 철학적 통찰은 고도한 은유법을 통하여 만해 시학을 형성하고 있는 것이다.

> 이별은 미(美)의 창조(創造)입니다.
> 이별의 미(美)는 아침의 바탕(질(質))없는 황금(黃金)과 밤의 올(계(系))없는 검은 비단과 주검없는 영원(永遠)의 생명(生命)과 시들지 않는 하늘의 푸른 꽃에도 없습니다.
> 님이여 이별이 아니면 나는 눈물에서 죽었다가 웃음에서 다시 살어날 수가 없습니다. 오오 이별이여.
> 미(美)는 이별의 창조(創造)입니다
>
> —「이별은 미의 창조」 전문

이 시는 시 전체가 은유 구조로 형성되어 있다. "이별=미의 창조/미=이별의 창조"라는 형이상적 내용은 그 자체가 메타포의 시적 의미를 내포하고 있으며 그것은 은유적 표현의 외연과 유기적으로 연결되어 있다. "아침의 바탕없는 황금/밤의 올없는 검은비단/하늘의 푸른 꽃" 등의 '「-의」 은유' 결합은 그것이 단순한 표현구조로서의 미적 정서 가치는 물론 시의 총체적 조직질서 아래서 상승적 은유의 미를 형성하고 있는 것이다.

또한 "눈물에서 죽었다가/웃음에서 다시 살아난다"는 형이상적 기상(metaphysical conceit)의 은유는 그의 은유가 단순한 표현미학에서 벗어나 시의 내용구조 자체가 되고 있음을 뜻한다. 또한 그의 은유법은 매우 다양하고 조직적인 동시에 기존 은유의 틀을 훨씬 벗어나 스스로의 독창적인 은유법을 확립하고 있음을 본다. 이처럼 시 전체가 은유 구조로 짜여 있는 시를 보면 「생의 예술」, 「님의 침묵」, 「이별은 미의 창조」, 「알 수 없어요」, 「고적한 밤」, 「이별」, 「생명」, 「찬송」, 「논개의 애인이 되어 그의 묘에」, 「꿈이라면」, 「달을 보며」, 「반비례」, 「눈물」 등으로서 시집 『님의 침묵』의 대부분을 차지한다.

당신의 얼굴은 봄하늘의 고요한 별이어요.
　　　　　　　　　　　　　　　　　　—「사랑을 사랑하여요」 부분

당신의 소리는 「침묵(沈默)」인가요.
　　　　　　　　　　　　　　　　　　—「반비례」 부분

님이여 당신은 백번(百番)이나 단련(鍛鍊)한 금(金)결입니다.
　　　　　　　　　　　　　　　　　　—「찬송」 부분

　만해의 시에 사용된 은유의 용법을 볼 때 가장 많이 사용되는 계사형은 시의 중심적인 발상법이 되고 있으며, 이와 아울러 여러 가지 유형들이 결합되어 다중구조로서 시가 형성되고 있다.

이별의 눈물은 물거품의 꽃이요 도금(鍍金)한 금(金)방울이다.
이별의 눈물은 저주(咀呪)의 마니주(摩尼珠)요 거짓의 수정(水晶)이다
　　　　　　　　　　　　　　　　　　—「이별」 부분

　우선 "눈물＝꽃, 금방울, 마니주, 수정"이라는 계사은유는 단순구조가 아닌 "이별의 눈물＝물거품의 꽃, 도금한 금방울, 저주의 마니주, 거짓의 수정"과 같이 '「-의」 은유'를 내포한 복합구조로 형성되어 있다.

가늘게 떨리는 그대의 입술은 웃음의 조운(朝雲)이냐 울음의 모우
(暮雨)이냐 새벽달의비밀(秘密)이냐 이슬꽃의 상징(象徵)이냐,
　　　　　　　　　　　　　—「논개의 애인이 되어 그의 묘에」 부분

당신이 나를 버리지 아니하면 나는 일생(一生)의 등잔불이 되어서
당신의 백년(百年)을 지키겠읍니다.
당신이 나를 버리지 않으면 나는 복종(服從)의 백과전서(百科全書)

가 되어서 당신의 요구(要求)를 수응(酬應)하겠습니다.

　　　　　　　　　　　　　　　　　　　　　ㅡ「버리지 아니하면」부분

　이처럼 계사은유는 '「-의」은유'의 내포와 중복으로 다양하게 사용되며 아울러 동사은유와 결합되어 삼중구조를 형성하게 된다. 그러므로 은유는 평면성을 떠나 유기적 복합구조성을 획득하여 시어의 의미를 고양시키고 있다. 또한 은유의 다중구조는 다시 분화된 여러 형태로 사용되고 있다. 특히「-의」은유법은 만해의 시에서 가장 중요한 방법으로서 통찰력의 집중적 표현 방법이 되고 있다.

　　그것은 모든 사람의 나를 미워하는 원한(怨恨)의 두만강(豆滿江)이 깊을수록 나의 당신을 사랑하는 행복(幸福)의 백두산(白頭山)이 높아지는 까닭입니다.

　　　　　　　　　　　　　　　　　　　　　　　ㅡ「행복」부분

　　죽은 밤을 지키는 외로운 등잔불의 구슬꽃이 제무게를 이기지 못하여 고요히 떨어집니다.

　　　　　　　　　　　　　　　　　　　　　　　ㅡ「?」부분

　　사랑의 언덕엔 사태가 나도 희망(希望)의 바다에 물결이 뛰놀아요.

　　　　　　　　　　　　　　　　　　　　　　　ㅡ「거짓이별」부분

　만해의 '「-의」은유'는 속격 및 동격이 모두 사용되고 있으며 거의 모든 시에 나타나고 있다. 또한 이 은유가 형성된 메커니즘은 '추상-구상'의 경우가 가장 많은데 이것은 그의 시가 철학적 관념에 빠지지 않고 미적 실체성을 획득하는 데 중요한 역할을 하고 있다. 이 '「-의」은유'의 용례를 살펴보면 "눈물의 구슬/한숨의 봄바람/키쓰의 술/명상의 적은 배/어둠의 품/생의 예술/대지의 침대/사랑의 날개/생명의 첫대/자연의 거울/칼의 웃음/대지의 음악/생명의 꽃/주검의 청산/황금의 칼/눈물의 수정/피의 홍보석" 등 헤아릴 수 없을 만큼 다양하게 사용되고 있다. 특히 만해시의 가장 중요한 주제인 '사랑'에 관한 '「-의」은유'는 광범한 영역으로 확산되어 만해시의 중요원리의 하나가 이 '「-의」은유'의 활용에 있음을 보여주고 있다. "사랑의 불/사랑의 동아줄/사랑의 날개/사랑의 초법/사랑의 라/사랑의 바다/사랑의 눈물/사랑의 제단/사랑의 팔/사랑의 쇠사슬"과 같이 사랑에 관한 다양한 「-의」 은유법은 만해시의 중핵관념을 형성하는 중요방법이 되고 있다. 그런데 이러한 '「-의」은유'의 원천은 만해의 사상적 배경에서 기인한 것으로 보인다. 이것은 즉 안서 이후의 외국시의 발상법에서 영향받은 것으로서보다는 불교적 은유법의 전통에서 그 내적 요인을 찾을 수 있는 것이다.

> 마음의 붓으로 그리운 부처앞에 엎드리온 몸은(심미필류(心未筆留) 모여백평은불체전재배내호은신만은(慕呂白平隱佛體前在拜內乎隱身萬隱)
>
> —「예경제불가」부분

> 가없는 덕(德)의 바다에 여러 부처를 가지고 싶어라(제천만은덕해회간왕동류찬이백제(際千萬隱德海贍間王冬留讚伊白制)
>
> —「칭찬여래가」부분

> 무명왕(無明王) 깊이 묻어 번뇌(煩惱)의 열로 다려내며(무명토심리다(無明土深理多) 번뇌열류전(煩惱熱留煎……)
>
> —「청전법륜가」부분

> 각수왕(覺水王)은 길잃은 사람을 뿌리로 삼으시느니라 대비(大悲)의 물로 적시어 아니시들게 한다 (……대비질수유윤양형(大悲叱水留

潤良兄)……)

— 「항순중생가」 부분

이 균여전의 향가 「보현십원가」에서 쓰인 '「-의」 은유'는 고전 시가의 독특한 은유법으로서 불교적 사고의 바탕에서 발생한 것으로 보인다. "대비의 물/마음의 붓/덕의 바다/번뇌의 열"과 같은 불교적 은유법은 '「-의」 은유'를 특징적인 것으로 사용하고 있음을 본다. 이것은 만해의 시학이 한국인의 오랜 사상과 정서를 발현하여 내적인 고전시가와 그 맥락을 잇고 있다는 것을 뜻하며 이 점에서 더욱 만해 시학의 의의가 인정됨은 물론이다. 또한 이 「-의」 은유법은 계사형은 물론 동사은유 혹은 활물 변질형 은유와 결합되어 다원 구조를 형성함으로써 시적 역동성을 획득하고 있다.

그대의 붉은 한(限)은 현란(絢爛)한 저녁놀이 되어서 하늘길을 가로막고

— 「계월향에게」 부분

달은 차차차 당신의 얼굴이 되더니 넓은 이마 둥근 코 아름다운 수염이 역력히 보입니다.

간해에는 당신의 얼굴이 달로 보이더니 오늘 밤에는 달이 당신의 얼굴이 됩니다.

당신의 얼굴이 달이기에 나의 얼굴도 달이 되었읍니다.

— 「달을 보며」 부분

생명의 배는 아직 발견도 안된 황금(黃金)의 나라를 꿈꾸는 한줄기 희망이 나침반이 되고 항로가 되고 순풍(順風)이 되어서……

— 「생명」 부분

나는 하늘의 별이 되어서 구름의 면사(面紗)로 낯을 가리고 숨어 있
겠읍니다.
　　나는 바다의 진주(眞珠)가 되었다가 당신의 구쓰에 단추가 되겠읍
니다.

―「요술」에서

　이 동사은유도 또한 만해시의 중요 구성원리의 하나가 되고 있다. 동사은유
가 시에 역동성을 부여함은 물론 상상력의 수단이 되기도 한다는 점을 생각할
때, 이 동사은유가 만해 시에 특히 많이 쓰이고 있다는 것은 동사은유가 그의
상상력의 중요원리가 되고 있음을 뜻한다. 또한 위의 예에서 보듯이 동사은유
는 간결한 형식으로 시의 중핵관념을 표현하는 '「-의」 은유'와 유기적으로 결
합되어 시의 역동적이며 조직적인 구조 질서를 강화하고 있는 것이다. 이러한
다중은유의 유기적 결합은 활물변질형 은유법과 복합되어 시적 비약과 초월
을 획득하게 된다.

　　나는 황금(黃金)의 소반에 아침볕을 받치고 매화(梅花)가지에 새봄
을 걸어서 그대의 잠자는 곁에 가만히 놓아 드리겠읍니다.

―「계월향에게」 부분

　　만일 당신을 쫓아오는 사람이 있으면 당신은 꽃속으로 들어가서
숨으십시요.
　　나는 나비가 되어서 당신 숨은 꽃위에 가서 앉겠읍니다.

―「오서요」 부분

　　달아래에서 거문고를 타기는 근심을 잊을까 함이려니 춤곡조가 끝
나기 전에 눈물이 앞을 가려서 밤은 바다가 되고 거문고 줄은 무지개
가 됩니다.
　　거문고소리가 높았다가 가늘고 가늘다가 높을 때에 당신은 거문고

줄에서 그네를 뜁니다.
—「거문고 탈 때」부분

나의 마음이 아프고 쓰린 때에 주머니에 수를 놓으려면 나의 마음은 수놓는 금실을 따라서 바늘구멍으로 들어가고 주머니 속에서 맑은 노래가 나와서 나의 마음이 됩니다.
—「수의 비밀」부분

당신이 사과를 따서 나를 주랴고 크고 붉은 사과를 따로 쌀 때에 당신의 마음이 그 사과속으로 들어가는 것을 분명히 보았습니다.
—「당신의 마음」부분

이러한 상승적 복합구조의 은유법을 굳이 분석한다는 것은 쓸모없는 작업이 되고 만다. 이 경우 만해의 은유는 이미 분석이나 해설을 요하지 않는 '시(詩)' 자체가 되어 있기 때문이다. 만해의 은유는 시의 총체적 구조를 형성하여 은유 미학을 형성하고 있어서, 은유적 발상과 전개 그리고 완결에 따르는 모든 상상력의 원리가 되고 있는 것이다. 또한 만해시는 표현구조로서의 은유가 내용구조와 등가를 형성하는 델리커시를 보여주기도 한다.

끝도 없는 당신의 청(情)실이 나의 잠을 얽습니다
—「어느 것이 참이냐」부분

생명(生命)의 꽃으로 빚은 이별의 두견주(杜鵑酒)가 어데 있더냐
피의 홍보석(紅寶石)으로 만든 이별의 기념(紀念)반지가 어데 있더냐.
—「이별」부분

능라도를 감돌아 흐르는 실연자(失戀者)국인 대동강(大洞江)아
—「사랑의 불」부분

님이여 사랑이여 아침볕의 첫 걸음이여
님이여 사랑이여 옛오동(梧桐)의 숨은 소리여
— 「찬송」 부분

주검이 한방울의 찬이슬이라면 이별은 일천줄기의 꽃비이다.
— 「이별」 부분

꽃은 부그럼에 취(醉)하여 얼굴이 붉었다.
— 「논개의 애인이 되어 그의 묘에」 부분

님의 사랑은 불보다도 뜨거워서 근심산(山)을 태우고 한(恨)바다를
말리는데
— 「님의 손길」 부분

허무(虛無)의 빛인 고요한 밤은 대지(大地)에 군림하였읍니다
— 「슬픔의 삼매」 부분

만해의 시가 철학적 유형으로 인해 빠지기 쉬운 관념 일변도를 지양하여 시
의 심미적 가치를 지속하고 논리적 긴장감과 지적 균제를 획득하고 있는 것은
은유적 사고의 도식성을 다양하고 탄력성 있는 은유법으로 가변화하는 능력
을 갖고 있기 때문이다. 또한 그는 단순구조의 은유로부터 복합구조의 은유로
상승하는 데 있어 역동성과 유기적 조직을 활용하는 신화적이며 마술적 은유
(mystical&magical metaphor)[34]를 시의 구조 자체와 결부시키는 방법을 터득
하고 있는 것이다.
지금까지 살펴본 만해의 은유법의 특징은 다음과 같다.
첫째, 그의 은유법은 형이상적 기상이나 기지(metaphysical conceit or wit)

---

34) R. Wellek&A. Warren, *op. cit.*, 204쪽.

를 은유적 표상으로 외연 하는데 그 중심 발상법이 있고, 둘째, 이 은유법은 단순한 표현구조로서 보다는 심미적 구조 질서와 어울려 내용구조 자체가 된다. 셋째, 그의 은유법은 단순구조로 쓰이기보다는 다양한 은유의 변화상을 이루며 이들이 상호결합하여 복합구조화함으로써 시적 상상력의 원리를 이룬다. 넷째, 만해 은유법의 원천은 불교적인 전통적 시법의 가락에 그 연원을 두고 있는바, 이것은 한국시가의 내용성에 중요한 구조적 가능성을 제시해 주는 것이 된다. 다섯째 그의 은유의 특징적 용법은 '「-의」 은유'와 동사은유 및 활물변질형 은유법들이 상호유기적인 확산구조를 역동화하는 데 있다.

이렇게 볼 때 만해의 시는 은유적 발상법에서 비롯하여 전개와 완결에 따르는 시의 구조 자체와 상상력의 원리가 되어 견고한 은유 시학을 확립하고 있는 것이다. 때로 현실적 호소력이 부족한 은유법의 사용이 없는 것은 아니지만, 가령 「선사의 설법」, 「당신은 보았습니다」, 「자유정조」, 「나는 잊고저」 등 은유법이 별로 쓰이지 않은 시가 산문적인 설명문으로 전락하고 마는 것을 보면, 확실히 그의 시는 은유적 방법론의 테두리 안에서 성립된다고 볼 수 있다.

결국 만해는 서구적 방법론의 모색과 실험들을 거듭하던 이 땅의 현대시가 독자적인 시 세계와 은유적 방법론을 확립함으로써 이 땅의 현대시가 비로소 의식적인 방법론을 획득하여 참다운 현대시적 전환을 이룩할 수 있는 지평을 열어준 것이다. 이런 점에서 한국의 현대시가 1930년대에 들어서서 정지용, 김영랑 등의 시문학파나 김기림, 이상 등의 모더니스트들에서 그 기점을 잡아야 한다는 지금까지의 주장은 수정되어야 할 것이다. 지용과 영랑, 기림 등이 시에 대한 의식적인 방법과 시론을 주장하고 또한 실천하고 있다. 하지만 그러한 것은 이미 살펴본 것처럼 만해에게서 충분히 작품으로 실천되고 있는 것이다. 만해가 한국적 토양에서 독자적으로 형성하고 확립한 정신세계와 은유시학은 그것이 서구적 감수성에 의해 훈련받지 않고 또한 시론으로 밑받침되지 않았다 해도 그러한 것들보다 훨씬 더 가치 있고 타당성이 있을 수 있다. 왜

나하면, 이 땅 현대시의 주조가 상징주의적 음악성과 모더니즘의 회화성을 근간으로 하는 서구시의 수용과 변용 과정에 있다고 생각할 수 있음에 비추어, 우리의 전통적 정신 내용과 질서를 회복하고 독자적인 방법론을 확립한다는 것은 우리 시사에서 무엇보다도 가치 있고 중요한 일이 되기 때문이다. 또한 시의 형태 면에서 볼 때도 그는 산문시뿐만 아니라 「청천한해」, 「두견새」, 「심은 버들」, 「꿈과 근심」 등에서 보듯 가볍고 경쾌한 운율을 사용하기도 하고 있는데, 이러한 것은 만해의 시가 리이드가 말하는바, 구조와 내용이 창의적이고 유기적인 동일체로 부합된 형식으로서 유기적 형식(organic form)에 완전히 부합되고 있음을 입증해 준다.

만해는 박용철이 주장하는 시문학파의 자유시 개념인 "자유시의 진실한 이상은 형(形)이 없는 것이 아니라 한 개의 시에 한 개의 형을 발견하는 것"[35]이라는 내용을 작품상에서 인식하여 이미 실천하고 있었던 것이다. 비록 만해가 자신의 시론을 발표하거나 또는 어떤 그룹에 참여하고 이즘을 표방하지 않았다 해도 그의 작품은 현대시가 지녀야 할 여러 요소들에 대한 깊은 통찰과 인식을 보여주고 있는 것이다. 더구나 만해의 시가 「님의 침묵」으로 대표되는 차원 높은 개인의식과 사회의식의 치열한 접합점에 모티프를 갖고 있다는 것은 K.A.P.F.의 허황한 깃발이 휘날리던 당대에 가장 귀중한 정신적 재산이 될 수 있었던 것이다.

이렇게 볼 때 만해의 시는 김기림의 1920년대 시와 30년대 모더니즘시를 구분하는 척도인 '자연발생적 존재(sein)의 시와 당위(sollen)의 시'[36]에서 당위의 시가 되며, 또한 김기림이 "시인은 문화의 전면적 발달과정에 의식적인 가치창조자로서 참가해야 한다"[37]하는 말에 비추어 볼 때 만해 시는 분명히 이 땅 현대시의 방법론적 기점이 될 수 있다.

---

35) 박용철, 「기교주의의 허망」(『박용철전집』 2, 동광당서점, 1940) 참조.
36) 김기림, 「시의 방법」(『시론』, 앞의 책)107쪽.
37) _____, 위의 책, 108쪽.

결국 만해가 작품을 통해 스스로 확립하고 있는 시의 정신적 내용과 차원 높은 개인의식과 사회의식의 접합, 그리고 은유 시학의 확립에 의한 시의 언어 구조성에 관한 통찰과 인식은 한국의 현대시가 근대적인 내용과 속성에서 벗어나 현대적인 전환을 이룩하는 결정적 기점이 되는 것이다. 실로 만해의 고차한 시 정신과 은유 시학은 이 땅의 현대시가 이룩한 빛나는 업적의 하나가 된다. 바로 이러한 점들에서 만해의 시들은 새롭게 논의되어야 하며 또한 만해 시학의 시사적 위치가 크게 강조되어야 한다.

2. 정지용의 시

만해에서 회복·재발굴된 전통적 정신 내용과 새롭게 확립된 은유적 방법론은 실상 의식적이고 독창적인 만해의 시 정신이며 형상화의 원리였음은 이미 살펴보았다. 그러나 만해의 시는 시어가 지니는 음성 가치구조에 대하여는 별다른 통찰을 보여주고 있지 못한 것이 사실이다. 또한 그의 시는 당대 사회의 문학이 이룩해야 할 현대적 감수성과 감각의 형식을 표현하려는 노력이 부족한 것도 사실이다. 이러한 것은 만해가 '전통적 정신내용을 회복 발굴하고, 의식적 방법론을 확립'하고 있다고 하더라도 이 땅 시사의 총체적 구조 질서의 측면에서 볼 때는 완전한 현대적 전환점이라고 보기는 힘들다는 이유가 된다. 바로 이 점에서 필자는 만해와 지용의 상대적인 위치가 정립될 수 있다고 생각한다.

김기림38)에 의하면 지용은 우리의 시 속에 '현대의 호흡과 맥박'을 불어 넣은 최초의 시인이며, 또한 시가 무엇보다도 우선 언어를 재료로 하여 성립되는 것이라는 것을 명확하게 인식하여 시의 유일한 매개인 언어에 대하여 주목한 최초의 시인이었다고 한다. 김기림은 재래의 시는 자연발생적 시, 즉 존재

---

38) _____, 위의 책, 83-85쪽.

의 시이고 주지적 시는 당위의 시이기 때문에 우리의 시는 지용에게서 현대적 전환을 이룬다고 주장하고 있는 것이다. 그러나 단적으로 말해 기림의 주장은 시정되어야 한다. 지용이 우리의 시 속에 현대적 호흡과 맥박을 불어 넣었다는 것은 타당한 말이지만 지용이 시의 언어구조에 주의한 최초의 시인이며, 또한 재래의 시가 모두 자연발생적 시이기 때문에 지용의 시와 구분되어진다고 하는 것은 분명 지나친 독단과 선입견에서 비롯된 오류이기 때문이다. 이것은 앞에서 살펴본 것처럼 기림의 주장이 안서, 요한 이후 한국의 현대시가 꾸준히 겪어온 내면적 모색과 실험의 과정을 면밀히 분석하고 검토한 데서 비롯된 것이 아니라, 자기가 갖고 있던 소위 모더니즘 시론의 척도로 일방적으로 재단해버린 데서 오는 오류임에 분명하기 때문이다. 또한 그의 모더니즘 시론 자체도 송욱의 명징한 지적처럼 '구호에 지나지 않았던 허약한 이론'39) 이었음에 비추어 볼 때 지용 시에 대한 기림의 평가가 다분히 피상적이고 감정적 오류(emotional fallacy)에 치우쳤었다는 것이 더욱 분명해진다. 기림은 실상 그의 시론에서 논리와 체계를 발판으로 하는 리챠즈 풍의 시의 과학을 주장하고 있었으면서도 다분히 감정적인 것에 빠져 있었음을 볼 수 있는 것이다. 아울러 이것은 송욱의 말대로40) 그의 「시의 과학」의 주장이 몽상적이며, 단편적 지식의 불완전한 결합체인 과학과 새로운 시에 대한 소박한 신앙고백이었다는 것을 말해준다. 여기에 이 땅 최초의 본격 시론가였던 기림의 한계가 명백히 드러나고 있음은 물론이다.

　실상 1925년 「카페프랑스」 등에서부터 시작(詩作)을 발표한 지용은 전대의 시와 칼로 베듯 나누어지는 시사적 전환점으로서 보다는 오히려 만해가 확립한 전통적 정신 질서와 의식적인 은유 시학에 '현대적 호흡과 맥박', 즉 새로운 감수성의 지성적 감각을 불어넣어 우리 시의 정신풍토와 체질이 종합적으로

---

39) 송욱, 앞의 책, 186쪽.
40) ____, 위의 책, 183쪽.

다원화되는 계기를 만들었다는 데서 찾아질 수 있다. 바로 이 점에서 만해의 방법론 확립과 상대적 입장에서 지용의 새로운 감수성 수용이 갖는 시사적 위치가 인정될 수 있다고 본다. 이러한 것은 지용의 시에서 쉽게 증명될 수 있다.

오동(梧桐)나무 꽃으로 불밝힌 이곳 첫여름이 그립지 아니한가?
어린 나그네 꿈이 시시로 파랑새가 되어 오리니.
나무 밑으로 가나 책상턱에 이마를 고일 때나,
네가 남기고 간 기억(記憶)만이 소근소근 거리는구나.

모처럼만에 날러온 소식에 반가운 마음이 울렁거리여
가여운 글자마다 먼 황해(黃海)가 남실거리나니.

……나는 갈매기 같은 종선을 한창 치달리고 있었다……

쾌활(快活)한 오월(五月)넥타이가 내처 난데없는 순풍(順風)이 되어,
하늘과 딱닿은 푸른 물결 우에 솟은,
외따른 섬 로만틱을 찾어 갈거나.

일본말과 아라비아글씨를 아르키려간
쬐끄만 이 페스탈로치야, 꾀꼬리같은 선생님이야,
날마다 밤마다 섬둘레가 근심스런 풍랑(風浪)에 씹히는가 하노니,
은은히 밀려 오는 듯 머얼리 우는 오르간 소리……
　　　　　　　　　　　　　　　　　　　　　　—「오월소식」 전문

　이 시는 몇 개의 은유표현을 그 주요 심상으로 사용하여 전개되고 있다. "오동나무 꽃으로 불 밝힌 이곳 첫여름"이라는 시각화한 형용사은유는 "네가 남기고 간 기억만이 소근거린다"는 청각화한 의인형은유와 결합되고 다시 "모처럼 날러온 소식에 마음 울렁거리며/가여운 글자마다 먼 황해가 남실거리나

니"처럼 내면 공간화한 활물변질은유와 유기적으로 조직되어 구조적 통일성을 획득한다. 여기에 "쾌활한 오월넥타이가 내처 순풍이 되어"라는 감정이입의 동사은유를 연결하여 "외따른 섬 로만틱을 찾아갈거나"하는 환상적 동경세계와 "소식=그리움"의 주제를 결합하게 되는 것이다. 그러므로 "일본말과 아라비아글씨를 가르치는 꾀꼬리같은 페스탈로치"를 그리워하는 것이 "섬둘레가 근심스런 풍랑에 씹히는" 서술적 관형은유 속에 "은은히 밀려오듯 멀리우는 오르간 소리"로 고착 심상을 형성하게 되는 것이다. 여기서 볼 때 은유 구조는 직유를 활용하여 중심관념과 정서를 표현함은 물론 수사의 미적 가치도 계발하고 있는 것이다. 또한 시어 면에서 볼 때 '책상', '황해', '갈매기', '섬', '꾀꼬리', '선생님' 등 만해의 형이상적 관념어와는 달리 현실적 구상어가 많이 쓰이고 있는데 이것은 "언어와 문학에 혈육적 애를 느끼지 않고는 시를 사랑할 수 없다"[41]는 지용 자신의 시어관에서 비롯된 것으로 보인다. 아울러 그는 '넥타이', '일본말', '아라비아글씨', '페스탈로치', '오르간 소리' 등 서구화한 문물과 감수성에서 기인한 것들을 그 이미지의 자원으로 삼고 있다. 이것은 그가 언어 개개의 세포적 기능을 추구하는 시인이었으며 동시에 서구적 감수성에 미묘한 향수 같은 것을 느끼고 있었다는 것을 뜻한다. 실상 이러한 것은 지용에 이르러 우리 시가 감수성의 한 개신을 이룩하고 있음을 말해준다.

그러나 더욱 중요한 것은 그가 비유의 완전한 조화성을 주장하여 "조화는 부분의 비협동적 단독행위를 징계한다. 부분의 것을 주체하지 못하여 미봉한 자취를 감추지 못하는 시는 남루하다"[42]고 지적한 사실이다. 그의 시는 은유가 직유와 크게 구분되지 않고 결합적으로 사용되고 있으며, 직유만이 단독으로 사용될 때에도 리이드가 말하는바,[43] 은유와의 차이점인 세련 정도에 구애

---

41) 정지용, 「시의 옹호」(『문학독본』)208쪽.
42) _____, 위의 책, 211쪽.
43) H. Read, *English Prose Style*(London: G. Bell&Song, 1932)28쪽.

되지 않고 계시적, 조명적으로 사용되고 있는 것이 커다란 특징이다. 그러므로 지용은 "비유가 절뚝발이지만 진리를 대변하기에는 현명한 장녀노릇을 할 수 있다"[44]고 하여 비유를 통한 시의 유기적 통합의 원리를 주장하고 있는 것이다.

그러면 지용의 시에 사용된 특징적인 은유법을 살펴보기로 한다.

질화로에 재가 식어지면
뷔인밭에 밤바람소리 말을 달리고

— 「향수」 부분

은(銀)으로 만들은 슬픔을 실은 원앙(鴛鴦)새 털깔은 황마차(幌馬車)

— 「황마차」 부분

끝없는 우름바다를 안으러올때
포보(葡萄)빛 밤이 밀려오듯이,

— 「풍랑몽」 1

햇살이 함빡 백공작(白孔雀)의 꼬리를 폈다

— 「아츰」 부분

바람속에 장미(薔薇)가 숨고
바람속에 불이 깃들다

— 「바람」 부분

나직한 하늘은 백금(白金)빛으로 빛나고
물결은 유리판처럼 부서지며 끓어오른다

— 「갑판우」 부분

---

44) 정지용, 앞의 책, 210-211쪽.

바람은 이렇게 몹씨도 부옵는데
저달 영원(永遠)의 등화(燈火)!

—「풍랑몽」 2

나의 평생(平生)이고 나종인 괴롬!
사랑의 백금(白金)도가니에 불이 되라.

—「임종」 부분

귀밑에 아른거리는
요염한 지옥(地獄)불을 끄다

—「은혜」 부분

한밤에 벽시계는 불길(不吉)한 탁목조(啄木鳥)!
나의 뇌수(腦髓)를 미신바늘처럼 쫓다

—「시계를 죽임」 부분

지용은 "뷔인밭에 밤바람소리 말을 달리고"라는 목적격의 시각적 이미지를 활용한 동사은유와 "은으로 만든 슬픔"이라는 정서의 촉각적, 시각적 관형은유, "우름바다/복사꽃 연분홍 이슬비" 등의 공감각적 이미지의 명사은유 "햇살=백공작의 꼬리"와 같은 '동격「-의」은유', "바람속에 장미가 숨는"과 같은 청각을 살린 의인은유, "달=영원의 등화"라는 돈호은유, "사랑의 백금 도가니"와 같은 감각적 이미지의 속격은유, "귀밑지옥불"의 투사형은유, "벽시계=탁목조"의 청각적인 계사은유 등 다양한 은유법을 사용하고 있다.

그런데 그의 은유법이 앞 시인들의 은유와 특징적으로 다른 것은 모든 은유가 시각, 청각, 촉각 등의 감각은 물론 때로는 공감각적 심상을 활용하고 있다는 점이다. 그러므로 지용의 시는 현실과 밀착된 시어의 채용과 유니크한 감각적 은유법을 시의 중심구조로 사용하여 우리의 현대시사에 새롭고 현대적인 감수성을 불어넣는 계기가 된다. 또한 그의 시는 쉽게 감격하던 종래의 많은 시들의 단점에서 벗어나 '안으로 열하고 겉으로 서늘한' 지적 제어와 반성을 보여주었다. 이러한 김춘수의 말[45]대로, 때로 그의 시가 차가운 객관주의에 치우쳐 이미지즘 극단의 몽타주 수법에 이르게 되는 원인이 된지도 모른다. 그러나 지용의 시어에 대한 명확한 인식과 시운동 성찰은 비록 이미지즘으로부터 시발된 한국의 모더니즘이 어느 면에서 실패한 점이 있다 해도 충분히 시사적 가치를 인정받을 수 있다.

만해의 전통적 정신 율조 회복과 은유적 방법론의 확립은 지용에 이르러 고도의 지적 균제와 유니크한 감각의 조사법 및 서구적인 감수성과 상호 결합되어 다원적이고 종합적인 시의 정신풍토와 방법론을 마련하여 현대적인 전환을 이루는 확고한 계기가 되는 것이다.

결국 한국의 현대시사에 있어서 내용과 방법에 있어 현대적 전환이 이루어지는 기점은 만해의 은유적 방법론의 확립과 지용의 현대적인 감수성의 개신이 상보적으로 결합됨으로써 형성된다고 생각한다.

3. 시문학파—김영랑의 시

시문학파는『시문학』(1930. 3 창간),『문예월간』(1931. 11 창간) 및『문학』(1934. 1)지 등에 참가했던 박용철, 김영랑, 정지용, 변영로, 이하윤, 정인보, 신석정, 허보, 김현구 등을 말한다.

그러나 실제 주요 인물은 박용철, 김영랑으로 범위가 좁혀지며, 그 대표적 특성은 김영랑의 시에서 드러난다.

김영랑은『시문학』창간호에「동백닢에 빛나는 마음」,「언덕에 바로 누워」등 6편과 4행소곡 7수가 살림으로서 등장한 시인이다. 김영랑은 시에서 주로

---

45) 김춘수,「한국시개관」(『한국시선』) 498쪽.

음악적 구조성에 큰 관심을 기울였으며 이것은 압운과 음성상징 및 청각적 이미지의 활용으로 요약될 수 있다. 따라서 영랑의 은유법은 이러한 시의 청각적 이미지의 편중으로 인해 대부분의 시가 간결한 표현구조를 지니는 데서 특징을 찾아볼 수 있다. 만해 시의 원리가 은유 시학을 특징으로 하고 지용의 시가 감수성의 개신을 근본특징으로 하였음에 비해 영랑의 시는 음악적 효과의 구조성에 따르는 언어 세공적인 은유법을 사용하고 있는 것이다.

> 별이 총총한
> 맑은 새암을 들여다 본다
> 마당앞
> 맑은 새암은 내 영혼의 얼굴
>
> — 「맑은 새암」 부분

> 보드레한 에메랄드 얇게 흐르는
> 실비단 하늘을 바라보고 싶다
>
> — 「돌담에 소색이는 햇발」 부분

> 나는 사라져 저별이 되리
> 뫼아래 누워서 희미한 별을
>
> — 「좁은 길가에」 부분

> 빛나는 별아래 애달픈 입김이
> 이슬로 매치고 매치었음을
>
> — 「그밖에 더 아실이」 부분

> 사랑이 무엇이기
> 정절(貞節)이 무엇이기
> 그 때문에 꽃의 춘향(春香) 그만 옥사(獄死)하단말가

쑥대머리 귀신얼굴된 춘향(春香)이 보고
이(李)도령은 잔인스레 웃었다

—「춘향」부분

청명(淸明)은 갑자기 으리으리한 관(冠)을 쓰고

—「청명」부분

위 인용시구에서 보더라도 대부분의 시들은 개성적인 운율을 갖추고 있다. 그의 은유법은 형태가 다양하거나 시의 중핵구조가 되지는 않고 있지만 매우 정교한 표현구조의 심미성을 보여준다는 데서 특출한 수사 가치를 갖는다. "맑은 새암은 내 영혼의 얼굴"이나 "나는 저별이 되지/청명은 으리으리한 관을 쓰고" 등 중핵적인 은유가 쓰이지만 대부분 영랑의 은유법은 수사적 표현성을 띠고 있다. "별이 총총한 맑은 새암/보드레한 에메랄드 얇게 흐르는 실비단 하늘/쑥대머리 귀신 얼굴된 춘향"과 같이 대부분의 은유는 관형적으로 사용되는 특징을 지니는 것이다.

또한 "꽃의 춘향/실비단 하늘"과 같은 '「-의」 은유'나 명사은유의 간결한 은유법을 애용하고 있음을 볼 때, 이러한 것들은 영랑이 시어의 음악성과 감각성에 시의 중심점을 두고 있다는 것을 반증하는 것이 된다. 즉 영랑의 은유법은 운율의 탄력적인 한 형태에 적응되도록 하는 범위에서 시의 델리커시한 표현구조로서의 수사적 가치를 지니고 있는 것이다. 그러므로 그의 시에서는 직유가 같은 표현 구조로 은유와 결합되어 나타나는 경우가 많다.

황홀한 달빛
바다는 은(銀)장
천지는 꿈인양
이리 고요하다

불르면 내려올듯
정든달은
많고 은은한 노래
울려날듯

저 은(銀)장우에
떨어진단들
달이야 설마
깨여질라고

— 「황홀한 달빛」 부분

　직유와 은유의 섬세한 결합구조는 영랑 시의 중요한 특질이 되는 것이다. 시어 '황홀한', '달빛', '은(銀)장', '꿈', '맑고 은은한', '노래' 등의 유미적이고 감각적인 에피셋(epithet)의 비유적 결합은 운율의 경쾌미와 구조적으로 결합되어 시의 델리커시한 언어 미학을 확고히 구축하고 있는 것이다. 이처럼 조밀한 언어의 섬세한 탄주는 영랑의 정교하고 순화되고 심화된 시적 기교에 대한 의식을 말해주는 동시에 영랑 시의 가장 중요한 특질이 되고 있다. 바로 이러한 점에서 영랑의 시사적 위치는 안정된 자리를 차지할 수 있는 것이다. 영랑에 의한 국어미의 발굴과 심화는 만해의 은유 시학이 결여하고 있는 델리커시한 음악적 구조성을 보완함과 아울러 지용 시의 감수성이 결하고 있는 향토적 리리시즘을 섬세한 음악성으로 지양하고 있는 것이다.

　결국 한국의 현대시는 다양한 모색과 실험기를 거쳐 만해 시에서 전통적 정신 내용을 회복하여 은유적 방법론을 확립하고, 지용 시에 의해 서구적 감수성의 개신을 성취하고, 영랑 시에서 한국의 향토적 리리시즘이 델리커시한 음악성으로 승화되어 비로소 본격적인 현대시로 전환하게 된 것으로 볼 수 있다.

Ⅳ. 모더니즘 시학과 현대시의 분화

1. 모더니즘(modernism) 시학

만해의 은유 시학과 지용의 감각적 은유법에 의한 감수성의 개신, 그리고 영랑의 향토적 서정과 음악성에 바탕을 둔 유미적 은유법이 우리 시사에 있어 현대적 전환점이 되었음은 이미 살펴보았다. 이러한 현대시적 전환은 편석촌, 김기림 등에 의해 모더니즘시 운동으로 이어졌으며, 이것은 우리의 시사가 이상의 다다이즘(dadaism) 및 김광균 등의 모더니즘시, 그리고 1930년대 후반의 다양한 시로 분화하게 되는 발판이 되었다.

1) 김기림의 시론과 시

우리 시단은 격정적인 센티멘탈한 종류의 너무나 소박한 시가의 홍수(洪水)로서 일찌기 범람하고 있었다. 나는 이를 일괄해서 자연발생적(自然發生的) 시가(詩歌)라고 명명(命名)하려 한다. ……(중략(中略))…… 자연발생적 시(詩)는 졸렌(당위(當爲))의 세계다. 자연과 문화(文化)가 대립(對立)하는 것처럼 서로 대립(對立)한다.46)……(하략(下略))

이 땅의 현대시를 정지용으로부터 시작되는 것으로 보는 김기림은 재래의 시를 자연발생적 시, 즉 청각의 시로, 정지용 이후의 새로운 시를 주지적 시, 즉 시각의 시로 규정하여 모더니즘 시론을 주장하였다. 그의 모더니즘 시론은 시가 우선 "언어의 예술이라는 자각과 시는 문명에 대한 일정한 감수를 기초로 한 다음 일정한 가치를 의식하고 쓰여져야 한다"는 것을 골자로 하여 이전의 센티멘탈 로맨티시즘과 당대 K.A.P.F.로 대표되는 편내용주의 경향에 대한 부정에서 비롯된 것이다. 그러므로 모더니즘시는 '도회문명의 아들로서 언어와 음의 가치, 시각적 영상의미의 가치, 또한 이 여러가지 가치의 상호작용에 의한 전체적 효과를 의식하고 일종의 건축학적 설계아래서'[47] 쓰인다는 것이다. 이러한 김기림의 평론「시의 방법」및「모더니즘의 역사적 위치」로 대표되는 모더니즘 시론은 최초의 본격적인 시론으로서 김기림이 솔선수범하여 도입 전개한 공은 실로 적지 않다. 이것은 우리의 현대시가 이 모더니즘시 운동으로부터 비롯되어 방법론적인 일대 분화기를 이루었기 때문이다. 그러나 김기림의 모더니즘 시 이론은 실제 작품에서는 실패한 것으로 판단된다.

> 이민(移民)들을 태운 시컴은 기차(汽車)가 갑자기 뛰어들었음으로
> 명상(瞑想)을 주물르고 있던 강철(鋼鐵)의 철학자(哲學者)인 철교(鐵橋)가 깜짝 놀라서 투덜거립니다
>
> —「북행열차」부분

> 샛하얀 조끼를 입은 공중(空中)의 곡예사(曲藝師)인 제비
> —「제비의 가족」부분

> 세계(世界)는 나의 학교(學校)
> —「함경선 5백킬로 여행풍경」부분

---

46) 김기림,「시의 방법」, 앞의 책, 107쪽.
47) _____,「모더니즘의 역사적 위치」, 위의 책, 75쪽.

해도(海圖)는 옹색한 휴가증명서(休暇證明書).

—「항해」 부분

　우선 그의 시는 과도한 은유법의 남용에 빠져 비유만이 시의 유일한 방법이 되고 있다. 이것은 기림 자신이 주장하는 새로운 모더니즘의 시가 기존의 언어결합방식에 반항하는 것이라는 이론의 밑바탕이 되고 있지만, 실제 작품에서는 실패로 나타나고 있다. "강철의 철학자인 철교/샛하얀 조끼를 입은 공중의 곡예사인 제비/산호빛 갑옷을 입은 달" 등의 형용사은유는 그의 중심관념을 표출하는 방법으로 많이 쓰인다. 그러나 대부분 그의 형용사적 은유법은 단순한 수사적 묘사수단 이상이 되지 못하여, 현대인의 복합적 정서를 시각적 영상을 통하여 함축적으로 표현함으로써 새로운 언어와 정서의 가치를 창조하려는 이미지즘의 원리[48]와는 거리가 먼 것이 되고 있다. 또한 기본형의 경우에도 "세계는 나의 학교/해도는 휴가증명서/태양은 게으른 화가" 등과 같이 유치하고 설명적인 이미지를 형성하여 "주지적 방법은 단순한 묘사와 대립한다"[49]는 기림 자신의 주장과도 자가당착을 이룬다. 그는 모더니즘시가 요구하는 새로운 관념이나 가치의 창조를 단지 주장만으로 실천하고 있는 것이다.

금방 날개가 겨우 돋힌 비행기(飛行機)의 병아리는 재봉사가 지원인가 봅니다

—「비행기」 부분

비로도의 금잔디우에서는 침묵이 잡니다

—「새날이 밝는다」 부분

---

48) C.E. Pulos, op. cic., 34쪽.
49) 김기림, 「시의 방법」, 앞의 책, 108쪽.

또한 그의 은유법은 "비행기의 병아리/비로도의 금잔디/바다바람의 혓바닥/산맥의 파랑치마/동경의 흰 해골" 등과 같이 모호하고 작위적인 관념과 보조관념의 결합으로 조직되어 있으며 이것은 그의 시가 부분적이고 모호한 수사에만 치우치고 과도한 비유에 빠져 시의 전체적인 균형과 질서를 상실하여 '시 아닌 시'가 되는 원인이 된다. 또한 그의 시는 시어의 채용에도 외국풍의 문자나열에 가까운 감정의 풍경화를 만들고 있어서 시의 참된 내밀성이나 사상성을 찾아볼 수가 없다. 그러므로 기림의 시는 지용과는 비교도 되지 않는 시의 껍데기만을 유지하여 시로서는 완전히 실패한 것이다. 모더니즘의 화려한 기치를 내세운 기림은 만해나 지용, 영랑에서 어느 정도 확립하고 있던 시의 정신이나 방법론을 심화하고 확대하기는커녕 오히려 시를 잘못된 방향으로 이끌어간 것이다.

만해의 은유 시학 확립과 지용의 새로운 감수성 발굴, 그리고 영랑의 음악적 리리시즘은 기림의 조잡하고 유치한 모더니즘 시에 의해 더 이상 발전하지 못하고 제자리에 멈춰버리고 만 것이다. 여기에서 우리 현대시의 초잡성과 뿌리 없는 난해성의 한 원인이 싹트게 된 것이라고 생각된다. 비록 기림이 최초의 본격 시론가로서 모더니즘 시학을 도입한 공적이 크다고 하더라도 시인으로서의 기림은 비판받을 점이 많다고 생각된다.

2) 이상의 시

김기림에 의해 '가장 우수한 최후의 모더니스트'로 떠받들어진 이상은 지금까지 많은 비평가들에 의해 논란되어 왔다. 그러나 실상에 있어서 이상은 '가장 우수한 최후의 모더니스트'라기 보다는 철저한 형태주의자(formalist)라는 점에 더욱 의미가 있다고 생각된다. 이상에 의한 재래적 시작법과 내용에 대한 부정과 파괴는 크게 나누어 ①띄어쓰기와 구두점을 무시한 것 ②삽입구(소활자)를 가진 것 ③수식으로 된 것 ④도표를 삽입한 것50) 등으로 나누어진다. 자동기술법이나 편집광적 비판분석법 혹은 떼뻬이즈망(dépaysement) 등을 중심 방법으로 하는 슈르리얼리즘의 선행과정으로서 다다이즘에 경도된 이상의 은유법은 별로 다양하게 사용되지는 않고 있지만 매우 독특한 방법으로 쓰이고 있다.

> 때문은 빨래조각이 한뭉텡이 공중(空中)으로 날라 떨어진다. 그것
> 은 흰 비둘기의 떼다
> —「시 제12호」 부분

> 확실(確實)한 내 꿈에 나는 결석(缺席)하였고 의족(義足)을 담은 군
> 용장화(軍用長靴)가 내 꿈의 백지(白紙)를 더럽혀 놓았다
> —「시 제15호」 부분

> 달빛속에 있는 비 얼굴 앞에서 내 얼굴은 한장 얇은 피부(皮膚)가
> 되어 너를 칭찬하는 내 말씀이 발음(發音)하지 아니하고
> —「소영위제」 부분

> 여기 있는 한 페지
> 거울은 페지의 그냥 표지(表紙)-
> —「명경」 부분

이상의 은유법은 거의 대부분이 논리적 연관성을 벗어난 것으로서 초현실적인 의식 세계를 추적·기술한 것이 많다. 그러므로 "꿈에 결석하고/의족의 군용장화가 꿈의 백지를 더럽히고/얼굴은 한장 얇은 피부가 되고/거울은 한 페

---

50) 김춘수, 앞의 책, 94쪽.

이지 거울" 등과 같이 퍽 개성적인 비약이나 발상의 수단으로 은유가 사용되는 것이다. 이 이상의 초논리적 은유법은 그가 재래의 시가 갖고 있던 기존 시정신이나 방법 및 가치체계에 전면적으로 반항 거부하는 다다이즘에 근거를 두고 있음을 뜻한다. 바로 이 점이 김기림이 이상을 가장 우수한 최후의 모더니스트로 지목하는 원인이 됨은 물론이다. 그러나 서구의 다다이즘이 일차대전 후의 극심한 혼란과 폐허에서 19세기적인 모든 위선과 허식에 부정 반항하고자 하는 것에서, 즉 인간 부재에 대한 부정과 거부라는 역사적 필연성에서 비롯된 것임에 비추어 이상의 그것은 역사적 필연성의 바탕이 부족한 당대 불안의 센티멘털리즘에 대한 지식인의 내적 갈등의 한 표현류로에 불과한 것으로 생각된다. 바로 이러한 이유에서 우리 시는 만해나 지용, 영랑에 의해 이룩된 현대시가 진정한 개화를 보지 못하고 이상에 의해 공허한 다다(dada)의 방향으로 분화해버린 결과 시사 특유의 혼란성과 허약성을 띠게 된 것으로 생각된다. 이상에 의한 다다적 실현은 어디까지나 실험 이상의 것이 되지 못했다는 데서 또한 이상의 시문학사적 위치는 현대시 분화기의 한 과도적 양상으로 파악되어야 할 것이다.

3) 김광균의 시

김기림이 주도한 모더니즘 시운동은 김기림의 작품적 실패에도 불구하고 우리의 현대시가 분화해 가는 과정에 커다란 영향을 미친 것이 사실이다. 그것은 1930년대 후반에 들어서서 김광균, 장만영 등의 회화적이며 동시에 공간 구성적인 모더니즘 시가 성공하고 있다는 사실을 말한다. 김광균의 시에는 특히 회화적 수법과 공감각적 은유법으로 시의 내면 공간을 형성한 우수한 작품이 많다.

나혼자 주락(凋落)한 풍경(風景)에 기대어 섰으면 쥐고있는 지팡이는 슬픈 피리가 되고 금공작(金孔雀)을 수(繡)놓은 옛생각은 설기도 하다.
                                                     ─「창백한 산보」부분

　어디서 날아온 피아노의 졸린 여운(餘韻)이 고요한 물방울이 되여
푸른하늘에 스러진다.
                                                     ─「산상정」부분

　해바라기의 하얀 꽃닢속엔
　퇴색한 적은 마을이 있고
                                                     ─「해바라기의 감상」부분

　어제도 오늘도 고달픈 기억(記憶)이
　슬픈 행렬(行列)을 짓고 창밖을 지나가고
                                                     ─「창」부분

　느러선 수풀마다
　초록빛 별들이 등불을 켠다

　오붓한 동리앞에
　포플라나무 외투(外套)를 입고
                                                     ─「신촌서」부분

　바다에는
　지나가는 기선(汽船)이 하얀 향수(鄕愁)를 뿜고
　갈매기는 손수건을 흔들며
                                                     ─「Sea Breeze」부분

김광균 시에 사용된 은유법의 특징은 공감각적이며 회화적인 데 있다. "피

아노의 여운이/고요한 물방울이 되어 푸른 하늘에 스러지는"과 같이 '청각+촉각+시각' 등 공감각의 결합에 의한 동사은유는 물론 "지팽이는 슬픈 피리가 되고/금공작을 수놓은 옛생각" 등 탁월한 감각을 지닌 회화적 동사은유나 형용사은유가 시의 중심 방법으로 사용되고 있는 것이다. 또한 "기선이 하얀 향수를 뿜고"와 같은 회화적이며 감각적인 에피셋을 활용하고 "별들이 등불을 켜고/포플러나무 외투를 입고/갈매기는 손수건을 흔들고/기억이 슬픈 행렬을 짓고"와 같이 활물변질형은유나 의인은유를 구상적 동작으로 환원시킴으로써 시를 성공시키고 있다. 그러므로 광균은 "돌담위 박꽃속에 죽은 누나의 하얀 얼골이 피어 있고/(벽화 남촌)/해바라기 꽃닢속에 적은 마을이 있고"와 같이 시의 내면 공간을 설정할 줄 아는 우수한 시인의 모습을 갖추게 되는 것이다. 이처럼 김광균은 공감각적 은유법을 통해 언어의 질감, 색감, 양감, 음감, 표정성 등에 관한 독특한 형상성을 획득한 가장 우수한 모더니즘 시인이 된다. 그는 시어가 시각화한 구상적 언어이며 이미지는 겉치레가 아니라 직관적 언어의 본질이 된다는 흄의 이미지 이론[51]을 어느 정도 이해하여 시는 회화나 조각의 선이나 형상이 갖는 생명의 가치창조라고 생각한 것이다. 이것은 흄과 파운드 그리고 엘리오트의 주지적 문학론에 포함되는 '감각적 이미지 창조=생명의 가치의 창조'라는 모더니즘의 중심내용을 제시한 것이다. 그런 의미에서 김광균의 시는 그것이 지니고 있는 얼마간의 감상적 체질을 고려한다 해도 확실히 한국 현대 모더니즘 시의 한 원형을 이룬다. 그러므로 이 김광균의 회화적이며 공감각적인 은유법에 의한 시작법은 한국현대시가 분화해 가는 시기인 모더니즘 시학의 한 전범이 되며 바로 이 점에서 김광균의 시사적 의의가 인정된다.

---

51) C.E. Pulos, *op. cit.*, 15-24쪽.

2. 1930년대 후반의 시

김기림의 모더니즘 시론이 이상의 다다이즘적 편향성과 김광균의 공감각적 은유법에 의한 이미지즘의 방향으로 분화되어 가는 것과 때를 같이하여 한국의 현대시는 여러 가지 방향으로 전개되어 갔다.

1937년 중·일전쟁의 발발로 동양이 온통 전쟁의 먹구름으로 덮여가던 1930년대 후반에 식민지 상황의 한국 시단은 온통 혼미한 양상을 보였다. 그럼에도 불구하고 이 시기에 많은 시집이 발간되었다. 1936년 이후 1940년까지 발간된 시집 류는 백석의 『사슴』(1936. 1. 20)을 비롯하여 김동환의 『국경의 밤』, 김기림의 『기상도』, 박영희의 『회월시초』, 오장환의 『성벽』, 장만영의 『양』, 노천명의 『산호림』, 김광섭의 『동경』, 이하윤의 『물레방아』, 김상용의 『망향』, 김광균의 『와사등』, 김기림의 『태양의 풍속』, 신석정의 『촛불』, 유치환의 『청마시초』, 김달진의 『청시』, 서정주의 『화사집』 등 총 80여 권에 달한다. 약 5년 동안 이처럼 많은 시집의 홍수가 일어나고 있었다는 것은 비록 양이 곧 질을 의미하지 않는다 해도 우리의 현대시가 어느 정도 본궤도에 올라섰다는 것을 의미한다. 이 숫자는 한국 최초의 현대시집인 김억의 『해파리의 노래』(1923. 6. 30) 이후 1935년까지 나온 55권보다도 훨씬 많은 것이며 그 시의 경향에 있어서도 매우 다양하게 분화되는 특징을 지닌다. 이들 시집에 나타나는 주요한 경향은 첫째, 모더니즘 시학의 계승인바, 이것은 김광균을 비롯하여 장만영, 장서언, 조벽암, 박재륜 등을 중심으로 전개되어 갔다. 둘째, 순수서정시적 경향으로 이것은 『시문학』파의 멤버였던 신석정을 중심으로 임학수, 이인, 이해문 등 목가적인 서정을 노래한 것이었다. 셋째, 생명파 계열로서 『시인부락』을 중심으로 한 서정주, 김달진 등과 유치환, 김광섭, 김용호 등으로 이들은 주로 생명감을 생생하게 부르짖는 계열이었다. 넷째, 이상의 슈르리얼리즘적인 경향으로 이들은 『3·4문학』을 중심으로 한 신백수, 이시우, 정현웅, 이효길 등 자의식의 세계를 '슈르'적인 방법으로 추구하는 유파였다. 이 외에도 노천명, 모윤숙 등의 여류시인이 등장하여 독자적인 시 세계를 개척하였고, 이어서 『문장(文章)』지를 통해 나온 시인들에 의한 자연과의 친화와 교감, 복고적인 시 정신 추구 등의 경향으로 현대시가 분화되어간 것이다. 실로 20세기 초 육당 등에서 시작된 신시는 만해, 지용, 영랑에 이르러 방법론을 확립하였으며, 1930년대 모더니즘을 돌파구로 하여 그 현대시적 시 정신과 방법론이 점차 분화해 나가게 된 것이다.

Ⅴ. 결언

　지금까지의 작업에 의해 필자는 현대시에서 은유에 관한 이론과 실제를 고구하고, 아울러 한국의 현대시사를 이러한 은유적 방법론으로 분석하여 방법론적인 면에서 현대시의 형성과 발전과정을 살펴보았다.

　은유는 현대시를 형성하는 가장 중요한 구성원리의 하나로서, 시의 중핵적 관념과 정서를 표출하여 시의 밀도와 리얼리티를 형성하는 중심기능을 수행함은 물론 때로는 구조 자체가 되기도 한다. 은유는 단순히 표현구조로서 심미적 가치를 형성할 뿐 아니라 고차한 정신 내용의 중핵구조로서 상상력의 원리가 되는 것이다. 필자는 한국현대시에서 은유 형태를 기본형태인 계사형, 명사형(동격형), 돈호법형과 조사활용 형태인 형용사은유형(투사형, 관형사형), 동사은유형, 어미활용형, 그리고 특수변이형인 활물변질형 및 의인은유형으로 나누어 분석 설정하였다. 이어서 필자는 한국현대시의 형성과 발전 과정을 은유적 방법론에 의한 내재적 접근법(intrinsic approach)을 사용하여 분석 체계화하는 작업을 시도하였다.

　시어의 미적 구조성과 심미 가치에 관한 인식이 없이 서술적 진술과 주장으로 출발했던 육당의 신시는 안서와 요한의 상징주의 도입과 소개 및 창작에 따른 시어의 미적 구조와 가치성에 대한 자각과 모색으로 이어졌다. 이러한 시어의 정서적 가치의식과 모색은 『창조』, 『폐허』, 『백조』 등에 이르는 초기 시단의 태동과 형성으로 나타났으며, 그 선두주자는 황석우였다. 황석우는 안서와 요한의 미분화된 시어의 미적 구조 의식을 '상징시=은유법을 통한 구상시'로 생각하여 은유 구조로 짜인 시를 실험했으며, 이어서 나타난 『백조』의 회월은 현실 세계와 이상 세계의 갈등과 좌절을 관념적인 이중단위의 은유 구조로 형성했고, 아울러 같은 『백조』 동인인 상화는 이와는 대조적으로 구상적인 은유 구조를 시의 중핵 구조화하는 실험을 계속하였다. 이러한 편내용적인 은유법은 소월에 이르러 표현구조성을 획득하여 운율과 은유를 종합적으로 결합하는 실험이 전개되었으며, 마침내 만해에 이르러서 현대시 초기의 꾸준한 모색과 실험이 은유적 방법론을 확립함으로써 현대시로의 전환점을 마련한다.

만해는 우리의 전통적 정신 내용과 질서를 회복 형성하고 독자적인 은유 시학의 방법론을 확립하여 한국시의 형이상학을 건설함과 아울러 현대시로의 전환을 이룩하였다. 또한 정지용은 재래의 편내용적이고 감정에 치우쳤던 우리 시에 고도의 지적 균제와 유니크한 감각의 은유법으로 감수성의 혁명을 이룩하여 다원적이고 종합화된 정신풍토를 마련함으로써, 만해와 상보적인 위치에서 현대시로의 전환을 성취하는 확고한 계기를 마련하였다.

한편 영랑은 한국적 향토성의 음악성을 델리커시한 국어 미학으로 심화시켜 우리 시가 현대적 전환을 이룩하는 데 일조하였다.

결국 한국의 현대시는 육당 이래 꾸준한 모색과 실험기를 거친 후 만해에 이르러 전통적 정신 내용을 회복하여 은유적 방법론을 회복하고, 지용에 의한 서구적 감수성의 개신과 영랑의 한국적 향토성의 델리커시한 언어 미학의 심화로써 명실상부한 현대시로 전환하게 된 것이다.

만해와 지용, 영랑에 의한 현대시 방법론의 확립은 김기림의 모더니즘 시학을 분기점으로 하여 1930년대 후반에 이르러서 모더니즘 계열, 순수서정시

및 생명파, 자연파 등으로 다양하게 분화해 나아가는 결정적 전기를 마련하게
된 것이다.

현대시와 열린정신

金載弘 著

1987年

종로서적

종울림 문학총서를 내면서

　현대시는 새로운 해석을 요구하고 있다. 분명히 시가 삶의 위안이거나 정서적인 악세서리였던 시대는 지나갔다.

　신문학 이후 한국 문단은 그야말로 무갈등주의 시대를 홀로 살고 있다. 비평가는 있으나 비평이 없는 문화 풍토, 공허하기 짝이 없는 전 근대적 정치 이념의 아귀다툼만을 일삼고 있다. 내일의 문화를 창조하는 해석의 갈등이 없는 장서용, 학교용 문학 시대가 판을 치고 있다. 그리고 이제 우리는 이러한 무갈등주의가 얼마나 실없고 무기력한 자기기만의 허세에 지나지 않는 것을 뼈저리게 느끼지 않을 수 없게 되었다.

　사실 문학은 인간과 그 삶의 해석인 것이며, 또한 비평은 그러한 문학의 해석인 것이다. 그래서 문학이 무한한 갈등으로서의 인간 해석이라면, 비평은 그 해석의 갈등일 수밖에 없다. 그와 같은 해석과 갈등의 변증법적 순환을 통해 우리는 누구나 새로운 인간의 가능성을 찾고 있는 것이다. 그리고 그 가능성은 오로지 비평적 이론에 기대할 수밖에 없는 것이다.

　이러한 우리의 문화사적 현실에서 종로서적은 비평가와 문학 연구가들의 심오한 해석의 갈등을 촉구한다. 그리고 연속적이고 연구적인 사업의 기획을 계속 추진할 것이다. 그래서 현대 세계가 골몰하고 있는 시적 관심을 통해 한국 현대시의 구심력이 파헤쳐질 것이다.

종울림 문학총서 편집위원

머 리 말

80년대 문학이 바야흐로 종반을 향해 달려가고 있는 오늘날의 시점은 실로 소중한 의미를 지닌다고 하겠다. 오늘날의 이 땅은 마치 급박히 돌아가던 19세기 말의 상황처럼 하나의 역사적, 사회적 전환기에 처해 있다고 해도 과언이 아니라 하겠다. 개화, 자강을 위해 몸부림치던 구한말의 격동으로부터 일제 강점기의 모진 시련을 거쳐, 또 다시 남북 분단의 아픔 속에서 광복 40년을 경과한 오늘날 이 땅은 다시 자유, 민주의 정착 과정에서 뼈아픈 갈등을 겪고 있는 것이다. 비극적인 분단의 상황 하에서 지금 이 땅은 자유 민주주의의 완전한 실현과 정착을 위해 나아가야 할 역사적 당위성을 지니고 있다. 아울러 이 땅의 문학은 자유와 평등, 인간 존중 사상에 바탕을 둔 살아 있는 정신, 열린 정신을 형상화하기 위해 진력해 나아가야 할 시대적 사명을 지니고 있다고 하겠다.

80년대에 들어와서 이 땅의 문학은 특히 커다란 소용돌이를 겪고 있는 것이 사실이다. 분단의 상황 하에서 추진해야 하는, 급격한 근대화 달성의 노력과 자유 민주주의 실천의 노력이 긴장된 정치 현실 속에서 서로 첨예한 갈등을 겪을 수밖에 없기 때문이다. 따라서 80년대의 문학은 이른바 문단권 문학과 운동권 문학으로 양분되어 대립되어 온 것이 사실이라 하겠다. 80년대에 들어서면서 또 다른 문단 질서의 재편성 기운이 급격히 대두되기 시작하였다. 이 점에서 80년대는 이른바 민중 문학 시대라고 불러도 과언이 아닐 만큼 문학의 개념이 넓어지고 문학 담당층에 있어서도 커다란 변화가 일어나기 시작하였다. 이러한 변화는 현대시의 경우에 서사시의 대두, 산문시, 장시의 유행 등으로 요약할 수 있을 것이며, 근로자, 농민시의 대두 등을 특징으로 꼽을 수 있을 것이다. 서사시와 장시 그리고 산문시는 모두 복합 구성의 긴 운문 양식이다. 산문적 서사성으로 인해서 메시지를 전달하고자 하는 민중시에 적합한 양식이 될 수 있었기 때문이다.

저자는 문학 행위가 열린 정신을 탐구하는 것이자 민족어의 완성을 지향함으로써 인간답게 사는 길을 추구하는 휴머니즘 완성에의 길이라고 믿는다. 따라서 이 시대의 문학은 이 땅에서 오늘날 다양한 삶의 모습과 생각 및 그 가치들을 함께 포용하고 사랑할 수 있어야만 하리라 생각 한다. 이 점에서 이 땅의 시는 올바른 역사의식과 정당한 사회 의식, 그리고 인간 존중 사상 내지 생명 사상을 바탕으로 하면서도 이것들이 아름다운 예술 의식으로 상승되고 고양되지 않으면 안 될 것이다.

이 책에서 저자는 84년의 첫 평론집 『시와 진실』에 넣지 않았던 글과 그 이후에 쓴 글 중에서 시에 관한 관심을 피력한 내용을 함께 묶어 보았다. 막상 묶어 놓고 보니 내용도 허술하고 체제도 일관성이 부족한 듯하여 부끄러울 따름이다. 시를 공부하는 학생들과 근년 우리시의 동향에 대해 관심 가지신 일반 독자들께 도움이 되었으면 하는 바람에서 본격적인 학술 논문보다는 시에 관한 비평을 주로 실어 본 것이다.

여러분의 편달을 바라마지 않는다.

끝으로 부족한 글을 아담한 책으로 묶어주신 종로서적의 여러분과 원고 정리에 수고한 이귀영, 황규수 군의 노고에 감사한다.

1987. 3 金載弘

차 례

제3부 1980년대 문학의 비평적 성찰

제 1 부

한국 현대시의 사적 전개

제1장 한국 현대시의 형성과 전개

서론 : 근대시, 현대시 및 시대 구분

한국 시문학사를 논하면서 가장 먼저 부딪치는 문제는 용어에 대한 혼란이 해명돼 있지 않다는 점이다. 근대시사라 할 것인가 아니면 현대시 사라 할 것인가 하는 문제가 그것이다. 이 점은 시에 대한 호칭에 있어 서도 "근대시"와 "현대시"가 분명한 개념 규정이 유보된 채, 그때그때 적당히 불리는 것과 마찬가지 사정이다. 용어의 혼란은 사고방식과 의식 구조상의 혼란을 노출시킨 것으로도 볼 수 있다. 학문적 객관성은 용어의 확정과 선별을 기초로 해서 얻어진다. 이 점에서 "근대"와 "현대"에 대한 명확한 개념 규정이 필요한 것은 물론이다. 지금까지 현대 문학 내지 현대시에 관해 연구한 주요 논저의 제목을 살펴보면 다음과 같다.

백　　철,『신문학 사조사』,『신문학사』
조연현,『한국 현대 문학사』
조지훈,『한국 현대 시문학사』
김춘수,『한국 현대시 형태론』
정한모,『한국 현대 시문학사』

김윤식, 『근대 한국 문학 연구』, 『한국 현대 문학사』

김용직, 『한국 현대시 연구』, 『한국 근대 시사』

김학동, 『한국 근대 시인 연구』, 『한국 현대 시인 연구』

이 연구서들은 대략 "현대"를 취하는 쪽과 "근대"를 고수하는 쪽으로 대별되며, "근대"보다는 "현대"가 많이 사용되고 있다. 개화기 이후 일제 말까지를 연구 대상으로 한다는 공통점에도 불구하고 용어상의 일치를 보고 있지 못하고 있는 것이다. 한 가지 관심을 끄는 사실은 김윤식 교수의 경우 "근대"와 "현대"를 함께 사용하고 있는 점이다. 이 경우는 그 의도가 분명히 드러난다. 즉 김 교수는 "근대"라는 용어를 개화기 이후부터 일제 말에 이르는 시기로 한정하고 있으며, "현대"를 1945년-1975년까지의 해방 이후로 국한하여 두 술어를 확연히 구별하고 있다. 미루어 생각해 본다면 김 교수의 이 같은 구분 사용은 일제하의 시를 근대시로, 해방 후의 시를 비로소 현대시라고 부를 수 있다는 주장이 될 것이다.

정한모 교수는 현대시의 개념을

(1) 시간적인 구획으로 당대를 살고 있는 시인들에 의해 쓰이고 있는 시

(2) 현대시로서의 제 특질을 갖추고 나타난 시기부터 현대까지의 시

(3) 자유시가 처음 나타난 시기부터 현대까지의 시

(4) 새로운 문화가 수입되고 생성되던 개화 초기부터 현대까지의 시로 나누어 설명하고 있다 (『한국 현대시 문학사』, 7-8쪽). 특히 정 교수는 이 중에서 두 번째 개념인 "현대시로의 특질을 갖추고 나타난 시기로부터 현대까지의 시"로 현대시를 정의하고 있으나, "편의상 개화기 이후 현대시에 이르기까지의 과정을 조금 더 살펴볼 필요가 있을 듯하여 본고의 범위를 넓게 잡았다"라고 부언하여 실제와 논리와의 간극을 인정하고 있다. 다시 말해 정 교수는 최남선을 중심으로 한 개화기 이후부터를 현대시의 범위로 설정하여 "현대 시 문학사"를 논술하고 있는 것이다.

필자의 견해는 포괄적인 의미에서 정 교수의 그것과 궤를 같이 한다. 다만 근대시에 관한 언급이 없음에 비추어 근대시에 관해서 개념을 규정해야 할 필요가 있는 것으로 보인다. 정 교수는 배경으로서의 "근대"라는 항목을 설정하여 18세기의 실학을 중심으로 한 근대 의식의 맹아를 현대시 형성의 배경으로 기술하고 있다.

이러한 논술 방법은 근대시와 현대시에 대한 구분에 내포적인 암시를 주지만 확연한 개념의 해명을 제시한 것은 아니다. 필자의 소박한 의견으로는 근대시와 현대시를 구분하여 사용하는 것이 바람직한 것으로 보인다. 국어학의 경우 근대 국어와 현대 국어를 명확히 구분하는 것이 그 좋은 시사가 된다. 즉 국어학에서는 17세기 초엽부터 19세기 말엽까지를 근대 국어로, 20세기 이후를 현대 국어로 구분하여 통칭하는 것이 보편적으로 인정되는 사실이다 (서울대 동아문화연구소 편, 『국어국문학사전 참조』).

근대 국어를 중세 국어와 구분한 이유는 여러 가지 사실을 들 수 있을 것이다. 무엇보다도 국어의 음운, 문법 체계가 16세기에 큰 변화를 겪었으며, 그 결과 17세기에 와서 국어는 전반적으로 새로운 모습을 띠게 되었기 때문이라 한다. 또 현대 국어를 20세기 이후 오늘날까지로 설정한 것은 갑오경장(1894)을 전후한 언문일치 운동이 일어난 때와 현재 생존하고 있는 현대인의 출생 연대와도 대략 부합되기 때문이라고 한다. 이러한 국어학의 용어 구분은 근대시와 현대시의 구분에도 유효하게 적용 될 수 있으리라고 본다. 일반적으로 "근대"라는 시대 구분은 역사학에서의 "3분법"에서 유래한 것으로서, 고대, 중세 및 근대의 마지막 항목에 해당된다. 폭 넓게는 인본주의를 표방한 르네상스 시기, 직접적으로는 18세기 프랑스 혁명과 산업 혁명을 전후한 근대 시민 사회의 성립을 근대의 기점으로 잡는 것이 보편적인 사실이다. 전제 봉건 제도의 붕괴와 이에 따른 시민 사회의 형성 및 민권 운동의 전개를 근대 의식의 출발로 보아 무리가 없을 것이다.

한국사에서, 특히 한국 문학사에서 근대는 어떤 개념을 지니며, 또한 어느 시기부터가 이에 해당하는가 하는 문제는 다수의 곤란한 문제점을 내포하고 있으며, 아직도 논의되고 있는 중요한 문제의 하나이다. 특히 문학사에 있어서는 고전 문학사와 현대 문학사의 이원 구조로 양대분되어 논의되어 왔기 때문에 이 근대의 개념 및 기점 문제는 더욱 핵심적인 논란의 대상이 되어 왔다.

이 문제는 대체로 60년대 후반기부터 한국학 전반에 걸쳐 근대화 내지는 시대 구분 문제가 대두됨으로써 문학사 연구에 있어서도 근대 문학의 기점 문제와 자율성 문제에 대한 활발한 모색이 전개되었다. 따라서 근대는 서구적 충격에서 비롯되며, 근대화가 바로 서구화를 의미하던 종래의 주장은 비판의 대상이 되기 시작하였다. 한국 문학사에서 "근대와 "근대 의식"을 개화기의 서구적 충격에서가 아닌 전통 문학사 속에서 추출하려는 시도가 크게 설득력을 갖기 시작하였으며, 이것이 한국 문학사의 자율성과 주체성 그리고 일원성을 확립하는 지름길로 이해된 것이다. 이러한 시도는 임진, 병자 양란 이후 전통 문학의 붕괴와 신흥 문학의 대두 현상에서 근대 문학의 시발을 이끌어 내려는 노력을 비롯하여(정병욱, 『한국 고전 시가론』)『한중록』에서 볼 수 있는 전통적 가족 질서의 와해 현상을 통해 근대정신의 맹아를 인정하려는 시도(김윤식, 김현, 『한국 문학사』), 실학사상 등에서 현대시 형성의 배경으로서의 "근대"를 설정하려는 노력(정한모, 앞의 책), 그리고 한국 문학 전체를 하나로 묶으려는 노력(조동일, 『한국 문학 통사』) 등으로 요약할 수 있다.

이러한 시도들의 공통점은 근대 문학의 기점을 서구적 충격에서 비롯된 개화기에서가 아니라 그 이전의 역사에서, 구체적으로 영, 정조 무렵으로부터 추출해 내려는 데 있다. 그것은 그렇게 함으로써 한국 문학사의 지속성과 일원성을 확보하려는 안간힘으로 이해되는 것이다. 이러한 시도들은 아직 해명되지 못한 많은 문제점을 내포하고 있는 것이 사실이다. 그럼에도 불구하고 필자의 소견으로는 근대 문학의 상한선을 17, 8세기로 이끌어 올리는 것이 충분히 타당성이 있는 것으로 생각한다. 그 까닭은 우선 국어사에서 17세기가 국어의 음운, 문법 체계가 그 전반적으로 새로운 모습을 띤 것을 주변적 배경으로 끌어 올 수 있기 때문이다. 또한 이러한 국어사적 사실뿐만 아니라 사설시조의 대두와 시민 소설로서의 한글 소설의 급격한 신장을 들 수 있다. 특히 사설시조의 대두는 그것이 우선 기존의 평시조 형식에 대한 과감한 해체의 시도라는 점에서 주목된다. 평시조의 3장 6구 45자라는 엄격한 형식은 전례주의, 엄숙주의의 충, 효, 열을 바탕으로 한 유교적 체제 내의 문학이다. 이러한 엄격한 형식의 해체와 그에 따른 산문화 경향은 유교적 형식주의에 대한 반체제적 성격을 지닌다.

내용에 있어서도 풍자와 해학에 바탕을 둔 비판 정신과 인간성 자각의 평등 정신의 대두는 분명 근대 의식의 맹아로 볼 수 있는 것이다. 부정 정신과 비판 정신, 그리고 사실 정신과 서민 정신이 실상 근대정신의 기반이라는 점에 비추어 볼 때 근대 문학의 기점은 이 사설시조에서 찾아 볼 수 있는 것이 확실하기 때문이다. 따라서 다소 무리가 있는 것이 사실이지만, 한국시사에서 근대시라는 개념은 그 상한선을 사설시조의 대두로부터 설정할 수 있으리라는 의견이 제시될 수 있을 것이다. 그것은 사설시조가 비록 형식과 내용의 양면에서 기존의 봉건적인 유교 이념을 완전히 벗어나지는 못했지만 근대적 자아의 발견과 인간성 해방의 몸부림을 강하게 표출했다는 점에서 충분히 그 근대성이 인정되기 때문이다. 또한 역사의 "삼분법"에서 보더라도 총체적인 의미에서, 이 시기 이후의 시를 통틀어 근대시라고 부를 수 있기 때문이기도 하다.

이렇게 본다면 한국 시사에서 근대시의 개념은 개화기 이후의 새로운 시가 아니라, 전통 시사 속에서 자생적으로 생성된 것으로 파악할 수 있는 가능성이 열리게 되는 것이다. 따라서 근대시가 최남선이나 주요한에서 비로소 시작되었다는 좁은 한정은 지양될 수 있게 된다. 최남선, 주요한에서 근대시가 시작되고, 다시 10여 년 후인 1930년대에 현대시가 전개된다는 기왕의 논저는 실상 어설픈 논리성을 지니는 것으로 이해된다. 근대시가 10여 년 만에 현대시로 전이된다는 것은 역사의 삼분법적 거시적 개념인 "근대"와 다분히 당대적 개념인 "현대"를 혼동하여 사용한 문제점을 내포하고 있다.

따라서 필자는 한국 시사에서 근대시의 개념을 대략 크게는 역사의 삼분법대로 17, 8세기 부정 정신과 사실 정신의 대두에 따른 근대적 자아의 발견이 문학적으로 표현된 사설시조류로부터 맹아 되어 오늘날까지의 시를, 좁게는 17, 8세기부터 시작하여 19세기 말 본격적으로 언문일치 운동이 전개되기 시작하고 창가, 신체시 등 외래 문학 유입에 의한 새로운 시가 형성될 무렵까지를 의미하는 것으로 사용하고자 한다.

한편 현대시는,

(1) 한글이 말과 글에 있어 합치되어 사용되기 시작하고 본격적으로 연구되기 시작한 금세기 초, 혹은 현대라 불리는 20세기에 들어서서 보이기 시작한 시

(2) 시와 시조에 있어서 서구 시 등 외래의 영향을 받으며 쓰이기 시작한 시

(3) 형태적인 면에서 자유로워진 시

(4) 의식의 면에서 공동체적 자아가 아닌 개인적 자아가 확립된 시

(5) 은유, 역설 등 현대시적 방법론을 확립하고 있는 시

(6) 현대시, 즉 제작 의식과 실험 의식을 지니고 쓰인 시

(7) 해방 후부터 현재까지의 시, 즉 당대 시 등을 포괄하는 개념으로 사용하고자 한다.

이렇게 되면 (1)은 시기적으로 대략 최남선 이후의 시를 지칭하며, (2) (3) (4)는 『태서 문예 신보』와 주요한 등의 시로부터, (2) (3) (4) (5)는 한용운의 시로부터, (6)은 특히 1930년대 모더니즘 시로부터, (7)은 해방 후의 모든 시를 가리키는 것으로 나타난다.

필자는 여기서 현대시라는 개념이 이 중 어느 한 항목만을 만족시키는 것이 아니라 모든 항목을 다 함께 포괄하는 것으로 규정한다. 최남선으로부터 현재

까지의 80여 년을 굳이 근대시와 현대시로 구분하는 것은 무리가 아닐 수 없다. 따라서 현재의 시점에서 현대시는 역사 삼분법에 따를 때 거시적으로는 근대시의 범주에 속하지만 구체적으로는 17, 8세기, 19세기 말의 근대시에 뒤이어 서서히 역사적 의미를 획득해 가는, 20세기 초부터 특히 3.1운동 이후 현재까지의 당대시를 지칭하고자 한다.

이 기간 중에서도 특히 타골 시 등 다소의 외래 시 영향을 받고 전통 문학 정신을 충분히 창조적으로 계승하면서도 자유 시형을 확립하고, 은유와 상징, 역설 등 현대시적 방법론을 탁월하게 구사하고, 부정을 통한 긍정이라는 전통적인 시 정신을 현대적으로 성취한 만해의 시집『님의 침묵』을 현대적인 전환점이 되는 가장 중요한 시점으로 본다.

그러나 현대시의 기점은 분명히 20세기 초부터 산정되어 오늘날까지의 문학을 지칭하는 것으로 사용되어야 하리라 생각한다.

한편 현대 문학사를 효과적으로 기술하기 위해서는 적절한 시대 구분이 필요하다. 문학사에서 시대 구분이란, 문학사를 효과적으로 기술하기 위해서 편성하는 인위적 단위이며, 유니크한 목차에 해당한다. 따라서 시대 구분은 가능한 한 역사적 사실에 대응되면서도 문학의 자율성을 확보할 수 있어야 하며, 대구분보다는 가능한 한 소구분으로서 시대와 문학의 특징을 선명히 드러내야 한다. 새로운 문학 정신과 사상, 그리고 양식과 표현의 출현이 역사적 전개 속에서 어떻게 이념적 명명을 얻어가고 있는가를 연대적으로 구분하여 문학사를 기술하고자 하는 것이다. 따라서 문학사에서는 시대 구분 그 자체가 중요한 것이 아니라 그 구분의 논리와 근거가 중요하며, 역사의식과 예술 정신이 어떻게 갈등하며 또한 행복한 화해를 성취하고 있는가를 탐구하는 것이 긴요한 작업이 된다.

현대 시문학사에서 그 시대 구분은 크게 보아 20세기 초부터 식민지 시대까지와 해방 후부터 현재까지로 양분할 수 있다. 우리는 전자를 식민지 시대

문학으로, 후자를 분단 시대의 문학으로 범칭할 수 있을 것이다. 이들을 필자는 다시 20세기 3·1 운동이 일어난 시기까지를 현대시 형성의 배경으로 보고, 이후의 시들을 대략 10년 정도의 단위로 구분해서 파악하고자 한다. 20년대와 30년대 시, 그리고 해방과 6·25에 따른 전후의 50년대 시 및 4·19의 60년대 시, 아울러 70년대 산업화 시대의 시와 오늘날의 80년대 시로 구분하고자 하는 것이다. 이러한 10년 단위의 개략적 구분은 10년을 주기로 하는 역사적 사건의 변화와 함께 문학적인 변화도 일어나고 있는 것으로 판단되었기 때문이다.

1. 현대시 형성의 배경

지금까지 한국 현대 시문학사를 논의하면서 우리는 신체시 등 새로운 문학 양식에 지나치게 관심과 비중을 두어 온 것이 사실이다. 현대의 문학사, 즉 오늘날의 새로운 문학사를 기술하기 위해서는 지나간 날의 문학과는 색다른 양식의 그 무엇을 논의해야 한다는 강박 관념이 암암리에 작용하였기 때문이다. 그리고 초창기 문학사가들이 식민지 사관의 광범위한 영향권에 놓여 있었기 때문이기도 하다. 따라서 전통 문학의 수용과 변용에 의한 현대 문학의 형성보다는 외래의 것, 남의 것, 새로워 보이는 것들에 대한 관심이 고조되었던 감이 없지 않다. 그 결과 최남선, 이광수 등 한 두 사람 정도로 한정되어 있던 신체시 작가와 그들의 「해에게서 소년에게」나 「우리 영웅」 등이 현대시 형성에 있어서 기념비적 작품으로 논의되어 왔다. 아울러 이렇게 새로운 시를 찾다가 보니까 정신적인 면보다는 개화 가사가 먼저냐 혹은 창가가 먼저냐 하는 등 실로 따지기 어려운 지엽적인 문제에 초점이 모아 지기도 하였다. 개화기라고 불리는 이 길지 않은 시기에 시 장르가 "창가 → 신체시" 혹은 "개화 가사 → 창가 → 신체시"와 같이 선조적인 발전 과정을 정연하게 밟아 왔으리라는 것은 납득하기 어려운 주장이다. 항상 낡은 것과 새로운 것, 안의 것과 밖의 것,

내 것과 남의 것은 공존하면서 서로 갈등하고 길항하는 가운데 서서히 새로운 감수성과 양식을 형성해 가는 것이기 때문이다.

① 鳥獸哀鳴海岳嚬, 槿花世界已沈淪
　秋燈掩卷懷千古, 難作人間識字人.

　　조수도 슬피울고 강산도 찡그리는데
　　무궁화 이 강산은 망하고 말았구나
　　가을밤 책덮고 지난 역사 생각하니
　　세상에 글아는 선비되기도 어렵구나

　　　　　　　　　　　　　　　　　　— 황현,「절명시」

② 녕변에 약산동ᄃᆡ야
　　네부디 평안이히이에허이 네잘잇거라
　　리명년 양춘은 가절노 또다시보즈
　　오동에 복판이로다
　　이에에에 거문고로다살가당자루 실소리가 졀로 난다
　　돌아에이 돌아
　　허공즁텬에에히에혜루 두둥실걸닌 돌아
　　님의도 창천이도 오오구나 걸리신 돌아

　　　　　　　　　　　　　　　　　　—「영변가」부분

　　이씨의 사촌이 되지말고
　　민씨(閔氏)의 팔촌이 되려무나
　　남산 밑에다 (장충단을 짓고)
　　군악대 장단에 받들어총한다
　　아리랑 고개다 정거장짓고
　　전기차 오기만 기다린다
　　문전의 옥토는 어찌되고
　　쪽박의 신세가 웬말인고

밭은 헐려서 신작로되고
집은 헐려서 정거장되네
말깨나 하는놈 재판소가고
일깨나 하는놈 공동산(共同山)간다
아깨나 낳을년 갈보질하고
목도깨나 메는놈 부역을 간다.

―「아리랑 타령」 부분

③ 텨…ㄹ썩, 텨…ㄹ썩, 텩, 쏴…아.
　싸린다, 부슨다, 문허바린다,
　태산(泰山)갓흔 놉흔 뫼, 딥태갓흔 바위ㅅ돌이나,
　요것이무어야, 요게 무어야,
　나의큰힘, 아나냐, 모르나냐, 호통까디하면서,
　싸린다, 부슨다, 문허바린다,
　텨…ㄹ썩, 텨…ㄹ썩, 텩, 튜르릉, 콱.
　…중략…
　텨…ㄹ썩, 텨…ㄹ썩, 텩, 쏴…아.
　뎌세상(世上) 뎌사람 모다미우나,
　그즁(中)에서 쏙한아 사랑하난 일이잇스니,
　담(膽)크고 순정(純情)한 소년배(少年輩)들이,
　재롱(才弄)터럼, 귀(貴)엽게 나의품에 와서안김이로다.
　오나라 소년배(少年輩) 입맛텨듀마.
　텨…ㄹ썩, 텨…ㄹ썩, 텩, 튜르릉, 콱.

―「해에게서 소년에게」 부분

　이상의 시편들은 모두 20세기 초에 쓰여 지거나 정착된 작품들이지만, 형
식이나 내용 등 그 성격에 있어서 판이하다. 먼저 ①은 당대의 대표적 지식인
인 매천 황현의 작품으로서 망국의 비통함을 한시로써 노래한 것이다. 이른바
당대에 크게 성행하던 한시체로서 대사회적, 역사적 관심을 한시로써 읊은 지

식인 문학의 전형에 해당한다. 이러한 종류는 창작 주체도 지식인층이며, 수용층도 지식인으로서 전통적인 사대부들의 문학 양식을 대변한다는 점이 특징이다. 이 시기의 한시는 그 자체가 비교적 자유로운 형식의 근체시로 변화하는 등 폭넓은 변화를 보이고 있으며, 『대한학회월보』, 『서우』, 『대한자강회월보』, 『대한협회 회보』, 『기호흥학회월보』, 『서북학회월보』, 『천도교회월보』 등과 『대한매일신보』 등 각종 지지의 사조란에 많은 양의 작품과 그에 대한 비평이 등장하고 있는 것이다. 1910년경까지도 선비 정신에 바탕을 둔 대부분의 전통적인 문사들은 그들의 민중 교화 사상과 현실 비판 정신을 그들이 친숙했던 한시 양식으로 표현하는 데 익숙했던 것이다. 이러한 지식인 문학으로서의 한시는 이후 20년대의 한용운, 정지용, 30년대의 이육사, 조지훈 등에 이르러 현대시로의 발전적인 계승을 성취한다.

②의 경우에는 구비 문학의 형태로서 민중들에 의해 광범위하게 불리던 노래체의 시들이다. 앞의 것은 이른바 잡가인데 이들은 1900년대 초에 융성한 출판문화의 덕택으로 활자화되어 『신구 유행 잡가』, 『정정 증보 신구 잡가』, 『정선 조선 가요집』 등에 정착하기 시작하였다. 이들은 도시 서민층이라는 광범위한 수용층을 상대로 해서 당대에 맞는 노래를 주로 채록하고 있기 때문에 크게 유행할 수밖에 없었다. 특히 이들은 자유 시형에 가깝게 자유자재롭게 변형되어 불리었으며, 전원 심상과 사랑의 노래가 주류를 이루었기 때문에 대중과의 폭넓은 공감대를 형성한 것이었다. 특히 인용한 이 「영변가」는 「약산 등대」 등의 구전 잡가들과 어울려서 20년대 소월 시의 형성 동인이 되는 등 민요시 운동을 전개하는 데 그 바탕이 된 것으로 여겨진다. 아울러 이 잡가류는 「아리랑 타령」에서 보듯이 당대에 유행하던 동학 가사, 애국 가사, 의병 항쟁가, 항일 민요, 풍요 등과 서로 교호하면서 당대 민중들의 집단 무의식을 반영함으로써 현대시 형성에 있어 민중 문학으로서의 그 밑바탕을 이룬 것으로 보인다는 점에서 중요한 의미를 지닌다.

③의 시형은 이미 기존 문학사에서 친숙하게 다루어져 온 이른바 신체 시형에 해당한다. 이들이 형태적인 면이나 감수성의 면에서 무언가 고체시들에 비해서 새로운 느낌을 주는 것은 사실이다. 그러나 이러한 정도의 자유로운 형식의 시형은 이미 17, 8세기의 사설시조에서 흔히 발견됐던 것이며 개화기의 많은 시편들에서도 심심치 않게 나타나고 있는 형태이다. 그런데도 이러한 육당, 춘원의 한두 작품이 획기적인 것으로 기록될 수밖에 없었던 것은 이 시의 작가가 당대에 이미 일본 유학까지 다녀온 바 있는 선구적, 지도적 지식인이었으며, 이러한 신체시형이 일본으로부터 유입된 새로운 시형식이라는 점에 기인한 것으로 이해된다. 당대인들의 새로운 것에 대한 지나친 관심과 강조가 전통적인 것에서 새롭게 변모한 것을 찾으려는 노력을 기울이기보다는, 바다 건너에서 새롭게 불어오는 바람에 유독 민감하였기 때문인 것으로 이해된다.

따라서 이 땅 현대시 형성에 있어서 지금까지 지나치게 강조되어 온 육당, 춘원 등 일본 유학생들에 의한 "창가 → 신체시 → 현대시"의 이행 과정론은 재고되어야 마땅하다. 전통 민중 문학으로서의 구비 문학을 바탕으로 하여, 지식인 문학으로서의 전통적인 한시 의식 내지 선비 정신이 접맥되고, 다시 신진 일본 유학생들에 의해 외래의 시형이 유입됨으로써 현대시의 기본 틀이 다층적, 복합적으로 형성된 것이다.

이렇게 본다면 이 시기의 문학을 논의하는 데는 단순히 표면에 드러나는 새로운 것 내지는 형태론적 측면보다는 내면에 흐르는 시정신이나 의식의 변모 과정에 더욱 관심을 기울여야 할 것으로 보인다. 가령 개화기의 대표적 문학 평론의 하나인 신채호의 「천희당 시화」의 경우만 하더라도 그것이 낡은 풍속을 개혁하고 문학이 사회적 교화의 기능을 가져야 한다는 주장을 바탕으로 하고 있다는 점을 유의해 보아야 할 것이다. 실상 이러한 당대의 정신적 지향이 최남선의 경우에 신시의 하나로서 표면화된 것에 불과할 뿐인 것이다. 그렇다고 해서 민중 교화와 현실 비판이라고 하는 개화기의 정신사적 양가치축이 유독 최남선의 신시에만 드러난 것이 아니다. 당대의 한시를 비롯한 가사, 시조, 민요, 잡가 등 전통적 자생적인 시형식이나 창가, 신체시 등 외래적인 시 형식 모두에 있어서 공통되는 정신적 바탕이었던 것이다.

따라서 한시, 민요, 잡가, 시조, 가사 등 전통 시형식이 고전 문학하고만 상관되는 것이 아니라, 현대시로의 이행기에 있어 현대 문학과 더 깊이 연관돼 있음을 유의하여 이 자생된 변화 과정에 보다 면밀한 관심이 기울여 져야함은 물론이다.

2. 3·1운동과 현대시의 형성

3·1운동은 1919년 3월 1일에 일어난 일제 강점기하 최대의 항일 민족 항쟁이었다. 이 운동은 당대 2천만 조선 민중은 물론, 중국 만주 및 미주 등 해외에 거주하던 교민들까지 궐기하여 조선이 독립국임과 조선인이 자주민임을 대내외에 선창한 비폭력 저항 운동의 성격을 지닌다. 이 3·1운동으로 인하여 일제의 한반도 강점과 식민 통치가 조선인의 의사와는 관계없이 무력에 의한 것임이 세계만방에 알려지게 되었다. 무엇보다도 조선이 반만년 역사와 주권을 지닌 엄연한 독립 국가이며, 조선 민중이 민족적 주체성을 지닌 문화민이라는 사실에 대한 확실한 자각과 신념이 전 민족 스스로에게 일어났다는 점이 중요한 의미를 지닌다. 이 3·1운동은 우리 민족으로 하여금 민족적 주체 의식을 보다 확고히 하는 계기가 되었으며, 독립 정신을 대내외에 고조시킴으로써 이 땅에 근대적 민족주의가 뿌리를 내리는 데 결정적인 역할을 수행한 것이다. 아울러 민족적 역량의 결집과 단합을 통하여 개화기 이래의 봉건적 질서의 전면적인 해체와 함께 민족적, 사회적 자아의 발견을 성취하고, 개인을 발견하게 하는 소중한 계기가 마련되었다.

1919년 3·1운동 이래 이 땅에서는 보다 조직적이고 내밀한 식민지 탄압과 착취, 그리고 민족 분열 정책이 본격적으로 전개되기 시작하였지만, 적어도 표면적으로는 소위 문화 정치라는 미명 아래 각종 눈가림의 문화 정책이 제시되었다. 따라서 각종 신문, 잡지들이 간행됨으로써 문화적인 면에서 새로운 질서가 형성되기 시작하였다.

어떻든 3·1운동은 근대적 민족주의의 확립이라는 긍정적인 측면을 바탕으로 하여 비록 한계 지워진 것이긴 하지만 민족 문화의 건설의 길로 나아가게 되는 소중한 계기가 된 것이 분명하다. 이 무렵을 전후하여 이 땅에는 각종 문예지와 종합지가 우후죽순처럼 쏟아져 나오게 된다. 이 무렵 발간된 주요 문예 동인지로는 『창조』(1919), 『폐허』(1920), 『장미촌』(1921), 『백조』(1922), 『금성』(1923), 『영대』(1924) 등이 있고, 종합지로는 『개벽』(1920), 『현대』(1920), 『신천지』(1921), 『조선지광』(1922) 등이 있다.

가) 「태서문예신보」와 서구시의 유입

이 땅에서 서구시의 본격적인 유입이 시작된 것은 『태서문예신보』가 발간된 시기부터라 할 수 있다. 『태서문예신보』는 "태서의 유명한 소설, 시조, 산문, 가곡, 음악, 미술, 각본 등 일체 문예에 관한 기사를 문학 대가의 붓으로 직접 본문으로부터 충실하게 번역하여 발행할 목적"(동지, 창간사)으로 1918년 9월 26일 창간된 문예 주간지이다. 타블로이드판의 이 신문은 문학과 기타 예술 및 문화에 관한 시사 교양 등 광범위한 기사를 취급하고 있다. 문학에 있어서는 창작시와 번역시 및 시론과 소설, 희곡, 수필 및 해외 문예 소개 등이 폭넓게 다루어지고 있다. 따라서 이 신문은 1900년대 초의 『소년』, 『청춘』과 유사한 면이 많이 발견되지만 문학, 특히 시에 큰 비중을 두고 있다는 점이 그들과 구별된다. 즉 『소년』, 『청춘』 등에서 최남선이 문화사적 내용을 광범위하게 다룬 데 비해 『태서문예신보』에서 그 편집인인 안서 김억은 문화의 기본

단위인 문학, 특히 시를 중점적으로 다룬 것이다. 이 점에서 이 땅의 현대시는 이『태서문예신보』에서 그 원류가 시작되었다 해도 과언이 아니다.

『태서문예신보』의 시는 대략 창작시와 번역시 및 시론으로 나눌 수 있다. 현재 전해지고 있는 1호부터 16호까지에서 볼 때 창작시는 1호에 해몽 장두철의 「신춘향가」를 필두로 하여 김억, 백대진, 이일, 최영택, 구성서, 이병두, 황석우 등의 38편이 수록돼 있고, 번역시는 역자 미상의 「연애의 부르지즘」 (K. Roy 지음)을 비롯하여 롱펠로우, 투르게네프, 아나크레온, 예이츠, 에머슨, 모리스, 포킨스, 태프, 민스키, 프리바르, 구르몽 등 미국, 영국, 프랑스, 러시아 등의 약 30여 편이 김억, 장두철, 김인식에 의해 번역되어 실려 있다. 특히 번역시는『소년』,『청춘』 등의 것이 영국과 일본에 국한되어 실려 있던 것이 김억에 의해 프랑스와 러시아의 상징주의 계열의 시가 소개됐다는 점에서 큰 변화를 보여준다. 아울러『태서문예신보』에는 현대 시론이 처음으로 등장하는데 김억이 프랑스의 상징주의를 소개하는 「프란스시단」을 비롯해서 최초의 자유시론이라고 할 수 있는 「시형의 음률과 호흡」을 발표하고 있어 주목된다. 이렇게 볼 때 이 땅 현대시 최초의 본격 시인은 김억이라고 해도 과언이 아닐 것이다.

김억은『태서문예신보』에 창작시 「밋으라」를 필두로 「봄」, 「봄은 간다」, 「겨울의 황혼」, 「북방의 따님」 등 10여 편을 발표하였다.

> 가득한 눈의 저녁하늘
> 찬바람은 나뭇가지를 흔드는데
> 하로길을 마친 피곤(疲困)한 햇볕
> 금색(金色)을 노흐며 고요히 넘는다.
> 奀수레를 타고 나리는 밤은
> 산(山)이나 고을, 들이나 또한 바다에
> 다가치 검은 옷을 입힌다.
>
> —「겨울의 황혼」 부분

이 시는 리듬에 있어서나 표현에 있어서 당대 시로서는 비교적 우수한 작품에 속한다. 특히 여러 가지 공감각을 활용하는 점이나, "꽃수레를 타고 나리는 밤/산이나 고을, 들이나 또한 바다에/다가치 검은 옷을 입힌다" 등과 같은 비유는 당대로서는 참신한 것이 아닐 수 없다.

안서는 또한 번역시에 있어서도 단연 선구자적인 역할을 수행하였다. 그가 번역한 것은 주로 프랑스의 상징주의 시였다.

> 가을의
> 쌔올링의 우는
> 긴 오열(嗚咽)
> 단조(單調)한 사뇌(思惱)에
> 내 가슴 압허라
>
> 종(鍾)소리 우를찍
> 가슴은 막히며
> 낫빗은 희멀금
> 지나간 그날
> 눈압혜 보임이
> 아아, 나는 우노라
>
> 내 영(靈)은 부는
> 모든 바람에
> 슬리어 써돌아
> 여기에 져기에
> 날아 훗터지는
> 낙엽(落葉)이어라

베를레느(P. Verlaine)의 이 「가을의 노래(Chanson d'automne)」가 환기하는 이국적 정서는 시조, 가사, 잡가, 민요 등이 아직도 유행하던 당대에 있어 충분히 이색적인 것이 아닐 수 없다. 안서는 이 시 이외에도 "무엇보다도 몬져 음악을/그를 위하얀 달으지도 두지도 못할/썩 희미한 알듯말듯한 난호랴도 못할 것을 잡으라 // 우리의 바라는 바는 색채가 아니고 음조 뿐이다, 그저 음조 뿐이다"라고 하는 베를레느의 「작시법(Art Poetique)」을 소개하기도 하였다. 안서가 「가을의 노래」, 「거리에 나리는 비」 등 주로 감상적인 색채의 시와 함께 이러한 상징주의 시의 요체인 '작시법'을 소개하고 있다는 사실은 주목을 요한다. 어쩌면 전환기에 처해 있던 당대의 시단에 감수성의 혁명을 초래한 것으로 판단되기 때문이다. 이 땅 현대시의 형성기에 있어서 서구의 완제품 사조인 상징주의를 비판적인 여과 없이 그대로 유입했다는 것은 부정적인 면을 내포한다. 더구나 도처에서 발견되는 오역은 불행한 일이 아닐 수 없는 것이다.

그럼에도 불구하고 안서의 상징시 소개는 이 땅 초기 시단의 풍토를 다원하게 해주었다는 점에서 긍정적인 면이 발견된다. 특히 그가 이 『태서문예신보』의 시를 주로 포함해서 간행한 이 땅 현대시

초유의 번역시인 「오뇌의 무도」(1921. 3)는 1920년대 초반 이 땅 현대시의 풍향을 결정짓는 한 중요한 요인이 되었다는 점에서 긍정적인 의미를 지닌다. 아울러 창작 시집 『해파리의 노래』(1923. 6)를 간행하여 창작 시단을 활성화하고 소월을 발굴하여 이 땅 민요시 운동을 선구한 점 등은 높이 평가되어 마땅한 것이다. 이 점에서 "육당의 신체시를 시 없는 시사 이전의 시라고 한다면 안서와 요한을 기다려 근대시는 비로소 유사시대로 들어선다"는 한 평론가의 지적은 문제점이 있긴 하지만 어느 정도 타당성을 지닌다 할 것이다.

나) 동인지 시단의 형성

『창조』지와 주요한

『창조』지는 3·1운동 직전인 1919년 2월 일본 동경에서 김동인, 주요한, 전

영택, 김환 등 평양 출신 유학생을 중심으로 해서 발간된 동인지이다. 이후 9호까지 간행된 신문학 사상 초유의 순문예 동인지인 『창조』는 지금까지 지나치게 그 비중이 강조되어 온 바가 없지 않다. 한때 어느 평론가는 이들에 의해 이 땅 문학사가 육당, 춘원 등에 의한 제1기 문학(2인 문단 시대)으로부터 제2기 문학으로 들어선다고 강조하기도 하였으며, 여기에 수록된 「불노리」가 이 땅의 "최초의 근대시"라고까지 하여 과장한 바도 있었다. 그러나 근자에는 이러한 "최초", "최대"라는 관사에 대한 반성이 제기되기 시작하였으며, 「불노리」가 이 땅 자유시의 한 선구적인 작품으로서 "새로움"보다는 방법 면에서도 시도에 관심이 주어져야 한다는 점이 인식되기 시작한 것이다(정한모의 『한국 현대 시문학사』(일지사, 1973) 가 그 대표적인 저작이다). 「불노리」는 이 땅 전통의 흐름을 바탕으로 해서 형성된 여러 새로운 작품 가운데 하나에 불과한 것이다.

> 아아날이저믄다. 서편(西便)하늘에, 외로운강(江)물우에, 스러져가는 분홍빗 놀… 아 아 해가 저물면 해가 저물면, 날마다 살구나무 그늘에 혼자우는 밤이 쏘오것마는, 오늘은 사월(四月)이라패일날 큰길을 물밀어가는 사람소리는 듯기만하여도 흥셩시러운 거슬 웨나만혼자 가슴에눈물을 참을수없는고?
>
> …중략…
>
> 저어라, 배를, 멀리서 잠자는 능라도(稜羅島)까지, 물살 쌔른 대동강(大同江)을 저어오르라. 거긔 너의애인(愛人)이 맨발로서서 기다리는 언덕으로 곳추 너의 뱃머리를 돌나라. 물결쯧테서 니러나는 추운 바람도 무어시리오, 괴이(怪異)한우슴소리도 무어 시리오, 사랑일흔 청년(靑年)의 어두운가슴속도 너의게야무어시리오, 기름자업시는 '발금'도이슬수업는거슬ㅡ. 오오 다만 네확실(確實)한오늘을 노치지 말라. 오오사로라, 사로라! 오늘밤 너의발간햇불을, 발간입셜을, 눈동자를, 쏘한 너의 발간눈물을…
>
> ―「불노리」 부분

먼저 형태적인 면에서 이 시는 완전히 개방된 자유시, 즉 산문시로서의 호흡과 율격을 지니고 있다. 이 시는 반복, 점층 등에 의한 내재율의 가락을 지니며, 상징성과 비유의 다층성을 지닌다는 점에서 산문과는 엄연히 다른 산문시인 것이다. 원래 산문시(prose poem)란 길이가 비교적 짧고 요약적이라는 점에서는 시적 산문과 다르고, 행 구분이 없다는 점에서는 보통의 자유시와 구별되며, 내재율과 이미지, 상징성을 지닌다는 점에서는 산문과도 다른 것이다. 이러한 산문시가 「불노리」에 와서 일조일석에 갑자기 생겨난 것으로 보기는 어렵다. 주요한의 이 시가 일본의 우에다 빈(上田敏) 등 상징 시인들의 산문시에서, 실상 이것도 원형적인 면에서는 프랑스의 보들레르(C. Baudelaire) 등에게서 영향 받은 것이지만, 우리 전통시에서의 사설시조 등과 전혀 무관할 수는 없는 것이다. 또한 형태적인 면에서는 산문시형이라면 『소년』, 『청춘』, 『태서문예신보』 등에서 이미 실험된 바 있다. 시의식의 면에서도 「불노리」 이전에 이미 김억과 황석우의 시편들에서 근대적 자아의 발견과 서정성, 그리고 시어의 미적 가치에 대한 자각이 이루어졌음은 물론이다. 자유시 리듬과 시의 미적 구조성에 대한 새로운 인식이 이미 김억과 황석우 등에 의해 제기됐던 것이다. 무엇보다도 「불노리」는 "최초의 상징시와는 거리가 멀다. 상징시란 불가지의 내면적인 정신의 우주에 잠입하여 그 유현한 정신세계를 비유와 유추, 상징 등 간접적인 표현 방식과 내밀한 음악성으로서 형상화하는 시를 말한다. 여기에 비해서 「불노리」는 실연한 한 청년이 대동강에서 뱃놀이를 하면서 불꽃놀이를 보다가 생의 의미를 새롭게 자각한다는 감상적인 이야기로 짜여 있음을 알 수 있다. 따라서 상징시가 아니라 낭만적인 서정시에 해당함을 금방 알 수 있는 것이다.

이렇게 본다면 「불노리」는 외래적 감수성에 의해 비교적 잘 훈련된 한 유학생이 근대 문학 초유의 문예 동인지에 그러한 외래풍의 산문적 가락으로서 쓴 산문시라는 점만이 신선한 의미를 지닌다는 것을 알 수 있다. 「불노리」는 상징과 유추에 의한 내적 정신세계의 조형이나 내면 공간의 형성이라는 상징 시의 이념과는 현격히 먼 것으로서, 감상적인 울분과 열정이 분출한 낭만시에 해당한다. 이 점에서 이 작품은 1910년대 말 또는 20년대 초 이 땅을 풍미하던 감상적 니힐리즘을 반영하고 있는 작품으로서, 이에 부여된 과도한 칭찬과 과신은 불식되어야 마땅하다. 오히려 주요한의 시는 후기에 접어들면서 시집 『아름다운 새벽』 등에서의 이상주의적인 지향과 민족주의적인 열정이 그 본령에 해당한다. 아울러 주요한을 비롯한 일군의 유학생들이 선구한 동인지 운동이 국내의 문단에 미친 영향의 측면이 강조되어야 할 것이다. 3·1운동 이후의 짙은 니힐리즘과 패배주의에 사로 잡혀 있던 이 땅의 젊은 지성들에게 동인지를 통한 새로운 시운동을 점화하였다는 점에서 「창조」의 의미가 놓이는 것으로 판단되기 때문이다.

『백조』지와 이상화

1920년대 초기 시단 형성에 있어서 동인지 『백조』는 중요한 의미를 지닌다. 이보다 조금 앞서서 발간되었던 황석우, 김억, 민태원, 김원주, 오상순, 남궁벽 등의 동인지 『폐허』나 시 전문지 『장미촌』 등이 비교적 이합집산의 형태였음에 비추어 『백조』는 보다 이념화된 성격을 지닌다. 주로 박종화, 이상화 등 휘문 학생과 박영희, 김팔봉, 나도향 등 배재 학교 학생들이 모여서 간행한 이 『백조』지에 이르러 우리의 신문학은 "낭만주의의 화려한 시대" (백철, 『신문학 사조사』)를 맞이하게 되었다.

이들 동인 중에서 시인으로서는 홍사용, 박종화, 이상화, 박영희, 그리고 김팔봉 등이 주축을 이루었다. 먼저 홍사용은 「나는 왕이로소이다」 등을 통해서 감상적인 서정을 자유분방한 가락으로 형상화하였다. "나는 왕이로소이다. 어머니의 외아들 나는 이러케 왕이로소이다/ 그러나그러나 눈물의왕/이세상 어느곳에든지 설음잇는땅은 모다 왕의나라로소이다"라고 하는 한 구절에서 보듯이 3·1운동 실패 후의 좌절과 비탄의 분위기를 격정적으로 표출한 것이다. 박종화는 『백조』 창간호에 시 「밀실로도라가다」를 발표한 이래 「사의 예찬」 등의 허무주의적, 악마주의적인 작품을 주로 발표하였다. 그의 시집 『흑방비곡』은 그러한 백조파의 폐쇄 지향성, 밀실 지향적 성격을 잘 드러낸 상징적인 작품에 해당한다. 박영희는 『백조』 창간호에 「미소의 허화시」를 발표한 이래 「월광으로 짠 병실」, 「꿈의 나라로」 등 감상적이고 탐미적인 작품을 주로 발표하였다. "어둔 물결우에서 빗틀거리는 빗틀거리는/ 황금탑우에 안즌 나의 애인이여 ! /황금탑의 녯향기를 가슴의 품고/두사람의 헛된 꿈속의 미소를/너의 뭇숙한 얼굴에 띄우다"(「환영의 황금탑」) 등과 같이 환상적이고 탐미적인 세계를 형상화하고 있는 것이다. 김팔봉은 일본 유학에서 뒤늦게 돌아와 『백조』 3호에 「한개의 불빛」을 발표하면서 동인으로 가담한다. 그는 "계집과 끼안고 정사한 사내 / - 눈보라 치는 어느날 밤에 빠저어 죽은 불쌍한 거지/ - 주인에게 쫓기어 난 젊은이 그러구는/스트라이크가 화가 되어서 집없이 된 사람들의 눈물/ - 주권자에게 반항한 용사의 부르지즘/ - 그러구는 나같은 밥버러지의/고금을 생각하고 내뱉는 한숨"(「한개의 불빛」, 『백조』 3호) 등과 같이 감상적인 색채를 바탕으로 하면서도 저항적인 목소리를 드러내는 것이 특징이다. 이른바 "역사에의 방향성의 획득"이라고 할 수 있을 것이다. 이 점에서 김팔봉은 박영희와 함께 급격히 브나로드 운동이나 끌라르떼 운동 등 프로 문학으로 기울어져 가게 된다. 이미 일본에서 「씨뿌리는 사람들」에 감명 받고 빠르뷰스, 로망 롤랭 등에 경도되었던 김팔봉이 당대 조선의 식민지 상황에 부딪쳐서 그에 대한 저항성, 투쟁성향을 지니게 되리라는 것은 자명한 일이 아닐 수 없다.

백조파 중에서 최대의 시인은 이상화이다. 이상화는 『백조』 창간호 에 「말세의 회탄」을 발표하면서 등장하여, 「나의 침실로」, 「빼앗긴 들에도 봄은 오는가」 등의 1920년대 식민지 치하 최대의 작품을 쓰게 된다.

'마돈나' 지금은 밤도, 모든 목거지에, 다니노라 피곤(疲困)하야돌
아가려는도다.
　아, 너도, 먼동이트기전으로, 수밀도(水蜜桃)의 네 가슴에, 이슬이
맷도록달려오느라.
—「나의 침실로」 부분

아, 가도다, 가도다, 쏘처가도다.
이즘속에잇는간도(間島)와요동(遼東)벌로
주린목숨움켜쥐고, 쏘처가도다.
진흙을밥으로, 햇채를마서도
마구나, 가젓드면, 단잠은얽맬것을—
사람을만든검아, 하로일즉
차라로주린목숨쌔서가거라!
—「가장 비통한 기욕」 부분

지금은 남의쌍— 쌔앗긴들에도 봄은오는가?

…중략…

그러나 지금은—들을 쌔앗겨 봄조차 쌔앗기것네
—「쌔앗긴들에도 봄은 오는가」 부분

　생전에 시집 한 권 내지 못하고 작고한 이상화는 항일 민족 운동과 관련되
어 여러 차례 옥고를 겪기도 한다. 그러면서도 현실 인식을 바탕으로 한 확고
한 역사의식, 그리고 당대 사회의 구조적 모순과 부조리에 대한 치열한 저항
의식을 확보하고 있으면서도 이것을 예술시의 차원으로 상승시킴으로써 참
된 시의 전범을 제시해 주었다. 그의 시는 빈궁자의 고통스런 삶을 폭넓게 다
루면서도 예술성을 잃지 않은 데서 생생한 역사성과 사회성을 지닌다. 당대의
어떤 시인보다도 일제에 대해 치열하게 저항하면서도 예술성을 잃지 않은 식

민지 치하 최대의 민족 시인이자 저항 시인으로서의 의미를 지니는 것이다. 아울러 이상화 역시 카프에 가담하는 점에서는 박영희, 김팔봉 등『백조』동인과 보조를 같이 한다.

이렇게 볼 때 백조는 이 땅의 순수 문학을 선구하였으면서도 동시에 프로 문학으로 넘어가는 한 디딤돌이 됐다는 점에서 특이한 시사적 의미를 지니는 것이다.

기타 시인들

이들 이외에 동인지를 중심으로 활약한 시인 중에서 특기할 만한 시인으로는『폐허』에서의 황석우와 변영로, 오상순 등을 들 수 있으며,『금성』지의 이장희와 양주동을 들 수 있다. 황석우는『태서문예신보』에서「어린 자매에게」 등으로 등장하였지만『폐허』에「석양은 꺼지다」,「벽모의 묘」 등을 발표하고『장미촌』을 주재함으로써 본격적으로 활약하였다. "고독은 내 령의 월세계/나는 그우의 사막우에 깃드려 있다/고독은 나의 정열의 불토, 잠든 별들의 넋이랍니다"라고 하는 시「잠」 등과 같이 관념적인 비유로 짜인 시를 많이 발표하였으며, 시집『자연송』을 간행하면서 상징시 운동을 전개하였다.

변영로는 "거룩한 분노는/종교보다도 깊고/불붙는 정열은/사랑보다도 강하다"라는 시「논개」를 비롯하여 민족주의적인 작품을 주로 썼으며, 시집『조선의 마음』을 간행하였다. 오상순은 시「힘의 숭배」 등을 발표하면서 등장하여 불교적 색채가 깔린 관념적인 작품을 많이 발표하였다. 이장희는 20대에 요절한 시인이지만 "꽃가루와 같이 부드러운 고양이의 털에/고운 봄의 향기가 어리우도다" (「봄은 고양이로다」)에서와 같은 감각적인 작품을 통해서 모더니즘적인 기교를 보여준 특이한 시인이다.

다) 프로 문학과 경향성

　3·1운동을 전후하여 이 땅에는 진화론과 더불어 사회주의적 사상이 유입되기 시작하였다. 특히 3·1운동이 실패한 이후에는 식민지 현실에 대한 민족적 좌절과 함께 계급적 저항의 움직임이 조직적으로 대두되기 시작하였다. 이러한 사회주의 사상과 진화론에 기초한 생활 개혁 운동 내지 현실 저항 운동은 주로 종합지를 중심으로 펼쳐지기 시작하였다. 20년대 초 이 땅에는 『창조』(1919), 『폐허』(1920), 『장미촌』(1921), 『백조』(1922), 『금성』(1923), 『영대』(1924) 등의 문예지와 더불어 『개벽』(1920), 『현대』(1920), 『신천지』(1921), 『시민공론』(1921), 『신생활』(1922), 『조선지광』(1922) 등의 종합지들이 활발히 간행되었는데, 이러한 현실 개혁 운동은 주로 종합지에 의해 전개된 것이다. 이들은 주로 문학 작품보다는 논문을 통해서 이 시대 식민지하 조선의 지식인들에게 있어서 현실 개혁 운동이야말로 가장 긴절한 과제임을 강조하였다. 특히 이들은 "생활"과 "현실"을 가장 중요한 정신적 지향점으로 설정하고 활발하게 논의를 전개하였다. 이러한 종합지 중심의 현실 개혁 운동은 박영희와 김팔봉을 중심으로 한 신경향파의 생활 문학론으로 수렴되면서 차츰 조직적인 문학 운동 내지 정치 운동으로 변모하게 된다.

　박영희와 김팔봉은 원래 『백조』의 동인이었지만 『백조』가 해체될 무렵부터 신경향파 문학 운동을 전개하게 된다. 이들은 최남선이나 김억, 주요한 등의 순수 문학 중심의 문예지 운동과는 상대적인 각도에서 문학의 사회적, 현실적 응전력에 눈을 돌리게 된다. 이들은 이미 3·1운동 때 배재고보 졸업반으로서, 특히 김팔봉은 당시에 3·1운동에 참여하여 구류까지 산 일이 있던 열혈 청년이었다. 이후 김팔봉은 일본에서 귀국한 이래 앞에서 언급했던 「한개의 불빛」 등을 발표하면서 당대 식민지 현실의 궁핍상과 모순상을 직접 목도하게 된다. 바로 여기에서 김팔봉은 박영희 등의 동조를 얻어 세칭 신경향파를 출범시키게 된다. 이들은 당대에 팽배했던 현실 개혁 의지와 사회주의 운동에

힘입어 문학의 현실성, 사회성, 역사성, 계급성 등의 문제에 관심을 기울이게
되었다. 소위 "力의 예술" 혹은 "무기로서의 예술"을 강조하게 된 것이다.

> 입으로만 말하는 우나로드
> 육십전년(六十年前)의 노서아청년의
> 헛되인 탄식이 우리에게 있다.
> Cafe Chair Revolutionist
> 너희들의 손이 너무나 희구나
>
> 너희들은 "백수(白手)"
> 가고자하는 농민(農民)들에게는
> 피지도 못한 "미각(味覺)"이라고는
> 조금도 조금도 없다는 말이다.
> ―김팔봉, 「백수의 탄식」부분

이들은 기존 문학인들을 "부르즈와 문학자"라고 매도하고 "백수의 문학"이
라고 비판하였다. 즉 이들은 기성 문인들이 사상과 힘이 있는 문학을 기피하
고 오로지 감상과 취미로서의 기교적인 문학에 떨어져 있다는 점을 지적하여
기존의 문단을 배척한 것이다.

이러한 신경향파 문학은 1922년 10월에 "본사는 해방 문화의 연구 및 운동
을 목적으로 함"이라는 강령 밑에서 조직된 염군사(이적효, 이호, 김홍파, 김
영팔, 최승일, 심대섭, 김두수, 송영) 및 1923년 "인생을 위 한 예술/현실과 싸
우는 의지의 예술"을 모토로 결성된 파스큘라 (PASKYULA, 김기진, 김복진,
연학년, 박영희, 이상화, 안석영, 김형원, 이익상) 등과 통합되어 KAPF (Korean
Artist Proletariat Federation, 1925. 7 이하 카프)가 결성된 이후에는 프로 문학,
즉 계급 문학으로 전환하게 된다. 이때부터는 신경향파의 생활 문학이 프로
문학파의 계급주의 문학으로 변모하게 됨으로써 문학보다는 정치, 사회 운동

으로 전환하게 되는 것이다. 카프가 결성되기 전에는 비교적 단순한 현실 개혁 운동이나 소박한 이념 지향을 띠어 왔던 신경향파가 급격히 정치적인 운동의 하부 조직으로 전신한 것이다. 김기진 등이 1925년 『개벽』이 폐간된 후 ML당 기관지였던 『조선지광』을 무대로 활동하게 된 것이 단적으로 이러한 사태를 반영한다. 특히 1926년 이후에는 완전히 계급 문학론이 주류를 이루어 이 땅 문단을 장악하게 된 것이다. 다시 말해서 현실과 민족에 대한 소박한 차원의 관심과 애정이 계급에 대한 신앙과 열정으로 변모해 가게 되었던 것이다. 박영희가 문학이란 "선전 포스타"가 될 수 있으며, "사상을 전달하는 도구"가 돼야 한다는 주장을 펼친 것 등이 이러한 예증이 된다.

> 조선의 시인이 서양 사람이 아니고 한 언어가 외국어가 아닌 이상에는 반다시 조선이 가질 천연적 요소를 고열적으로 부르지겨야 할 것이다. 현금에 시라는 것은 인간을 떠나고 사회를 떠나는 초탈의 노래는 아니다. … 따라서 조선이 혁명 문학을 요구한다 하면 시는 그 요구를 더욱 뜨거움게 불부칠만한 힘이 잇서야 그 시의 시적 가치가 잇는 것이며 따라서 문학적 가치가 있는 것이 사실이다.
> ─박영희, 「시의 문학적 가치」 (『개벽』 1925. 3)

이상과 같은 박영희의 주장은 당대 조선 문학의 과제가 조선의 민족적 특수성과 계급 사상을 결합하여 혁명적 문학을 건설해야 한다는 내용이다. 식민지 치하의 조선의 위기를 벗어나는 길은 저항의 문학 내지는 혁명의 문학이어야만 한다는 강력한 시적 현실 참여의 주장인 것이다.

그러나 이러한 20년대의 프로 문학론은 주로 비평이나 소설에서 위세를 떨쳤지만 시에 있어서는 그다지 큰 성과를 거두지 못한 것으로 보인다.

라) 민족 문학, 소월과 만해

카프를 중심으로 한 계급주의 문학 운동이 급격한 현실 개혁과 저항 운동을 펼치면서 정치 운동화해 가기 시작하자, 수세에만 몰려 있던 민족진영에서는 차츰 나름대로의 현실적 응전력을 획득해 가기 시작한다. 당대 식민지 체제의 구조적 모순과 현실적 불합리에 대한 조직적, 능동적, 집단적, 민족적 저항 운동이 카프에 의해 차츰 마르크시즘 등 외세 편향성과 국제 공산주의 운동의 일환으로 기울어 가면서 민족적인 저항 운동이 민족혼과 전통을 강조하는 쪽으로 물길을 터가기 시작한 것이다. 세칭 국민 문학파 또는 민족 문학파라고 불리는 이러한 경향은 신경향파나 카프와는 대척적인 입장에서 하나의 흐름을 형성하였다. 이들은 조직을 결성하거나 두드러진 선언을 주장하지 않으면서도 민족 운동이 전통 정신에 근거를 해서 민족 주체성과 민족혼을 확보하는 것이라는 데 대한 자각을 보여 주었다.

이러한 민족진영에 의한 민족적 주체성 확립과 민족혼의 고양을 위한 노력은 대략 (1) 역사 연구의 방향 (2) 한글 운동 (3) 시조 부흥 운동 및 (4) 민족 문학 운동 등으로 나누어 볼 수 있다. (1)은 육당 최남선과 위당 정인보, 단재 신채호 등의 역사 연구로써 전개되었다. 특히 단재는『조선 상고사』등을 통해서 "아(我)와 비아(非我)의 투쟁"이라는 역사의 원리를 천명하면서 민족 주체 사관을 강조한 데서 커다란 의미를 지닌다. 단재는 특히 중국, 만주 등에서의 독립 운동의 와중에서도「꿈하늘」등의 역사 소설은 물론 많은 저항적 시편들을 남김으로써 민족정신의 굳고 강함을 실천적으로 증명하였다. (2)는 주시경 등을 중심으로 해서 전개된 한글 정리, 연구, 보급, 계몽 운동을 일컫는다. 장지영, 김윤경, 이희승, 최현배, 이극노 등 조선어 연구회를 중심으로 한 이들의 활약은 민족혼의 상징으로서의 한글에 대한 연구와 계몽 운동을 통해서 민족적인 저항 운동을 펼친 것이다. (3)은 육당 최남선, 가람 이병기, 노산 이은상, 위당 정인보, 만해 한용운 등에 의해서 시조라는 민족 문화의 정수를 개발, 육성함으로써 민족정신을 수호하고 민족혼을 앙양하자는 움직임이다. 특히 최남선은 『시조 유취』를 통해서 기존의 시조를 모으고 정리하는 한편 창작 시조집 『백팔번뇌』(1926)를 펴내어 민족혼의 불멸함과 국토의 아름다움을 강조하였다. 그가 주창한 "조선심 사상"은 민족적인 주체성을 강조하는 당대 시조 운동의 구심점이 됐다는 점에서 중요한 의의를 지닌다.

이러한 세 가지 운동은 하나같이 민족의 정통성을 찾고 민족의 주체성과 독립성을 확보하기 위한 광범위한 민족적 저항 운동으로서의 의미를 지닌다. 그리고 그것은 각각 역사, 언어, 문학이라는 구체적인 운동을 통해서 전개됨으로써 정치 운동 일변도의 프로 문학과는 구별되는 실질적인 의미를 지니는 것이다.

20년대 중반에 있어서 시문학 자체 내에서 민족적 주체성을 확립하고 예술적 자존심을 성공적으로 고양한 것은 소월과 만해에 이르러서이다.

먼저 소월은 1920년 『창조』 5호에 「낭인의 봄」 등을 발표하면서 데뷔하여 민요적인 가락과 민중적 정감에 바탕을 둔 민족적 서정을 발굴함으로써 민족적 주체성을 확립하고 문학의 예술성을 성취하는 한 전범을 보여 주었다.

> 나보기가 역겨워
> 가실 째에는
> 말엄시 고히 보내드리우리다
>
> 영변(寧邊)에 약산(藥山)
> 진달내꼿
> 아름짜다 가실길에 쑤리우리다
>
> ―「진달내꼿」 부분
>
> 엄마야 누나야 강변(江邊)살쟈
> 들에는 반짝이는 금(金)모래빛

뒷문(門)박게는 갈닙의 노래
엄마야 누나야 강변(江邊)살쟈

—「엄마야 누나야」

접동
접동
아우래비접동

진두강(津頭江)가람ㅿ가에 살든누나는
진두강(津頭江)압마을에
와서웁니다

—「접동새」 부분

소월의 시는 전통적인 민족적 민중적 정감에 뿌리를 두고 있는 것이 특징이다. 사랑의 슬픔과 기쁨을 표층 정서로 하면서 인간의 근원적인 삶의 모습을 존재론적으로 형상화한 데서 감동을 던져 준다. 그의 시에 보이는 전원 상징과 식물적 이미지, 그리고 달과 흐름의 상상력은 한국 시의 한 원형 심상을 형성하기 때문이다. 특히 전통적인 이별 시학을 현대적인 가락으로 계승한 것은 식민지 당대의 비관적 분위기와 어울려서 폭넓은 공감을 불러일으킨 것으로 보인다.

한편 만해 한용운은 33인의 한 사람으로서 당대의 선구적 독립투사이자 종교 사상가이고 민족 운동가이면서도 시집 『님의 침묵』(1926)을 남긴 시인으로서 혁혁한 위치를 지닌다.

님은 갓슴니다 아아 사랑하는나의님은 갓슴니다
푸른산빗을깨치고 단풍나무숩을 향하야난 적은길을 거러서 참어
썰치고 갓슴니다
황금(黃金)의꼿가티 굿고빗나는 옛맹서(盟誓)는 차디찬쯱끌이되

야서 한숨의 미풍(微風)에 나려 갓습니다

  …중략…

  우리는 맛날때에 써날것을염녀하는것과가티 써날째에 다시맛날
것을 밋습니다

  아아 님은갓지마는 나는 님을보내지 아니하얏습니다

  제곡조를못이기는 사랑의노래는 님의침묵(沈默)을 휩싸고돔니다.

—「님의 침묵」 부분

  네 네 가요 지금곳가요

  에그 등ㅅ불을켜랴다가 초를 거꾸로쏜것습니다 그려 저를 엇저나
저사람들이 숭보것네

  님이어 나는 이러케밧붐니다 님은 나를 게으르다고 꾸짓슴니다 에
그 저것 좀보아 '밧분것이 게으른것이다' 하시네

  내가 님의쑤지럼을듯기로 무엇이실컷슴닛가 다만 님의거문고줄
이 완급(緩急)을이를까 접허합니다

  님이어 하늘도업는바다를 거처서 느름나무그늘을 지어버리는것은
달빗이아니라 새는빗임니다

  홰를탄 닭은 날개를 움직임니다

  마구에매인 말은 굽을침니다

  네 네 가요 이제곳가요

—「사랑의 싯판」

  시집『님의 침묵』에 수록된 88편의 시들은 대략 "기(이별) - 승(이별 후의
슬픔, 고통) - 전(슬픔, 희망) - 결(만남)"이라는 존재론적 드라마를 형성하면서
전개된다. 『님의 침묵』은 첫 시「님의 침묵」첫 행이 "님은 갓슴니다 아아 사
랑하는나의님은갓슴니다"로 시작되어 끝 시「사랑의 싯판」의 마지막 행에
"네 네 가요 이제곳가요"로 끝남으로써 이별에서 마침내 만남을 성취하는 극
적 구성을 지닌 연작시인 것이다. 이별이 만남으로, 절망이 희망으로, 소멸이

생성으로의 극적 전환을 성취함으로써 개벽의 새 아침, 역사의 새벽을 맞이하게 되는 것이다. 따라서 『님의 침묵』은 이별의 슬픔이나 사랑의 고통 그 자체를 노래한 것이 아니다. 오히려 그것은 이별을 모티브로 하여 슬픔과 절망의 변증법적 갈등을 겪고 난 다음 사랑과 인생의 참다운 본성을 새롭게 발견하고자 하는 극복의 시, 구도의 시라고 할 수 있다. 실상 이것은 국권 상실의 시대, 당대 식민지의 어둠 속에서 역사의 아침, 민족의 광복을 갈망하는 역사의식 또는 예언자적 지성의 발현으로 해석된다. 이별을 통한 더 큰 만남의 성취는 바로 국권 상실에서 오는 고통과 절망을 이겨냄으로써 더욱 차원 높은 항일 저항 정신과 조국애, 민족애에 도달하려는 열린 의지의 표출인 것이다. 바로 이 점에서 만해 시는 당대 현실을 치열하게 수용한 것이면서도 그것을 예술적으로 탁월하게 상승시킴으로써 민족 문학의 나아갈 길을 참되게 제시해 준 것으로 판단된다. 만해는 국권 상실의 시대에 가중되는 탄압과 궁핍 속에서 보수와 진보, 계몽과 순수, 민족과 개인, 외세와 주체라는 전환기의 모순 명제가 강요하는 갈등과 분열을 탁월하게 문학적으로 형상화함으로써 이 땅 근대 문학사의 물길을 올바로 터놓는 데 결정적으로 기여한 것이다.

바로 이처럼 민족적인 전통에 뿌리박고 있으면서도 당대 현실을 폭넓게 수용하여 이것을 민족 문학의 형식으로 상승시킨 데서 만해와 소월이 당대 문학의 수준을 훨씬 뛰어 넘어 진정한 민족 문학을 이루어 낸 것으로 판단된다.

마) 개성적인 시인들

20년대에는 앞에서 논의한 시인들 이외에도 김동환, 정지용, 심훈 등의 중요 시인들이 개성적인 시작 활동을 전개하였다.

먼저 파인 김동환은 시 「적성을 손가락질하며」(후에 「눈이 내리느니」로 개작)를 『금성』(1924. 5)에 발표하면서 등단하였다. "북국에는 날마다 밤마다 눈이 내리느니 /회색하늘속으로 힌눈이 퍼부슬 째마다/눈속에 파뭇히는 하연 북조선이 보이느니"라고 하듯이 북방 정서의 강인한 호흡을 보여 준 김동환은 1925년에 서사시집『국경의 밤』을 발표함으로써 이 땅 문단에 "야생마"로서 등장한 것이다. "아하, 무사히 건넛슬가/이 한밤에 남편은/두만강을 탈업시 건넛슬가?"로 시작되는 「국경의 밤」은 서정시 내지 단시가 주류를 이루던 20년대 시단에 있어서 수난의 민족사와 고통 받는 민중의 비극을 서사적 구조로 형상화 한 점에서 중요성을 지닌다. 이어서 그는 서사시집『승천하는 청춘』을 발표하여 이 땅 초유의 대형 시인으로서의 위치를 확보하게 되었다. 당대의 식민지 상황을 "공동묘지" 또는 "밤"으로 비유하고 당대의 고통 받는 민족의 모습을 "산송장"으로 암유함으로써 비관적 현실 인식과 저항 정신을 예각화하였다. 또한 그는 민요시 운동을 전개함으로써 민족혼의 고취를 기도하였다. 그러나 파인은 일제 말에 각종 친일 단체에 가입하고 「총 일억 자루 나아간다」, 「비율빈 하늘의 일장기」 등을 씀으로써 친일 훼절 행위에 접어들게 된다. 그가 초기 시단 형성 과정에서 초유의 서사 시집을 간행하여 이 땅 시의 대형화에 기여하였고 사회적, 역사적 대응력을 획득하는 데 공헌한 것을 과소평가하기는 어렵다. 그러나 이러한 시사적 기여에도 불구하고 친일훼절 행위로 인해 그에 대한 평가는 종합적인 면에서 회의적이다. 이 점에서 파인은 그 누구보다도 중요한 선구적 시인이면서도 또한 그 누구보다도 불행한 시인으로 남아 있을 수밖에 없다.

정지용은 흔히 우리의 시 속에 "현대적인 호흡과 맥박을 불어 넣은 시인"으로 평가된다. 혹자는 그를 이 땅 "현대시의 아버지"라 부르기도 할 정도로 그가 선구한 지성시 내지 언어시 운동은 소중한 것으로 받아들여진다. 그는 1926년 「카페 프랑스」 등의 작품을 『학조』에 발표하면서 시단에 등장하였다. 그는 「오월소식」, 「유리창」 등에서 지적인 절제와 시어의 투명성을 보여 주었다.

유리(琉璃)에 차고 슬픈 것이 어린거린다.
열없이 붙어서서 입김을 흐리우니
길들은 양 언날개를 파다거린다.
지우고 보고 지우고 보아도
새까만 밤이 밀려나가고 밀려와 부디치고
물먹은 별이, 반짝, 보석(寶石)처럼 백힌다.
밤에 홀로 유리(琉離)를 닥는 것은
외로운 황홀한 심사 이어니,
고은 폐혈관(肺血管)이 찢어진 채로
아아, 늬는 산(山)ㅅ 새처럼 날러갔구나!!

—「유리창」

　　그의 시는 현실과 밀착되면서도 시각, 청각, 촉각은 물론 공감각적인 다양한 비유를 통해서 유니크한 감수성의 세계를 개척하였다. 그의 시는 쉽게 흥분하고 감상에 치우쳤던 종래의 많은 시들에서 어느 정도 벗어나 서 "안으로 열하고 겉으론 서늘한" 지적 절제와 정서의 투명함을 보여 주었다. 아울러 그의 시는 "넓은 벌 동쪽 끝으로/옛이야기 지줄대는 실개천이 휘돌아 나가고/얼룩백이 황소가/해설피 금빛 게으른 울음을 우는 곳/─그곳이 참하 꿈엔들 잊힐리야"(「향수」) 등과 같이 향토적인 서정을 보여줌으로써 포근한 향수의 미학을 발굴하고 고전적인 정서를 일깨워 주기도 하였다. 여하튼 정지용의 시는 만해에게서 성취된 전통적 정서의 현대적 계승과 소월 시에서의 민중적 정감의 유려한 율감화에 덧붙여 지적 절제와 감수성의 개신을 성취함으로써 이 땅 현대시의 본격적인 기틀을 형성했다는 점에서 중요성을 지닌다.

　　한편 심훈은 1919년 말경부터 시를 쓰기 시작하여 1936년 8월 「오오, 조선의 남아여」를 쓰기까지 약 17년간에 걸쳐 시작 생활을 전개한다. 그는 경성 제일 고보 재학 시에 3·1운동에 가담하여 그 혐의로 여러 달 동안 감옥 생활을 하게 되고, 출옥하자마자 중국으로 망명차 유학 생활을 떠난다. 그는 이후 망명 생활의 고통과 애수를 노래한 「북경의 걸인」을 비롯하여 많은 시를 써서 1933년에 시집 『그날이 오면』을 간행하려 했으나 총독부 당국의 검열로 "삭제"의 붉은 도장이 찍혀 퇴출되어 뜻을 이루지 못했다. 이어서 그는 소설 『상록수』 등을 쓰고 이것을 다시 영화화 하려다가 1936년 급환으로 별세하게 된다. 따라서 해방 후인 1949년에 시집 『그날이 오면』이 유고 시집으로 출간되게 된 것이다. 그만큼 심훈의 시에는 투쟁적인 민족의식과 저항 정신이 용솟음치고 있다.

그는 당대를 죽음의 시대, 유형의 땅으로 파악하고 있다. 「박군의 얼굴」, 「만가」 등에는 "무덤 속", "관 속"으로 당대가 표현되어 있는 것이다. 무엇보다도 심훈 시의 백미는 시 「그날이 오면」에서 드러난다.

> 그날이 오면 그날이 오면은
> 삼각산(三角山)이 일어나 더덩실 춤이라도 추고
> 한강(漢江)물이 뒤집혀 용솟음칠 그날이
> 이목숨이 끊기기 전에 와주기만 하량이면,
> 나는 밤하늘에 날으는 까마귀와같이
> 종로(鍾路) 인경을 머리로 드리받아 울리오리다.
> 두개골은 깨어져 산산조각이 나도
> 기뻐서 죽사오매 오히려 무슨 한(恨)이 남으오리까
>
> 그날이 와서 오오 그날이 와서
> 육조(六曹) 앞 넓은 길을 울며 뛰며 딩굴어도
> 그래도 넘치는 기쁨에 가슴이 미어질 듯하거든
> 드는 칼로 이몸의 가죽이라도 벗겨서
> 커다란 북을 만들어 둘처메고는
> 여러분의 행렬에 앞장을 서오리다.
> 우렁찬 그 소리를 한번이라도 듣기만 하면
> 그 자리에 꺼꾸러져도 눈을 감겠소이다.
>
> ─「그날이 오면」

이 작품은 3·1운동이 일어난 지 꼭 11년 후인 1930년 3월 1일 쓴 작품으로 기록되어 있다. 심훈은 20년대 초 귀국하여 사회주의 운동 단체인 염군사에 가담한 적이 있었다. 그리고 프로 문학에도 잠시 가담한 것으로 되어 있을 만큼 당대에 반체제적인 성향을 지닌 혁명가 기질의 예술가였다. 그만큼 그는 일본 제국주의자들에 대한 적개심이 강할 수밖에 없었던 처지였다. 그에게 있어 "그날"이 상징하는 민족해방의 날은 마치 환상과도 같이 절실하면서도 긴박한 소망이자 꿈에 해당한다. 일제하의 암흑이 길고 고통스러운 것일수록 해방의 날을 기다리는 마음은 절실한 것일 수밖에 없기 때문이다. "머리로 종로 인경을 쳐서 울린다"든지 "뱃가죽으로 북을 만들어 울리겠다"는 환각 체험은 그만큼 일제하의 수난이 크고 고통스럽다는 인식에서 비롯된 것이 아닐 수 없다. 따라서 이 시가 불러일으키는 비장미와 숭고미는 바로 일제하의 절망적인 상황 하에서 목숨을 걸고 활화산처럼 일어난 민족혼의 불길이 그만큼 강렬한 것이며, 역사적 비전을 성취한 데서 유발된 것이다. 이「그날이 오면」이야말로 심훈의 저항 의식과 역사의식이 비극적 황홀로 상승되면서 총체적인 역사적 조망을 획득하게 된 항일 저항시의 빛나는 작품인 것 이다.

심훈은 지금까지 소설가로서의 위치가 높이 평가됨으로써 상대적으로 시인으로서의 진가와 중요성이 경시되어 온 것이 사실이다. 실상 일제하에서 쓰였지만, 그들의 탄압으로 당대에 시집이 발간되지 못했다는 사실만으로도 그의 시는 당대시의 일반적인 한계를 뛰어넘고 있는 것으로 판단된다. 그의 시는 정신사적으로는 단재를 비롯한 중국형 독립 운동가들에 맥락이 닿아 있으며, 투사적인 면을 지니면서도 예술적인 표현을 획득하고 있는 점에서는 만해나 상화와도 연결된다. 당대의 제도권 밖의 시인으로서 심훈이 성취한 전투적 지성과 예언자적 지성의 면모는 30년 대 후반에는 육사의 시정신으로 연결됨으로써 이 땅 저항시사에 우뚝한 봉우리로 자리 잡는다.

이들 이외에도 20년대에 등장한 중요 시인들로는 남궁벽, 노자영, 백기만,

김동명, 그리고 이하윤 등 해외 문학파 시인 등을 들 수 있을 것이다.

3. 1930년대와 현대시의 전개

이 땅 시문학사에 있어서 30년대는 특히 중요성을 지니는 것으로 판단된다. 30년대의 시는 20년대의 시를 계승하면서 해방 후의 시로 연결되는 전환점에 해당하기 때문이다. 대체로 30년대의 시는 20년대의 센티멘탈 로맨티시즘과 프로 문학의 계급주의적 성향에 대한 부정과 반성에서 비롯된다. 이 30년대는 특히 일제의 수탈과 억압이 더욱 자심해지면서 만주사변과 지나사변 등이 일어나고 마침내 이 땅의 현실은 전시체제로 접어들기에 이른다. 그야말로 이 땅의 식민지 현실은 내우외환에 시달리면서 궁핍화로 치닫게 되는 것이다. 따라서 문학도 급격한 변모를 보이게 된다. 30년대에 들어서 가장 특징적인 현상은 먼저 1,2차 카프의 검거 사건에 따른 프로 문학의 퇴조와 함께 시문학파의 대두를 들 수 있을 것이며, 아울러 일어난 모더니즘 시운동의 광범위한 확산과 1930년대 후반의 시단 분화 현상 및 친일 문학과 저항시의 대두를 들 수 있을 것이다.

가) 시문학파, 용아와 영랑

시문학파란 『시문학』(1930.3월 창간), 『문예월간』(1931), 『문학』(1934)지 등에 참여했던 박용철, 김영랑, 정지용, 변영로, 이하윤, 신석정, 허보, 김현구 등을 일컫는다. 그러나 실제 활약한 인물은 박용철과 김영랑으로 압축된다. 이들은 말하자면 당시에 신인이었기 때문에 보다 영향력이 있는 기성 시인을 규합할 필요가 있었으며, 따라서 정지용과 해외 문학파의 이하윤 등을 이끌어들이게 됐던 것이다.

김영랑은 『시문학』 창간호에 「동백닙에 빗나는 마음」, 「언덕에 바로 누워」 등 6편과 「4행소곡」 7수가 실림으로써 등장한 시인이다. 김영랑은 시에서 주로 시의 음악적 구조성에 큰 관심을 기울였는데, 이것은 압운과 음성 상징 및 이미지의 활용 및 형태에 대한 섬세한 배려로써 나타났다.

    ① 내마음의 어딘듯 한편에 끗업는
      강물이 흐르네
      도처오르는 아츰날빗이 빤질한
      은결을 도도네
      가슴엔듯 눈엔듯 또 피ㅅ줄엔듯
      마음이 도른도른 숨어잇는곳
      내마음의 어딘듯 한편에 끗업는
      강물이 흐르네

                       —「동백닙에 빗나는 마음」

    ② "오―매 단풍들것네"
      장광에 골불은 감닙 날러오아
      누이는 놀란듯이 치어다보며
      "오―매 단풍들것네"

      추석이 내일모레 기둘니리
      바람이 자지어서 걱정이리
      누이의 마음아 나를 보아라
      "오―매 단풍들것네"

                    —「누이의 마음아 나를 보아라」

김영랑의 시에서 가장 두드러지게 나타나는 것은 시어와 리듬에 대한 섬세한 조탁이다. ①시의 경우에 각 행의 어미가 대부분 "끗업는/흐르네/빤질한/도

도네" 등과 같이 유성음으로 맺어질 뿐 아니라, "흐르네"를 일정하게 반복함으로써 리듬감을 고조시킨다. ②시에서는 방언과 조어를 시에 활용함으로써 향토적인 친근함을 불러일으킨다. "오─매 단풍들겄네/기둘니리" 등의 전라 방언을 활용하고, "날러오아/치어다보며" 등과 같이 조음소를 개입시켜 서정적인 섬세한 효과를 북돋우는 것이다. 시어와 리듬, 그리고 형태에 대한 의도적인 절차탁마를 통해서 시에서의 언어에 대한 관심, 즉 시의 예술성에 대한 깊은 배려를 보여준 것이다. 무엇보다도 김영랑은 시가 정치적인 수단이나 현실 묘사의 방법일 수만은 없다는 데 대한 반성을 보여준다. 그의 시에도 「독을 차고」, 「춘향」 등과 같이 저항적인 세계가 눈에 띄지만, 이것들은 항상 정제되고 순화된 언어를 통해서 표현됨으로써 시가 현실, 사회를 반영하더라도 예술로서 형성화되어야 한다는 점을 강조하였다. 시집 『영랑 시선』(1949)을 관류하는 것이 바로 이러한 서정의 탐구와 민족어의 완성이라는 예술적 목적성임은 두말할 필요가 없을 것이다. 그를 포함한 시인들의 일련의 노력에 의해서 한국어는 미학적 차원으로 상승하는 한 시범을 보여 주었다 해도 과언이 아니기 때문이다. 특히 탄압을 통해 민족혼 말살 정책을 추진하던 1930년대 이후 일제 말에 있어서 이들 시문학파가 선구한 민족어 수호와 그 가치에 대한 재발견의 노력은 중대한 의미를 지니는 것이 아닐 수 없다.

박용철도 김영랑과 함께 시문학파를 주도하면서 계급주의 문학의 시들에 대항하여 시의 심미적 가치를 강조함으로써 예술로서의 시를 확립 하고자 노력한 시인 겸 시론가이다. 그의 창작시는 대략 75편 정도이고 번역시가 385편이며, 시론과 평문이 13편 가량 된다.

그의 창작시는 "나두야간다/나의 이 젊은 나이를/눈물로야 보낼거냐/나두야가련다"라고 절규하던 시 '떠나가는 배' 등이 있지만, 그의 본령은 외국시의 번역이며, 시문학파를 대변한 시론의 전개라 할 수 있다.

시란 것은 시인으로 말미암아 창조된 한낱 존재이다. 조각과 회화가 한 개의 존재인 것과 꼭 같이 시나 음악도 한낱 존재이다. 우리가 거기에서 받는 인상은 혹은 비애, 환희, 우수 혹은 평온, 명정 혹은 격렬, 숭엄 등 진실로 추상적 형용사로는 다 형용할 수 없는 그 자체수대로의 무한일 것이다. 그러나 그것이 어떠한 방향이든 시란 한낱 고처(高處)이다.(『박용철 전집』)

박용철에게 있어서 시란 하나의 상상적 존재로서 일상생활보다는 고차적인 곳에 놓이는 창조된 그 무엇이다. 시의 내용 또한 순화된 정서를 바탕으로 한 변용된 삶의 질서이다. 그의 시론 「시적 변용에 대하여」(1937)는 하우스만의 창작 원리를 받아들여 시의 창작 과정을 생명 현상 내지 생리 현상으로 구명하려 노력한 점에서 주목할 만한 논문이다. 시 창작이란 어떤 정치적인 의도나 목적에 좌우될 것이 아니라 오랜 인내와 기다림을 통해서 자연히 성숙되어 가는 생명의 열매에 해당하는 것이라는 말이다. 다시 말해서 시인은 정치, 현실에 직접 반응하는 것이 아니라 그것들을 수용하고 변용하여 가공의 상상 세계를 이루어 낸다는 뜻이다. 따라서 박용철은 이데올로기나 현실 의식을 배제하고 순수 서정시로서의 심미적 가치를 중요시하는 입장에 선다. 그는 시의 창작 과정을 원론의 입장에서 구명함으로써 시의 자율성 내지 순수 시론을 정립하고자 노력한 것이다.

이 점에서 김영랑의 창작시를 통한 순수 서정시 실험과 박용철의 시론을 통한 시의 예술성 강조로 인해서 시문학파의 순수 서정시 운동이 30년대 시사에서 뚜렷한 위치를 차지한다. 이들의 노력은 문학이 현실의 반영이면서도 독창적인 상상의 세계를 완성하기 위한 예술적 노력이라는 점을 확실하게 보여 주었다는 점에서 의미를 지니는 것이다.

나) 모더니즘 시와 시론

모더니즘이란 용어는 현대주의 혹은 주지주의로 번역되어 사용되며, 기성 도덕과 전통적 권위를 부정하고 새로운 감각과 방법론을 주장하는 사상적, 예술적 사조를 의미한다. 대략 19세기 말경에 유럽에서 정치적 개혁 운동으로 시작되어 차츰 예술 사조로 전파되었으며, 문학에 있어서도 감수성의 혁명과 조사법의 혁신을 초래하였다. 따라서 모더니즘의 서구적 개념은 상징주의, 인상주의, 야수파, 미래파, 다다 및 쉬르레알리즘, 실존주의를 포괄하는 예술적, 문학적 경향의 총칭으로 사용되며, 반사실주의로 규정할 때엔 사실주의 혹은 사회주의적 사실주의와 대극된다. 특히 영미 문학에 비춰 볼 때에 모더니즘은 불연속적 세계관에 기초를 둔 흄(T. E. Hulme), 파운드(E. Pound) 및 상상적 이성과 통어된 감수성의 엘리어트(T. S. Eliot) 등에 의해 전개된 주지주의 혹은 이미지즘의 개념으로 쓰인다. 한국의 현대 문학 특히 1930년대의 시를 논할 때 우리는 이러한 영미 문학의 모더니즘 개념에서 자유로울 수 없다. 1930년대의 한국의 모더니즘이 서구와 같은 배경에서 형성되거나 똑같은 개념으로 사용되고 있지는 않지만, 그러한 개념의 유입과 전개 과정에 있어서는 그들이 대부분 영미 문학 전공자들로 구성되어 있다는 점에서 그 영향 관계를 쉽게 추출할 수 있기 때문이다.

소월과 만해에 의한 전통 정신과 정서의 현대적 계승, 프로 문학파에 의한 현실적 응전력 획득, 그리고 정지용에 의한 감수성의 개신 및 시문학파의 순수 서정시 확립에 의해서 이 땅의 현대시는 현대적인 전환점을 마련하게 되었다. 이러한 현대시적 전환은 김기림, 이상, 김광균 등에 의해서 모더니즘 시 운동으로 이어지게 된다. 1930년대 이 땅의 모더니즘은 대체로 이상, 김기림, 정지용, 김광균, 신석정, 장만영, 최재서 등에 의해서 시와 시론의 전개를 보인다. 그러나 이 중에서 이상은 다분히 다다, 쉬르레알리즘과 신심리주의에 바탕을 둔 소설에 주력하고, 최재서는 주지주의적 평론만을 전개한 점에서 본

항목에서는 그 언급을 피하기로 한다. 따라서 본 항목에서는 김기림의 시와 시론을 중심으로 하여 정지용, 김광균, 신석정, 장만영 등의 시를 모더니즘, 특히 이미지즘적 각도에서 살펴봄으로써 모더니즘의 특징과 문제점을 드러내 보기로 한다.

지금까지 모더니즘의 한국적 전개에 관한 연구는 문학사적 연구와 비교 문학적 연구 및 개별적인 작가론으로 나눌 수 있다. 문학사적 연구는 대체로 모더니즘이 근대 문학적 요소를 현대 문학적인 것으로 전환시킴으로써 현대적 기점이 됨을 논한 것이며, 비교 문학적 연구는 서구 문학 특히 영미 문학이 한국 문학에 미친 영향과 그 차이점을 논한 것이다. 또한 작가 연구는 주로 김기림, 정지용, 김광균, 이상, 최재서 등의 시적 특성과 이론의 전개 양상을 논함으로써 그로부터 모더니즘적인 요소를 추출하려 시도한 것이다. 이러한 연구들은 모더니즘의 한국적 전개 과정과 특성, 외국 이론의 영향과 원천 관계, 그리고 문학사적 위치에 관한 어느 정도의 성과를 거둔 것이 사실이다. 그러나 많은 연구가 모더니즘을 서구적 개념에 집착하여 비교 검토한 결과 한국 문학에 있어 자생적인 모티브를 추출하는 데는 실패하고 있다. 서구적 개념만으로 모더니즘을 정의하고 그 모델로 현대의 기점을 설명하는 것은 한국 문학사의 자율성과 주체성을 확립하는 데 저해 요인이 된다는 점을 지적하지 않을 수 없다. 이런 점에서 전통 문학사 내에서의 문학적 감수성의 혁신과 조사법 등 문학적 방법론의 새로운 모색에 대한 성찰이 긴요한 과제 로 남는다. 전통 지향성과 모더니티 지향성은 어느 시대에 있어서나 보편적으로 나타나는 시대 정신이지 어느 특정 시대에 국한되는 것은 아니기 때문이다.

모더니즘의 한국적 전개는 1930년대 초의 문학적 상황과 조건에 깊이 연관되어 있다. 특히 프롤레타리아트 문학 즉 카프의 성립 및 전개 과정과 이에 대한 반동으로서의 시조 부흥 운동 즉 민족 문학 운동, 그리고 1930년『시문학』 발간에 따른 순수 서정시 운동과의 상관 체계 내에 모더니즘 시운동이 놓여진다. 또한 일제 군국주의의 급격한 대두에 따른 정치, 사회적 불안과 긴장의 상황도 모더니즘의 형성에 직접 간접의 관련을 갖는다. 먼저 카프의 프로 문학은 당파성을 띤 것으로서 문학이 정치적 목표와 사상의 형태 내지 수단으로서 존재해야 함을 역설하였다. 특히 임화의 주장으로 대변 되듯이 편내용주의적 문학관과 함께 급진적인 개혁의 진보주의적 성향을 지닌다. 1934년의 "전주 사건"에 따른 카프 맹원의 검거와 전향 및 지하 운동화에 이르기까지 프로 문학은 모더니즘 형성에 결정적인 영향을 미쳤다. 특히 임화의 기교주의 논쟁에 따른 김기림 비판은 프로 문학과 상대적 위치에 놓이는 모더니즘의 특징을 단적으로 드러내 보여 준다. 시조 부흥 운동은 최남선, 이병기 등에 의해 주도된 민족주의 운동의 일환으로서 프로 문학과의 대척적인 위치에서 전개된 국민문학파의 연장선상에 놓인다. 특히 1920년대의 민요시 운동과 연결되어 시조 부흥 운동은 민중적이면서도 민족적인 정감과 전통적 시의식을 드러냄으로써 전통 지향성을 선명히 보여 주었다. 또한 시문학파는 해외 문학파와의 연관 속에서 카프의 목적주의 문학에 반발하여 서정성과 음악성을 강조하는 순수 서정시 운동을 전개 하였다. 우리나라의 모더니즘은 이러한 시적 상황으로부터 비롯되었다.『가톨릭청년』을 중심으로 문학 활동을 시작한 정지용으로부터 현대시가 출발했다고 보는 김기림은 재래의 시를 자연 발생의 시(Sein, 존재의 시)로 매도하고, 정지용 등의 시를 의도적인 제작의 시(Sollen, 당위의 시)로 호평함으로써 모더니즘 시와 시론의 선구자가 되었다.

김기림의 모더니즘 시론은 시가 우선 "언어의 예술이라는 자각과 시는 문명에 대한 일정한 감수성을 기초로 한 다음 일정한 가치를 의식하고 쓰여져야 한다"는 내용을 골자로 하여 이전의 감상적 낭만주의와 카프의 편내용주의에 직접적으로 반발한 데서 비롯된다. 그에 의하면 모더니즘 시는 "도회 문명의 아들로서 언어의 음의 가치, 시각적 영상, 또 이 여러 가지 가치의 상호 작용에 의한 전체를 의식하고 일종의 건축학적 설계 아래서 쓰여진다"는 것이다.「시의 방법」,「모더니즘의 역사적 위치」로 대표되는 김기림의 모더니즘 시론은 무엇보다도 먼저 우리나라 신시사상 초유의 본격 시론이며 전문 시론이라는 점에서 그 의미가 인정된다. 김기림의 최초의 평론은 「일기장에서—오후와 무명 작가들」(『조선일보』 1930. 4. 28)과 「시인과 시의 개념」(『조선일보』 1930. 7.24)으로 알려져 있으나 실상 모더니즘 이론이 본격적으로 나타난 것은 1931년에 발표된 시로 쓴 시론인 「시론」에서이다. "공동 변소" "센티멘탈한 令孃이 흘니고 간/墮胎한 死兒들"과 같은 대담한 현실 언어의 직설적 사용은 기존 시의 아어주의에 대한 노골적인 반발과 야유를 보여 준다. 이어 그의 시론은 「오전의 시론」(1935)에서 구체화되기 시작하여 '감상에의 반역', '방법론 시론' 등으로 체계를 이룬다. 그 의 시론의 골자를 살펴보면 먼저 감상주의에 대한 반발을 들 수 있다. 그는 감상주의를 "필요 이상으로 슬픈 표정을 하는 것"으로 규정하고, 이의 극복 방법으로서 지성을 강조하는 것이다. 따라서 우울, 권태, 감상, 도피 등의 디오니소스적인 것을 버리고 정오의 사상(pensée de midi)으로서의 아폴로적인 지성 활동을 강조하는 것이다. 따라서 그의 시론의 두 번째 특징은 재래의 시를 자연 발생의 것으로 규정하고 현대시의 특성을 의도적인 제작 의식과 방법론의 확립에 두는 데 있다. Sein 시가 아니라 Sollen의 시, 존재 · 정지(étre)의 시가 아니라 당위 · 동작(faire)의 시로서 현대시는 의도적인 방법론을 가져야 하며 시학으로서 확립되어야 한다는 주장이다. 세 번째 특징은 시의 현대성을 방법론의 확립과 함께 소재 내용에서 구한다는 점이다. 따라서 시의 소재는 정감적인 자연이나 인간사가 아니라 도회 문명과 기계주의적인 것에서 얻어져야 하며, 내용에 있어서도 내용의 무게나 깊이보다는 형식과 방법의 확립에 도움이 되는 것이 가치가 있는 것으로 추구되었다. 이러한 소재주의와 형식주의는 뒤에 기교주의로 매도되는 원인이 되지만 현실 감각을 선명히 드러내 준다는 점에서 의미가 주어진다. 네 번째는 앞에서의 몇 가지 특징에 연유하여 귀결되는 것으로서 과학적인 시론을 확립하려는 노력이다. 당대에 이르기까지의 한국 시는 상징주의 이론이 소개되고 낭만주의 및 계급주의적 이론이 열풍처럼 휩쓸어 갔지만 체계적이며 조직적인 서구 시론과 방법론이 유입되지는 못한 실정이었다. 이 시기에 김기림은 리차즈(I. A. Richards)를 중심으로 서구의 본격 시론을 도입, 소개함은 물론, 그것을 자신의 이론으로 수용 및 변용하여 시론의 전문화 내지 과학화에 획기적 전기를 마련한 것이다. 시를 전달의 최상의 형식으로 보고 경험과 전달의 심리학적 분석과 체계화를 이룩한 리차즈의 방법론을 통하여 김기림은 시의 과학적 근거를 마련하고자 노력한 것이다. 「과학과 비평과 시」 등의 평론에서 그는 시의 가치가 심리적 욕구를 충족시켜 주는 데에 달려 있으며, "비평은 철학이기 전에 과학이어야 한다."는 신념을 피력함으로써 과학적 방법에 기초를 둔 시학과 비평 이론의 중요성을 강조하였다. 특히 「과학으로서의 시학」은 과학적 시학에 대한 체계적인 설명과 입론이라는 점에서 주목을 끈다. 이와 같이 모더니즘 시론의 형성과 전개에 있어 김기림은 결정적인 역할을 수행해 주었다는 점에서 그 에 대한 좀더 면밀한 검토를 필요로 한다.

김기림이 이론적 면에서 상당한 수준에 도달하고 있음에 비추어 시는 저급한 수준에 머물러 있는 것으로 보인다. 『바다와 나비』, 『기상도』, 『태양의 풍속』 등의 시집을 관류하는 것은 설익은 이국 취향과 기계적인 비유의 메마른 형골 뿐이다. "명상을 주무르고 있던 강철의 철학자인 철교" (「북행열차」) "샛하얀 조끼를 입은 공중의 곡예사인 제비(「제비의 가족」) 등의 구절처럼 유치하고 설명적인 비유를 기계적으로 사용함으로써 "주지적 방법은 단순한 묘사와 대립된다"는 스스로의 시론과도 자가 당착을 이룬다. 「바다와 나비」 등 극히 몇 편에서 시적 성공을 거두고 있지만 김기림 시의 대부분은 방법의 도식화와 기교적인 형태주의에 사로잡혀 비유로 짜인 설명적인 풍경화에 지나지 않는다는 점에서 시적 실패를 보인 것으로 판단된다. 특히 지성을 크게 강조하면서도 많은 시편에서 감상적인 색조에 물들어 있는 것은 그의 중대한 약점으로 지적된다. 특히 전반적인 면에서 그의 시와 시론이 드러내는 방법적 지향과 이념적 실천의 간극 및 괴리, 그리고 시와 신념의 거리 등은 김기림의 단점이자 한국 모더니즘 시운동의 전반적인 한계점으로 지적된다. 이런 점에서 김기림은 선구자로서의 공적과 함께 그 문제점을 선명히 드러내 주고 있는 것이다.

한편 정지용은 앞에서 간략히 살펴보았지만 시적인 면에서 주지시로서의 한 전범을 보여 준 대표적 시인이다. 김기림의 지적에 의하면 정지용은 한국 현대시에 "현대적 호흡과 맥박"을 불어 넣은 최초의 시인이며, 또한 시가 언어로 쓰인다는 사실을 인식하고 언어에 주의를 기울 인 최초의 시인이라 한다. 과연 정지용이 시어에 대한 주의와 깊은 인식을 기울인 최초의 시인인가 하는 논란은 차치하더라도 분명 정지용은, 새로운 감수성과 감각적 지성을 보여 준 중요한 시인임에는 틀림없다. 먼저 그의 시는 재래의 관념어와는 달리 현실적인 구상어를 많이 사용하는 점이 특징이다. "넥타이, 일본말, 페스탈로치, 오르간소리" 등과 같이 서구적인 감수성에 바탕을 두고 있으며, 시각, 청각, 촉각, 후각 등의 공감각적 비유를 시의 중심 방법으로 사용하고 있다. 두 번째 그의 시는 감정 편향의 시 경향에서 벗어나 "안으로 열하고 겉으로 서늘한" 지적 제어와 반성을 보여 주었다. 특히 이 점은 프로 문학의 편내용주의와 선동적 경향에 비추어 매우 값진 일면이었다. 비록 그의 시가 내면적인 깊이를 보여 주는 데는 부족한 것이 사실이지만 시적 경험의 감각화와 비유의 정확함, 그리고 지적인 분위기의 형성은 당대에 매우 유니크한 위치를 차지한다. 또한 바로 이 점에서 김기림이 정지용을 모더니즘의 유일한 선구자로 찬양하며, 그 시적 가치와 공적을 크게 인정하는 까닭 이 있다. 또한 후기시에서의 동양적인 자연에의 몰입과 종교적 신앙심의 형상화는 한국 시의 내면 형성에도 중요한 일익을 담당한 것으로 판단된다.

김광균의 시는 특히 회화적인 이미지와 공감각적인 비유를 조형하는 데 탁월한 솜씨를 보여 주었다. "피아노의 졸닌 여운이/고요한 물방울이 되어 푸른 하늘에 스러진다" (「산상정」)나 "먼곳의 여인의 옷벗는 소리"(「설야」) 등과 같이 감각적 은유와 회화적 이미지를 통해 언어의 질감과 양감 및 애정성 등에 그는 섬세한 배려를 기울인다. 이러한 김광균의 비유적 심상에 대한 몰두는 흄과 파운드 등의 주지적 문학론이 포함하는 "감각적 이미지의 창조=생명의 가치의 창조"라는 이미지즘의 원리를 반영한 것이다. 또한 그는 도시 문명을 가장 중요한 소재로 사용하였다. "긴—여름해 황망히 날애를접고/느러슨 고층 창백한 묘석같이 황혼에 저져/찰난한야경 무성한 잡초인양 헝크러진채"(「와사등」)이라는 구절은 도시 문명을 비유적 방법으로 형상화하는 김광균의 시방법을 선명히 드러내 준다. 그에게는 관념과 서정, 자연과 감각 등을 비유를 통해 회화적인 가시 세계로 변화시키는 독특한 능력이 있었던 것처럼 보인다. 이 점에서 김광균은 김기림이 겪었던 이념과 실제, 관념과 방법의 괴리와 간극을 비교적 덜 겪은 것으로 받아들여진다. 그러나 김광균의 시는 "낫서른 거리의 아우성소래/까닭도 없이 눈물겹고나//공허한 군중의 행렬에 석기여/내 어듸서 그리 무거운 비애를 지고 왔기에"(「와사등」)라는 구절에서 볼 수 있듯이 지적 절제라는 모더니즘의 목표와는 거리가 멀게 감상적인 색채를 지니고 있는 것이 약점으로 지적된다. 이러한 감상적 색채는 1930년대 모더니즘이 이론적인 지향의 확실성에도 불구하고 실제에 있어 실험적인 수준에 머물고 말았음을 증명하는 자료가 된다.

신석정의 시는 현대 문명과는 거리가 먼 전원과 향토의 이미지로 구성되어 있다. "촛불, 양, 호수, 삼림, 어머니, 새 새끼" 등 목가적인 시세계는 일견 모더니즘과 거리가 먼 듯하지만 실상은 김기림의 지적대로 현대 문명에 대한 간접적인 비판에 맥이 닿아 있는 것으로 보인다. 풀밭을 "녹색 침대"로 표현하는 등 비유적 이미지의 신선한 감수성과 수법은 모더니즘의 방법 바로 그것에서 연유하기 때문에 더욱 그러하다.

이들 중요시인 이외에도 장만영은 시집 『양』에서 비유적 이미지의 신선한 조형으로, 박재륜은 조사법에 대한 탐구와 시어의 조탁을 보여 준다는 점에서 모더니즘 계열의 시인으로 꼽힌다.

이들 이외에도 앞서 언급한 것처럼 이상이 다다, 쉬르레알리즘의 모더니즘적 경향을 보이나 시 방법론상에 있어 위의 시인들과 커다란 상이점을 보인다는 점에서, 또한 최재서는 주지주의의 모더니즘 경향을 강하게 지니고 있으나 주로 평론 활동이기 때문에 이들에 관한 언급은 유보하였다.

이렇게 김기림에 의해 선구되고 주도된 모더니즘의 시와 시론은 한국 현대시사에 감수성의 혁신과 시의식의 변모 및 방법론의 변화를 유발하였다는 점에서 긍정적인 것으로 평가된다. 비록 관념과 방법, 이념과 실제, 그리고 내용과 형식의 불일치와 미숙성을 보인 것이 사실이라 하더라도 그 이념적인 지향은 높이 살만한 것이었다. 특히 모더니즘에 대한 반동으로 생명파와 전원파 등이 형성된 사실로 보더라도 1930대 후반 현대시의 분화에 모더니즘은 결정적인 영향을 미친 것으로 판단된다. 이것은 또한 1950년대의 『후반기』 동인의 모더니즘 시운동으로 연결되는 등 모더니티 지향성이라는 한국 시의 중요한 가치 축을 형성해 오고 있다는 점에 그 시사적 의미가 주어진다.

다) 생명파와 청록파의 의미

30년대 중반에 들어서서 모더니즘의 시와 시론이 한창 영향력을 확대해 갈 무렵에 젊은 시인들이 등장하여 인간의 내면을 탐구하고 자연을 재발견하려는 노력을 보여서 이채를 띠었다. 세칭 "생명파"와 "청록파"로 불리는 그룹들이 그것이다.

먼저 생명파라고 불리는 일군의 신진 시인들이 등장한 것은 해방 후와 연결되는 새로운 세대의 출현이라는 점에서 주목을 끈다. 『시인 부락』으로 등장한 미당 서정주와 청마 유치환은 이 무렵 등장하여 생명의 몸부림과 그 원상의 탐구를 생생하게 보여 주었다는 점에서 의미를 지닌다.

먼저 서정주는 1936년 동아일보 신춘문예에 시 「벽」이 당선한 이래 김동리, 여상현, 김진세, 김달진, 오장환, 함형수, 김상원 등과 함께 동인지 『시인부락』(1936.11)을 간행하였다. 그는 특히 도시 문명에 대한 경사와 이미지와 메타포의 구사에 치중하였던 모더니즘에 반발하여 피 냄새와 살냄새 나는 것으로서의 생명의 몸부림을 탐구하기에 힘을 기울였다.

> 사향박하(麝香) 박하(薄荷)의 뒤안길이다
> 아름다운 베암…
> 을마나 크다란 슬픔으로 태여났기에, 저리도 징그라운 몸둥아리냐
> 꽃다님 같다.
>
> 너의할아버지가 이브를 꼬여내든 달변(達辯)의 혓바닥이
> 소리잃은채 낼룽그리는 붉은 아가리로 푸른 하눌이다
> …물어뜯어라. 원통히무러뜯어
>
> 다라나거라. 저놈의 대가리!
>
> ―「화사(花蛇)」 부분

이 시는 원초적인 면에서 인간의 존재 문제에 관한 질문에서 비롯되고 있다. 여기에서 "꽃뱀"은 인간의 대지성, 즉 육체성, 운명성, 구속성, 본능성을 표상하는 시적 오브제이며 아울러 육체와 정신, 현실과 이상, 감성과 이성, 운명과 자유라는 인간의 근원적 모순성을 표상하는 객관적 상관물에 해당한다. 이 시의 의도는 꽃뱀을 말하려는 것이 아니라 그것의 모순을 통해서 운명적 존재로서의 삶의 모순된 원상을 발견하려는 안타까운 몸부림을 드러낸 것이다. 서정주의 초기시에는 "숫개/능구렁이/산도야지/배암" 등 수많은 동물적 이미저리

가 등장한다. 이러한 것들은 모두 본능과 이성, 육체와 정신, 현실과 이상에 갈등하고 괴로워하는 젊은 날의 생명의 몸부림을 반영한 것이 아닐 수 없다. 젊은 날 헤아릴 수 없이 수많은 삶의 문제들과 부딪치면서 그로부터 벗어나기 위한 몸부림이 동물적 상상력을 통해서 펼쳐진 것이다. 그의 첫 시집『화사집』은 이러한 젊은 날의 방황과 번민을 집약적으로 드러낸 시집에 해당한다.

청마 유치환은 1931년『문예월간』으로 등장한 이래 생명의 원상을 탐구하고 그 모순을 극복하기 위하여 치열하게 노력하던 시인이다. 그는 여성적인 가락의 서정적 호흡에 젖어 있거나 모더니즘의 감각 편향성 혹은 기교주의에 빠져들었던 당대의 시풍에 반발하여 건강한 원시적 생명력에의 귀환 또는 초인에의 길을 지향함으로써 생의 초극을 성취하고자 노력하였다.

> 내 죽으면 한 개 바위가 되리라.
> 아예 애련(愛憐)에 물들지 않고
> 희노(喜怒)에 움직이지 않고
> 비와 바람에 깎이는 대로
> 억년(億年) 비정(非情)의 함묵(緘默)에
> 안으로 안으로만 채찍질 하여
> 드디어 생명(生命)도 망각(忘却)하고
> 흐르는 구름
> 머언 원뢰(遠雷)
> 꿈 꾸어도 노래하지 않고
> 두 쪽으로 깨뜨려져도
> 소리하지 않는 바위가 되리라.
>
> —「바위」

이 시에서 "바위"는 비바람에 깎이면서도 묵묵히 함묵하는 비정한 삶의 표상이면서도 견고한 삶에 대한 의지와 구상에 해당한다. 일체의 감정적 소용돌이와 연약함을 차단하고 삶의 모순성과 그 비극성을 초극하려는 의지가 "두 쪽으로 깨뜨려져도/소리하지 않는 바위가 되리라" 라는 구절로 집약된 것이다. 그는 이 시 이외에도 '깃발', '수(首)', '일월', '생명의 서' 등의 시에서 생명의 본질에 대한 치열한 탐구의 노력을 보여 주고 있으며, 삶의 현상적 움직임에 대한 적극적 대응 방식을 다양하게 제시해 주었다. 그는 힘에의 의지를 통해서 인간적인 비애와 절망을 차단하고 파괴함으로써 생의 초극을 성취하고자 하는 끈질긴 노력을 보여 주었다. 무엇보다도 시집 『생명의 서』 등으로 이어지는 그의 시는 서 정과 애상 혹은 방법과 기교가 두드러진 1930년대의 시단에서 건강한 대 결 정신과 삶의 의지를 보여줌으로써 한국 시의 내면을 튼튼하게 해 주었다는 점에서 중요한 의미를 지니는 것으로 판단된다.

서정주와 유치환은 30년대 후반 당대시에 생명력을 불어 넣어 주었다는 점에서 뿐만 아니라 해방 이후 한국 시단을 이끌어 가는 데 있어서 중요한 역할을 했다는 점에서 시사적 위치를 차지한다.

이들과는 또 다른 각도에서 자연의 재발견을 통해서 정신적 구원을 갈구하는 일군의 새로운 시인들이 등장하였다. 30년대 말 『문장』으로 등장한 신진 시인인 박목월, 박두진, 조지훈 등이 그들인데, 이들은 해방 후에 세칭 청록파로 불리우면서 암흑기의 시단과 해방 후의 시단을 연결하는 중요한 역할을 수행하였다.

먼저 박목월은 1935년부터 40년 사이에 「산 그늘」, 「길처럼」, 「가을 어스름」 등의 작품이 추천되어 데뷔하였다. 선자인 정지용은 일찍이 "북에는 소월이 있었거니 남에는 박목월이가 날만하다"라고 할 정도로 목월의 시재를 인정한 바 있다.

　　　송화(松花)가루 날리는
　　　외딴 봉우리

윤사월 해 길다
꾀꼬리 울면

산직이 외딴 집
눈 먼 처녀사

문설주에 귀 대이고
엿듣고 있다

                                        ―「윤사월」

　박목월의 시의 특징은 향토적이면서도 서정적인 자연을 배경으로 하여 인
간적인 그리움의 세계를 노래하는 데 있다. 항상 자연과 인간이 서로 친화하
고 교감을 이루는 가운데 인간적인 그리움과 갈망이 표출되는 것이다.「나그
네」,「청노루」,「모란 여정」 등은 목월 초기시의 향토적 서정이 짙게 드러난
작품이다.

　조지훈은「승무」,「고풍 의상」,「봉황수」 등의 정제된 시편으로 목월과 같
은 시기에 같은 잡지로 등장하였다. 지훈은 동양적인 고전 정서와 선감각(禪
感覺)을 형상화하는 가운데 자연에 대한 탐구를 보여 주었다.

외로이 흘러간 한송이 구름
이 밤을 어디메서 쉬리라던고.

성긴 비ㅅ방울
파초ㅅ잎에 후두기는 저녁 어스름

창 열고 푸른 산과
마조 앉어라.

들어도 싫지 않은 물소리기에
날마다 바라도 그리운 산아

온 아츰 나의 꿈을 스쳐간 구름
이 밤을 어디메서 쉬리라던고,

—「파초우」

조지훈의 시에는 한시를 비롯한 동양의 고전적 정서가 무르녹아 있다. 그의 시는 자연에 대한 섬세한 투시를 보여 주면서도 인간의 역사와 생명 현상에도 진지한 탐구를 기울였다. 그의 시는 고전적 정서와 상상력을 현대적인 감수성으로 계발하는 데 선구적인 업적을 보여 주었다는 점 에서 의미를 지니는 것이다.

박두진은 자연을 노래하면서도 기독교적인 갈망과 기다림의 세계를 탐구하였다.

나는 눈을 감어 본다. 순간(瞬間) 번뜩 영원(永遠)이 어린다.…인간(人間)들! 지금 이 땅우에 서 서로 아우성치는 수많은 인간(人間)들— 인간(人間)들이 그래도 멸(滅)하지 않고 오래 오래 세대(世代)를 이어 살아갈것을 생각한다.
우리 족속(族屬)도 이어 자꾸 나며 죽으며 멸(滅)하지 않고 오래 오래 이 땅에서 살아 갈 것을 생각한다.
언제 이런 설악(雪岳)까지 왼통 꽃동산 꽃동산이 되여 우리가 모두 서로 노래치며 날뛰며 진정 하로 화창(和暢)하게 살어볼 날이 그립다. 그립다.

—「설악부」 부분

박두진의 시에는 항상 미래 지향적인 기다림의 세계가 표출되어 있다. 자연과 인생을 영원의 각도에서 바라보는 기독교적 영원주의가 자리잡고 있는 것이다. 특히 그의 초기시에서 "산" 또는 "해"가 표상하는 건강한 남성주의 또는 예언자적 지성이 발견된다는 사실은 한국 시의 미래를 위해서 크게 고무적인 일이 아닐 수 없다.

이처럼 『문장』을 통해서 등장한 일군의 시인들은 한국적인 자연을 재발견하고 그 속에 인간과 민족, 그리고 역사를 투영함으로써 식민지 말기 한국 시의 지평을 새롭게 개척한 데서 시사적 의미가 드러난다. 특히 이들 세 시인들은 해방 후 이 땅의 시단을 이끌어 가면서 각자의 시 세계를 독창적으로 형성해 갔다는 점에서 중요성을 지닌다. 이들 이외에 도 『문장』을 통해서 등장한 박남수, 김종한, 이한직 등도 독자적인 시세계를 개척해 갔다.

라) 친일 문학과 저항시의 맥락

1940년대에 들어서서 일제의 문화 탄압에 의한 민족 말살 정책은 극에 달하게 된다. 식민지 전 기간에 걸쳐 소위 "내선 일체"를 강조하며 민족 문화와 민족혼의 말살 정책을 꾸준히 추진해 온 일제는 40년대에 이르러서는 황도(皇道) 사상의 기치 아래 더욱 강력하게 문화 탄압과 민족 탄압을 전개한다.

이 40년대에 대대적으로 등장하게 된 것이 소위 "국민시"라고 불리는 친일 어용시이다. 이러한 국민시의 창작은 대략 내선 일체와 황도 사상의 지속적인 고취와 태평양 전쟁의 찬양 및 지원병 철저라는 목표 아래 쓰이게 된다.

> ① 당신께서는 항상 웅장하십니다
>   그리고 당신을 지닌 저희들은
>   항상 당신처럼 되고자 합니다
>
>   …중략…
>   수천 년 대대로 이어온 피를 요동치게 하면서

당신을 그리고 당신의 영기(靈氣)에 접하기 위해
태평양을 지키는 당신
당신께선 강하고 아름답고 정의로우십니다
이것을 이제사 여기에서 깨달았습니다
　　　　　　　　—양명문(楊明文), 「부사산(富士山)에 붙여」에서

② 깁브다 깁브구나 오늘 이날은
비율빈(比律賓)하날우에 일장기(日章旗)날려
사백어년(四百餘年) 긴치욕(恥辱) 피로씨스니
태평양(太平洋)에 새날이 멀지안쿠나
　　　　　　　　—김동환, 「비율빈 하날우에 일장기」 부분

시 ①은 일본 천황에 대한 존경심을 "당신" 즉 "부사산"으로 상징화하여 예
찬한 것이며, 시②는 일본이 대동아 전쟁을 승리로 이끌어 간다는 점을 찬양
하면서 승전 의식을 고취하는 내용이다. 이러한 친일 시들은 실상 40년대의
많은 시인들에 의해서 쓰인다. 예를 든 시인뿐만 아니라 주요한, 이광수, 김태
오, 김안서, 김용제, 서정주, 노천명, 김종한, 김팔봉, 이하윤, 모윤숙, 김해강
등을 비롯한 많은 시인들이 황도 예찬시와 전쟁 찬양시를 쓴 것이다. 이들 이
외에도 직접 간접으로 이들 황도 문학과 전쟁 문학에 관여한 문인들은 헤아리
기 어려울 정도로 많은 실정이다.

한편 이들 친일 어용 문학과 정반대의 입장에서 당대 식민지 현실의 구조적
모순과 불합리에 저항하는 시인들이 등장하였는데, 이육사와 윤동주가 그 대
표적 인물에 해당한다.

먼저 이육사는 "지금 눈 내리고 매화향기 홀로 아득하니/내 여기 가난한 노
래의 씨를 뿌려라"라고 절규하다가 이국 땅 북경의 감옥에서 순국한 30년대
의 대표적 저항 시인이다. 그는 죽는 날까지 식민지 후반 암흑기의 절망적
상황에서 민족혼이 살아 있음을 온 몸으로 증거하면서 시의 시다움을 실천적

으로 보여 준 암흑기 최대의 투사 시인이자 예술 시인인 것이다.

육사의 작품 활동은 1933년 『신조선』지에 시 「황혼」을 발표하면서 시작된다. 지금까지 발견된 그의 시는 약 34편 가량이며 기타 평론, 수필, 번역 등이 약간씩 발견되는 정도이다. 그의 시집은 물론 일제하에서는 발간되지 못했으며 그가 작고한 2년 후인 1946년 그의 아우인 평론가 이원조에 의해 『육사 시집』이라는 유고 시집 형태로 출간되었다.

> 매운 계절(季節)의 채찍에 갈겨
> 마침내 북방(北方)으로 휩쓸려오다
>
> 하늘도 그만 지쳐 끝난 고원(高原)
> 서리빨 칼날진 그 우에 서다
>
> 어데다 무릎을 꿇어야 하나
> 한발 재겨 디딜곳조차 없다
>
> 이러매 눈 감아 생각해 볼밖에
> 겨울은 강철로 된 무지갠가 보다
>
> ─「절정」

육사의 이 대표작은 현대 시사에서 가장 빈번히 논의되어 온 소문난 작품의 하나이다. 그만큼 이 시가 시 자체로서의 우수성 또는 문제점을 지니고 있다는 뜻이 될 것이다. 그런데 이러한 논의들은 대략 이 시가 일제 식민지 치하 수난의 현실을 극복하려는 치열한 의지를 담은 빼어난 서정시라는 점으로 요약할 수 있다. 실상 이 시는 근원적인 면에서 자기 극복의 과정에서 비롯되는 갈등과 고뇌를 현실 의식과 대결 정신, 그리고 예술 의식의 비극적 화해를 통해서 극복하려는 몸부림을 반영한 시라고 해석할 수 있다. 다시 말해서 절망의 극한에서 어둡고 힘겨운 상황과 맞서서 묵묵히 자기를 극복함으로써 삶의 상승을 성취하고자 하는 초극 의지를 형상화한 시라 할 수 있는 것이다. 특히 이 시는 흔히 "선경 후정"의 작시법, 즉 앞에서는 정경이나 상황을 묘사하고 뒤에서는 자기의 생각이나 의지를 표출하는 전통적인 작시법에 근거한 것으로 보인다는 점에서 관심을 끈다. 그의 시는 전통 의식에 뿌리내리고 있으면서도 확고한 현실 의식과 역사의식을 보여 주고 있으며, 이러한 현실에 대한 날카로운 저항 의식을 아름다운 예술 의식으로 상승시킨 데서 정신적 높이와 함께 예술적 깊이가 드러나는 것이다. 무엇보다도 그는 10여 차례나 일제에 의해 피검되었음에도 불구하고 투사의 길이 곧 바로 시인의 길로 연결되는 것은 아니라는 점을 분명히 했다는 점에서 소중한 교훈을 던져 준다. 아울러 당대의 많은 시가 생생한 이데올로기에 침윤되어 있거나 개인주의와 서정주의에 함몰되고, 아니면 모더니즘의 경박성에 치우쳤거나 친일 훼절의 치욕스런 면을 보여 주었음에 비추어 역사적 대응력과 사회적 탄력성을 바탕으로 하면서도 예술성을 확보해 주었다는 점에서 중요한 시사적 의미를 지닌다. 무엇보다도 그의 시대와 현실에 끊임없이 절망하면서도 그러한 억압과 질곡에서 벗어나려는 고통스러운 노력을 통해서 자기 극복을 성취하고 정신적 상승을 획득하려 몸부림친 데서 의미가 드러난다. 그러한 절망과 고통 끝에 그가 마침내 이룩하게 된 기다림의 철학과 미래 지향의 역사의식에 맞닿은 평화의 사상은 일제하 어둠의 시대에 민족의 혼과 언어를 빛낸 소금에 해당 하는 것이다.

"죽는 날까지 하늘을 우러러/한점 부끄럼이 없기를" 기도하면서 적지 일본의 감옥에서 스물아홉 젊은 나이로 순절한 윤동주도 일제 말의 어둠을 밝게 비춘 암흑기의 등불이자 시의 별이었다. 그는 망명의 땅 북간도에서 태어나 평생을 고향을 잃고 객지를 전전했던 실향민으로서, 또한 조국을 빼앗기고 방황했던 망국인으로서의 비애를 투명한 서정과 지성으로 이끌어 올리는 시범을 보여 주었다. 그는 일제와의 적당한 타협과 굴종 속에서 전개되었던 식민지 말엽의 시단에서 홀로 묵묵히 시업에만 정진함으로써 어두운 시대에 빛나는 저항시의 별로 떠오르게 된 것이었다.

바닷가 햇빛 바른 바위 우에
습한 간(肝)을 펴서 말리우자,

코카사스산중(山中)에서 도망해온 토끼처럼
둘러리를 빙빙 돌며 간(肝)을 지키자,

내가 오래 기르는 여윈 독수리야!
와서 뜯어 먹어라, 시름없이

너는 살지고
나는 여위여야지, 그러나,

거북이야!
다시는 용궁(龍宮)의 유혹(誘惑)에 안떨어진다.

프로메테우스 불쌍한 프로메테우스
불 도적한 죄로 목에 맷돌을 달고
끝없이 沈澱하는 프로메테우스.

—「간」

이 시에서 "프로메테우스"는 윤동주의 저항 의식의 특징이 잘 반영된 자기 동일시의 표상으로 풀이된다. 윤동주의 저항 의식은 내면적으로는 가열한 것이지만 밖으로는 절제된 "내재적, 인고적, 자책적" 특성을 지니며, 그것은 근원적인 면에서 기독교적 속죄양 의식에 연원한 것으로 해석할 수 있기 때문이다. 실상 일제 말의 궁핍한 현실에서는 인간적 자존심과 품격을 유지하는 것 하나도 쉽지 않은 일이었다. 이런 때 인간적 존엄성과 생명의 표상으로서 "간"

을 지킨다는 것은 지난한 일이 아닐 수 없다. 따라서 그러한 당대 식민지 현실에 대한 분노와 적개심이 내면화 되어 "목에 맷돌을 달고/끝없이 침전하는 프로메테우스"처럼 인고의 자세로 변모할 수밖에 없었던 것으로 보인다. 여기에서 윤동주의 "괴로움, 욕됨, 부끄러움" 이라는 소극적, 부정적 정서가 시의 저류로서 흐르게 된 것이다. 따라서 윤동주는 전투적, 투쟁적인 의미에서라면 저항 시인이 될 수 없지만, 오히려 가장 시인적인 저항을 보여 준 것으로 이해된다. 그가 스물아홉 젊은 나이로 적지의 감옥에서 옥사한 것만으로도 그의 생애와 시는 비장한 슬픔과 감동을 불러일으킨다. 그의 진면목은 이러한 순국 저항 시인이라는 점에서보다도 그의 시가 욕됨과 부끄러움으로서의 자아에 대한 치열하면서도 적나라한 성찰을 보여줌으로써 인간적 진실에 보다 가까워지려고 노력하고 있는 데서 발견된다. 식민지하의 시대적 절망과 고통을 참고 견디는 속에서 자기희생과 극복을 통해 구원을 성취하려는 처절한 정신적 암투를 보여 주었다는 점에서 의미를 지니는 것이다. 아울러 유고 시집 『하늘과 바람과 별과 시』라는 제목으로 간행된 그의 시는 존재론적 고뇌를 투명하고 아름다운 서정으로 이끌어 올림으로써 해방 후 이 땅의 혼란한 상황에서 방황하던 많은 젊은이들에게 따뜻한 위안과 감동을 불러 일으켜 주었다는 점에서 시사를 뛰어 넘는 중요성을 지닌다.

마) 1930년대 후반의 주요 시인들

1937년 중일전쟁의 발발로 동양이 온통 전쟁의 먹구름으로 덮여 가던 30년대 후반에 이르러 이 땅의 시단은 새로운 신진 시인들의 등장으로 백화난만한 꽃밭을 이루어 갔다. 시대 현실의 열악한 조건에도 불구하고 생명의 원상을 추구하고, 실존의 의미를 발견하며, 민족혼의 발굴과 계승을 위해 시인들은 나름대로의 혼신의 노력을 보여 준 것이다. 이 무렵에는 시를 한글로 쓴다는 사실 자체만으로도 민족혼의 살아 있음을 증명하는 의미를 지닐 수 있었다. 1936년 이후 1940년까지 발간된 시집류는 백석의 『사슴』(1936. 1. 20)을 비롯하여, 김기림의 『기상도』, 박영희의 『회월 시초』, 오장환의 『성벽』, 장만영의 『양』, 노천명의 『산호림』, 김광섭의 『동경』, 이하윤의 『물레방아』, 김광균의 『와사등』, 신석정의 『촛불』, 김상용의 『망향』, 유치환의 『청마 시초』 등 거의 80여 권에 이른다. 약 5년간에 걸쳐 이처럼 많은 시집이 발간되었다는 사실은 비록 양이 곧바로 질을 의미하는 것은 아니라 해도 의미 있는 일이 아닐 수 없다. 이 숫자는 1923년 『해파리의 노래』 이후 1935년까지 10여 년간 초기 시단에서 발간된 50여 권의 시집보다도 월등 많은 것일 뿐 아니라 그 경향에 있어서도 매우 다양한 양상을 보여 주었다. 이 무렵에 모윤숙, 노천명, 김오남, 백국희, 장정심, 주수원 등의 여류 시인들이 대거 등장하여 활약한 것은 특기할 만한 일이다.

이 시기에 개성적인 세계를 개척한 중요 시인들로서는 먼저 김광섭을 들 수 있다. 김광섭은 시 「고독」을 『시원』(1935. 1)지에 발표하면서 등장하여 1938년에 시집 『동경』을 발간하는 등 의욕적인 작업을 전개하였다. 그의 시는 "내/하나의 생존자로 태어나서 여기 누워잇나니 /간 무덤 그 넘어는 무한한 기류의 파동도 잇서/바다 깁흔 그곳 어느 고요한 바위 아래 내 고단한 고기와도 갓다"(「고독」)라는 시처럼 관념적인 현실 인식을 보여 주었다. 특히 그의 시는 "밤", "무덤" 등으로 당대 현실을 비유하는 저항적인 면모를 지니기도 하였다. 그 결과 그는 1941년에 학생들에게 민족의식을 고취한 혐의로 체포되어 3년 8개월이라는 짧지 않은 세월을 감옥에서 보내는 등 항일 투사로서의 면모를 지니게 되었다. 그가 해방 후에도 「성북동 비둘기」 등을 통해서 현대 사회에 있어서 급격한 산업화가 야기하는 사회적 모순과 부조리를 풍자하고 비판한 것은 잘 알려진 일이다.

김현승도 이 무렵 활약한 중요 시인이다. 그는 1934년 「쓸쓸한 겨울 저녁이 올 때 당신들은」 등의 시를 발표하면서 등장하여 식민지하의 어둠과 해방 공간의 혼란한 시대를 헤쳐 오면서 고독으로서의 삶의 원상과 허무로서의 인간의 본질을 탐구하는 데 힘을 기울여 왔다. 그는 이 땅의 대표적 종교 시인이자, 명상 시인으로서 개성적인 위치를 지닌다. 그가 지속적으로 탐구한 삶의 쓸쓸함과 고독의 시학은 궁핍하고 어두운 시대에 목마름을 달래 주는 청량한 시의 우물이 되었던 것이다.

신석정도 개성적인 시인의 한 사람이다. 그는 1931년 『동광』지에 「임께서 부르시면」을 발표하면서 본격적인 시작 활동을 전개하였다. "가을날 노랗게 물드린 은행잎이 바람에 흔들려 휘날리듯이 / 그렇게 가오리다/임께서 부르시면… / 호수에 안개끼어 자욱한 밤에 /말없이 재 넘는 초승달처럼/그렇게 가오리다/임께서 부르시면…" 과 같이 서정적이면서도 목가적인 시풍을 개척한 것이다. 그가 「그 먼나라를 알으십니까」, 「아직 촛불을 켤 때가 아닙니다」 등의 시에서 보여준 청정한 전원 서정과 그리움의 세계야말로 1930년대 후반의 질식할 듯한 상황에서 숨통을 트이게 하는 의미를 지닌다.

이 시기에는 또한 임화, 오장환, 박세영, 유진오 등 프로 문학 계열의 시인도 다수 등장하였으며, 그 외에 이 땅 풍속시의 새로운 차원을 개척한 백석을 비롯하여 「바라춤」의 신석초, 오일도, 윤곤강, 오희병, 김종한, 함윤수, 이시우, 신백수 등의 동요 시인과 조종현, 김상옥 등의 역량 있는 시조 시인이 등장하여 독창적인 시세계를 개척한 것도 특기할 만한 일이다.

그러나 이러한 활발한 시작 활동은 식민지 말기의 조선어 사용 금지인 창씨개명 등에 의한 민족혼 말살 정책에 의해서 1940년대 접어 들어서는 일부의 친일 문학을 제외하고서는 침묵에 잠기게 되고 말았다.

결론

식민지 치하 이 땅의 현대시에는 비관적인 현실 인식이 짙게 깔려 있는 것으로 보인다. 이것은 그만큼 이 땅의 현대사가 험난하였고, 그 속에서의 삶이 고통스러웠다는 사실을 반영하는 것이 아닐 수 없다. 그렇지만 우리의 현대시는 비극적인 현실 인식을 담고 있으면서도 그로부터 벗어나려는 치열한 몸부림을 보여주었다는 점에서 우리에게 소중한 감동을 불러일으킨다.

식민지하의 정신사적 지향은 크게 보아 반봉건 근대화 의식 및 인간 해방 의식, 반외세 민족 해방 의식, 그리고 민중 해방 의식 등으로 요약 할 수 있을 것이다. 이러한 정신사적 지향이 식민지 현실의 여러 구조적 모순과 불합리에 부딪치면서 수난과 고통을 겪을 수밖에 없었기 때문에 식민지 시대 시는 그만큼 비관적인 현실 인식을 드러내게 된 것이다.

아울러 식민지하의 우리 시는 민족어의 유지와 완성이라는 지난한 고통을 감내하지 않을 수 없었다. 식민지 시대의 현실적 수난과 함께 민족혼의 상징인 민족어에 대한 탄압이 그만큼 강화됐기 때문에 당대로서는 한글로 시를 쓴다는 사실 자체가 바로 애국 애족의 길에 해당했던 것이다. 한글의 문학적 훈련이라는 시대적 명제를 식민지 상황 극복의 문제와 함께 이 땅의 시인들은 시적으로 껴안을 수밖에 없었던 것이다.

이러한 끊임없는 역사적 수난과 질곡 속에서도 식민지 시대 이 땅의 현대시는 낙관적인 미래를 기다리는 후천 개벽 사상 대지 건강한 미래 지향의 역사 의식을 탁월하게 형상화해 왔다는 점에서 그 의미가 놓인다. 이들 현대 시인들이 성취한 사랑의 철학과 자유의 사상, 기다림의 철학과 평화의 사상이야말로 이 땅 근대 정신사가 도달한 하나의 소중한 이념태가 아닐 수 없다. 일제하의 현대시는 시가 개인적으로는 자기 극복의 명제 혹은 자기 구원의 길을 의미하지만, 또 다른 차원에서는 인간애의 지난한 실천 과정이자 민족어의 완성을 추구하는 길이라는 점을 분명히 가르쳐 주는 것이다.

1986년

제2장 모국어의 회복과 1950년대의 시적 인식

서론

이 땅의 근대 문학사는 19세기 이래 약 한 세기 가량 경과하였다. 이 한 세기의 전반은 일제 강점하의 문학이기 때문에 이 시기의 문학을 일제 강점기의 문학이라 부르고, 광복 이후 오늘날까지의 문학을 분단 시대의 문학이라 부를 수 있을 것이다.

해방 이후만 하더라도 좌우의 갈등, 남북의 대립, 민주화의 시련, 산업화의 갈등 등 시련과 갈등의 연속이었다. 6·25와 4·19, 그리고 5·16, 5·17 등이 숨 쉴 사이 없이 부닥쳐 온 것이다. 따라서 해방 이후의 문학은 분단 시대라는 역사적 비극의 상황을 대전제로 한 시련과 갈등의 문학이라는 정신사적 특징을 지닌다. 이것은 실상 해방이 우리 민족의 주체적, 능동적 투쟁에 의한 것이라기보다 연합국의 승리라는 타율적인 힘, 즉 외세의 힘에 의해 주로 이루어졌다는 비극적 사실과 관련된다. 해방 이후에도 그것을 주체적으로 감당할 민족적인 자주 역량과 결집력이 부족하였고, 이로 인해 좌우의 격심한 갈등과 대립은 38선을 경계로 한 미소의 진출과 더불어 끝내는 식민지 시대 이상으로 비극적 상황인 남북 분단, 민족 양단이라는 민족사적 불행을 초래하고 말았다.

원칙적으로 문학은 문학 자체로서의 자율성과 고유성을 갖고 있으며, 또 그래야만 한다. 그러나 문학은 그것이 당대의 현실 사회와 역사적 상황을 살아가는 인간의 이야기이기 때문에 그러한 것들과 무관할 수 없다. 이 점에 해방 이후의 문학은 당대의 현실과 날카롭게 대응하면서 전개되는 특성을 지니게 된다. 해방 이후의 문학은 분단 시대라는 상황을 전제로 하여, 대략 10년을 주기로 하여 일어나는 역사적 사건과 대응 관계를 이루면서 형성, 전개되었다.

해방 이후의 시는 편의상 다음과 같이 시대 구분 할 수 있을 것이다.

(1) 식민지 문학의 청산 시대, 해방 공간의 시적 상황

(2) 전쟁과 분단 문학 시대, 50년대의 시

(3) 4·19와 민주화의 시련 시대, 60년대의 시

(4) 민주화와 산업화의 갈등 시대, 70년대의 시

(5) 민중 문학 시대, 80년대의 시

그러나 본고에서는 해방 이후 주로 50년대의 시를 중점적으로 살펴보기로 하겠다.

1. 식민지 문학의 청산과 해방 공간의 시

1945년 해방으로부터 1950년 6·25가 발발하기까지의 혼란 시대를 흔히 해방 공간이라고 부른다. 이 시기에 있어 문학은 특히 어려운 몇 가지 문제에 부딪치게 된다. 무엇보다도 식민지 시대 문학의 잔재를 청산하는 일이 그것이다. 식민지 시대의 문학, 특히 40년대 전반의 문학은 그동안의 문학사에서 암흑기로 규정하여 그 과정을 생략거나(백철), 아니면 공백기로 처리하여 건너뛰는(조연현) 대상이 돼 왔다. 그것은 이들 자신이 친일 어용 문학에 연관돼 있다는 심리적 반사 작용에 기인하는 것으로 보인다는 점에서 매우 바람직하지 못한 일로 판단된다. 식민지 시대 말기인 이 무렵, 민간 신문인『조선중앙

일보』,『동아일보』,『조선일보』가 강제 폐간되면서 친일 어용지인『매일신보』만 남고, 문예지인『문장』,『인문평론』도 폐간되면서 역시 어용 문학지인『국민문학』,『국민시가』,『신세대』등이 그에 대체된다. 이러한 문학 작품 발표 매체의 상실과 변질은 그나마 명맥을 이어오던 민족 문학의 급격한 위축 또는 소멸을 초래 하였으며, 그에 대신하여 친일 어용 문학이 대거 등장한다. 1940년의 창씨개명과 조선어 사용 전면 금지 조처(1942) 등은 그러한 친일 어용 문학을 합리화, 정당화함으로써 명실상부한 민족 문화의 말살을 획책하게 된다. 따라서 조선 문예회, 황군 위문 작가단, 조선 문인 협회, 대동아 문학자 대회, 조선문인 보국회 등의 어용 단체들이 결성되어 (1) 문학의 국어화(일어화—필자주) (2) 문인의 일본적 단련 (3)작품의 국책 협력 (4) 현지의 작가 동원 등을 실천 강령으로 삼게 된다.

　시의 경우 이 무렵의 친일 어용시는 소위 "국민시"라고 불렸는데, 이것은 일본 국민시의 아류로서 조선 문학의 일본 황민화를 목표로 하는 것이었다. 대체로 이 시기의 "국민시"가 지녀야 할 요건은 다음과 같다.

　(1) 내선 일체와 황도 정신의 앙양, 군국주의 고취

　(2) 일본어로 표현하여 일본어의 국어화("천황이 사용하시는 말을 우리의 국어로 하지 않으면 안 되기 때문"—이광수)

　(3) 표현 형식면에서 일본 전통 문학의 관습이나 양식을 빌어서 써야 함

　이들 친일 시인들을 단죄해야 마땅하나 그들의 가슴에 또다시 못을 박을 필요는 없다. 이미 이들의 반민족적 행적에 관해서는 임종국의『친일 문학론』(평화출판사, 1966)이 상세히 추적, 논고한 바 있으며, 누구보다도 이들 시인들이 역사와 민족의 이름으로 가해진 준엄한 양심의 단죄를 받은 바 있기 때문이다. 실상 시를 쓴다는 것은 민족혼의 명명이며, 인간적 양심의 발로이기 때문에 그러한 뼈아픈 죄책감으로 인해 그들이 지상 위에 살아 있는 한 괴로워할 수밖에 없을 것이라는 점에서 "용서하라, 그러나 잊지는 말아라"고 하는

꼬르네이유의 명언을 음미해 볼 필요가 있다. 한편 오세영은 암흑기의 순수시를 (1) 일제 어용시에 참여하지 않고 순수시를 창작한 시인 (2) 일제 어용시에 가담하면서 한 편으로 순수시를 쓴 시인 (3) 일제의 탄압을 피해 숨어서 시를 쓰다가 해방 후에 이를 발표한 시인들로 구분하여 논한 바 있다(「1940년대의 시와 그 인식」(김용직 외 , 『한국 현대시사 연구』, 일지사, 1983)481-482쪽).

따라서 해방 공간은 식민지하의 문학, 특히 친일 어용 문학의 잔재를 청산하는 일이 가장 큰 과제이면서, 동시에 새로운 민족 문학의 건설이라는 어려운 문제에 직면하게 되었다. 식민지 문학의 청산과 식민지 사관의 극복 문제만 하더라도 크고 어려운 문제인데, 여기에 직접, 간접으로 관련된 시인이 적지 않은데다가 다시 좌우의 분열로 인해 설상가상으로 해방 문단이 혼란스럽기만 했던 것이다. 그러므로 식민지 문학 청산과 친일 어용 문인의 단죄 문제보다는 민족 문학의 건설이라는 문제가 더 크게 부각되었고, 자연히 문인들의 이합집산이 거듭되게 되었다. 해방 문학은 지난날 역사적 과오를 깊이 반성하는 문제보다도 발등에 떨어진 문제 해결에 급급한 나머지 좌우의 싸움을 벌이게 된 데서 분단 시대 문학의 불행이 시작된다. 해방 공간의 문단은 크게 보아 문필가 협회(청년 문학가 협회)와 문학가 동맹으로 양분할 수 있다. 전자는 우익 진영이 주가 되어 문학의 자율성, 예술성을 강조하고, 후자는 이념성, 전투성을 더 주장한다. 물론 양쪽 모두 "민족", "민족 문학"을 표방하는 것은 다를 바 없다. 전자가 중심이 된 『해방 기념 시집』(중앙문화협회, 1945.12) 그리고 후자들이 모인 『조선시집』(어문각, 1946)을 살펴보면 그 특징이 쉽게 드러난다. 대략 이 시기의 주된 시의 흐름은 몇 가지로 요약할 수 있다.

① 팔월(八月) 보름날 저들의 벽력이
  우리에게는 자유(自由)의 종(鐘)이었다

  태양(太陽)을 다시 보게 되도다

오 이게 얼마만이냐

잃어버린 입을 도루 찾아
마음대로 혀가 돌아가노라

———「영광뿐이다」부분

독립만세!
독립만세!
천둥인 듯
산천이 다 울린다
지동인 듯
땅덩이가 흔들린다
이것이 꿈인가?
생시라도 꿈만 같다.

———「눈물 섞인 노래」부분

② 어데로가나 나라업는사람
　어데로가나 암흑업는사람
　알지못할 무거운 죄(罪)와 벌(罰)
　조선(朝鮮)은 속박(束縛)과눈물의 땅
　피와땀에 추근이 저저서
　대지(大地)는 빛을 잃고
　우리들은 폐허(廢墟)에 누운
　헐버슨손님에 지나지 못하였다

———「속박(束縛)과 해방(解放)」부분

③ 지난 팔월이후 해방은 되었다지만
　주리고 병들어 송장이 길에 썩고
　아직도 삼십팔도(三十八度)는 트이지를 않는다
　나의 사랑하고 믿는 그대들이여
　불이듯 하는 그 정열(情熱)이 식을세라

정열(情熱)이 식은 그 가슴은 영해(永海)보다도 칩어라
　　　　　　　　　　　　　　　—「해방 이후」

　시 ①은 해방의 감격을 노래한 작품들이다. 사상과 이념을 초월하여 한민족 누구에게나 해방은 암흑의 하늘 아래에 신음하면서 36년간이나 갈망해 온 것이기 때문에 그만큼 기쁨이 큰 것이다. 해방은 "잃어버린 입을 도루 찾아/마음대로 혀가 돌아가"듯이 해방의 감격과 자유의 기쁨을 구가하게 해준 것이다. 어쩌면 그것은 오랜 절망과 좌절 끝에 갑자기 얻어졌기에 "꿈"만 같을지도 모른다. 이 무렵의 대부분의 시들은 이러한 감격과 환희를 노래하는 데 바쳐진다. 김광섭의 시 ②는 새삼스럽게 자각되는 지나간 암흑시대의 고통과 울분을 노래한다. 피와 땀이 젖은 눈물의 땅 폐허 속을 살아온 데 대한 자탄과 울분이 담겨 있는 것이다. 아울러 남양에서 전사한 학병을 추모하는 등 민족의 수난에 대한 통곡을 노래하게 된다. 여기에는 식민지 시대에 대한 통탄과 함께 그 시대의 친일 어용 문학에 대한 고발이 함께 담겨 있는 것으로 이해된다. ③에는 해방이 가져온 또 다른 민족적 불행인 38선, 즉 남북 분단의 비극을 노래하면서 해방이 막연히 환희만이 아닌 고통의 시작임을 시사해준다. 가람 이병기의 이 작품은 "불"과 "빙해"의 이미지로서 해방이 지닌 감격과 고민을 함께 표출하고 있다. 남북 분단의 비극을 고통스럽게 받아들이는 자세가 드러난 것이다. 이들 이외에도 이 시기 시들에는 내용적인 면에서 극단적인 두 경향이 나타난다. "높으디 높은 산마루/낡은 고목에 못박힌듯 기대여 / 내 홀로 긴 밤을/무엇을 간구하며 울어왔는가/아아 이아츰/시들은 핏글의 구비구비로/사늘한 가슴의 한 복판까지/은은히 울려오는 종소리/이제 눈 감아도 오히려 꽃다운 하늘이거니" (조지훈, 「산상의 노래」)라는 한 예와, "아아 기ㅅ발 타는 깃발/열 수물 또 더 많이 나붓기고/○○의 기ㅅ발/○○기ㅅ발은…"(임○(林○)), 「길」) 등이 다른 예이다. 즉 전자는 사상성과 예술성 또는 지성과 감성의 조화를 강

조하는 경향이며, 후자는 전투성과 이념성을 주로 노래하는 경향이 그것이다. 따라서 전자는 "대한 사람 대한으로"를 후자는 "조선 사람 조선으로"를 부르짖게 된다. 이럴 경우 어느 쪽이 더 당대적 선동성이 강할 것인가 하는 것은 어렵지 않게 짐작할 수 있다. 또한 이 문제는 새삼 문학이란 무엇이며, 어떠해야 하는가 하는 문제와 맞닥뜨리게 된다. 바로 이러한 대립과 갈등이 해방 공간에 있어 시의 기본적 위상이며, 그러므로 우리 시는 양자택일이 강요하는 시련에 봉착할 수밖에 없다. 그러나 이러한 대립과 갈등은 식민지시대에서부터 누적되어 온 모순과 부조리에 영원한 것이기 때문에 당연한 폭발일 수도 있다.

이 해방 공간의 시단을 이끌어간 사람들은 대부분 해방 전에 활약하던 시인들이었다. 따라서 이 시기의 특징은 앞에서 논의한 식민지 문학을 청산하면서 새로운 신진 시인들의 등장이 시작되는 과도기 또는 전환기의 성격을 지닌다. 또한 해방 전에 간행되지 못했던 시집들이 빛을 보게 되는 광복의 시간이기도 하다. 먼저 해방 후 제일 먼저 간행된 시집으로는 『해방 기념 시집』(1945. 12), 『3·1 기념 시집』(건설출판사, 1946. 3) 등이 있다. 민족진영의 시집으로는 『청록집』(1946. 6)이 간행되었다. 이 시집은 박두진, 박목월, 조지훈 등 일제 말 『문장』지 추천 시인들에 의한 3인 사화집인데 이들은 "자연"을 공통의 고향으로 하여 해방 후 민족 문학의 한 좌표를 제시하였다. 먼저 조지훈은 동양적인 정감을 전원적인 선감각과 결합시켜 전통적 시 정신을 형상화하였다. 그러나 6·25 이후에 시대적 혼란을 겪으면서 차츰 역사와 사회에 대한 관심으로 확대되어 「다부원에서」, 「역사 앞에서」 등과 같은 준열한 역사 의식 내지는 사회의식의 시편을 낳게 되며, 한편으로는 「순수시의 지향」, 「한국 현대 시문학사」 등 학술 논문과 평론에 의한 한국학 연구에 몰두하게 되었다. 박목월은 향토적인 서정을 더욱 깊이 추구하여 정제된 형식과 시어를 통해 자연과 인간의 조화와 교감을 깊이 있게 형상화하여 이후의 시단에 광범위한 영향을 미쳤다. 또한 시협을 이끌어가고 시지를 간행하는 등 시와 시단의 발전에도 크게 기여하였다. 박두진은 자연을 바탕으로 한 종교적 이념과 갈망을 추구하여 해방 후 시단에 뚜렷한 좌표를 제시하였다. 특히 그의 시는 관념성과 사변성을 지니면서, 차츰 사회의식을 지녀감으로써 비평 정신을 확립하여 후대의 젊은 이들에게 영향력을 발휘한 것도 간과할 수 없는 사실이다.

『청록집』과 함께 식민지 치하 젊은 지성의 운명적 고뇌와 슬픔을 투명한 서정으로 노래하다 옥사한 윤동주의 유고시집『하늘과 바람과 별과 시』(정음사, 1948.1)도 해방 공간의 시단에 충격과 영향을 불러일으키는 중요한 계기가 되었다. 특히 지순한 서정과 결벽에 가까운 부끄럼증, 그러면서도 의지와 절조(節操)에 가득 찬 운명애의 따뜻한 휴머니즘은 해방 후 시사에 한 방향타가 되어 준 것이다.

또한 이 시기에 이육사의『육사 시집』(서울출판사, 1946. 10)과 이상화의 『상화 시집』(을유문화사, 1946. 2) 등 일제하에서 불온시하던 시집이 유고 시집으로 묶여져 나왔다. 물론 심훈의 저항 시집『그날이 오면』(한성도서, 1949.7)이 나온 것도 이 무렵이다. 특히 이 육사는 중국에서 독립 운동을 전개하다가 북경에서 옥사한 순국 시인으로서, 대륙적인 기상의 늠름함과 매운 지절, 그리고 남성적인 대결 정신과 비판 정신을 보여 주었다. 이는 해방 후 현대시의 저항시적 골격 형성에 깊숙한 영향력을 발휘한 것으로 판단된다는 점에서 그 중요성이 새롭게 인식돼야 할 것으로 생각된다.

이 무렵 서정주의 시집『귀촉도』(선문사, 1948)가 발간된 것도 중요한 의미를 지닌다. 그는 이미 1930년대 후반에 모더니즘에 반발하여 소위 생명파를 주도함으로써 뚜렷한 위치를 점하고 있었지만, 해방 공간에서도 다시 동양적한과 열모의 유미주의를 깊이 있게 천착하였다. 이러한 서정주의 생명 탐구와 한국적인 것의 추구는 또 다른 각도에서 해방 후 시사의 중심 골격을 형성하는 한 모티베이션이 된다.

이들 이외에도 해방 전의 시인들로서, 시집을 발간한 이들로는 김광섭(『마

음』), 김영랑(『영랑 시선』), 신석정(『슬픈 목가』), 신석초(『석초 시집』), 장만
영(『유년송』), 윤곤강(『피리』, 『살어리』), 모윤숙(『옥 비녀』), 노천명(『창변』),
김용호(『해마다 피는 꽃』), 유치환(『생명의 서』, 『울릉도』, 『청령 일기』), 김광
균(『기항지』), 김동명 (『삼팔선』) 등이 있으며, 이 밖에 『이상 선집』이 간행되
었다. 이 시기에 활약한 해방 전 시인들로는 김광균, 김달진, 김동명, 김상용,
김상원, 김수돈, 김억, 김현승, 이하윤, 이한직, 박남수, 박종화, 변영로, 오상
순 등이 있으며 시조 시인으로는 김상옥, 이병기, 이은상, 이희승, 이호우, 정
훈 등이 활약하였다.

이 무렵에 발간된 문예지로는 『문학』, 『예술 부락』, 『문장』(속간호), 『문예』
등이 있으며, 종합지로서는 『상아탑』, 『민성』, 『백민』, 『개벽』 동인지로는
『백맥』, 『시탑』 등이 있어 광복 후 신인들을 배출하기 시작했다. 특히 1949년
8월 창간되어 6·25 동란기에 전시판을 내기도 한 『문예』지는 『문장』지 이후
처음으로 추천제를 실시하여 이동주, 이원섭, 김성림, 송욱, 전봉건, 이형기 등
신진 시인을 발굴하는 등 1950년대 시단으로의 과도기적 역할을 수행하였다.
이 시기에 등단한 신예 시인들로는 공중인, 구상, 김경린, 김수영, 김윤성, 김
종길, 김종문, 김춘수, 박거영, 박양균, 박인환, 박화목, 박훈산, 서정태, 설창
수, 유정, 이경순, 이봉래, 이윤수, 이인석, 이효상, 이설주, 정운삼, 정진업, 정
한모, 조병화, 조향, 홍윤숙이 있는데 이들의 본격적인 활동은 1950년대로 넘
어가서 전개되기 시작한다. 또한 손소희, 오영수, 정태용, 조연현, 황순원 등도
단편적으로 시를 발표하였지만, 이들은 차츰 소설, 평론 등으로 자리를 잡아
갔다.

이렇게 볼 때 8·15로부터 6·25에 이르는 해방 공간은 해방 전의 식민지 문
학을 청산하면서 새로운 민족 문학의 건설로 나아가는 갈등과 모색의 시기로
볼 수 있다. 무엇보다도 해방은 국가적인 면에서 주권의 회복과 함께 문화사,
정신사의 측면에서 모국어와 민족혼의 회복이라는 획기적 의미를 지닌다.

8·15는 민족사의 일대 전기가 됐으면서 동시에 모국어인 한글을 회복함으로써 민족 문학의 새로운 국면을 맞이하게 된 것이다. 한 민족에 있어 언어는 민족을 규정하는 핵심적인 요소이다. 이것은 혈통의 보전이나 민족 문화의 보전과 마찬가지로 민족어의 보전이 중요한 것이기 때문이다. 민족어의 회복은 민족 문화의 회복을 의미하며, 다시 이것은 민족정신의 회복을 의미한다는 데서 해방 공간에서 모국어 회복의 중요성이 인정되는 것이다. 그러나 38선에 의한 국토와 민족의 분단, 그리고 남한만의 단독 정부 수립 및 북쪽의 유사한 사정 등으로 인하여 또다시 남과 북이 양단되고, 마침내 국토, 민족, 문화, 언어까지도 분단되는 비극적 상황을 맞이함으로써 해방 공간은 비극적인 결말을 맞이하게 되었다. 이 점에서 남북 분단의 비극은 식민지 체험 이상으로 불행한 사건이 아닐 수 없으며, 이것은 다시 6·25라는 전대미문의 동족상잔의 비극적 전쟁으로 치닫게 되는 것이다.

이렇게 볼 때 8·15 해방에서 6·25 동란에 이르는 해방 공간은 해방 전의 시단과 시를 정리하면서, 혼돈과 무질서 속에서 새로운 세대에 의해 1950년대 시를 꽃피우는 밑거름이자 연결쇄로서의 과도기적 역할을 수행한 데 의미가 놓이는 것으로 보인다.

2. 6·25와 분단 시대의 시

6·25의 비극적 체험과 그 상흔은 한국인 모두에게 인간 실존의 어려움과 그 무의미성에 대한 뿌리 깊은 절망과 허무를 심어 주었으며, 일제 36년의 식민지 체험 이상으로 패배주의와 허무주의를 심화하는 결정이 계기가 되었다. 해방이 진정한 우리의 것이 될 수 없었던 비극은 바로 6·25라는 보다 잔인한 비극을 낳는 씨앗이 되었으며, 일제 치하와는 또 다른 열등의식과 식민지적 피지배 의식을 형성하는 계기가 된 것이다. 실상 이것은 식민지 체험과 해방 체

험, 그리고 6·25체험이 역사적 인과율 위에서 근원적 연계성을 지니고 있음을 시사해 준다. 그렇기 때문에 격심한 사회 변동에 따른 한국 근대사의 근본적 모순들이 첨예하게 그 본질과 현상을 드러내었으며, 그 결과 전쟁이라는 폭력적 수단을 통한 급진적 근대화라는 역사의 엄청난 아이러니를 노정할 수밖에 없었던 것이다.

6·25는 의식의 첨단을 살아가는 시인들에게 참전과 종군이라는 대응 방식, 또는 풍자와 역설의 비판 정신 예각화, 센티멘털리즘이나 폐쇄적인 자아 속으로의 굴절 등 다양한 정신의 개인적 편차를 보여주었으며 시사적 문제점을 제기하고 현대시로서의 본질적인 갈등과 몸부림을 겪게 하였다.

먼저 1950년대의 시는 전장시(戰場詩)로부터 시작된다. 전장의 직접적인 체험을 바탕으로 쓰인 전장시들은 직설적인 상황 묘사와 인위적인 절규 및 감탄사의 나열로 이루어진 것이 많다. 일제 36년의 체험에서 막 벗어나 혼란한 해방 공간의 와중에서 갑자기 터진 6·25는 이 땅의 시인들로 하여금 전쟁을 직접 수용할 수 있는 예술적 응전력을 획득할 수 없게 만들었다. 오히려 시인들보다는 전쟁에 직접 참여한 무명용사들이 이러한 현장 체험을 생생하게 절규하던 시인이 될 수 있었다. 실상 참혹한 전장에서 한 송이 들꽃처럼 이름 없이 사라져 간 젊은 병사들이야말로 그들의 가슴 속에 사랑과 눈물의 애절한 시혼을 간직하고 있었던 것이다.

이러한 전장시로는 김순기의「일분간 휴식」, 이영순의「연희 고지」등 대표작이 있으며, 이들 시편들은 한국시의 소극적이며 자폐적인 세계에 전쟁의 폭력을 통해서나마, 삶의 애착과 죽음의 공포를 뛰어넘은 생명의 극한 상황을 보여 주는 등 시야의 확대와 열림의 가능성을 부여하는 한 계기를 마련해 주었다.

한편 전쟁이 발발하자 기성 문인들은 각 개인의 사정에 따라 다양한 행동의 편차를 보여 주었다. 많은 문인들은 대구 혹은 부산으로 내려가서는 종군 작가단을 조직하여 적극적으로 전장을 따라다니며 일선에서 활약하였다. 특히 1·4후퇴 후에는 각 군별로 종군 작가단이 새로 조직 되어 시인으로는 육군에 구상, 박인환, 유치환, 이덕진, 양명문, 장만영, 정운삼, 조영암, 성기원 등이 소속되고, 공군에는 김윤성, 박두진, 박목월, 이상로, 이한직, 조지훈 등이 참가하였다. 육군 종군 작가단에서는 『전선 문학』, 공군에서는 『창공』, 『코메트』, 해군에서는 『해군』 등을 무대로 활약하였다.

이즈음 모윤숙은 「국군은 죽어서 말한다」 등의 전쟁시를 통해 애국심을 고취하고 승전 의식을 북돋우는 등 반공 애국시를 발표하였다. 유치환도 시집 『보병과 더불어』 등에서 전쟁의 비극적 참상을 싸늘한 응시자로서 리얼하게 묘사하여 전쟁시의 한 영역을 개척하였다. 조지훈도 역시 「다부원에서」 등의 시에서, 자유를 위한 투쟁에서 잃어버린 목숨의 허망함과 소중함을 밀도 있게 묘사해 주었다.

해방 후 시인으로는 원산에서 동인지 『응향』 사건으로 월남한 구상이 연작시 『초토의 시』 등을 통해서 전장의 참혹함과 함께 전후의 폐허화한 비극적 현실을 묘사하여 비관적인 역사 인식을 보여주었으며, 김종문, 조영암, 김영삼 등도 이러한 전장의 참상과 폐허 의식을 노래함으로써 전쟁의 비극성을 드러내고, 자유의 소중함을 새삼 확인하려는 노력을 보여주었다.

한편 전쟁이 가열해짐에 따라 불안과 공포, 무질서는 더욱 심각하게 뿌리 깊은 허무와 삶의 어려움을 절감케 해주었다. 이러한 상황 속에서 부산으로 피난한 일군의 시인들이 모여 현대시 모임인 『후반기』 동인을 조직하고 새로운 에스프리를 주장하는 등 모더니즘 시운동을 전개하였다. 김경린, 김차영, 김규동, 이봉래, 조향 등이 주축을 이룬 『후반기』 동인들은 1930년대 김광균, 이상, 장만영, 최재서 등의 추구하던 모더니즘 시의 방법과 정신을 계승한다는 취지에서 현대 문명의 메커니즘과 그 그늘을 형상화하는 데 주력하였다. 특히 이중에서 박인환은 이국 정조의 도시 문명과 그 암면을 주지적인 시각으로 노래하였다.

> 아무 잡음도 없이 도망하는
> 도시의 그림자
> 무수한 인상과
> 전환하는 연대(年代)의 그늘에서
> 아, 영원히 흘러가는 것
> 신문지의 경사(傾斜)에 얽혀진
> 그러한 불안한 격투
>
> ──「최후의 회화」 부분

　"도시의 그림자/신문지의 경사/흑인의 트럼펫/구라파 신부" 등의 구절처럼 박인환은 도시 문명과 그 그늘에 대한 감각적 인상을 비유적으로 표현하고 있다. 이러한 그의 시선은 애상적인 시대적 분위기와 어울리면서 「목마와 숙녀」, 「밤의 미매장」 등에서 심화되어 나타난다. 이러한 그의 추구는 도시 문명의 밝은 면모와 지성적 감각보다는 그 속에 자리잡고 있는 우울과 감상을 피상적으로 묘사하는 한계를 보여 준다. 조향과 김경린, 김규동 등이 보여 준 모더니즘적 모색과 실험은 문학 내적인 필연성에 의한 육화된 표현을 얻지 못하고 형태주의적 미망과 주장에 사로잡혀서 신기한 것만 추구하는 퇴영적 요소를 지닌다는 점에서 실패한 것으로 보인다. "청록파" 등을 현실 도피라 하여 매도하던 그들 스스로가 감각적 표현으로만 치우침으로써, 감상주의와 도피주의에 빠져들고 마는 자가 당착을 빚은 것이다.

　모더니즘과는 상대적인 각도에서 고전적인 정감으로 회귀하려는 경향도 나타났다. 먼저 서 정주는 험렬한 전쟁 속에서 밖으로만 향하던 시선을 내면으로 전환하는 데 한 시범을 보여 주었다. 「추천사」 등의 시에서처럼 고전 정신에로의 몰입을 시도한 것이다. 이러한 고전 정신과 토속적 서정의 추구는 이동주와 이원섭, 박재삼 등의 시에서 한 맥락을 형성하게 된다.

이동주는 애(哀), 원(怨), 한(恨)이라는 한국 시가의 전통적 정서를 추구함으로써 전통시의 한 흐름을 형성하였다. 이원섭 역시 노장풍의 동양적 풍모를 보여주었다. 특히 박재삼은 전후 신진 시인으로서, 고전 정서와 전통적 가락을 현대적인 호흡으로 잘 되살려냄으로써 전통 시의 새로운 가능성을 개척하였다.

이러한 고전 정신과 토속적 정감의 추구는 서구적 모더니즘의 열풍에 직접적으로 노출되기 시작한 한국 현대시에 자기반성의 기회를 제공하였으며, 전후시에 커다란 파장을 형성했다는 점에서 의미가 놓인다.

한편 현실 자체를 역설적으로 의식화함으로써 사회 현상을 비판적으로 수용하려는 주지적 경향도 나타났다.

송욱은 현실 생활의 비뚤어진 모습을 반영하는 생경한 일상어를 대담하게 시 속에 이끌어 들임으로써 전통적인 조사법과 시의 인식 태도에 도전하고 있다. 그의 시에는 비판, 풍자 정신의 과도한 노출과 편내용성에 따른 구조의 불균형성이 드러나지만 그의 시는 전후시의 정신과 방법에 대한 지적 반성과 비판을 제기했다는 점에서 중요성이 인정될 수 있다. 김구용의 시도 전쟁 체험의 비극적 상황을 살아가는 실존의 어려움과 초라함, 그리고 물질이 지배하는 현실에 대한 예리한 비판과 풍자를 보여 주었다. 전영경도 시를 통해서 현실에 대한 야유와 조소를 퍼부었다.

또한 전쟁의 냉혹한 현실에서 눈을 돌려 사물의 존재론적 탐구를 통하여 시에 대한 새로운 방법론적 인식을 꾀하는 시인들도 나타났다. 1946년에 시집 「구름과 장미」를 통해 등단한 김춘수가 그 대표 적인 한 시인이 된다.

> 내가 그의 이름을 불러주기 전에는
> 그는 다만
> 하나의 몸짓에 지나지 않았다
>
> 내가 그의 이름을 불러 주었을 때

그는 나에게로 와서
꽃이 되었다

—「꽃」부분

　이 시는 부재와 존재, 그리고 언어에 대한 존재론적 인식에 근거를 두고 있다. "하나의 몸짓에 지나지 않던" 사물은 시인의 인식론적 관여에 의한 언어적 명명에 의해, 무로부터 존재로 이끌어 올려진다.「꽃」,「꽃을 위한 서시」,「나목과 시」등으로 대표되는 그의 초기시는 존재와 언어에 대한 깊이 있는 탐구를 지속함으로써 시적 대상과 인식의 문제에 관한 현대시의 한 가능성을 개척하여 준 것으로 판단된다. 한편 신동집도 존재와 언어에 대한 깊이 있는 성찰을 보여 준 대표적 시인의 한 사람이다.

　한편 전쟁의 상흔을 인간적으로 수용하여 그 애환의 로맨티시즘을 형상화하는 경향도 나타났다.

　조병화는 해방 후 시집『버리고 싶은 유산』(1949),『하루만의 위안』(1950)으로 등단하여 전쟁 중에도『패각의 침실』을 간행하는 등 의욕적인 활동을 보여 주었다. 그는 현실 긍정과 인간성 옹호의 인생파적 로맨티시즘을 형성함으로써 전후 서정의 중요한 한 패턴을 형성하게 되었다. 특히 그의 시는 차츰 인간의 존재성에 대한 지속적인 탐구를 심화하는 경향으로 변모해 갔다.

지금 어드메쯤
아침을 몰고오는 어린 분이 계시옵니다
그분을 위하여
묵은 의자를 비워 드리겠어요

먼 옛날 어느 분이
내게 물려주듯이

—「의자」부분

이처럼 그의 시는 역사 감각에 뿌리를 두면서 인간적 삶에 대한 존재론적 성찰을 보여줌으로써 예술적, 일상적 삶의 행복한 등가와 조화를 이루려는 꾸준한 노력을 전개하였다.

전봉건의 시도 전쟁으로 인한 사랑의 결별과 애상을 서정적으로 노래하였으며, 박양균과 홍윤숙도 전쟁으로 인한 슬픔과 그리움의 애상적인 로맨티시즘을 보여 주었다. 대표작 「램프의 시」 등을 쓴 유정도 인생의 깊이에 감춰진 쓸쓸함과 애상을 아름다운 서정으로 노래하는 한 시범을 보여 주었다.

이들 인생파들은 전쟁으로 인해 파괴되어 버린 젊음과 사랑을 애상적 서정으로 노래함으로써 전쟁이 강요한 인간 부정과 실존적인 어려움 속에서 인간적인 체온을 유지하려 노력하였다.

이와는 조금 달리 순수한 사랑과 종교적인 갈망을 노래함으로써 휴머니즘을 구현하려는 노력도 나타났다.

정한모는 "아가"와 "나비"라는 상징을 통해서 전쟁으로 상실된 인간성을 옹호하는 휴머니즘을 고양하려 노력했다.

> 바람이여 /새벽 이슬잠 포근한 아가의 고운 숨결 위에 첫마디 입을 여는 참새 소리 같은/청정한 것으로 하여 깨어나고 대숲에 깃드는/마지막 한 마리 참새의 깃을 따라 잠드는 그런 있음으로서만 너를 있게 하라
>
> ―「바람 속에서」 부분

"바람/우물/안개/대숲/새벽/이슬잠/솔잎소리/참새소리"와 같은 순수 서정의 시어들은 "아가의 숨결"과 조화되어, 동화적이면서도 순수한 시심을 지향하는 휴머니즘적 시 정신을 잘 보여 주며 종교적인 경건함을 유발할 정도로 당대의 어둡고 애상적인 정감을 투명하게 여과시켜 주었다.

김남조의 시도 종교적인 갈망 속에 인생의 욕망과 고뇌를 여과시킴으로써

전후 서정의 한 영역을 개척하였다. 그의 초기시는 다분히 여성적 애상과 사랑의 열정이 짙게 깔려 있음에도 불구하고, 그것이 종교적인 순수 서정의 이미지와 결합됨으로써 노천명과 모윤숙 등 해방 전 여류 시인들의 시 세계를 진일보시킨 것으로 판단된다.

이들과는 조금 다르지만 한하운도 「파랑새」, 「보리 피리」 등의 시에서 목숨의 업고와 그 운명적 형벌을 애절하게 노래함으로써 독자적인 영역을 개척하였다.

『백맥』 창간호에 「들국화」 등을 발표하여 해방 후 신인 시단의 선두 주자의 한 사람으로 데뷔했던 김윤성은 일상사에 목소리를 높이거나, 애상적인 감정을 애써 감추고 평범한 가락으로 마무리 짓는 개성적인 묘사의 한 시범을 보여 주었다. 김종길은 따뜻하고 포근한 유년에 대한 회상과 생명 감각을 형상화하였다. 특히 서구적 소재들을 한국적 감수성으로 처리하는 그의 신선한 감각 능력은 높이 살 만한 것이었다. 이상에서 논의하거나 언급한 사람 외에 해방 공간과 6·25를 전후로 데뷔하여 1950년대에 활약한 중요 시인으로는 고원, 구경서, 김상화, 김용팔, 김요섭, 박지수, 손동인, 이덕성, 이민영, 이철균, 노영란, 장호, 정영태 등을 들 수 있다.

3. 1950년대 후반의 시단 재편성

조선조의 전통적인 유교 사상의 영향과 식민지 체제하에서의 폐쇄성에 기인한 한국 근대사의 보수성 내지 봉건 잔재는 6·25로 인한 미국과 연합국의 참전으로 인해 급격한 해체를 겪지 않을 수 없었다. 전쟁은 신구 질서의 전면적 변동에 따른 혼란 속에서 남북 분단의 비극과 함께 민족 재편성이라는 엄청난 시련을 남겨 주었다. 또한 6·25는 정신사적인 면에서 패배주의와 허무주의의 심화라는 부정적 측면과 함께 민족과 개인의 재발견이라는 긍정적 측면도 제시하게 되었으며, 문학사에도 커다란 충격파를 형성하였다. 문학 내적인 면에서는 미국을 중심으로 한 서구 문화의 유입으로 한국어의 문학적 가능성, 특히 시적 감수성을 개방하는 계기가 되었다. 일제하 일본어의 기반에서 벗어나려던 한국어의 투쟁은 영어라는 또 다른 외국어와 정면으로 맞부닥뜨리지 않을 수 없었다. 한국시는 서구시의 새로운 감수성과 기법에 직접 충돌함으로써 새삼 "시란 무엇인가"라는 질문과 이에 부수되는 시사적 문제점들을 제기하도록 강요당하였다. 이후 한국 현대시의 난해성은 바로 한국 전후 문화의 난삽성을 반영한 것으로 생각할 수도 있는 것이다.

이러한 문단 재편성의 기운과 문학 내적 사정의 변동에 따라 1955년을 전후하여 시단은 새로운 변화와 질서를 모색하는 활발한 기운을 맞이하게 되었다.

『문예』지 폐간 이후 공백 상태이던 문단에 『현대문학』(1955. 1),『문학예술』(1955. 6),『자유문학』등의 순수 문예지와,『사상계』,『신태양』,『신군상』등의 종합지가 발간되었으며 문학지들의 추천제와 더불어『동아일보』,『조선일보』,『한국일보』등 언론 기관들이 신춘문예 제도를 부활 또는 개시하게 되어 새로운 신설 시인들의 대거 등장에 중요한 촉진제가 되었다. 또한 한국 시인 협회가 결성(1957. 2)되어 기관지『현대시』를 간행하고 영역 시집 Korean Verses를 발행하는 한편, 국제 시인 회의에 가입하는 등 활발한 활동을 전개함으로써 시단의 본격적인 형성과 발전에 활력을 불어넣었다. 또한『시와 비평』(1956. 2),『시 연구』(1956. 5),『신시학』(1959. 4),『시작업』(1959. 10) 등 시 전문지 내지는 동인지가 간행되는 한편『해 넘어가기 전의 기도』(이형기, 김관식, 이상로, 1955),『평화에의 증언』(김경린, 김규동, 김수영, 김종문, 1957),『전쟁과 음악과 희망과』,『현대의 온도』,『신풍토』,『수정과 장미』등 각종 동인 시화집이 발간됨으로써 시단 질서가 새롭게 형성되기 시작하였다. 또한 1955년부터 1959년에 이르는 1950년대 후반에는 백여 권을 넘는 개인 시집들이 상재되어 가히 현대시의 르네상스를 이루게 되고 이로써 본격적인 현대

시의 출발을 기약하게 되었다.

이병기는 자연을 목적으로 추구하기 보다는 자연에 감응하는 인간의 고독과 그리움을 리리시즘으로 형상화하려는 데 비중을 두고 있다. 한성기도 자연에의 친화 속에서 생의 의미를 새롭게 발견하려하여 많은 것을 상실한 전후인의 비애를 감싸주고 위무하는 리리시즘에 충만해 있으며, 신경림도 자연과 인간의 교감을 서정적인 리리시즘으로 노래하나 차츰 어두운 농촌의 현실 고발과 무력한 민중과의 공감대를 표출하는 쪽으로 변모해 갔다. 박용래는 전원적 소재를 인간적 정감으로 연결하고 내면에 자리하고 있는 고독과 비애를 간결한 형식을 통해 형상화하여, 청록파의 전원적 리리시즘을 개성적으로 변용 심화함으로써 한국 시의 전통적인 리리시즘의 맥락을 새롭게 계승하였다. 이성교도 인간이 뿌리박고 있는 자연의 의미를 탐구하였다. 이유경도 자연의 살아 있는 호흡을 밀도 있게 형상화함으로써 새로운 세대의 전원적 감각을 신선하게 형상화해 주었다.

이처럼 이 시기의 리리시스트들은 전원 그 자체를 하나의 이데아로 설정하였던 청록파들의 영향을 받으면서도, 생의 체취가 물씬 풍기는 전원적 서정 속에서 인간의 교감과 친화력을 섬세하게 추구하여 새로운 감각에 바탕을 둔 리리시즘의 가능성을 개척하였다. 고은, 김관식, 구자운, 황금찬, 장호, 민영, 박희진 등도 이 시기에 데뷔하여 독자적인 개성으로 리리시즘을 바탕으로 한 생명 감각을 깊이 있게 탐구한 시인들이다.

한편 사물과 존재에 대한 관념론적 인식을 추구하고 언어의 추상적 이미지를 집중적으로 탐구하는 경향의 현대시가 쓰이기 시작했다. 1930년대 이상 등의 모더니즘 시운동과 1950년대 『후반기』 동인, 김춘수와 송욱 등의 새로운 언어 감각에 접맥되어 이러한 관념적 사물 탐구와 추상적인 이미지 조형의 경향이 나타난 것이다.

김종삼은 난해한 시어의 추상적인 이미지 결합으로 의미의 애매 모호성을 유발하나, 몇 개의 이미지만으로 의식의 내면을 형상화하려는 의도가 들어 있어 재래의 모더니즘과는 구별이 된다. 김광림의 시도 이러한 추상적인 이미지로써 의식의 내면을 들여다보려 시도하여 기존 언어에 대한 이미지의 개신을 추구한다. 문덕수도 추상적인 이미지와 관념의 결합을 통해서 애매 모호성을 유발한다. 한편 김영태의 시도 관념적인 사물 인식을 추상적인 이미지로 전치시킴으로써 새로운 언어 감각을 유발하고 있는 것이다.

이러한 관념론적 사물 인식과 슈르적인 이미지 탐구는 언어 예술로서 현대시가 겪어야만 하는 정당한 모색이며 필연적인 당위성을 지닌다. 실상 1960년대 시로 넘어가서 이러한 경향이 유도한 한국 현대시의 언어적 심화와 세련을 위한 젊은 세대의 안간힘은 한글의 지적 훈련이라는 점에서 중요한 의미를 지니며 모색과 실험으로서의 미숙성을 내포할 수밖에 없었던 점은 지적되어야 한다. 또한 1950년대 후반은 몇 가지 점에서 중요한 의미를 지닌다. 첫째는 서구시와 시론의 번역이 이루어지면서 한국 현대시가 범세계적 면모를 확대해 가기 시작한다. 1930년대 이양하, 최재서, 양주동 등에 의해 서구시와 시론이 소개되기 시작한 이래 해방 공간과 6·25의 소용돌이에서의 공백을 메우려 하는 듯 엘리어트, 오든, 스펜더, 브룩스, 루이스 등 주로 영미시와 시론이 본격적으로 소개되어 백철, 김병철, 김수영 등에 의한 뉴크리티시즘의 수용은 새로운 시의 형성에 기대하였다.

두 번째는 시론 내지 비평이 활성화되었다는 점으로, 해방 직후의 문학 논쟁과는 달리 구체성과 논리적 체계성을 확보하기 시작했다는 점에서 의미를 지닌다. 고석규, 김규동, 김상일, 김성욱, 김춘수, 문덕수, 박철석, 이철범, 최일수 등이 시 비평에 참여하였으며, 특히 정한모, 이어령, 유종호, 김종길, 송욱 등이 본격적인 비평과 연구를 전개함으로써 문단 비평이 강단 비평으로 발전하는 계기를 마련해 주었다. 이러한 본격 비평의 대두는 이 땅의 현대시가 객관적인 자기반성과 비판의 힘을 기르는 한 모티베이션이 됐다는 점에서 더욱 그 중요성이 인정된다.

또한 현대 시조가 이병기, 이은상, 조종현 등 해방 전 작가들의 의욕적인 활동에 힘입으면서 이영도, 이호우, 김상옥, 김어수, 정훈, 이태극, 정소파 등과 함께 박재삼, 장순하, 박병순, 최승범, 정완영, 최성연, 서정봉 등 새로운 시조 시인이 등장하여 시조를 현대적으로 개혁하기 시작하였다. 이러한 현대 시조 작단의 형성은 전통적인 시의 장르 의식을 현대에도 계승한다는 점에서 의미가 있다. 여류 시단도 노천명, 모윤숙에 뒤이어 홍윤숙과 김남조로 대표되던 것이 강계순, 김숙자, 김여정, 김지향, 김혜숙, 박명성, 박정희, 추은희, 최선령 등 신인들이 등장하여 활약함으로써 시단을 풍요롭게 하였다.

위에서 논의하거나 언급한 분들 이외에도 1950년대 초에서 1950년대 말까지 등단하여 활약한 시인들로는 다음과 같은 사람들이 있다.

고은, 권용태, 김경수, 김규태, 김대현, 김봉룡, 김상억, 김선현, 김소영, 김시철, 김원태, 김정진, 김정옥, 김종원, 김태홍, 김해성, 민웅식, 민재식, 박이문, 박재호, 박치일, 박청허, 박흡, 박희연, 서임환, 석용원, 송석래, 송선영, 송영택, 송혁, 신기선, 신동준, 신동집, 심재언, 안도섭, 안장현, 양중해, 윤명, 윤부현, 윤삼하, 윤일주, 이경남, 이범욱, 이석, 이인석, 이성환, 이수복, 이영일, 이일, 이정호, 이제하, 이종학, 이현우, 이홍우, 이희철, 이철범, 이창대, 인태성, 임강빈, 임인수, 임종국, 임진수, 장경용, 전기수, 정공채, 정규남, 정벽봉, 정석아, 정렬, 조남두, 조순, 조영서, 주문돈, 천상병, 하희주, 한무학, 한상억, 함동선, 허만하, 허연, 홍성대, 홍완기, 홍윤기, 황동규, 황명, 황양수, 황운헌.

결론

지금까지 살펴본 것처럼 해방으로부터 1950년대까지의 현대시는 이 땅 현대 시사의 전개 과정에 있어 중요한 전환점이 되었다. 특히 문학사적인 측면에서 모국어의 회복은 식민지 사관의 극복이라는 대전제하에서 민족 문학의 고유성과 주체성을 확보하는 데 결정적 계기가 된 것이다. 그러나 국권 회복과 함께 몰아닥친 좌우익이라는 이데올로기의 대립과 갈등은 마침내 남과 북의 민족 분단을 몰고 왔으며, 끝내는 6·25라는 동족상잔의 처참한 비극을 연출하고 말았다. 따라서 1950년대와 그 이후의 현대시를 이해하는 데 있어서 6·25는 필수적인 관건이 된다. 6. 25는 험난한 역사를 살아온 한국인들에게 또 다시 민족사 최대의 비극적 시련을 안겨 주었지만, 그 시련 속에서도 다양한 정신적 응전과 굴절, 그리고 실험과 모색을 보여 줌으로써 한국인의 민족적 저력과 문학적 가능성을 확인케 하는 계기가 된 것도 사실이다. 무엇보다 6·25의 1950년대는 1960년대 및 1970년대로 이어지는 한국 시의 기본 의미 체계를 제시해 주었다는 점에서 중요한 의미를 지닌다. 전후 1950년대의 시는 해방 전의 시적 질서를 해체하고 재편성하여 다양한 정신적 특성을 드러냄으로써 이후의 현대시를 확대하고 심화할 수 있는 가능성을 제시해 준 것이다.

분명 6·25의 1950년대는 절망과 상흔으로 점철된 어두운 시대이다. 그러나 6·25에서 시작된 1950년대는 이 땅의 인간과 문화의 가혹한 파괴와 시련 속에서도 민족과 개인을 재발견하게 하고 자유의 소중함을 인식케 함으로써 이후 문학사에 귀중한 원천과 동력을 제공하는 문학적 원체험의 거대한 광맥이 되었다는 점에서 중요한 의미가 주어진다.

그러나 6·25의 1950년대는 1960년 4월 19일에 이르러 또 다른 역사적 전환점을 맞이하게 된다. 자유당 정권의 장기 집권 야욕에 따른 부정 부패와 정치적 탄압은 마침내 진정한 자유 민주주의에 대한 국민들의 열화 같은 갈망과 그에 따른 저항 운동으로 인해 4·19라는 민주 혁명을 탄생 시키는 계기가 되었다. 따라서 1960년대의 현대시는 사회 현실의 모순과 부조리를 고발하고 비판하는 현실 참여의 색채를 강하게 띠기 시작하였다. 해방 후 등장하여 앤솔로지 『새로운 도시와 시민들의 합창』으로 모더니즘의 신호를 울리고 1950

년대 말에 소시민의 평범한 애환을 노래하던 김수영 등은 바로 이러한 1960년대 참여시 운동의 대표적 시인의 한 사람이 된다.

결국 1945년 8월 15일 해방을 맞아 이데올로기의 갈등에 시달리던 해방 시단이 1950년 6·25로 인해 충격적인 전환점을 마련한 것과 같이 전쟁과 전후의 폐허에서 소생을 위해 몸부림치던 1950년대의 시는 1960년 4·19를 겪으면서 또 다른 역사적 전환점을 맞이하게 된 것이다. 이렇게 볼 때 해방 후의 시사는 그대로 해방 후 이 땅에서 전개된 역사적 소용돌이의 적나라한 반영으로서 시대의 어려움과 생의 어려움을 예술적으로 수용하고 극복하기 위한 몸부림의 표현인 것이다.

1983년

제3장 1960년대 시의 몇 갈래

1. 1960년대의 성격

이 땅 근대사에 있어서 60년대는 정치, 경제, 사회, 문화 등 여러 면에 걸쳐 어려운 시기이면서 또 중요한 시기에 속한다. 해방의 혼란과 전란의 소용돌이를 마무리하면서 민주화를 실천해야 하고 동시에 근대화를 추진해야 했기 때문이다. 그러나 분단 상황 하에서 추진돼야 하는 이 두 가지 민족사적 과제는 그 시작부터 험난한 시련을 겪지 않을 수 없었으며, 그 모순과 시련의 폭발이 4·19와 5·16이었다. 민주화 실천과 근대화 추진은 분단 상황에 따른 안보 논리와 예리하게 부딪치면서 한계 지워질 수밖에 없었다. 따라서 5·16 후에는 민주화 문제보다는 근대화 문제가 최우선 과제로 추진되었으며, 그 결과 어느 정도 그 면에서는 성과를 거둔 것이 사실이다. 그러나 4·19가 이 땅에서 근원적일 자유의 문제를 제기한 것처럼 5·16은 산업 근대화에 따른 사회적, 경제적 불평등 문제를 야기했다. 산업 근대화와 경제 발전은 암암리에 인간적, 정신적 가치 지향(human-spirit value orientation)보다는 물질적, 수단적 가치 지향(economic-means value orientation) 편향성을 노골화시키는 계기가 되었다. 다시 말해 60년대는 민주화라는 이 땅의 이념적 목표와 근대화라는 현실적 목표가 상호 충돌하면서 자유와 평등을 둘러싼 구조적 모순과 현실적 갈등을 드러냈다는 점에서 기본적인 문제점을 지닌다.

60년대 시는 이러한 모순과 갈등의 상황 하에서 시작되었다. 식민지 체험과 6·25 체험이라는 거대한 비극의 연장선상에서, 다시 4·19와 5·16이라는 아이러니컬한 운명의 역사적 비극을 동시에 겪으면서 이들을 시적으로 감당하고 극복해 나아가야 하는 어려움과 직면했던 것이다. 따라서 60년대 시는 몇 갈래의 흐름을 형성하게 된다. 하나는 현실과의 부딪침 즉 상황에 대한 시적 응전 방식의 탐구이며, 다른 하나는 시의 원형질이라 할 생명 또는 서정으로의 회귀이고, 또 다른 하나는 예술로서의 시에 대한 언어 문제의 천착이 그것이다. 따라서 본고에서 필자는 대략 이 세 가지 방향으로 60년대의 시적 흐름을 파악하고 이와 관련하여 60년대의 시와 시인을 개관하고자 한다. 여기에서 한 가지 문제가 되는 것은 60년대라는 시대 구분과 "60년대 시인"이라는 명명화의 난점이다. 즉 60년대 시인이란 60년대에 데뷔한 시인인가, 아니면 60년대에 주로 활동한 시인을 말하는가 하는 문제이다. 또한 60년대란 시대 구분은 그 시기에 쓰인 작품만을 한정하는가, 아니면 그러한 60년대의 사적 특징을 지닌 70년대 이후까지의 시를 포괄하는가 등의 문제가 그것이다. 여기에서 필자는 이 범위를 주로 60년대를 전후해서 데뷔하여 60년대에 어느 정도 자기 세계를 정립하기 시작하였으며, 이후에도 지속적으로 활동한 시인을 60년대 시인군으로 묶어 보고자 한다. 여기서 논의되는 시는 다소 융통성을 두기로 하였는바, 이것은 이 글이 "60년대 시와 시인"이라는 제목 하에 "60년대 시인군" 형성과 함께 그 특징적 흐름을 개관해 보려는 의도를 지니기 때문이다.

2. 사회 시와 현실 인식

60년대 시를 논할 때 부딪치는 가장 큰 문제는 4·19의 충격과 영향에 관한 것이다. 50년대 시가 6·25와 무관할 수 없듯이 60년대 시는 4·19로부터 자유로울 수 없기 때문이다. 4·19는 해방 이후 이 땅에서 실험되고 모색되던 자유, 민주주의 체제에 대한 결정적인 반성과 비판의 전환점을 마련해 주었다. 남북 분단 이래 집권해 오던 이승만과 자유당 정권의 구조적 모순과 그에 따른 부패와 부조리가 드러나기 시작하였으며, 이에 상대적으로 새로운 정치 질서와 사회 기풍에 대한 열망이 비등하였다. 분단에 따른 안보 논리와 그에 따른 독재화는 필연적으로 3선 개헌을 유발하였고, 부정한 방법과 수단을 사용하는 등, 장기 집권 야욕을 구체화하였다. 3·15 부정 선거를 전후하여 드러난 노골적인 정치 탄압과 불법적인 인권 유린은 마침내 젊은 학생층을 중심으로 한 온 국민의 저항 운동을 불러일으켰다. 4·19의 대대적 폭발이 바로 그것이다. 4·19는 바로 자유당 정권의 정치적 탄압과 부정부패에 대한 전국민적 저항 운동이었으며, 동시에 이 땅에서 진정한 자유, 민주주의를 실천하고자 하는 시민적 혁명 운동이었던 것이다. 50년대가 남북 분단에 따른 6.25라는 엄청난 동족상잔의 비극으로 시작되었던 것과 마찬가지로 60년대는 4·19라는 자유민주주의를 향한 유혈의 민주 혁명으로 막이 열렸다.

실상 시에 있어서는 50년대에 이미 분단의 비극과 사회 현실의 모순 및 부정부패에 대한 비판 의식이 표출되고 있었다. 유치환, 조지훈 등 기성 시인은 물론 박봉우, 윤삼하 등 신진에 이르기까지 많은 시인들이 분단의 비극과 민중의 한, 그리고 저항 의지를 시로써 형상화하였다. 박봉우의 「휴전선」과 윤삼하의 「응시자」, 그리고 유치환의 「뜨거운 노래는 땅에 묻는다」 등을 그 대표작으로 꼽을 수 있다. 따라서 4·19는 문학, 특히 시에 있어서 시의 본질과 기능에 대한 근본적인 반성과 질문을 제기하였으며, 그에 따른 첨예한 논쟁을 촉발하는 결정적 계기가 되었다. 아울러 시가 상황과 응전, 혹은 도전과 굴절이라는 사회학적 역동성을 획득하는 본격적인 출발점이 되었다. 4·19는 먼저 기성 시인과 학생층에 의한 수많은 현장시를 탄생시켰다. 신동문의 「아 신화

같이 다비데군」과 박두진의 「우리는 아직 깃발을 내린 것이 아니다」 등은 그 대표작의 하나이다.

① 혼자서만/야망 태우는/목동이 아니었다/열씩/백씩/총알 총알 총알 총알 앞에/돌 돌/돌 돌 돌/주먹 맨주먹 주먹으로/피비린 정오의 가도에 포복하며/아—신화같이/육박하는 다비데군//제마다의/가슴/전체의 방 패 삼아/과녁으로 내밀며/쓰러지고/쌓이면서/한 발씩 다가가는/아—신화같이 용맹한 다비데군들

　　　　　　　　　　　　—「아 신화같이 다비데군」 부분

② 우리는 아직도/우리들의 깃발을 내린 것이 아니다/이 붉은 선혈로 나부 끼는/우리들의 깃발을 내릴 수가 없다/ 우리는 아직/우리들의 피깃발을 내 릴 수가 없다//우리들의 피외침을 멈출 수가 없다/우리들의 피불길/우리들의 전진을 멈출 수가 없다//혁명이여!

　　　　　　　　—「우리는 아직 깃발을 내린 것이 아니다」 부분

①의 시는 수천수만 군중의 시위 모습을 비유법과 점층법, 그리고 직서법을 구사하여 하나의 신화도(神話圖)로 형상화하였다. 이 땅 최초로 성공한 민권, 민중 혁명인 4·19의 현장을 문학적 표현으로 이끌어 올린 것이다. ②시는 "정의, 인도, 자유, 평등, 인간애"를 이념으로 하는 4. 19가 완료된 혁명이 아니라 이 땅에서 오래도록 추진되고 실현되어야 하는 미래 지향적 혁명임을 강조한다. 이 두 편의 시는 4·19가 가장 탁월하게 성취한 문학적 표현이 아닐 수 없다.

수많은 4·19의 격시, 상황시, 조시, 찬양시의 홍수 속에서 김수영은 60년대의 대표 시인으로 부상하게 된다.

　　푸른 하늘을 제압(制壓)하는
　　노고지리가 자유(自由)로왔다고
　　부러워하던

어느 시인(詩人)의 말은 수정(修正)되어야 한다

자유(自由)를 위해서
비상(飛翔)하여 본 일이 있는
사람이면 알지
노고지리가
무엇을 보고
노래하는가를
어째서 자유(自由)에는
피의 냄새가 섞여 있는가를
혁명(革命)은 왜 고독한 것인가를

혁명(革命)은
왜 고독해야 하는 것인가를
　　　　　　　　　　　　　　　　　　　　　　　─「푸른 하늘을」

　엄밀히 말해서 김수영은 60년대 시인이 아니다. 그는 해방 후 등장하여 앤
솔로지『새로운 도시와 시인들의 합창』으로 모더니즘적 지향을 보여주었으
며, 50년대 말에는 주로 소시민의 평범한 애환을 묘사하던 시인이었다. 그러
나 그는 4·19를 기점으로 하여 급격한 시적 변모를 겪게 되었으며, 이후 그는
시「푸른 하늘을」이래 사회 참여를 주장하는 60년대의 기수가 되었다. 실상
그의 중요한 시편은 대부분 60년대 들어서서 쓰였으며, 그의 생애 또한 이 시
기에 마감되었기 때문에 60년대 시를 논할 때 김수영의 시와 시론을 논외로
하기는 어려운 실정이다. 위 시는 실천적 혁명 운동인 4·19의 역사적 의의를
상징적으로 노래한 대표적 작품의 하나이다. 먼저 첫 연에서는 "노고지리"의
풍유를 통해서, 자유가 주어지는 것이 아니라 투쟁해서 전취해야 하는 적극
적, 능동적 개념이라는 점을 "수정되어야 하는 어느 시인의 말"로써 드러낸다.
자유는 "푸른 하늘을 제압하는 노고지리"로서의 안일한 개념이 아니다. "피의

냄새가 섞여 있는 혁명"을 통해서 비로소 획득되는 투쟁적, 저항적, 민중적 성격을 지닌다는 깨달음이 제시돼 있다. 역사는 실상 자유를 얻기 위한 투쟁의 과정이며 혁명의 과정이라는 능동적 역사관이 자리잡고 있는 것이다. 그렇기 때문에 진정한 자유, 민권 운동의 어려움이 뒤따를 수밖에 없으며, 따라서 "혁명은 고독한 것이고/고독해야만 하는 것"으로 인식된다. 자유는 인간다운 삶의 본질이며 생명이기 때문에 "피"(죽음)를 넘어서서 얻어질 때 참된 가치가 드러나는 것이다. 이 점에서 이 시는 실천성, 투쟁성, 현실성이 예술적인 상징성으로 승화된 성공적인 작품으로 판단된다. 4·19를 역사적, 이념적 관점에서 상징화함으로써 거시적, 총체적인 의미를 부여한 데에 중요성이 놓여 있기 때문이다.

껍데기는 가라
사월(四月)도 알맹이만 남고
껍데기는 가라.

껍데기는 가라.
동학년(東學年) 곰나루의, 그 아우성만 살고
껍데기는 가라.

그리하여, 다시
껍데기는 가라,
이 곳에선, 두 가슴과 그 곳까지 내논
아사달 아사녀가
중립(中立)의 초례청 앞에 서서
부끄럼 빛내며 맞절할지니

껍데기는 가라.
한라(漢拏)에서 백두(白頭)까지

향기로운 흙가슴만 남고
그, 모오든 쇠붙이는 가라.

—「껍데기는 가라」

신동엽은 4·19를 역사적인 문맥에서 파악하여 보다 적극적, 능동적으로 현
실과의 접합을 시도한다. "4월"을 동학과 결부시킴으로써 민중이 주체가 된 조
국 분단의 극복과 평화의 이념 실천을 강력하게 주장한다. 이 「껍데기는 가라」
는 반복되는 "가라"를 통해서 반민중, 반민족, 반민주에 대한 거부와 저항을 구
호로써 외치고 있다. 민족주의적 역사의식이 바탕을 이루면서도 그것이 어디
까지나 "향기로운 흙가슴만 남고/그, 모오든 쇠붙이는 가라"처럼 평화주의, 인
문주의를 존중하는 것이다. 4·19와 이 시가 쓰인 시점의 사이에 5·16이 가로놓
여 있다는 점은 중요한 시사를 던져준다. 김수영의 "혁명"이 민중에 의해 성취
돼야 하듯이, 신동엽의 "통일"도 민족에 의해 민주적, 평화적으로 달성돼야 한
다는 점이 소중하게 담겨 있는 것이다. 김수영의 "풀"은 신동엽의 "흙가슴"과
연결되어 60년대 민족주의, 민중주의, 민주주의의 대표적 상징이 된다.

1962년 「이빨」 등으로 등장한 이성부는 개인의 삶이 사회와의 연대 관계
속에서 비로소 참다운 의미를 획득할 수 있을 것이라는 확실한 깨달음을 보여
주었다.

벼는 서로 어우러져
기대고 산다
햇살 따가와질수록
깊이 익어 스스로를 아끼고
이웃들에게 저를 맡긴다.

서로가 서로의 몸을 묶어
더 튼튼해진 백성들을 보아라

죄도 없이 죄지어서 더욱 불타는
마음들을 보아라, 벼가 춤출 때,
벼는 소리없이 떠나간다.

벼는 가을 하늘에도
서러운 눈 씻어 맑게 다스릴 줄 알고
바람 한 점에도
제 몸의 노여움을 덮는다.
저의 가슴도 더운 줄을 안다.
벼가 떠나가며 바치는
이 넓디넓은 사랑,
쓰러지고, 쓰러지고 다시 일어서서 드리는
이 피 묻은 그리움
이 넉넉한 힘…

—「벼」

　　이성부의 대표작 중의 한 편인 이「벼」는 "벼"라는 상징을 통해 개인 의식
이 어떻게 "우리"라는 집단의식 또는 공동체 의식으로 역동화(mobilization)될
수 있으며 또 돼야 하는가를 예리하게 제시해 준다. "죄도 없이 죄지어서 더욱
불타는 마음"을 지니며 살아온 이 땅의 민중 "쓰러지고 쓰러지고 다시 일어서
서" 끈질기게 참고 견뎌온 이 땅 농민들의 어기찬 생명력과 울분의 힘이 "벼"
로 표상된 것이다. 따라서 좌절과 울분으로 일관돼 온 민중 개개인의 허약한
실존은 "서로가 서로의 몸을 묶어/더 튼튼해진 백성들"과 같이 공동체 의식을
획득함으로써 역사 추진의 주체이자 원동력으로서 의미를 지니게 된다. "벼"
로 상징되는 이성부의 공동체 의식에 바탕을 둔 비판적 시정신은 공소한 구호
와 관념적인 주장으로 도식화되기 쉬운 참여시에 대한 자기반성이 되는 동시
에 앞으로의 방향을 올바르게 제시한 것으로 보인다. 이후 이성부는 연작 시「
전라도」와「백제」등을 통해서 역사에서 소외되고 권력에 짓눌린 민중의 울

분과 한, 그리고 비판 의식을 드러냄으로써 시를 통한 진정한 현실 참여의 한 전형을 제시하였다.

1962년에 등장한 조태일은 이 땅에서 자유 민주주의의 시련과 수난을 파열된 처녀막으로 비유하였다. 연작시 「나의 처녀막」은 4·19적인 순결성이 훼손된 60년대의 좌절된 현실을 풍자한 작품이다. 그는 또 한 연작시 「식칼론」 등에서 반민주, 반민중에 대한 비판과 투쟁 의지를, 「국토」 등에서는 이 땅의 비극적 역사에 대한 울분과 함께 그것에 대한 저항과 극복 의지를 표출하였다.

1965년 「강설기」로 등장한 김광협은 처음에는 서정시를 썼으나 차츰 사회적 관심의 시로 이행해 갔다. 그의 연작시 「농민」은 가난 속에서도 좌절하지 않고 꿋꿋하게 살아가는 이 땅의 민중상을 보여 주었다. 또한 시집 『천파만파』 등을 통해서 사회적 모순과 부조리를 날카롭게 비판하고 풍자하는 등 사회적 관심의 시를 주로 발표하였다.

최하림도 1964년 「빈약한 올페의 초상」으로 등장하여 첫 시집 『우리들을 위하여』 등을 간행한 이래, 고통 받는 "우리"로서의 공동체 의식을 주로 탐구하였다. 「밤나라」, 「절망」 등의 시편에는 민중의 한과 울분이 예리하게 표출되어 있으며, 시집 『작은 마을에서』는 그 한 성과가 된다.

김지하는 시의 사회 비판적 기능을 가장 확실하고 또 강력하게 보여줌으로써 이 땅 참여시의 한 정점을 이룩하게 된다. 그는 70년에 『시인』지를 통해서 「황토길」 등으로 등장하였지만, 그의 시정신은 4·19 세대로서의 60년대 시인군에 속하는 것으로 볼 수 있다. 즉 그의 시 의식은 4·19의 연장선상인 60년대에 형성되어 70년대에 개화한 것이기 때문이다. 그는 시를 통한 사회 참여를 강조하여 풍자시 「오적」을 쓰게 되고, 이로부터 70년대의 정치적 긴장 상황에 대립하여 현실적 수난을 당하게 된다. 「오적」에서의 김지하의 이러한 준열한 고발정신과 비판 정신은 원천적으로 조선조 후기의 판소리와 사설시조에서 찾아볼 수 있는 근대정신과 맥이 통하는 것으로서의 의미를 지닌다. 그리고 이것은 "왜 나는 조그만 일에만 분개하는가/한번 정정당당하게 /붙잡혀간 소설가를 위해서 언론의 자유를 요구하고 월남파병에 반대하는/자유를 이행 하지 못하고/야경꾼들만 증오하고 있는가"(「어느날 고궁을 나오면서」에서)라 고 탄식하던 김수영의 한계지워진 관념적 저항시를 한 걸음 발전시키고 실천 화하였다는 점에서 중요한 의미를 지니는 것으로 보인다. 즉 김지하는 김수 영, 신동엽 등의 저항 정신과 비판 정신을 보다 구체화 하고 실천화함으로써 시의 길이 시인의 길이며, 그것은 민중을 바탕으로 하여 추진돼야 하는 실천 예술임을 확고하게 제시한 것이다. 다만 그의 시가 내용에 있어서의 비중이 지나치게 커짐으로써 상대적으로 시를 시답게 하는 미의식 또는 구조 의식이 다소 약화된 것을 지적할 수가 있다. 그러나 그의 시는 새삼 이 땅에서 시가 무 엇이며, 어떠해야 하고, 무엇을 위해 존재해야 하는가에 대한 근본적인 질문 을 제기했다는 점에서 커다란 중요성을 지닌다. 이렇게 볼 때 김지하의 시는 전통적인 비판 정신과 저항 정신의 맥을 현대적으로 계승하였으며, 동시에 이 땅 참여시의 가능성을 제시하고 문제점을 노출했다는 점에서 시사적 의미를 띨 수 있다.

앞에서 논한 시인들 이외에도 문학의 사회적 기능에 주된 관심을 쏟은 60 년대 시인들로는 김재원, 문병란, 황명걸, 이중, 강인섭 등을 꼽을 수 있을 것 이다.

3. 서정시와 생명 감각

한편 사회적 관심을 특히 강조한 시와는 달리 순수한 서정과 낭만성을 강조 한 경향의 시들도 크게 대두되었다. 이러한 서정파 시인들은 시의 사회적 참 여보다는 인간적 체온의 따뜻함과 서정의 아름다움을 더 강조하였다. 이러한 서정성의 추구는 4·19 이후 강조되어 온 시의 사회적 응전력의 확보에 대한 시인 나름의 회의와 반성에서 비롯된 것으로 볼 수 있다. 6·25이후 50년대 시는 주로 목적시와 서정시로 대별할 수 있었다. 이것은 전란의 비극에 대한 자각과 50년대의 한 시대정신인 반공주의의 광범위한 영향에서 비롯된 것이다. 따라서 50년대 시는 목적시, 사회시의 대극에 낭만시, 서정시가 놓이게 되었었다. 실상 낭만성, 서정성을 강조하는 리리시즘의 추구는 우리 시가의 연면한 전통이기도 하지만, 50년대 전쟁의 폐허에서 인간적 체온을 갈구하는데서 자연스럽게 형성됐던 흐름이다. 이것은 정한모, 조병화, 김남조 등의 인간주의적 서정과 이동주, 이원섭, 박재삼, 박성룡 등 고전주의 또는 전원주의서정이라는 두 큰 흐름으로 나눌 수 있다.

60년대의 서정시는 먼저 신춘문예를 통해 등장한 신진 시인들의 시에서 발견되는 주된 경향의 하나였다.

1960년 「나팔서정」으로 데뷔한 정진규는 신선한 서정을 보여 주었다. "내 생가의 겨울 뜨락/내리던 달빛/수척한/내 비애의 장신처럼/한 그루 감나무도 아직 그렇게 있을까"(「달빛」)라는 구절에서 보듯이 그의 서정은 삶의 깊이 속에 감춰진 인간의 본원적 비애와 연결되어 있다. 이후에도 그는 생의 근원에 자리한 고독과 비애의 문제를 집중적으로 추구하였는 바, 시집 『들판에 비인 집이로다』는 그 한 성과에 속한다.

역시 1962년 「과수원」으로 등장한 김원호는 시의 본도가 서정에 있음을 확실하게 보여준 시인의 한 사람이다.

> 빈센트 반 고호의 '과수원'을 아시는지요.
> 도깨비도 무서워할 고목뿐인 올리브 숲이었지요.
> 불타다 남은 자리보다 더 쓸쓸한 곳이었어요.
> 어쩌면 내가 이런 숲을 생각하는지
> 나 자신 올리브 숲의 도깨비가 되고 싶은 모양입니다.
> …중략…

푸른 달밤에 과일이 익을 때
과수원 옆에 초막을 짓고 지내시면
단물 고인 과일나무가 되시겠습니다.

—「과수원」 부분

그의 시는 동화적 심상과 전원적 심상을 효과적으로 결합함으로써 순수 서정의 내질을 섬세하게 드러내 주었다. 이후 시집 『시간의 바다』, 『불의 이야기』 등은 이러한 서정을 더욱 깊이 있게 추구한 작업이 된다.

1963년에 시 「저녁」과 65년 「내란」 당선으로 데뷔한 김종해는 생의 어려움과 고달픔을 섬세한 서정과 밀도 있는 감각으로 노래하였다.

십이월(十二月) 초순에도 빨간 겨울망개가 열리는 눈에 묻힌 나의
마을에는/ 난롯가에 앉아 두볼이 붉은 아낙들이 커다란 귀바늘을 쥐
고 일하는 것을 볼 수 있다/눈에 덮인 이 마을의 창틀마다/황홀한 화제
와 불빛이 새어나고,

—「나의 마을」 부분

김종해는 이후 『현대시』 동인으로 언어적 형상화 문제를 천착하기도 하지만, 기본적인 면에서 그의 시정신은 현실의 고통을 수락하는 가운데 그것을 극복하려는 끈질긴 삶의 의지를 섬세한 감각의 비유로 표현하는 데 바탕을 두고 있는 것으로 보인다. 장편 서사시 「천노, 일어서다」와 시집 『항해일지』는 그 한 성과가 된다.

1964년 「바람불다」로 등장한 이탄도 서정적 인생론을 추구하였다. "구름 지나간 자리에/무엇이 남나/무엇이 남나/그렇게 봐도/ 눈에는/구름 한 점/비치지 않고 그저/하늘이기만 하네"(「구름 지나간 자리」에서)라는 한 구절에서처럼 이탄은 삶의 깊이 속에 감춰진 허적과 비애를 섬세하게 노래하여 60년대 서정시의 한 영역을 개척하였다.

1966년 「빙하기」로 데뷔한 이가림도 리리시스트로서의 면모를 보여주었다.

>눈은 내리고
>겨울이 빈 나무허리를 쓸며 있을 때.
>캄캄한 안개 속
>침몰하여 가는 내 선박(船舶)은
>이제 고달픈 닻을 내리어 정박하고서
>축축히 꿈의 이슬에 잠자는 영원(永遠)인 것을
>
>　　　　　　　　　　　　　　　　—「빙하기」 부분

이 「빙하기」의 일절은 그의 시적 출발이 삶의 우수와 비애, 사랑의 정감 등 서정에 기초하고 있음을 말해 준다. 70년대 들어서 그의 시는 시집 『유리창에 이마를 대고』 등에서 현실에 대한 강한 관심을 피력하면서 서정성을 심화해 간다는 점에서 새로운 변모를 보이고 있다.

1967년 「순은이 빛나는 이 아침에」로 등장한 오탁번은 신선한 서정을 섬세하게 형상화하는 한 시범을 보여주었다.

>눈을 밟으면 귀가 맑게 트인다
>나뭇가지마다 순은(純銀)의 손끝으로 빛나는
>눈내린 숲길에 멈추어 선
>겨울 아침의 행인(行人)들
>…중략…
>행인(行人)들의 순수(純粹)는 눈내린 숲 속으로 빨려가고
>숲의 순수는 행인(行人)에게로 오는
>이전(移轉)의 순간,
>다 잊어버릴 때, 다만 기다려질 때
>아득한 세계가 운반(運般)되는 운반
>은빛 새들의 무수한 비상(飛翔) 가운데

겨울 아침으로 밝아가는 불씨를 본다.

　　　　　　　　　　　　　　　　　─「순은이 빛나는 이 아침에」부분

「순은이 빛나는 이 아침에」의 이 한 부분은 오탁번의 서정의 내질과 감각의 섬세함을 단적으로 웅변해 준다. 시집『아침의 예언』에서 두루 발견되는 이러한 서정적 생감각의 지적 투명화는 60년대 서정시가 성취한 한 성과로 판단된다. 정지용의 시편에서 두루 발견되는 서정과 지성의 투명함이 오탁번의 시적 감수성의 원천으로 보여진다.

이들 이외에도 이러한 리리시스트의 계열에 속하는 유수한 시인들로는 이근배, 박이도, 강우식, 박제천, 홍희표, 강인한 등을 꼽을 수 있다. 그러나 이들은 크게 보아 리리시즘의 정신에 바탕을 두고 있긴 하지만, 각자가 독자적인 세계를 추구한다는 점에서는 차라리 개성파 시인으로 부를 수도 있을 것이다.

이근배는 1961년 등단 이래 시와 시조를 넘나들면서 개성적인 세계를 개척하였다. 그의 시는 「그곳이 참하 꿈엔들 잊힐리야」등의 시에서 처럼 사실된 것, 흘러간 것들에 대한 과거 지향적 상상력을 추구하였는 바, 시조는 그 표현의 한 양태이다.

박이도도 1962년 「황제와 나」이래로 시집『회상의 숲』, 『폭설』, 『바람의 손끝이 되어』등을 통해서 생의 감각적 서정을 상징적으로 처리하는 한 시범을 보여 주었다.

강우식은 시집『사행시초』, 『고려의 눈보라』, 『꽃을 꺾기 시작하면서』등을 통해서 원초적인 생명 충동을 4행시로 표현하는 등 개성적인 시세계를 개척하여 관심을 끌었다. "꽃들에게 강원도 감자 불알만큼씩한 불알 두 쪽을 흔들어 주며 십 년 세월을 바람으로 살았다. 파도를 일으키기 위하여 좆물을 채우거나 빼듯이 했다. 익사하지 못한 빈 술병 하나로 바다에 내던져져 흐르며 추던 춤, 텅빈 가슴으로 바람소리 나 흉내내다 이 몸 물 되지 못하면 어차피 부서질 수밖에 없을 것이다. 이 몸 깨뜨릴 바위는 무량수전 바다의 어디에 있는가"(「자화상」)라는 이 시는 특이한 4행 구조로 짜여 있는 작품으로서 그의 시 세계를 선명히 보여준다. 그것은 생의 충동적 본성의 개방이며 동시에 그 허무감에 대한 비애의 정서로 요약할 수 있을 것이다.

박제천은 그의 첫 시집 『장자시』 이래 『심법』, 『율』 등의 시집을 통해서 전통적인 동양 정신 내지는 한국적인 정신과 정서를 집중적으로 천착하였다.

사는 일에 다 때가 있어 어쩔 길 없으니 슬퍼라
흰 실은 색색으로 물들여지기도 하지만 절로 때를 타니 슬퍼라
때로는 길이 막혀 갈 수 없으니 슬퍼라
오직 슬픔에 뜻을 붙이고 사니 슬퍼라
사람들이 슬픔을 싫어하니 슬퍼라
슬픔만이 나의 것이니 슬퍼라
그러나 이제 누가 새삼 이미 그의 것인 슬픔을 슬퍼하랴
—「통곡헌」

「통곡헌」이라는 이 작품은 역사 속에서 소외된 자, 이루지 못한 자들의 비극적 세계 인식을 다루고 있다. 이 한 예에서도 볼 수 있듯 이 박제천은 우리의 역사 속의 인물, 풍속, 작품, 사건 등을 현대적 서정으로 형상화하는 등 역사적 상상력의 세계를 천착했다는 점에서 위치를 지닌다.

홍희표는 1967년 『현대문학』으로 등단한 이래 시집 『어군의 지름길』, 『숙취』, 『마음은 구겨지고』, 『한방울의 물에도』, 『살풀이』 등을 간행하는 등 의욕적인 활동을 보여주었다.

나뭇줄기에서 뿜어오는
멀고 가까운 숨길
지붕 위의 아지랑이

밤사이 음정(音程)을 물고
다사로운 체온(體溫)을 깰 때
내 입김에 안기는 샘물

—「아침 연주」부분

홍희표는 자연과 인간의 교감을 섬세한 서정으로 형상화하는 데 특징을 지니고 있으며, 이후로는 「살풀이」 등에서 민족적인 정감에 뿌리박은 인간적 서정을 주로 노래하였다.

60년대 말에 등장한 김종철과 박정만도 유수한 서정 시인으로 평가된다. "사시사철 눈오는 겨울의 은은한 베틀소리가 들리는/아내의 나라에는 집집마다 아직 태어나지 않은 마을의 하늘과 아이들이 쉬고 있다/마른 가지의 난동의 빨간열매가 수(繡)실로 뜨이는 눈 내린 이 겨울날"(김종철, 「재봉」)과 같은 한 구절에서 보이듯이, 이 두 시인은 생의 허적과 고통에 관심을 두면서도 서정의 탄력성을 심화해 가는 시범을 보여준 것이다.

이러한 60년대 서정의 유형을 우리는 다시 도시적 서정파, 전원적 서정파, 생명적 서정파, 종교적 서정파, 고전적 서정파 등의 여러 갈래로 더욱 세분할 수도 있을 것이다. 그러나 전체적인 흐름에 있어서 이들 서정파들은 삶을 원천적으로 긍정하고 사랑하는 가운데 삶의 원형질로서의 서정을 강조한다는 점에서는 근원적 동일성을 지니는 것으로 이해된다.

사회적 관심의 시편들이 "밖의 세계", "현실의 세계", "우리의 세계", "투쟁의 세계"를 강조한다면, 이들은 "안의 세계", "본질의 세계", "신화의 세계", "자기 극복의 세계"에 더 비중을 두고 있는 것이다. 전통적인 한국적 리리시즘에 뿌리를 두면서도 60년대의 험난한 현실에서 스스로의 삶을 확보하고 시적 진실의 아름다움을 수호하려는 데서 이들 서정파의 의미가 선명히 드러난다.

4. 언어시와 예술 의식

생감각을 확충하고 이것을 서정적으로 순화하는 데 힘을 기울인 서정주의 시인들과는 또 달리 현대시의 마력인 은유와 상징을 폭넓게 구사함으로써 현대시의 새로운 영역을 개척하려는 일군의 시인이 등장하였다. 이들은 현대시가 쓰이는 것이 아니라 만들어지는 것이며, 이 점에서 현대시는 의도적인 방법론을 채택해야 하고, 그렇기 때문에 언어의 문제에 집중적인 관심이 놓여야 한다고 주장하였다. 이 점에서 이들을 예술파 혹은 언어파라고 부를 수도 있을 것이다. 실상 시가 언어로 쓰이는 예술이라는 점을 감안해 본다면, 이에 대하여 관심이 집중되는 것은 당연한 일이 아닐 수 없다. 시가 언어 예술인 바에야 그 나름의 확대와 심화 과정이 필수적이며, 따라서 실험과 모색이 전개돼야 할 것이다. 시 사상에서 이러한 언어적 실험과 그에 따른 방법론의 모색은 이미 이상, 김기림을 비롯한 30년대 모더니스트들에 의해 전개된 바 있으며, 50년대에도 『후반기』 동인들을 중심으로 활발히 이루어져 왔다. 이들은 현대시가 현실에 지나치게 집착하거나, 서정에 탐닉되는 것을 거부하고, 시의 자율성과 예술성을 특히 강조하였다.

이들 언어파의 태도는 기본적으로 시가 언어 예술이기 때문에 무엇보다도 언어 문제에 관심이 집중돼야 하며, 특히 그것은 의미의 울림 혹은 언어미의 구조적 뒤틀림에 의지해야 한다고 생각하였다. 50년대 『후반기』 동인은 물론 김춘수, 김구용, 김광림, 김종삼 등이 이 방면에 관심을 기울였으며, 이것은 60년대 들어서서 동인지 『현대시』가 결성되면서 급격하게 영향력을 확장해 갔다. 원래 동인지 『현대시』는 범시단적 성격을 띠고 출범했지만, 3집부터는 내면 의식의 비유적 형상화라는 공통 이념을 가진 신진 시인들로 새롭게 재출발하였다. 이들은 주로 내면 의식의 탐구를 바탕으로 하여 형식에 관한 실험, 시간과 공간의 해체, 문법 구조의 뒤틀음을 통한 애매 모호성의 강조, 비유와 상징 및 이미지의 다양한 활용 등 언어의 시적 가능성을 극대화하는 데 주력하였다. 이후 「현대시 까르떼」를 발표하는 등 지속적으로 동인지를 발간하던 이들은 1971년 26집을 마지막으로 『현대시』의 간판을 내리고 각자의 길을 모색해 가기 시작하였다. 60년대에 약 10년간에 걸쳐 전개된 이들의 활동은 해방 후 이 땅의 현대시가 문학의 문학성, 즉 시의 자율성과 예술성을 확보하는 데 대한 치열한 모색과 성찰을 보여주었다는 데서 의미를 지닐 수 있을 것이다. 시가 정치와 현실에 민감하게 응전하는 것도 중요한 일이지만, 시 자체의 근본 문제인 언어 미학에 보다 큰 관심을 기울이는 것도 의미 있는 일이 되기 때문이다.

  50년대 말에 등장한 황동규와 마종기, 이유경, 김영태 등은 이러한 주지적인 언어 탐구파의 선두에 놓인다. 특히 황동규는 서정시에서 출발하여 「삼남에 내리는 눈」 등 비판시를 거쳐서 개성적인 주지시, 예술시를 개척하였다.

          걸어서 항구(港口)에 도착했다/길게 부는 한지(寒地)의 바람
          바다 앞의 집들을 흔들고
          긴눈 내릴듯/낮게 낮게 비치는 불빛
          지전(紙錢)에 그려진 반듯한 그림을 /주머니에 구겨넣고
          반쯤 탄 담배를 그림자처럼 꺼버리고
          조용한 마음으로/배있는 데로 내려간다
          정박중의 어두운 용골(龍骨)들이
          모두 고개를 들고
          항구(港口)의 안을 들여다 보고 있었다
          어두운 하늘에는 수삼 개(數三個)의 눈송이
          하늘의 새들이 따르고 있었다.
                                          —「기항지」1

  이유경의 시 「어둠 속의 산책」은 제목에서 짐작할 수 있듯이 혼돈된 어둠

의 세계, 즉 무의식의 질서를 탐구한다. 이 시에는 "선험/의식/기억/평형/방황/상념/잡념" 등 무수한 관념어들이 잡다하게 얽혀서 현대인의 복잡다기한 의식의 내면을 반추해준다. 애매모호한 관념어의 복잡한 얽힘이 마치 현대인의 의식의 혼란과 무질서를 반영해 주는 듯하다. 여기서 시인이 노리는 것은 현실에 대한 강력한 발언도 아니며, 아름다운 서정의 추구도 아니다. 다양하면서도 다채로운 관념어들이 비유와 상징으로 교직되면서 불러일으키는 언어의 울림, 즉 반향의 마력을 실험한 것이다. 이후에 그는 시집『하남시편』이나 『초락도』를 통해서 자연과 인간의 깊이 속에 감춰진 내밀한 질서를 섬세한 비유와 상징을 구사함으로써 언어파의 새로운 변경을 개척하였다.

이에 비해 김영태는 비유와 상징 및 이미지가 환기하는 언어적 울림의 효과를 두드러지게 강조하였다.

> 흰 말 속에 들어 있는/고전적(古典的)인 살결/흰 눈이 저음(低音)으로 내려/어두운 집/은(銀)빛 가구(家具) 위에/수녀(修女)들의 이름이/무명(無名)으로 남는다/화병마다 나는/꽃을 갈았다/얼음 속에 들은 엄격한 변주곡(變奏曲)/흰눈의 소리없는 저음(低音)/흰 살결 안에 /램프를 키고/나는 소금을 친/한잔의 식수(食水)를 마신다/나는 살빠진 빗으로 내리 훑으는/칠흑(漆黑)의 머리칼 속에/삼동(三冬)의 활을 꽂는다.
> —「첼로」

「첼로」라는 이 시는 "흰 말/흰 눈/은빛 가구/수녀/화병/꽃/램프 /소금/머리칼/삼동의 활" 등의 환상적인 이미지들이 자유분방하게 결합하여 상상과 언어의 아름다움을 환기해 준다. 샤갈 그림의 회화적 이미지가 바하의 음악적 율감과 결합함으로써 언어적 울림의 깊이를 더 해 주는 것이다. 즉 상상력과 언어가 빚어내는 환상적인 회화의 율감이자, 순수한 음악성의 형상미인 것이다. 인용해 본위의 두 시가 지닌 의미상의 애매 모호성을 일컬어 흔히 현대시의 난해성이라고 하는 바, 이것을 혹자는 언어의 유희 혹은 현실 도피적 말장난으로 매도하기도 한다. 그러나 이러한 추구와 실험이 현실적인 설득력이 부족하다고 하더라도 그것이 지니는 예술적인 의미 자체가 부정될 수는 없다. 시가 현실적 유용성만으로 존재하는 것은 아니다. 시의 현실적 응전력이 어느 한 시대의 주된 정신으로 존재할 수는 있지만, 그것만이 언제나 전면적, 절대적 가치가 되는 것은 아니기 때문이다.

이승훈은 1962년『현대 문학』의 추천으로 등단한 이래 언어와의 싸움을 가장 지속적으로 전개해 온 언어파의 한 사람이다.

> 그는
> 의식(意識)의 가장 어두운 헛간에
> 부는 바람이다.
>
> 당나귀가 돌아오는
> 호밀밭에선
> 한 되 가량의 달빛이 익는다.
>
> 한 되 가량의 달빛이
> 기울어진 헛간을 물들인다.
> 안 보이던 시간(時間)이
> 총(銃)에 맞아
> 떨어지는 새의 머리인 것을,
> 보았다. 그때 나는
> 가느다란 배암이 되어
> 신(神)의 헛간을 빠져나가고
>
> 오 빠져나가고,
> 나는 손이 없는 손으로 어루만졌다.
> 안 보이는 시간(時間)이

울고 있었다.

　　　　　　　　　　　　　　　　　　　　　　　　　—「어휘」

　이「어휘」란 시의 특징은 어휘 즉 대상으로서의 언어가 사물화되어 있다는
점이다. 시의 방법에 속하는 언어를 구체적인 형상화의 대상으로 목적화함으
로써 기존 의미의 틀을 제거해 버리려 시도한다. 따라서 논리적인 의미 연관
이 없는 이미지들을 작위적으로 결합시킴으로써 내면 의식의 비유적 형상화
를 성취한 것이다. 따라서 시인이 관심을 갖는 것은 객관적인 외부의 현실 세
계가 아니다. 그것은 내면 의식의 상징화 작업이며 동시에 새로운 언어 구조
질서의 모색이고 상상 체계의 변용에 가깝다. 이승훈의 이러한 현대시적 언어
실험은 김춘수적인, 소위 무의미 시를 계승한 것으로서 난해시 혹은 가짜 시
논쟁을 불러일으킨 바 있지만, 시집 『사물 A』, 『환상의 다리』, 『당신의 초상』
등에서 더욱 본격적으로 시도되었다.
　박의상도 다분히 내면 의식의 비유적 전치와 자유 연상에 의한 환상적 이미
지를 활용함으로써 "현대시"적인 특성을 선명히 보여 주었다.

　　　밤사이 뜰에/죽어 누워 있던 말들/어제의 말들을/나는 어떻게 다시/
　　　거두어 넣으려는가/ 처음 쩔꺽이는 뇌리(惱裡)속의 한 손으로/시계(時
　　　計)라는 단어(單語)를 낚어내고/어머니 소리치며/부엌으로 식욕과 상
　　　쾌가 달려 나간다//막힌 수도(水道)꼭지에서/물방울이 듣는 긴장(緊
　　　張), 지금/음악(音樂)이 언어(言語)의 꼬리를 물고 있나 보다.

　「새벽에」라는 이 시는 의식의 혼돈과 언어의 사물화라는 측면에서 쉬르적
인 방법을 구사하여 애매 모호성을 유발한다. 그러나 박의상은 시집 『금주에
온 비』 이후 차츰 언어 실험과 함께 사회 문제에 관심을 기울이는 방향으로 변
모해 갔다.

이건청도 자유 연상과 비유에 의한 이미지 실험을 구사하는 쪽에 놓인다.

피묻은 손이 하나 날아간다
날개 없는 젊음의 손 하나가
수평선(水平線) 끝에 떠 있다.
힘의 뿌리가 쓰러진 바다에
혼자서 출렁였다.

질펀한 사유(思惟)의 늪에
비늘에 싸인 파아란 침(針)
기다란 내 몸을
돌로 쳐라, 짓이겨라
아, 그렇게 나는 죽겠다.

잘려진 손이 떠 있는
수평선(水平線) 너머에
일몰(日沒)이 걸린다.
한밤이 와 머문다.

오래오래 정지된 이 순간이
반짝이는 별을 남긴 채
별안간 사라진다.

— 「별」

시 「별」의 특징은 "피묻은 손/날개 없는 젊음의 손/질펀한 사유의 늪/잘려
진 손/파아란 침" 등과 같이 은유화된 추상적 이미지들이 자유롭게 결합되어
애매모호성을 유발한다는 점에 있다. 그러나 그의 시에는 이러한 언어의 실험
이외에도 "정신 병원 담장 안의 망초들이/마른 꽃을 달고/어둠에 잠긴다"(「망
초꽃 하나」)라는 구절이나 "마른 풀들이/예배당 쪽 언덕을 덮고 있다/검정개

가 한 마리/피나무 숲을 지나/거목의 주검에 이른다"(「무너지는 사내」) 등에
서처럼 식물적 상상력을 근간으로 한 섬세한 생명력 추구, 그리고 그것의 이
미지화 노력 이 자주 발견된다는 점에서 리리컬 이미지스트의 면모가 더 강한
것으로 보인다. 실상 『이건청 시집』이나 『목마른 자는 잠들고』, 『망초꽃 하나』
등의 시에는 서정적 이미지즘이 돋보이는 것이 사실이다.

오세영도 68년 『현대 문학』으로 등장한 이래 초기 시에서 내면 의식의 환
상적 추구와 언어 실험을 전개하였다.

> 질그릇 하나 부서지고 있다.
> 질그릇의 밑바닥에 잠긴 바다가
> 조용히 부서지고 있다.
> 스스로 부서져 흙이 되는
> 저 혼들리는 바다.
> 질그릇에 담긴 생선(生鮮)의 뼈,
> 질그릇에 담긴 폭풍(暴風),
> 질그릇에 담긴 공간(空間),
> 그 공간(空間) 하나 스스로 부서지고 있다.
> ―「질그릇」

「질그릇」이라는 이 시는 상상력의 자유로운 개방, 그것의 비유적 결합에
특징이 있다. "질그릇"과 "바다"의 이미지를 결합하고, 여기에 다시 "생선뼈/
폭풍/공간" 등의 시간, 공간적 형상을 조형함으로써 상상력과 언어의 영역을
확대하고 심화한 것이다. 그러나 오세영은 첫 시집 『반란하는 빛』에서 이미지
스트로서의 정착되지 못한 모습에서부터 차츰 벗어나, 제 2시집 『가장 어두운
날 저녁에』나 연작시 『무명연시』에 이르러서는 시의 존재성 혹은 철학성을
집요하게 추구함으로써 존재론적 언어파로서 자기 세계를 확고히 구축하게
되었다.

이수익도『현대시』의 핵심 멤버로서 내면 의식의 탐구와 언어 실험을 의욕적으로 전개하였다. "저음의/흑인 가수들이/노래 부르는 서러운 잇발같이/저 반짝거리는 잎들/새로/보겠네/그것은 잃어버린/유년기의/사진첩/넘어가는 소리, /회상의 어느 소로에다 나를 버려두고 /다시 떠나가네 위로 단속의 햇빛/깔리는 자갈들 상하고 있고 그 푸른 육안들 마주칠 때 뼈처럼 삭아버린/내 오뇌의 꽃잎/또 보겠네" (「강변에서」)라는 시에서 보듯이 "잇발/잎들/사진첩/회상의 소로/단속의 햇빛/푸른 육안" 등 몇 개의 상이한 이미지들로서 대상을 데 포르마시옹하고 있는 것이다. 특히 그의 언어 실험은 서정적인 비애의 정조를 바닥에 깔고 있다는 점에서 예술적인 심미감을 더해주는 것으로 이해된다.

이들 이외에도『현대시』동인으로 활약한 허만하, 주문돈, 이해령, 김규태, 마종하 등의 시인들도『현대시』의 특성인 언어 미학을 바탕으로 각자 개성적인 실험을 전개하였다.

또한『현대시』동인은 아니었지만 정현종과 오규원도 상상력의 자유로움 속에서 이미지의 조형에 주력하는 등 언어파로서의 면모를 보여주었다. 정현종은 내면 의식 속에서 언어와 상상력이 어떻게 갈등하고 화해하는가를 주의 깊게 탐구하였으며, 오규원은 의식의 과감한 전치와 언어의 뒤틀음을 통해서 현대인의 복잡다기한 내면세계를 풍자적으로 확장하는 데 힘을 기울였다.

『현대시』동인들을 중심으로 해서 광범위하게 전개된 내면 의식의 탐구와 언어 문제에 대한 집중적 천착은 사회시 운동과 서정시 운동 등과 더불어 60년대 시의 중요한 흐름을 형성했다고 해도 과언이 아닐 것이다. 그러나 이러한 언어파의 순수시 운동은 때로는 무작정 기존 의미를 제거하고 신기한 방법의 모색에만 급급함으로써 말초적인 언어의 유희나 관념의 희롱 또는 이미지 조작으로 떨어지고만 경우도 없지 않았다. 따라서 애매모호성의 강조가 때로는 가짜시를 낳기도 하였으며, 그 결과 난해시가 바로 현대시라는 잘못된 인식을 불러일으키는 요인이 되기도 하였다. 이 점에서 60년대의 언어시 운동이 시의 자율성과 예술성 확보에 긍정적 기여를 한 것이 사실이지만, 동시에 시를 "난해하기만 한 것" 또는 "재미없는 것"이라는 인식을 유발함으로써 독자와의 친화력을 상실해 가게 한 것도 부인할 수 없는 사실이다. 현대시가 현대와 현대인의 복잡다기한 생활양식과 의식 구조를 개성적으로 또한 전체적인 각도에서 반영해야 하며, 현대시가 또한 시 자체로서의 예술적인 발전 과정을 겪어야 하는 것이 사실이지만, 이런 면들이 잘못 강조되어 말초적인 기교화 혹은 이미지 실험만을 거듭함으로써 난해성, 현학성을 부채질한다는 것은 그다지 바람직한 현상이 아니다. 현대시가 아무리 전문 예술로서의 새로운 방법 개발이나 내용상의 신기성을 필요로 한다 해도, 그것이 생생한 삶의 문제와 연결되어 폭넓은 독자와의 친화와 교감을 획득함으로써 성숙되고 개화될 때 언어파의 시도 참된 의미를 가질 수 있는 것이기 때문이다.

5. 1960년대 시의 사적 의미

60년대 시는 해방 후 현대시의 기본 흐름을 몇 갈래로 보여 준 것으로 풀이된다. 그것은 지금까지 살펴본 것처럼 사회시(참여시), 서정시(생명시), 언어시(예술시) 등으로 구분 호칭할 수도 있을 것이다. 이것은 또한 6·25와 4·19, 그리고 5·16이라는 역사적 사건들과 암묵의 대응 관계를 지닌다. 이 중에서 특히 60년대 시는 해방 이후 민족진영의 순수 예술 지향성에 대한 근본적 반성을 촉구한 데서 의미가 놓인다. 그것은 시가 언어 예술이고, 서정에 밑바탕을 이루지만, 근원적인 면에서 그것은 당대인의 삶과 밀착되지 않으면 안 된다는 자각 위에 놓인다. 다시 말해 60년대 시는 이 땅에서 역사 전개의 주체가 민중이어야 하듯이, 문학이 이들의 삶을 떠나서 참된 생명력을 획득하기 어렵다는 점을 4·19 사회시를 통해 선명히 제시한 데서 의미가 주어진다. 또한 60년대 시는 문학 담당층에 있어 식민지 교육 세대와 해방 후 한글 세대의 교체 전환점이 됐다는 데 의미가 놓여진다. 즉 60년대 시인군이 새롭게 형성됨으로써 이 땅의 시가 식민지 체험, 즉 일본적 감수성을 떨쳐버리는 한 분화기가 됐다는 점이 그것이다. 이것은 60년대 초부터 『60년대 사화집』(1961.7), 『현대시』(1962), 『시단』(1963), 『신춘시』(1963), 『돌과 사랑』(1963), 『신년대』(1963), 『여류시』(1964) 등을 비롯하여 『사계』, 『시학』, 『영도』, 『산문 시대』, 『시와 시론』 등 무수한 동인지가 발간되고, 이후 계간지 『창작과 비평』, 문학지 『월간문학』, 시 전문지 『현대시학』이 창간되는 등 문학 운동의 열기가 새롭게 솟구침으로써 본격적인 현대시의 흐름을 형성해가기 시작한 것으로 그 징표가 될 수 있다. 아울러 김후란, 박정희, 한순홍, 추영수, 허영자, 김윤희, 김송희, 김선영, 임성숙, 박영숙, 김숙자, 이경희, 유안진, 김초혜, 강계순 등 해방 후 세대인 여류시인이 60년대에 데뷔한 점도 중요한 의미를 지닌다. 김선영, 김숙자, 김혜숙, 박영숙, 추영수, 허영자, 김후란 등의 『청미』와 박명성, 김윤희, 김지향, 강계순, 이향아, 유안진 등의 『여류시』는 50년대 몇몇 시인으로 특징 지어지던 여류 시단을 다원화, 활성화하는 데 크게 기여했기 때문이다. 이러한 시의 내면적 다층화와 외형적 다양화는 60년대가 해방 후 현대시사에 있어서 근본적인 전환점이 되고 있음을 시사해 준다. 아울러 전문적인 시론가, 비평가가 등장한 것도 60년대 시를 위해서 고무적인 일이 아닐 수 없었다.

4·19와 5·16의 60년대는 분명 비극의 시대이고 시련의 시대였지만, 그것이 갖는 근대사적 의미가 중차대한 것과 마찬가지로 60년대 시도 다양한 모색과 실험 속에서 조금씩 뿌리내리고 성숙되어 가기 시작했다는 점에서 의미를 지닌다. 60년대에는 새로운 전후 세대와 4·19세대의 등장에 의하여 전문 시단이 형성되고 본격적인 현대시가 전개되게 된 것이다.

1984년

제4장 1970년대의 젊은 시인들

서론

근년에 들어 70년대의 문화사적 의미에 관한 성찰이 다각도로 전개되고 있는 것은 80년대의 새로운 문화 창조를 위해 바람직한 일이다. 특히 문학계에 있어서의 비평적 정리와 성찰은 문학이 문화의 구심적 단위 인자라는 점에서 현대 한국 문화의 보편적 현상과 특질을 구명하는 데 긴요한 작업이 된다. 편의 상 사용되던 70년대 문학, 혹은 70년대 시인이라는 명칭이 이미 아무 저항감 없이 받아들여지는 것만 보더라도, 지금 80년대 초의 입장에서 70년대 문학의 정신사적 특질과 문제점을 분석해 보는 것은 값진 일이 아닐 수 없다.

실상 70년대의 이 땅의 시와 소설, 그리고 비평 등 문학 현상은 현대 문학사 전개에 있어 전년대와는 확연히 구별되는 정신의 특이한 양상을 지니는 것으로 판단된다. 어느 면에서 한국 현대사의 여러 문제점과 모순점 그리고 갈등과 발전 가능성을 동시에 제기해 준 70년대는 문학에 있어서도 많은 성과와 함께 상황적 한계점을 극명하게 드러내 주었다는 점에서 중요한 사적 전환기로 받아들여진다. 특히 시는 당대 정신과 풍속의 형질을 첨예하게 제시하는 문학 양식의 꽃이며 척도라는 점에서 중요성이 가로놓인다. 그러므로 70년대

시의 여러 특징과 현황을 살펴보는 것은 당대의 문학사 내지 한국 정신사의 현장 검증과 새로운 창조력의 획득을 위해 간절한 작업이 된다.

1. 도시적 삶의 징후, 또는 허무주의

70년대 한국시는 "어둠"이라는 대표적 시어가 상징하듯 삶의 어려움에 대한 좌절과 슬픔을 표출한 시가 중요한 흐름을 형성한다. 이미 60년대부터 나타나기 시작한 이러한 허무적 경향의 시들은 특히 70년대 초반부터 급격히 대두된 유신 추진에 따른 정치적 폭력과 물량주의, 상업주의의 팽배와 더불어 더욱 심화되어 갔다. 날로 거대해지는 도시 문명과 산업 구조는 부조리와 모순을 야기하였으며, 특히 격심한 가치관의 혼란과 인간 부정 현상을 초래함으로써 이 땅의 시인들에게 뿌리 깊은 절망감과 부정적 인식을 예화하였다. 시가 이러한 물질의 질곡으로부터 벗어나려는 자유의 몸부림, 신화적 시간으로의 회귀를 지향할 때 실존적 삶의 어려움이 가중된다.

감태준과 이태수, 그리고 장석주와 정호승은 이러한 도시적 삶의 갈등과 비애를 보여준다는 점에서 시적 공감대를 지닌다.

먼저 감태준은 서울로 표상되는 소외와 좌절의 체험, 그리고 바다로 표상되는 상실과 그리움을 바탕으로 도시적 삶의 어려움과 페이소스를 형상화한다.

① 산자락에 매달린 바라크 몇 채는 트럭에 실려 가고…//…헐린 마음에 무수히 못을 박으며 …//…생각이 다 닳은 사람들은,…빨래처럼 널려 있었다.

—「몸 바뀐 사람들」부분

② 포장술집에는 두 꾼이 멀리 뒷산에는 단풍 쓴 나무들이 가을비에 흔들린다 흔들려, 흔들릴 때마다 독하게 한잔씩…

—「흔들릴 때마다 한잔」에서

③ 놈은 이제 기적소리에도 가볍게 떠밀리고, 떠밀리는 놈의 등에서, 아니, 그 의 물결소리가 들리는 머리 위 공간(空間)에서 나는 그 때 새들의 고향을 얼핏 보았다.

　　　　　　　　　　　　　　　　　　　　　　　—「귀향」 부분

시 ①은 몸밖에 가진 것 없는 변두리 인생의 덧없는 삶을, ②는 도시적 삶에 짓눌린 외로운 자아를 묘사함으로써 그것이 바로 우리 자신의 슬픈 모습임을 적나라하게 보여 준다. 특히 ②시는 "두 꾼/참새/가을 비/단풍"의 신선한 아날로지를 통해 단독자로서의 외로운 삶에 대한 페이소스를 표출한다. 시 ③은 뿌리 없이 살아가는 서울 삶에의 콤플렉스와 함께 돌아갈 수 없는 고향, 이미 잃어버린 시간에 대한 그리움과 비애를 형상화하고 있다. 누구나 객지이면서 고향일 수밖에 없는 서울의 도시적 삶의 방식에 뿌리박지 못하는 절망감이 시의 전면을 지배한다. 이러한 감태준의 소시민적 갈등과 우수가 쉽게 감상주의와 연루될 소지가 있음에도 그의 시는 항상 나를 객관물과 병치시킴으로써 시적 절제를 보여 준다는 점에서 시적 성공을 거둔다. 특히 "빨래" 등의 비유적 테마는 항상 닳아만 가는 나, 더러워 가는 일상인의 삶을 효과적으로 묘파해 준다.

이태수도 실존적 불안에 허덕이는 도시적 삶에 대한 좌절을 노래하고 있다.

① 별 하나 위태롭게 매달려 있단다/보이지 않는 어떤 큰 손도 발목을 묶어대고/ 푸석한 얼굴에 탈이나 뒤집어쓰고/ 떠돌기만 한단다/이름도 없는 별(病), 숨어서 앓으며/밥 빌러 가는 거지 되어 애비는/거리에서 거리로 흩날리기만 한단다.

　　　　　　　　　　　　　　　　　　　　　　　—「잠자는 아기 곁에서」

② 모든 것이 부질없이 다만 흔들거리고/바람만 제 혼자 눈멀어 눈멀어 불고/아아 그랬었군요. 나는/ 물위의 기름방울 혹은 뜬 구름.

　　　　　　　　　　　　　　　　　　　　　　　—「물 위에 기름방울 혹은 뜬 구름」

시 ①은 현실에 짓눌려 부서져 가는 현대인의 어두운 모습을 통해 실존의 불안과 절망감을 표출한다. 또한 시 ②는 실존의 불길한 예감과 허망성을 드러내 준다. "물 위의 기름방울"처럼 혹은 "뜬 구름"처럼 흘러가는 도회적 삶의 무상성과 그에 대한 비극적 인식이 「낮에 꾸는 꿈」, 「길은 안 보이고」, 「낮술」 및 연작시 「그림자의 그늘」의 주조를 이루는 것이다.

장석주의 시도 물질에 지배당하는 현실적 삶의 질곡과 함께 오염된 도시 문명을 살아가는 고통과 부끄러움을 드러낸다.

> 한 그릇의 더운 밥을 얻기 위하여/나는 몇 번이나 죄를 짓고/몇 번이나 자신을 속였는가/밥 한 그릇의 사슬에 매달려 있는 목숨/그 대가로 받았던 몇 번의 끼니에 대하여/부끄러워한다
>
> ─「밥」

> 강물은시장(市場)이다…창녀다그녀는밤마다공장의폐수로몸단장을한다그러나더추해진다…팅팅불은쥐비현실이다…/인간은 왜 사는가?/…강물을 더럽히기 위하여 산다.
>
> ─「자정의 물받기」

그의 시는 도처에서 육체의 무게, 물질에 구속받는 인간 조건에 대한 괴로움을 노출한다. 아울러 혼탁한 도시적 삶의 갈등과 좌절을, 과감한 현실적 소재를 아무렇게나 결합하거나 띄어쓰기를 거부하는 등 형태적 반란을 통해 극복하고자 시도한다. 그러므로 그의 시는 "삐걱이는 목조 계단의 영혼과 무거운 돌의 육체를 가지고/산다는 것은 그러나 사소한 일인가?"(「나는 꽃을…」)라는 존재에 대한 질문을 제기하고, 또한 "쓸쓸한 저녁이면 문을 켜자…/많은 소유는 근심을 더하고/등은 헐벗고 굶주린 자의 자유/등 밑에서 신뢰는 따뜻하고 마음은 넉넉한 법"(「등에 부침」)과 같이 불안과 좌절의 현실에서 희망과 자유를 간직하려는 노력 의 일단을 보여 준다.

정호승의 시도 도시적 삶에 길들여진 현대인의 비정함과 함께 현실의 험한 파도를 헤쳐가는 생의 어려움을 묘사한다. 「파도타기」는 "또 이 세상 어디론가 끌려가는 겨울밤에 /굳어 버린 파도에 길을 내며 간다/괴로울수록 홀로 넘칠 파도를 탄다/솟구쳤다 사라지는 우리의 발/사라 졌다. 솟구치는 우리들의 생"과 같은 구절처럼 현실적 삶의 어려움과 그 괴로움을 표출한다. 또한 「눈사람」은 허약한 현대인의 실존에 대한 응시를 보여 주며, 「맹인 부부 가수」, 「혼혈아에게」 등은 잊혀진 삶, 불행한 삶에 대한 슬픔과 애정을 나타내고 있다. 특히 「서울의 예수」는 절망과 어둠으로서의 현실, 부조리와 모순의 도시적 삶을 묵묵히 감내해가는 현대인의 모습을 상징하는 데 성공하고 있다.

지금까지 살펴본 것처럼 감태준, 이태수, 장석주 및 정호승은 이 세상에 "내던져진 자(Gewortenheit)"로서 현실을 살아가는 고통과 슬픔을 통해서 도회적 삶의 어려움과 절망을 형상화하고 있다. 이러한 절망이 메타포 등 다양한 기교로 상승되는 지점에서 이들의 슬픔이 단순한 감상주의나 허무주의를 극복하여 참된 시로서의 예술적 형상력을 강화해 나아갈 수 있음을 지적해 둔다.

2. 참여시와 비평 정신의 문제점

50년대의 한국시가 한국 전쟁 즉 6·25의 충격과 파장에서 전개되었듯이, 60년대의 시는 4·19의 파장과 영향권에서 형성되어갔다. 문학사 속의 4·19는 단순한 정치사적 사건이 아니다. 4·19는 외면적인 정치 상황의 급격한 변혁으로서의 의미보다는 민중이 역사의 주체임을 깨닫게 하고 확인해 줌으로써 자발적인 민족적 주체성 확보와 민주적 자아 발견 의 전환점을 마련해주었다는 데 의미가 있다. 더구나 문학 속의 4·19는 이러한 민족적 주체성의 자각과 민주적 자아 발견 그 자체가 중요한 것이라기보다 이러한 자유 이념과 민주 정신이 어떻게 문학적 표현을 획득하며 또 얼마만큼 형상화에 성공하느냐에 그 중요성이 달려 있다. 4·19는 분명 『뿌린 피는 영원히』 등 몇 권의 현장시를 남기고 있으며 김수영, 신동엽 등에 의한 문제성 있는 역작을 탄생시키는 계기가 된 것이 사실이다. 또한 이후의 한국시가 상황과 응전이라는 현실 참여적 경향으로 전개돼 간 것도 4·19의 문학에 대한 충격에서 비롯된 것으로 볼 수 있다. 그러나 이들 60년대와 70년대에 걸쳐 이 땅을 풍미한 참여시가 4·19 정신의 역사적 문맥을 꿰뚫어보고 또한 그 실상과 허상을 예리하게 파악하여 작가의 문학 의식 속에 이끌어 들여 참된 문학적 형상화에 성공하고 있는가 하는 점은 진지하게 반성해 볼 과제로 남아 있다. 문학적 진실은 역사적 시간 속에서 개방되기 마련이다. 어느 면 생경한 관념의 표출이나 지나친 목적의식의 선행으로 이 땅의 참여시들이 종종 경색된 징후를 보이거나 아니면 시성을 잃고 단순화하는 경우도 많았던 것이 사실이다.

『오적』, 『농무』, 『국토』, 『저문강에 삽을 씻고』 등의 시집으로 대표되는 참여시는 정신의 치열성에 있어 분단 시대 문학의 한 전환점이 된다.

이들 현실 비판 시들은 70년대 초의 유신 추진과 그에 대한 광범위한 국민적 저항 운동을 시로써 수용하기 시작하였다. 특히 김지하의 『오적』은 시의 현실적, 사회적 응전력을 크게 확대하는 결정적인 계기가 되었다. 신경림의 『농무』는 급격한 산업화로 피폐화된 농민들의 삶과 그 현실을 집중적으로 천착하였다.

정희성과 더불어 김광규는 참여의 구호를 외치지 않으면서도 역사와 현실에 대한 날카로운 투시와 휴머니즘적 비평 정신을 섬세한 메타포를 통해 형상화함으로써 이 땅의 참여시의 새로운 가능성을 제시한다.

　① 한 줄의 시는커녕/단 한 권의 소설도 읽은 바 없이/그는 한평생을 행복하게 살며/많은 돈을 벌었고/높은 자리에 올라 이처럼 훌륭한 비석을 남겼다 그리고 어느 유명한 문인이 그를 기리는 묘비명을 여기에 썼다. /…이 묘비는 살아남아/귀중한 사료(史料)가 될 것이니/역

사는 도대체 무엇을 기록하며 시인은 무엇을 남길 것이냐

—「묘비명」

② 나누지 않고는 견딜 수 없어/자유롭게 널려진 산과 들과 바다를 나누고/마침내는 소리와 빛과 별까지도/나누고/이제는 우리의 머리와 몸을 나누는 수밖에 없어

—「도다리를 먹으며」

③ 어린 게 한 마리/거품을 뿜으며 헛발질 할 때/바다의 자유는 어디에 있을까/달려오는 군용 트럭에 깔려/터져 죽는다/어린 게의 시체/찬란한 빛

—「어린 게의 죽음」

시 ①은 세속적 삶이 지배하는 현실을 풍자하면서 역사 속에서 과연 진실의 진정한 모습은 어떠한 것인가 하는 날카로운 질문을 제기한다. 시 ②는 "도다리"라는 상징을 통해 흑과 백, 체제와 반체제, 그리고 좌와 우의 갈등과 대립으로 이루어지는 인간 사회 구조의 부조리와, 네 편 아니면 내 편으로 구분하려는 편파성에 대한 비판과 야유를 보여 준다. 시 ③은 거대한 힘, 보이지 않는 손에 짓눌리는 인간 실존의 허약성을 어린 게에 비유하여 자유를 향한 모든 생명 있는 것들의 몸부림을 보여주고 아울러 약한 것에 대한 응시와 애정의 휴머니즘을 표출해 주고 있다. 또한 그는 「물오리」에서 본원적인 자유에 대한 동경과 갈망을, 「어느 지사의 전기」에서 인간적 한계에 대한 풍자를, 「희미한 옛사랑의 그림자」에서 4·19 정신의 퇴화 과정에 대한 비판적 성찰을, 그리고 「안개의 나라」에서 상황에 순응하는 실존에 대한 여유 있는 풍자를 보여준다. 그의 시는 흥분하지 않으면서도 충분히 주장하고, 난해에 빠지지 않으면서 지적 감동을 주는 묘미를 지니며, 아울러 도도한 비판 정신이 객관적 상관물과 정서적 등가를 이룩함으로써 시적 성공을 성취한다.

한편 이동순과 김창완 등의 시는 사회의 구조적 모순과 체제적 부조리에 대한 신랄한 비판과 문학적 저항을 시도한다.

① 짓밟혀도 아프단 말 못 하는 꽃잎 짓밟고/황사(黃砂)속 더듬어 수유리 찾아가니/혁명은 왜 고독한 것이냐는 물음에조차 입다문다/감옥에서 보내온 아우의 편지가 구겨져 있을 뿐/작은 돌멩이들아/이 외면당한 변두리 길에서 짓밟히고 있는지/그러나 아직은 침묵해야지/수유리/짙어지는 어두움

—「수유리의 침묵」

② 이장네 씨암탉 허벅지 뜯어먹고/기름진 뼈끝마다 고름 든 면장님의/등창에 뜸질을 위해서/자네는 한줌의 재로도 스러진다/자작농이 되었다는 자랑 때문에 / 쇠스랑에 찍혀 죽은 우리 외삼촌/보따리장수 외숙모

—「쑥」

시 ①은 짓눌려 사는 사람들의 울분과 비애를 현실적인 참여 의지로, 시 ②는 "쑥"으로 비유되는 농민들의 비극적 삶을 통해 강렬한 현실 비판을 시도한다. 특히 전자는 4·19의 상흔과 민권의 짓눌림에 대한 인식을 결합함으로써, 후자는 사회의 구조적 모순에 대한 저항을 시도함으로써 이 땅 참여시의 한 모델을 보여준다. 이 시들이 의식의 치열성과 비판 정신의 당당함이라는 긍정적 요소에도 불구하고 대립 개념으로 사회 구조를 파악하는 시각과 지나친 시어의 노골화는 오히려 시적 감동을 저해하고 목적의식의 범람으로 인해 오히려 식상함을 유발할 수 있다는 점을 생각해야 한다. 김 시인은 자신의 생래적인 비판 정신과 투철한 저항 의식이 예술적 정서의 등가물로 이끌어 올려질 때 비로소 그의 시가 민중시로서의 참된 생명력을 지닐 수 있게 된다는 것을 명심해야 할 것이다.

김용범과 조정권의 시도 시대 상황의 부조리에 대한 부정과 비판 정신을 보여 준다. 특히 조정권은 삶을 고통으로 파악하여 현실의 폭력에 대한 저항을 보여 줌으로써 정신의 매서움과 살아 있음을 형상화한다.

> ① 창 밖의 세상은 또 한 겹의 안개로 덮이고 그 속을 흐르는 엘뤼아르의 자유. 그러나 우리는 보았어 내용이 지워진 칠판에서, 선명하게 남아 있는 강한 못자국을, 안개. 우리의 가슴 한 곳 새롭고 강한 못 하나가 박혀 있었어.
>
> ―「강의실 밖의 안개」

> ② 배추는 뽑히더라도 뿌리는 악착스러울이만큼 흙의 혈을 물고 나온다/부러지거나 끊어진 배추 뿌리에 묻어 있는 피/이놈들은 어둠 속에서도 흙의 육(肉)을 물어 뜯고 있었나 보다/나는 뽑혀지는 것은 절대로 뿌리가 아니라는 생각이 든다/그 무엇이 악착스럽게 붙어 있다/흙의 육(肉)을 이빨로 물어뜯은 채
>
> ―「근성」

김용범의 시 ①는 어쩔 수 없는 현실 상황의 절망감이 "안개"와 "못"으로 표상되어 자유와 지조에 대한 열망을 표출한다. 조정권의 시 ②는 뿌리와 흙의 탁월한 유추를 통해 현실적 압력에 대한 개인의 허약성과 함께 끈질기고 매서운 비판 정신을 형상화한다. 그의 「어둠의 뿌리」, 「겨울 저녁이 다시」, 「숯덩이」, 「불」 등의 작품은 시대 상황에 대한 거부의 몸짓 속에 살아 있는 선비 정신을 엿볼 수 있게 한다. 이렇게 볼 때 이 땅 참여시의 문제점은 무엇(pourquoi)을 노래하는가보다, 어떻게(comment) 예술적 형상화에 성공하느냐에 성패의 키가 달려 있음을 알 수 있다.

3. 토속적 정한과 리리시즘

한편 권달웅과 임홍재, 그리고 나태주와 송수권 및 이성선, 이준관은 전원적 서정을 바탕으로 토속적 한 등에 있어 얼마간의 편차를 보이는 시세계를 추구함으로써 전통시적 맥락을 계승한다.

먼저 요절 시인 임홍재는 치렁치렁한 한의 율조를 바탕으로 섬세한 비유와 청신한 소재 감각을 구사하여 가난의 한과 목숨의 험열함을 탁월하게 묘파한다.

> 한평생 닳고 닳은/눈물의 화강석/맑은 귀를 틔워/어머니 바느질을 하 신다/눈물에 익은 달빛을 퍼올리다/잠든 내 유년(幼年)…/떠나간 할머니 상복(喪服)을 깁던/바람은 청솔바람/댓잎소리 우수수/머리칼 올올마다 성에가 찬데
>
> —「바느질」

> 보리밭 가에서 조선낫이/목놓아 운다/등굽은 아버지의 지게가 빈 두렁에 앉아 목놓아 우는 소작인(小作人)/피맺힌 우리들의 식도(食道)/빼앗긴 혼(魂)을 부르며
>
> —「청보리의 노래」

그의 시는 가난과 한의 울분이 원색적인 시어를 통해 강렬하게 표출된다. 이러한 시어의 원색적 강렬성은 운명의 몸부림을 보여주는 동시에 시정신의 강인함과 진솔성을 반영한다. 가난은 눈물과 한을 낳고, 한은 다시 운명애로 변이하여 죽음의 이미지를 형성하면서도 "청보리", "무우청" 등 신선한 시정의 내실을 잃지 않는 데서 임 시인의 시력(詩力)의 깊이가 드러난다. 끝내 명을 다하지 못한 불운한 시인으로서 그의 시가 보여준 한의 운명에 대한 절규와 슬픈 사랑은 70년대 시 중에서 발군의 업적을 남긴 것으로 판단된다.

권달웅도 삶의 어려움을 토속적 정한의 리리시즘으로 형상화하고 있다.

> 시퍼런 강물에 안동포 흔들어 빨고 살아 온 한(恨)이 까마귀 울음
> 폐로 사무치 던가. 등굽은 허리로/네 울음을 칠성판에 흩어 주고 있다
> —「머슴」

그의 시는 "칠석날/은하수/낙동강/머슴/한/새댁/흰 사발" 등 토속적 정한의 소재들을 통해 삶의 이면에 숨겨진 죽음의 내면을 들여다보는 데 특색이 있다. 한 많은 인생의 뿌리 깊은 외로움과 슬픔이 존재와 무의 투시를 통해 전원적 서정과 결합함으로써 미감을 고양시키는 것이다.

송수권도 고전적 정감에 바탕을 둔 탐미적인 슬픔의 세계를 추구함으로써 전통적 서정 양식의 한 모습을 드러낸다.

> 누이야/가을산 그리매에 빠진 눈썹 두어 낱을/지금도 살아서 보는
> 가/눈물 돌로 눌러 죽이고/즈믄밤의 강이 일어서던 것을 산다화(山茶
> 花) 한 가지 꺾어 스스럼 없이/건네이던 것을
> —「산문에 기대어」

그의 시에는 "뻐꾸기/설움/눈물/이승/호롱불/구슬/백자/등잔"등 고전적 정감의 시어가 가득 차 있다. 그의 시는 이러한 고전 정감이 특히 "어느 천민의 손에서 흘러 온 민짜로 된 사기 등잔 하나/우리들의 가슴 속에 고여/뜨거운 핏줄을 밝히는 것은/이 상놈의 피는"(「등잔」)과 같이 역사의식에서 서민 의식으로, 다시 저항 정신의 면모로 전이해가는 데 특징이 있다.

나태주의 시는 전원적 서정이 생명 감각과 결합되어 자연애와 인간애를 보여 준다.

아스라이 청(靑)보리 푸른 숨소리 스민 청자(靑瓷)의 하늘/눈물 고
인 눈으로 바라보지 마셔요/보리밭 이랑이랑마다 숨는 종다리/햇살이
허물벗는 거/보리밭에 바람이 맨살로 드러눕는 거

—「막동리 소묘」

그의 시는 「대숲 아래서」, 「짚불 피워 구들을 달군 뒤」, 「상수리나무 나무
잎 떨어진 숲으로」, 「보리 추위」 등 서정적이면서도 삶의 체취가 배어 있는 소
재를 즐겨 다룬다. 특히 생명 감각과 결부된 자연의 정서적 율감화는 자연사와
인간의 친화와 교감을 통해 탐미적 서정의 휴머니즘으로 상승된다.

이준관과 이성선도 삶의 깊이에 감춰진 허적을 전원적인 서정과 결합함으
로써 한국적 서정의 한 모서리를 드러낸다. 이준관은 「바람이 분다」 등에서
삶의 외로움과 어려움을 자연의 어둠으로 치환하여 인간화 된 전원적 서정을
보여 준다. 특히 「겨울 눈보라」에서는 "겨울은 완강했고/내 현기증과/가난한
폐만 남기고"와 같이 겨울이 상징하는 현실에 대한 두려움을, 또한 「쓸쓸한
가을 나라」에서는 "아, 가을의 깊고 어둔 주름살만/고통스럽게 연기를 올리는
초가집 몇 채" 등 육화된 자연에 대한 절망적 인식을 보여 준다.

이성선은 이에 비해 고전 정감과 전원 소재의 탐미적 묘사 속에 육신의 소
멸을 통한 영혼의 승화를 추구함으로써 불교적 세계관을 드러내 준다. "불/꽃/
하늘" 등이 상징하는 정신세계에 대한 기구와 갈망은 "육체는 허물어져 바다
에 가득하고 영혼은 외롭고 황홀히 타오르며"(「무소의 뿔처럼」)나 "장작처
럼 누워/온몸에 불을 당겨/어두운 땅 한 번 빛내고 하늘로 가리"(「불의 노래」)
와 같이 구체적 표현 속에서 이념성을 지니게 된다. 이러한 종교적 갈망과 지
향이 이 성선을 다른 시인들과 확연히 구별 짓게 하는 요인이 된다. 이러한 고
전 정감과 전원 서정은 전통시의 맥락과 연결됨과 아울러 자칫 방법과 관념에
치우치기 쉬운 현대시에 서정적 탄력과 탐미적 긴장을 불어넣을 촉매가 된다
는 점에서 그 심화와 확대의 중요성이 인정된다.

4. 모더니즘의 방법과 실험

70년대 시에서 드러나는 또 하나의 특징은 방법에 대한 실험과 모색. 즉 모더니즘적 지향이 보인다는 점이다. 이미 30년대의 실험과 50년대의 모색을 거치면서 이념적 성공과 실천적 실패를 되풀이해온 이 방법이 70년대에도 몇 가지 상이한 편차를 보이며 전개된다.

먼저 노향림은 메타포를 통해 관념을 물질로, 사물을 관념과 감정으로 자유자재로 변형하여 이미지스트로서의 독자적 가능성을 보여 준다.

> 몇 트럭씩/논밭으로 실려 나가는 /묶인 고뇌(苦惱)/낯이 선 사투리
> 들이 발길에 툭툭 채였다.
> ―「K읍기행」

> 철사토막 같은 손으로/소나무들은 /앙가슴을 가리고/소리들이 보
> 고 싶었다/대장간에 쌓여 있는 /정적(靜寂)들이 보고 싶었다
> ―「꿈」

그의 시는 온통 이러한 은유적 심상으로 가득 차서 사물과 관념이 지닌 새로운 모습을 볼 수 있게 한다. 관념과 물질, 사물과 인간, 감각과 형상 그리고 시각과 청각들이 은유적 방법으로 상호 침투 변질함으로써 탁월한 시적 이미지의 조형 능력과 회화적 가능성을 제시해 준다. 그러나 이러한 성공적 이미지 조형에 대한 집중적 추구가 기발한 심상의 형성 이외에 어떤 것을 보여 줄 수 있는가에 대한 의문 때문에 이 지향이 회의적인 것으로 판단된다.

이성복은 비속어의 남발과 반윤리적 진술 및 형태의 반란으로 기존의 시 방법과 시 의식에 반발하고 있다.

그는 아버지의 다리를 잡고 개새끼 건방진 자식 하며 / 아버지의 샤
쓰를 찢 어 발기고/눈알을 부라리며 이씨발놈아/마루로 기어올라 술
병을 치켜들고 아버지를 내리 찍으려 할 때

—「어떤 싸움의 기록」

그래, 온몸으로 번지는 매독(梅毒)의 사랑/어느 게 나룻배인가요/아
니에요/그건 쓰러진 누이에요 엄마, 누이가 아파요

—「사랑 일기」

그는 과도한 산문적 개방 속에 비속어, 금기어를 마구 사용하고 "모두 병들
었는데 아무도 아프지 않았다"(「그날」) 등과 같이 시니시즘과 파라독스를 활
용하여 현실의 가면적 모습을 풍자, 야유함으로써 전통적인 시의식과 정신을
거부한다. 특히 행과 연의 작위적인 교란과 타락한 육체에 대한 시니컬한 야
유가 세속사의 흐트러진 실상을 꼬집고 비판한 것이라 십분 그 타당성을 인정
한다 해도 여전히 우리에겐 낯선 것으로 남는다. 이미 이상과 송욱 그리고 전
영경 등의 모색이 실험적인 성공 이외의 그 무엇을 보여 주지 못하고 시사적
실패로 그치고만 사실을 기 할 필요가 있을 것이다.

이하석도 모더니스트적인 기법과 감수성으로 오염된 운명의 허상을 내밀
하게 형상화하고 있다.「부서진 활주로」,「깡통」,「병」등 일련 의 시에서 "페
인트/아스팔트/방독면/철조망/은종이/비행기/넥타이" 등 문명어를 "마지막 비
행기가 문득/끌고 가 버린 하늘"(「부서진 활주로」) 등과 같이 모더니즘적 기
법으로 묘사하고 있다.

5. 1980년대 한국시의 지평

70년대 시를 문학사적으로 판단하는 일은 여러 위험 부담을 지니며 또한

시기상조에 속한다.

이상에서 다룬 시인 이외에도 독자적인 실험과 모색을 성공적으로 보여주는 경우도 있을 수 있을 뿐 아니라, 언급된 시인들이 대부분 변신을 거듭하는 것도 그 한 이유다. 다만 필자는 몇몇 70년대 젊은 시인들을 통해서 70년대 한국시가 지향에 있어 도시적 삶과 전원적 삶, 정신에 있어 상황에 대한 순응과 응전, 그리고 방법에 있어 모더니즘과 리리시즘을 상대축으로 전개되고 있음을 분석하였다. 또한 이들 젊은 시인들이 아직도 지속되는 당대 사회의 상황적인 어려움과 구조적 갈등에 연루된 비극적 세계관에 깊이 빠져들어 있음을 알 수 있었다.

이런 면에 비추어 80년대는 이 땅의 젊은 시인들에게 대가 의식의 구현을 요청하고 있는 것으로 판단된다. 하나의 커다란 주제를 평생에 걸쳐 추구하면서도 각개의 작업이 모두 상이한 개성을 지님으로써 전 작품을 읽어야 비로소 윤곽을 짐작할 수 있는 깊이 있는 작품을 써야 할 것이다. 상황에 대한 조건 반사적 반응이나 지나친 조급성 및 안일성은 작품의 깊이와 넓이를 획득하는데 부정적 요인이 된다. 그러므로 상황에 대한 폭넓은 응전력과 실존의 중요성에 대한 철학적 인식을 획득하고 언어 미학적 추구의 지속화를 통해 시의 대형화를 성취해야 할 것이다.

이제 광복 후 교육받은 대중이 사회의 전면에 대두함으로써 이 땅의 문화적 적응력도 두꺼운 성층을 지니게 되었다. 문예지도 차츰 전문화와 대중화 및 이념화를 성취해 가고 있으며 문화적 구매력도 놀랄 만큼 신장돼 가고 있다는 점에서 80년대 시의 가능성이 더욱 설득력을 갖는다. 편하게 살려는 노력인 물질문명이 맹위를 떨칠수록 고통스럽게 탐구함으로써 인간성을 회복하려는 휴머니즘 지향으로서의 시정신은 빛을 발할 수 있다. 참된 시정신은 고통의 시대를 살면서도 이를 초극하여 이념적인 미래와 신념의 공간을 확대하고 심화하는데서 살아나기 때문이다. 이런 점에서 시대의 절망을 뛰어넘으려는 이 땅 시인들의 시와 정신이 항상 낙관적인 미래를 기대할 수밖에 없으며, 그런 노력을 통해서만 70년대의 깊은 어둠을 밀어내고 80년대의 새로운 지평을 열어갈 수 있을 것이다.

1980년

제5장 1980년대, 현실의 수용과 양식의 분화

1

80년대 시에서 가장 두드러진 특징의 하나는 허무주의의 팽배라 할 수 있다. 70년대 한국시의 핵심 상징이 "밤", "겨울" 등으로 요약할 수 있듯이, 80년대의 시도 이 연장선상에서 파악할 수 있는 것이다. 더욱이 80년대에는 벽두부터의 정치적 혼란과 아픔을 겪었으며, 날로 거세어가는 불신 풍조와 가치관의 붕괴로 말미암아 고통의 시, 허무의 시로 굴절돼 갈 수 밖에 없었다.

> ① 흐르는 것이 물뿐이랴
> 우리가 저와 같아서
> 강변에 나가 삽을 씻으며
> 거기 슬픔도 퍼다 버린다
> 일이 끝나 저물어
> 스스로 깊어가는 강을 보며
> 쭈그려 앉아 담배나 피우고
> 나는 돌아갈 뿐이다
> 삽자루에 맡긴 한 생애가
> 이렇게 저물고, 저물어서

샛강바닥 썩은 물에
달이 뜨는구나
우리가 저와 같아서
흐르는 물에 삽을 씻고
먹을 것 없는 사람들의 마을로
다시 어두워 돌아가야 한다.

—「저문 강에 삽을 씻고」

② 모든 것이 부질없구나.
  잠자는 남명(南溟)의 바다 위에 눈꽃은 지고
  젊은날의 내 야심도
  저 바다의 꽃잎같이 스러졌구나.

  한창때는 나도
  불같이 뜨거운 사랑을 품었는데요,
  눈에도 가슴에도
  불같이 뜨거운 사랑을 품었는데요.

—「요즈음의 날씨」 부분

③ 지금 나에겐 손이 없다
  지금 나에겐 만져볼 이슬이 없다
  지금 나에겐 바라볼 하늘이 없다
  지금 나에겐 고동칠 가슴이 없다

—「지금은」에서 부분

인용한 시 ①에는 고달픔과 어둠으로서의 비관적 현실 인식이 짙게 깔려 있
다. ②에도 좌절과 낙망의 깊은 탄식이 자리잡고 있으며 ③에는 절망과 허무
의 부정적 현실 인식이 밑바탕을 이룬다.

이러한 젊은 시인들의 허무주의는 시인 자신의 삶에 대한 개인적 좌절 기인

한 것으로 볼 수 있지만, 그보다도 70년대 이후 이 땅에서 되풀이 되어온 정치 상황에 대한 절망감과 함께 급격한 경제 성장에 따른 사회의 구조적 모순과 부조리에 대한 거부감에서 비롯된 것으로 이 옳을 듯하다. 이들의 시밖에도 박두진 등 원로시인으로부터 신인층에 이르기까지 허무주의 또는 비극적 현실 인식의 태도는 시에서 한 특징적인 징후군으로서 자리잡고 있다. 그만큼 이 땅에서 역사가 험난하였으며, 그 속에서의 삶이 고통스러웠다는 사실을 반영하는 것이리라.

2

80년대 시에서 특히 두드러지는 특징의 또 한 가지는 시창작의 주체가 근로자와 농민, 즉 민중층으로 급격히 확대되었다는 점이다. 70년대까지만 하더라도 문학이란 문단인들의 전유물이자 하향적인 지향성을 지녀온 것이 사실이다. 그러던 것이 80년대에 이르러서 이른바 등단의 자율화 현상과 더불어 노동자, 농민 시인들이 다수 등장하면서 문학 담당층과 향수층의 폭이 크게 확대되기 시작한 것이다.

> ① 말더듬이 염색공 사촌형은
> 10년 퇴직금을 중동 취업 브로커에게 털리고 나서
> 자살을 했다.
> 돈 1백만원이면
> 아파 누우신 우리 엄마 병원을 가고
> 스물 아홉 노처녀 누나 꽃가말 탄다
> 돈 천만원이면
> 내가 십년을 꼬박 벌어야 한다
> 나의 인생은 일당 4천원짜리
> ―「얼마짜리지」

② 오늘은 장마로 불어난 강을 건너
　집에 가야겠다.
　강을 건너 벗은 신을 들고
　심어논 벼들이 돌아앉는 논두렁을 지나면
　삽을 메고 논 가득한 벼를 바라보며 서 있는
　아버지 곁에 서보려 한다.

　　―올해는 벼들이 일찍 깨어나네요
　　―그렇구나

　　쌀보다 나락을, 나락보다 논 가득한 벼를
　　벼보다 겨울 논을 더 좋아하시는 아버지
　　아버지의 농사는 언제나
　　논에서 풍년이고
　　논 밖에서 흉작인데
　　내 농사는 논 밖에서 풍년이고
　　논 안에서 흉년입니다 아버지
　　아버지의 비는 아버지 일생의 피이고
　　내게서 비는 저 흐린 허공의 비애입니다.

　　―집에 가자
　　―예 아버지

　　아버지, 논으로 울고 논으로 웃고
　　논으로 싸워 아버지의 세상과 논을 지키신 아버지
　　아버지의 적막하게 굽은 등이
　　오늘 따라 왜 이리 넉넉합니까
　　집에 들면 강 건너 밭 지심을 걱정하시는
　　어머님 곁에 앉으셔야
　　맘이 놓이시는 아버지
　　우리들의 아내는 우리들의 마음을

무엇으로 안심시킬까요
아버지.

—「논」

①에는 근로자의 생생한 목소리가 담겨져 있으며, ②에는 농민으로서 의 고달픔과 애달픔이 표출되어 있다. 잘 알려진 바와 같이 ①은 취임 근로자가, ②는 근로 농민이 썼기 때문일 것이다. 그만큼 이들 시는 현장성 또는 구체성을 지니고 있다는 점에서 기존의 전문 시인들이 쓴 노동시 또는 농민시와는 사뭇 다른 리얼리티를 느끼게 해준다. 흔히 운위되는 문학성, 예술성의 개념보다는 운동성, 실천성을 강조하는 이러한 노동시 또는 농민시들이 확대되어감으로써 80년대 시단은 문학 담당층의 보편화 또는 창작 주체의 평등화 현상을 이루어가게 된 것이다.

실상 박 해의 시집 『노동의 새벽』이나 김용택의 『섬진강』 등은 70년대 정희성의 『저문강에 삽을 씻고』나 신경림의 『농무』와 접맥되면서 문학이란 특정 문단인의 것이 아니라 모든 사람들이 그들 현장의 삶을 리얼하게 묘파하는 데서 생생한 감동을 심어줄 수 있다는 소중한 깨달음을 제시한데서 의미를 지닌다. 다시 말해서 문학인의 문학, 시인의 시에서 모든 사람의 문학, 모든 사람의 시로 변화함으로써 창작 주체의 민주화를 성취해가게 된 것이다.

이들의 시는 전문 시인들의 시보다 다소 예술성 또는 형상성이 부족한 것이 사실이고, 부분적인 면에서 과장이나 의도의 노출이 심하다는 결함을 지니지만 문학의 개념을 확대하고 문학 담당층의 확대와 심화를 가져왔다는 점에서 의미를 지니는 것이다.

3

    80년대의 시는 그 지향성에 있어서 하나의 상대적인 면모를 지니는 것이
또 하나의 특징이다. 점차 상실돼가는 고전적인 정신을 탐구하고 그것의 현대
적 변용을 강조하는 측면이 그 하나이며, 분단 현실의 제반 모순과 불합리에
주목하면서 분단 극복의 문학, 즉 통일 지향의 미래 지향성을 추구하는 것이
그 다른 하나이다.

  ① 하늘에서 떨어진 흩날리는 꽃잎들 사이로
    그림자처럼 스쳐 지나가는 덫을 보았다.
    덫에 갇힌 꿈의 얼굴이 눈물에 젖어 번쩍이고 있었다.
    아득한 벼랑위에 한 무더기 꽃으로 피어나 있었다.
    돌아와 다오 소리쳐도
    그 소리마저 돌아오지 않았다.
    뿌리채 뽑힌 한 아름의 붉은 철쭉꽃이
    풀려날 길 없는 덫을 이끌고 수로부인(水路夫人)의 철쭉꽃이 온 하
    늘을 떠돌아 다니고 있었다.
                                  —「수로」

  ② 오월이 가고 유월이 오면
    임진강변의 민들레
    하이얀 낙하산 달고
    남으로 남으로 떠나가네
    한양으로 부산으로
    달리고 싶어도
    달리지 못하는 철마
    오월이 가고 유월이 오면
    임진강변의 민들레
    하이얀 낙하산 달고

북으로 북으로 떠나가네
피양으로 신의주로
달리고 싶어도
달리지 못하는 철마(鐵馬)
금빛 은빛 혼령만 오가고…

— 「씻김굿」 6

시 ①은 삼국유사의 수로부인 설화를 모티브로 하여 그것의 현대적 변용을 시도하였으며 시 ②는 분단의 아픔을 뛰어넘어서 통일을 향해 나아가고 싶다는 분단 극복의 의지를 형상화한 것이다. 시 ①은 향가 「헌화가」가 어떻게 상상력의 아름다운 작용을 통해서 현대시로 탈바꿈하는가를 보여준 대표적인 한 예라 할 것이다. 박제천의 시집 『달은 즈믄 가람에』를 비롯한 일련의 시들이나 『진단시』 동인들이 추구해온 서낭당, 처용, 장승, 도깨비 등의 테마 시집 발간은 이러한 고전의 현대적 변용을 추구하는 한 예들이 될 것이다.

(주문에 따라 온갖 귀신 온갖 탈 등장한다. 북소리, 징소리.)

서해 앞바다 풍어제(祭) 먹고 사는 귀신아
남쪽 호남평야 풍년제(祭) 먹고 사는 귀신아
동해 설악산 산신제(祭) 먹고 사는 귀신아
북쪽 만주벌 지신제(祭) 먹고 사는 귀신아
동구밖 당산목에 당산제(祭) 먹고 사는 귀신아
가뭄들린 전답 기우제 먹고 사는 귀신아
한(恨) 많은 고샅마다 동제(洞祭) 먹고 사는 귀신아
씻김굿 먹고 사는 귀신아
안태굿 먹고 사는 귀신아
별신굿 먹고 사는 귀신아
성주굿 먹고 사는 귀신아
칠성굿 먹고 사는 귀신아

넋풀이 먹고 사는 귀신아
살풀이 먹고 사는 귀신아
육천 동태 잔밥 먹고 사는 귀신아
(북소리 징소리 피리소리.)

한판 걸게 차렸으니
썩 썩 나오너라
(요란한 꽹과리.)

—「세마당 푸닥거리」 부분

　이처럼 고정희 등이 시도하듯이 「세마당 푸닥거리」 등의 시처럼 굿의 형식을 빌어서 현대적 삶의 모습을 풍자하고 비판하는 경향도 많이 나타난다.

　시 ②의 경우처럼 분단 극복의 의지, 또는 통일 지향의 시들이 젊은 층을 중심으로 크게 대두되었다. 전봉건 등 중진 시인이 시집 『북의 고향』을 내고 박봉우 등이 『서울 하야식』을 내면서 분단 극복 의지를 강력히 드러내는 것을 위시해서, 김진경 등이 「교과서 속에서」 등과 같이 분단 극복 의지를 집중적으로 형상화하고 있는 것이다.

가르친다는 것은 싸우는 것이다.
휴전선에 얽혀있는 가시 철조망들이
잔뿌리를 내려
가시 면류관처럼 한반도를 둘러싸더니

—「교과서 속에서」 부분

　지금까지 살펴본 것처럼 80년대 시는 그 지향성에 있어 과거적 상상력에 바탕을 두고 고전 정신의 현대적 변용을 탐구하는 경향과 함께 오늘날 역사적 상상력에 근거하여 분단 극복의 아픔을 감싸 안으면서 자유 민주주의의 정착을 통한 민족, 민주 통일을 성취하고자 하는 미래 지향성의 시가 대두하고 있다.

4

80년대 시에는 또한 형식적인 면에서 산문시가 많이 쓰이는 것과 함께 기존 시 형식에 대한 반발, 즉 반시 운동 또는 실험시 운동이 강력히 대두되는 것이 특징이다.

① 남편이 외국에서 고생하는 생각을 하면 잠이 오지 않는다고 이웃집 아주머니는 말했다. 그래도 친목계에 부지런히 나가면서 집을 늘리고 자동차운전까지 배워두었다. 남편이 돌아올 날만 기다리던 그녀는 어느날 갑자기 쓰러졌다. 그집 아들이 데모를 하다가 붙잡혀 간 것을 나는 몰랐었다.

—「이세상에서 일어나는 일」부분

② 1971년 : 4월 대통령 선거. 5월에 재수하러 상경. 광화문 뒷골목에 진치고 날마다 탁구나 당구 치다.
1972년 : 대학 입학, 청량리 일대에서 하숙. 그해 여름, 어느날, 혼자, 몰래, 588에서 동정을 털고 약먹다. 약값을 친구들한테 뜯기도 하고 새 책을 팔기도 하다. 가을, 국회 의사당 앞, 탱크가 진주하고 학교 문 닫다. 새 헌법 선포되다. 추운 다다미방에서 겨울 내내 신음하다. 독(毒)이 전신에 번지는 꿈에서 화다닥 깨어나기도 하고, 가끔 인천 방면으로 나가 서해 갯벌에서 고은시집(高銀詩集)읽다.
1973년 : 동숭동 개나리꽃 소주병에 꽂고 우리의 위도(緯度) 위로 봄이 후딱 지나간 것을 추도하다. 가정 교사 때려치우다. 이 집 저 집 떠돌아다니다. 여자를 만났다 헤어지고, 그때 홍표·성복이·석희·도연이·정환이·철이·형준이·성인이와 놀다. 그들과 함께, 스메타나, '몰다우강(江)'쏟아지는 학림(學林)다방, 목(木)계단에 오줌을 갈기거나, 지나가는 버스 세워놓고 욕지거리, 감자먹이기 등 발광(發狂)을 한다. 발정기(發精期), 그 긴 여름이 가다. 어디선가 머리카락 타는 냄새가 나고, 어디선가 바람이 다가오는 듯, 예감의 공기를 인 마로니에, 은행나무 숲위로 새들이 먼저 아우성치며 파닥거리다. 그때 생(生)을 어떤

사건, 어떤 우연, 어떤 소음에 떠맡기다. 그 활엽수 아래로 생(生)이, 그
개 같은 생(生)이, 최루탄과 화염병이 강림하던 순간, 그 계절의 성(城)
떠나다. 친구들 '아침 이슬' '애국가' 부르며 차에 올라타다. 황금빛 잎
들이 마저 평지에 지다.

—「활엽수림에서」부분

시 ①은 줄글로 되어 있는 전형적인 산문시의 한 예이고, 시 ②는 일기체로
서술한 실험시의 한 예이다. 산문시란 산문처럼 줄글로 되어 있으면서도 비유
와 상징, 운율 등 시적 장치를 활용하기 때문에 하고 싶은 말을 제대로 할 수
있으면서도 그것을 암유적으로 상징화할 수 있는 장점이 있다. 따라서 현실에
대한 비판이나 풍자 혹은 야유를 하는 데 적절한 방법이다. 근자의 시에는 이
러한 산문시로서 현실에 대한 응전을 강화하는 경향이 두드러지게 나타난다.

②의 시처럼 일기체를 도입하거나 기존 시형을 마구 뒤틀어버리기도 하고
신문 기사나 도표 그리고 수식을 도입하기도 하고, 활자 배열을 특이하게 변형
하면서 산문적인 제목을 붙이기도 하는 등 기존 시형에 대한 반발을 통해서 정
신의 자유로움을 추구하고 현실 비판을 제기하는 경향도 근자의 시에 많이 나
타난다. 80년대 들어서서 이러한 산문시와 실험 시들이 크게 대두하는 것은 열
린 정신을 갈구하는 몸부림의 반영이라 할 수 있다는 점에서 의미를 지닌다.

5

마지막으로 80년대 시의 특징으로 장편시(장시, 연작시)와 서사시의 급격
한 신장세를 들 수 있다. 장시와 서사시는 둘 다 복합 구성의 긴 형식과 설화적
장치를 포괄할 수 있기 때문에 메시지를 전달하고자 하는 경향이 두드러지는
오늘날 현대시에 적합한 양식이 된다. 더구나 서사시는 역사적, 사회적 대응
력을 강하게 지니기 때문에 역사적 시련기와 전환기에 흔히 활용되는 양식에

해당한다. 80년대에「동소산의 머슴새」,「백두산」,「홍범도」,「김대건」등 무수한 서사시가 등장한 것도 서사시가 바로 이러한 역사적, 사회적 대응력을 지니고 있기 때문이다(자세한 것은 졸고「한국 근대 서시와 역사적 대응력」(『문예중앙』, 1985 가을호) 참조).

80년대 문학이 바야흐로 종반을 향해 달려가고 있는 오늘날의 시점은 실로 소중한 의미를 지닌다. 사회 전반이 보다 완전한 자유 민주주의의 실현을 위해 나아가야 할 시점에서 문학도 보다 살아 있는 정신, 열린 정신을 형상화하는 데 헌신해야 할 것이다. 정당한 올바른 역사의식과 사회의식, 그리고 아름다운 예술 의식이 서로 탄력 있게 조화되고, 이것이 휴머니즘의 정신, 인간애의 실천 정신으로 고양돼야만 할 것이다. 문학이란, 특히 시란 이 땅에서 바람직한 삶 또는 인간다운 삶을 향해 나아가려는 고통스런 신음이면서 동시에 열린 정신을 향한 몸부림이기 때문이다.

1986년

제 2 부
현대시의 현장 점검

제1장 1987년 신춘문예와 문학상

1

　1987년에도 중앙의 여섯 일간지와 대다수 지방지들이 신춘문예를 공모하여 신인들을 다수 배출하였다. 특히 이번에는 『문학사상』지가 처음으로 신춘문예를 공모하여 새로운 문예지의 신인 발굴 방식을 선보이기도 하였다. 따라서 이 새해에 중앙 문단에만도 약 36명가량이 새로 얼굴을 내밀고 문단 가족이 된 셈이다. 근년에 들어서서 각종 무크 동인지를 통해서 스스로 등단하여 활약하는 이른바 "등단 자율화" 현상이 나타난 것이 사실이지만, 아직도 전국적인 관심이 일거에 쏠려 치열한 경쟁 끝에 화려한 데뷔를 한다는 점에서 신춘문예의 매력은 줄지 않고 있는 실정이다. 새해의 문단은 신춘문예로부터 장이 서는 것이다.

　이번에 발표된 신춘문예 시, 소설들은 「바느질」(이상희, 『중앙일보』), 「도계행」(김세윤, 『조선일보』), 「돌」(손진은, 『동아일보』), 「맨발로 걷기」(장석남, 『경향신문』), 「어머니의 겨울」(유강희, 『서울신문』), 「관찰법」(송용호, 『한국일보』), 「물이 옷벗는 소리에」(원희석, 『문학사상』) (이상 시) 그리고 「와우석」(이응수, 『조선일보』), 「서울 1986년 여름」(김진우, 『한국일보』),

「뿔」(조순임, 『동아일보』), 「이강산 낙화유수」(이원화, 『서울신문』), 「햇무리」
(유영숙, 『경향신문』), 「마디」(구효서, 『중앙일보』) (이상 소설) 등이다. 이들
중 시의 당선자들은 20대가 주류를 이루고 있으며, 소설은 40대 전후가 많은
데, 전반적으로 여성들의 진출이 부쩍 눈에 띤다.

올해의 신춘문예 작품들은 대체로 현실적 삶의 어려움에 대한 고뇌와 탄식
을 형상화하는 가운데 그에 대한 극복과 화해 의지를 조심스럽게 표출한다는
점에서 하나의 공통점을 지닌다. 일상생활의 주변에서 쉽게 부딪치는 문제들
에 대한 미시적 응시와 감응을 통해서 나름대로의 인간적, 사회적 진실을 탐
구하고 있다는 말이다. 소설의 경우에는 대부분의 작품들이 가정사 내지 가족
사적인 시각에서 출발하고 있으며, 현실 사회 문제를 다룬 경우에도 그것이
알레고리화됨으로써 온건한 사회의식을 드러내는 것이 특징이다.

특히 시의 경우에는 근년 우리 문학의 동향을 엿볼 수 있게 하는 한 시금석
이 된다는 점에서 흥미롭다. 근년의 우리 시, 특히 젊은 층의 시들은 많은 경우
에 현실 의식의 분출이나 역사 감각의 변용을 통해서 현실 비판을 전개하는
것이 하나의 주된 추세에 속했다. 신춘시들의 경우에도 크게 예외는 아니었다
할 수 있을 것이다. 그러나 올해의 신춘시들은 평이한 비유와 소박한 어법으
로 삶의 내면을 깊이 있게 들여다보려 시도한 경우가 많았던 것으로 보인다.
특히 필자가 관심을 가졌던 것은 「돌」과 「바느질」이라는 두 작품이었다.

> 노당리 뒷산
> 홍수 넘쳐 물살 거친 계곡 밑으로
> 쪼그만 돌들 물길에 휩쓸려 떠내려 간다
> 노당리의 산과 들
> 지난 수십년의 계절과 햇빛 바람 다져놓고도
> 동으로 혹은 서으로 머릴 누이고
> 낯익은 백양나무 강아지풀 개구리 울음 뒤로 한 채
> 이 마을 사람들 대처로 대처로 나가듯

물살의 힘 어쩌지 못하고 떠내려 간다
떠내려 가서
형산강 하구나 안강쪽 너른 벌판
낯선 땅에서 발붙이며
지푸라기 다른 돌들과 섞여 부대끼거나
길이 막히면
구비진 어느 구석 외진 도랑에서 비를 긋거나
구름자락 끌어 덮으며 길들여지다가
비가 오면 또 떠밀려 갈 것이다.
만났다가 헤어지고
그냥 안주하기도 하는 돌들의 행려(行旅)여.
몇몇 친숙한 식구가 떠난 뒷산 계곡의 남은 돌들
더 깊은 시름에 잠기고
세찬 여름비의 며칠이 지나고 햇빛 쨍쨍한 날
가슴에 이끼날개 달고
밤 속으로 은빛 공간 열며
별이 되는 꿈을 꾸는
조약돌 몇이 얼핏 보인다.

—「돌」

「돌」은 견고함의 표상인 “돌”의 광물적 이미저리를 세파의 상징인 “물(물결)”과 충돌시킴으로써 고통스런 현실의 파도를 헤쳐 가는 서민들의 고달픈 삶의 모습을 효과적으로 형상화해 주었다. 섣부른 현실 비판이나 저항 의식을 드러내지 않으면서도 현실의 어려움을 감내하고 극복함으로써 스스로의 삶을 고양시키려는 안간힘과 그 의지가 “돌”에 함축되어 나타난 것이다.
「바느질」의 경우도 마찬가지이다.

남루를 기우려고
그는 실을 바늘에 꿴다.

그가 타고 앉은 섬이
기우뚱 몸서리를 쳤다.
바늘 귀에 들어간 그의 눈이
귀를 막는다.
그는 귀가 멀었다.
바늘 귀는 낙타 눈만큼 열렸다.
오관(五官)으로 꼬인 실이
거짓말처럼 꿰인다.
매듭을 짓고 일을 시작하는 것이
바느질 뿐일까.
그는 홈질이 마음에 들었다.
말줄임표 같이 점점점점…
그러면 쓸데없이 열린 것들이
닫혔다.
때로 한눈을 파는 마음이
손목을 봉하고
그가 앉은 섬에는
낙타가 바늘 속으로 들락날락 하고
있었다.

—「바느질」

　이 작품은 한 땀 한 땀 정성과 인고가 깃들어야 옷을 제대로 꿰맬 수 있다는
암유적 의미를 통해서 위태롭고 불안한 현실을 헤쳐 가는 지난한 노력을 섬세
하게 형상화한 것이다. 나날이 해어져 가고 터져만 가는 일상의 삶, 서민적 삶
의 고달픔을 이겨 나아가려는 안간힘을 바느질로 비유하여 그 속에 아름다운
비애와 따뜻한 삶의 의지를 담고 있는 것이다. 이들 이외에도 「도계행」과 「맨
발로 걷기」 등도 불모의 현실 인식을 딛고 일어서려는 따뜻한 극복과 화해 의
지를 피력하고 있는 것으로 보인다.
　올해 신춘시들의 또 다른 특징 하나는 이들이 예외 없이 짧은 시형으로 짜

여 있다는 점이다. 예년에 신춘시라하면 예외 없이 길고 난삽한 비유로 직조되었던 데 비해서 올해의 시들은 짧아지고 평이해진 것이다. 특히 주제 의식의 과잉과 발언 의식이 다소 거세되고 소박함의 아름다움에 따뜻함을 드러내 보여 준다고 할 수 있다. 다만 신인의 작품으로서 어쩔 수 없는 한계처럼 서정의 깊이가 얕고 지적 절제가 부족한 점 등이 아쉬운 일로 지적된다.

2

해마다 새해 벽두의 신춘문예장이 파하고 나면 1, 2월에는 각종 문학상 시상 잔치가 벌어진다. 올해에도 예년과 같이 여러 종류의 시문학상 수상자가 결정되어 시상식이 요즈음 한창 진행되고 있는 중이다. 올해의 시문학 부문의 수상자 가운데에서 이수익(현대문학상), 고은(한국문학작가상), 정진규(현대시학 작품상), 그리고 오세영(소월시문학상) 등은 최근 우리 시의 몇 가지 동향을 특징적으로 제시한다는 점에서 관심을 끈다. 먼저 이수익은 수상작인 시집 『단순한 기쁨』에서 이 땅 시의 원류인 서정시의 아름다운 한 전범을 제시하여 주었다. 그는 63년 데뷔한 이래 20여 년간 순도 높은 서정을 섬세한 가락의 언어로 형상화함으로써 한국시의 내질(內質)을 심화하는 데 기여해 왔다.

> 봄에는
> 혼자서는 외롭다, 둘이라야 한다, 혹은
> 둘 이상이라야 한다
> 물은 물끼리 흐르고
> 꽃은 꽃끼리 피어나고
> 하늘에 구름은 구름끼리 흐르는데
> 자꾸만 부푸는 피를 안고
> 혼자서 어떻게 사나, 이 찬란한 봄날

가슴이 터져서 어떻게 사나
그대는 물건너
아득한 섬으로만 떠있는데

—「봄날에」1

위의 작품에서 보듯이 자연과 인간이 어울려 감각적으로 육화된 서정시의 한 전범을 보여 준다. 그의 부드럽고 유려한 가락 속에는 삭막한 현대의 벌판 속을 헤쳐 가는 삶의 비애와 탄식이 짙고 아름답게 깔려 있어서 은은한 감동을 던져준다.

고은의 수상작인 시집 『만인보』는 80년대 문학의 큰 흐름이 이른바 민중시의 자리 잡힌 모습을 보여 주어서 주목을 환기한다.

강 건너 내포 일대
대천장 예산장 서산장
아무리 고달픈 길 걸어도
아버지는 사뭇 꿈꾸는 사람이었읍니다
비 오면 두 손으로 비 받으며
아이고 아이고 반가와하는 사람이었읍니다

—「아버지」

『만인보』란 고은이 세상살이에서 만난 개인적, 사회적, 역사적 인물들을 두루 형상화하여 삶의 총체적인 모습을 제시하고자 한 회심의 역작이자 80년대 시단의 한 성과에 속한다. 특히 80년대에 들어서서 이 땅의 많은 시는 도시 빈민과 근로자, 농민들의 척박한 삶과 그것을 둘러싸고 있는 당대 현실의 열악한 환경과 그 구조적 모순에 대한 분노와 저항을 소리 높여 외쳐온 것이 사실이다.

그러나 고은의 『만인보』는 집단의 도식화된 목소리와 상투화된 유형성을 벗어나서 낱낱의 삶이 지니는 구체적 진실에 대한 밀도 있는 응시와 애정을 보여 주었다는 점에서 의미를 지닌다. 시집 『만인보』는 개인적 삶의 구체성과 그 진실을 통해서만이 사회적 삶, 역사적 삶에로의 확대가 이루어질 수 있다는 소중한 확신을 제시한데서 주목에 값하는 것이다.

한편 오세영은 신선한 패기와 새로운 변모를 보여 주어 관심을 끈다. 그의 연작시 「무명 연시」와 「그릇」은 이 땅의 서정시가 철학성을 담을 수 있게 하는 가능성을 날카롭게 제시하였다. 특히 수상 기념시인 「구룡사 시편」들은 사물을 감각적으로 내면화하고 이 속에 관념을 담는 한 시범을 보여주었다.

이밖에도 정진규는 요즈음 유행하는 산문시의 가능성을 수상 시집 『뼈에 대하여』에서 폭넓게 펼쳐 보여 주었다. 감춤으로서의 시정신과 드러냄으로써의 산문 정신을 적절히 교직하여 정신의 깊이와 표현의 넓이를 함께 제시한 것이다.

이제 신춘문예 시상과 문학상 잔치가 마무리되고 있다. 또다시 이 땅의 시인들은 신들메를 고쳐 매고 전력으로 고독하게 질주하여야 할 87년의 문학적 지평이 아스라히 펼쳐져 있을 뿐이다.

1987년

제2장 1986년 신춘문예 시평

새해의 시는 신춘문예 시로부터 시작된다. 새로운 시인들의 신선한 목소리로부터 새 봄의 예감이 맑게 귀를 트이게 하는 것이다.

이번에 필자가 읽은 작품은 「겨울 수화」(최승권.『중앙일보』), 「연장론」(최영철,『한국일보』), 「아침 노래」(염명순,『조선일보』), 「아라비아의 영가2—오아시스」(강미영,『동아일보』), 「꿈의 이동 건축」(박주택,『경향신문』) 그리고 「수렵도, 혹은 겨울나기」(이진영,『서울신문』) 등 중앙 일간지에 실린 여섯 작품이었다. 이들은 대체로 현실의 불모성, 또는 현대인의 인간 상실 현상에 대한 깊은 우려와 탄식을 드러내는 가운데 그에 대한 극복과 화해 의지를 조심스럽게 표출한다는 점에서 하나의 공통성을 지닌다. 그러면서도 그것을 노래하는 방식에 있어서는 각기 나름대로의 개성적인 가락과 호흡을 갖고 있는 것이 사실이다

이진영의 「수렵도…」는 독특한 이야기 전개 방식을 취하고 있다.

> 눈 내리는 그 겨울 산야(山野)에서
> 나는 고구려의 사내와 함께 사냥을 하고 있었다.
> 고구려의 사내는 나무창(槍)을 들고
> 범의 뒤를 날쌔게 쫓아가고 있었고

나는 엽총(獵銃)을 든 채 그의 뒤를 숨차게 따르며
소리 지르고 있었다—

나무창(槍)으로 범을 쫓는 것은 위험한 일이었다.
현대(現代)의 지식에 잘 숙달된 나에게는
총(銃)이 아니면 범은 잡을 수가 없는 짐승이었다.
또한 현대식(現代式) 사냥은 짐승이 눈치채지 못하게 접근해
정확히 사격해야만 되는 것이었으며
사나운 짐승일수록 멀고 은밀한 곳에서 총(銃)을 겨누어야만
안전하고 노련한 사냥 방법이었다.

고구려의 사내는 더욱 힘차게 말(馬)을 달려
날쌔게 범의 뒤를 쫓아가 나무창(槍)을 던졌고,
그 때 눈발 속에 나부끼는 그의 뒷모습은
건강하고 튼튼한 한반도(韓半島)의 참모습.
숨을 할딱거리며 뒤따라온 나를 향해
고구려의 사내는 날쌔고 용감해야 사나운 짐승을 잡을 수가 있다고
또한 힘과 땀과 온몸으로 사냥하는 것이
가장 안전하고 정확한 사냥법이라고 웃으면서 조용히
일러주었다.

그러나 어쩔 것인가
이 現代의 지식에 깊숙이 물든 나의 머리뼈와
사냥 상식을.
눈발 멎은 하늘을 향해 마음의 백조(白鳥)가 큰 소리로 울었을 때
고구려의 사내는 범가죽과 함께 나무창(槍)을 내밀며
사슴을 쫓아가 보라고 말하였다.
몇 채의 산(山)을 넘고 들판을 지나 나의 등줄기가 축축해졌을 때
아, 범가죽 위에는 어느새 사내의 이름이 풋풋하게 돋아나
바람결에 펄럭이고 있던 것을.

나의 나무에도 온몸에도 땀과 힘이 푸르게 솟아나
　　한반도(韓半島)의 먼 힘줄기를 서서히 닮아가고 있던 것을.

　　비로소 나는 엽총(獵銃)과 함께 힘없는 현대(現代)의 지식을 눈더미
속에 파묻으며
　　강(江)물처럼 그에게 말하였다.
　　나도 이제는 고구려의 사내로 말(馬) 달리겠다고.
　　용맹스러운 고구려의 사내로 말(馬) 달리며
　　범가죽 같은 나의 나를 남기기 위해
　　넓은 들을, 넓은 세상을 온몸으로 투신(投身)하겠다고.
　　이윽고 고구려의 사내는 야생(野生)의 백조(白鳥)를 타고 웃으면서
　　지평선 너머로 아득히 멀어져가고,
　　눈 내리는 그 겨울 산야(山野)를 힘차게 달리면서
　　나는 따뜻하고 포근한 겨울을 설매화(雪梅花)처럼 싱싱하게
　　나고 있었다.

　　나무창을 들고 호랑이를 쉽사리 잡아채는 고구려 사내와 엽총을 가지고도
사슴 사냥 하나 제대로 하지 못하는 현대인 "나"를 대비함으로써 현대의 불모
성 또는 현대인의 무기력성을 풍자하고 있는 것이다. 이와 아울러 "고구려"가
표상하는 북방 정신의 웅대함과 "사내"가 표상하는 남성적 생명력의 제고가
이 시대에 있어 긴절한 시대정신임을 강조하는 일종의 현대 문명 비판의 시
또는 역사의식의 시에 해당한다고 보여 진다. 그러나 이 시는 인물 대비의 작
위성과 환상성, 서술의 평면성과 설교적 요소의 두드러짐으로 인해 시적 탄력
성과 표현의 밀도가 다소 떨어지는 것이 흠이다. 무엇보다도 주제의 단순성과
피상성이 투철한 역사의식의 형상화에 미치지 못하고 역사주의 내지 복고 취
미에 머물고 있는 감을 준다는 것은 생각해 보아야 할 문제점으로 판단된다.
　　박주택의「꿈의 이동 건축」은 일종의 이미지 연습을 실험한 시로 이해된다.

1
목재를 실어 나르는 화차(貨車)를 타고
숲으로 가네.
수맥을 짚어 한 모금의
물을 마시는 동안
구름이 어둡게 어둡게 몰려오지만
풀밭에 제비꽃 몇 장 숨기고 있겠지.
휘어이 휘어이 부는 바람같이만
처음인 곳으로 가는 나중의 하늘.
숲 속으로 들어서면 푸른 잎맥의 바다.
물레를 잣는 어머니처럼 부드럽게
하늘이
내게로 내려와 씨앗을 뿌리시고.

아하 바람은 한사코 내 머리위에 머물러 있다.
끌로 땅끝을 깎아 나무들 사이의 행적(行蹟)을 깎아
햇살을 모아 두면서, 바람의 옆모습을 지켜본다.
세계는 옆으로 열리고 열린 창문처럼
쑥뿌리가 내 겨드랑이 털까지 휘감아 돈다.

2
뽑힌 노을은 동(東)쪽 하늘에 머물러 있을 것인가.
창포 꽃잎이 티눈처럼 손바닥에 퍼지고
귀에 잡힌 푸른 공기, 푸른 목숨이 서럽게 느낄 무렵
가슴 속 얽혀 있는 내 생애(生涯)를 점치리라.
별을 보며, 넓적다리에 진득거리는 절망을 떼어 다오.
어제처럼 노을위에 누울 때
까마귀떼 내 발밑으로 돌아와 눕고.

무릎사이로 말할 수 없이 많은 강물이 빠져나가 시방, 내 앞을 지나
가는 사랑앞에 서면 반딧불보다 더 빛나는 나뭇잎들. 산이 되는 바람

에 의해 숲을 건너온 강물은 팽팽한 슬픔을 만드는데,
　나는, 흡반으로 길고 먼 바다를 빨아들인다.

　한 마름의 비단으로 아버지가 가슴을 껴안네
　이 손바닥에 비쳐지는 단 하나의 바다. 우수의 불꽃.
　안개 표지판 없는 생애(生涯)의 채찍을 몰아
　서(西)녘 하늘 굽이굽이 돌아 모두
　내 집으로 불러들이는
　내 뒤를 밟던 새떼.

　3
　손수 나의 흉금을 털어 놓자
　화살 모양의 안개는 지평선 밖으로
　과녁을 찾아 떠나가고,
　나는 집 구조와 가구들을 이동시킨다.
　강물때문에 어느새 현기증이
　높낮이의 생애를 닮아가도
　나는 다시는 태양을 찾지 않는다.
　처음으로 약속받은 땅의 일이며
　어떠한 경우에도 이것은 바뀌지 않는 것이므로.
　다만, 나무들이 지평 위에서 나를 지켜보기 위하여
　날마다 까마귀 알을 받아낼 뿐이므로.

　그러면서도, 생명을 낳고 뜨거운 혈맥을 찾아 계곡을 건너온 물소
리가 굽이 굽이 천정을 울리고, 허물을 벗는 바람을 얼러 등 굽은 회양
목 아래서 또 다시 깊은 잠을 자리라. 그때는 겹겹의 사랑이 땅끝에서,
살아 있는 나를 눈물겹게 껴안아 주리라.

　내입의 불, 어두운 저녁녘에 그려내는 내눈의 태양(太陽).
　꿈의 세계로부터 빛나는 아름다운 약속.
　지평을 밝히는 꿈으로 새는 날아가고

머리에 불꽃을 이고 아침.
나는 잠을 깬다. 일찍이
내가 화차(貨車)를 타고 이주해 온 숲의 아침에
맑은 햇살이 거미줄을 투명하게 비춰주고
보물과 곡식들이 가득찬 나라에서, 말하리라.
깊이를 숨긴 고독 속 새로 남아
내 굴레가 무엇이며
어떤 속박으로 죄어드는 가를.
그때, 사과나무에서 꽃이 피고
양떼들의 풀밭에 양떼구름이
어떻게 순례하는 가를.

　기다란 산문 시행을 둘이나 포함한 무려 60행 가까운 이 작품은 그 길이만
큼이나 다양한 이미지들로 짜여 있는 것이 특징이다. 그것은 대체로 "제비꽃,
쑥뿌리, 창포" 등의 식물적 이미지, "땅, 숲, 계곡" 등의 대지적 이미지, "하늘,
태양, 구름" 등의 천체적 이미지, "새떼, 양떼" 등의 동물적 이미지, 그리고
"화차, 물레, 가구" 및 "눈물, 고독, 꿈" 등의 인간계 이미지로 충만해 있다. 이
러한 이미지들의 다채로운 교직을 통해서 상상력의 풍요로움을 거침없이 드
러낸 데서 이 시의 아름다움이 돋보인다. 그러나 이 작품은 이미지가 지나치
게 잡다하여 소재주의에 머물고 만 느낌을 주며, 아울러 요란한 수식이 오히
려 내용의 공허함을 불러일으키고 말았다는 점에서 아쉬운 감이 없지 않다.
이즈음 젊은 층의 많은 시들이 현실과 사회적 관심에 경사되어 있음에 비추어
이 시가 상상력과 꿈의 세계를 천착한 것은 분명히 개성적인 일에 속한다. 그
렇다고 해서 의미를 지니는 것은 아니다. 중요한 것은 그 어느 쪽 또는 어느 것
을 제재 또는 주제로 택한다 하더라도, 그것을 그 내용에 맞게 제대로 형상화
할 수 있어야 한다는 점을 시인은 음미해야 할 것이다.
　강미영의 「아라비아의 영가2」는 불모의 현실을 살아가는 비애와 함께 사

랑을 통한 생의 구원을 노래하였다.

　　　　낙타도 쉬어가는 사막(沙漠)이다
　　　　나무야, 넌
　　　　뜨겁지 않니.

　　　　네가
　　　　불타는 태양(太陽)에 몸을 사르고
　　　　기어이 만들어낸 서늘한 자리
　　　　흐르는 땀보다 먼저
　　　　내 영혼(靈魂)이 달려가 쉰다.

　　　　사람보다 향기롭고
　　　　사람보다 훈훈하고
　　　　사람보다 넉넉한 나무야, 너는
　　　　사랑이다.

　　　　─사랑은 나를 버리는 아픔이니라,
　　　　밤마다 찾아와 타이르시고

　　　　그러나 돌아서 대문을 나서면, 내 안에서
　　　　어김없이 버림받는 하느님.

　　　　한 걸음 나가 걸을 때마다
　　　　발목에는 한 가지씩 더 죄목(罪目)이 늘고
　　　　산다는 것이 오히려
　　　　날마다 한 번씩 다시 죽는 내
　　　　가난한 목숨이여,

　　　　오늘은

부끄러이 내가
　　네 서늘한 가지 끝에 걸려
　　울고 있다.

　이 시는 이즈음 신춘문예 시들이 지니는 유행적 유형성 또는 신인 시들이 갖기 쉬운 현실 경사로부터 어느 정도 벗어나 있다는 점이 특징이다. 현실의 불모성을 "사막"으로 비유하면서 그로부터의 구원에 대한 갈망을 "오아시스"로 상징화함으로써 인간적인 사랑과 화해를 평이하게 노래한 것이다. 이 시가 신춘문예 시들이 일반적으로 지니는 치밀한 구성과 세련된 표현을 결여하고 있는 것은 사실이다. 신춘문예 시로서는 이례적일 정도로 평이한 비유와 어눌한 표현, 그리고 간결한 형태를 지니고 있다. 어쩌면 이것은 현란한 수사와 요란한 구호로 가득 찬 현대적 삶의 양식과 현대시의 한 추세에 대해 조용한 반성을 요구하는지도 모른다. 요란한 시대일수록 "어눌함의 진실성"(선자들의 말)이 감동을 자아낼 수도 있기 때문이다. 그럼에도 불구하고 이 시는 "…사랑은/나를 버리는 아픔이라", "산다는 것이 오히려/날마다 한번씩 다시 죽는" 등의 구절처럼 상식적이고 직접적인 자기 노출을 보여준다는 점에서 취약점을 지니고 있는 것으로 판단된다.

　염명순의 「아침 노래」는 비관적인 현실 인식을 연가풍의 가락으로 노래한 것이 특징이다.

　　그대에게 가는 길이 보이지 않는다
　　아직 새벽 길은 어두워
　　하늘 끝에 남아 있는 샛별 하나로 길을 밝히면
　　신기하여라
　　문득, 그리운 이름으로 피어나는 그대

　　그러나 지금

그대에게 가는 길이 보이지 않는다
길은 길 위에 넘어져 눈을 감으며
스스로 길을 끊어 일어서는 절벽에
무엇인가
잠시 어둠 속에 희망처럼 빛나다
이젠 뒷걸음질 쳐 물러나
긴 뻘로 덮쳐오는
육중한 이 무게, 이 가위눌림은 무엇인가
밤새 긴 뻘을 꿈틀대며 기어가
절벽에 오르면
아, 오늘의 언덕은 얼마나 높은가

보이지 않는 곳에서
가만히
바람이 불면
그리움의 나무로 흔들리는
작은 씨앗을 심으련다
눈물없어 메마른 땅에
눈물로 떨어진 뜨거운 씨앗 키우며
척박한 땅의 어깨를 흔들고
어두움의 깊이를 가르는
여리디 여린 뿌리
보듬어 안고 싶다

길은 길 위에 넘어져 눈을 감고
어둠이 어둠 위에 넘어져 더 큰 어둠 만들어도
지금 어두운 새벽에
절망보다는 희망이 있어 슬프고
미움보다는 사랑이 있어 마음 아픈
그리운 그대,

이름을 불러본다
그러면 그대는
홀로 어두운 새벽길을 빛의 이름으로 걸어와
눈물로 씻겨 말개진 하늘 보여주며
사람이 사람을 섬겨 아름다운 나라
눈부셔 눈물나는 아침의 나라가 왔다고 말하리

이 시에는 "않는다", "넘어져", "없어" 등의 부정 서술어와 "메마른", "흔들리는", "척박한" 등의 비관적 관형어, "어둠", "절벽", "눈물" 등의 하강적 체언이 주조를 이루고 있다. 그만큼 현실에 대한 시선이 부정적이고 생에 대한 태도가 비관적이라는 말이다. 그러나 이 시는 결구에서 비관이 낙관으로, 부정이 긍정으로, 소멸이 생성으로 전환하고 있는 것이 특징이다. "눈부셔 눈물나는 아침의 나라"에 대한 기대와 갈망이 결구에 표출됨으로써 삶과 세계에 대한 부활 의지를 표출하고 있다. 이것은 어쩌면 "해야 솟아라. 해야 솟아라. 말갛게 씻은 얼굴 고운 해야 솟아라"라고 염원하던 박두진의 '해'의 세계와 상통하는 것일 수도 있으며, 아니면 "님은갓슴니다"에서 시작되어 "네, 네, 가요 지금곳가요"라고 하는 한용운의 시집 『님의 침묵』의 시정신과 연결되는 것일 수 있다. 그만큼 우리 시의 뿌리와 그 유형성에 젖줄을 대고 있다는 말이다. 여기에서 연가로서 노래한 것은 더욱 관습적인 느낌을 불식하기 어려운 점이 된다. 장점은 이 시가 우리 시의 큰 가닥을 잇고 있다는 점일 것이고, 단점은 이 시가 보다 개성적이거나 신선하지 못하다는 점일 것이다. 그리고 "어둠"에서 "밝음"에 이르는 정신적 암투의 과정이 치열성을 다소 결여하고 있다는 점도 아쉬움으로 받아들여진다.

최승권의 「겨울 수화」는 시적 체험의 절실함이 그에 걸맞는 서정적 진실과 연결됨으로써 신선한 감동을 불러일으킨 경우에 해당한다.

몇몇은 보이지 않았다
졸업식 송사의 마지막 구절이
키 작은 여학생들을 일제히 흐느끼게 할 때
서울 어느 목공소 조수로 취직했다는 광오와
상급학교에 진학을 못한 상동이의 얼굴은
금간 유리창 너머 갈매기 두 마리로 날아오르고
교정 구석 단풍나무 한 그루로 선
나는 노을이 지는 바다를 훔쳐 보았다.

싸락눈 잘게 뿌리던 날
문뜰나루 건너온 그놈들이
조회시간에 불쑥 내민 김 뭉치를 받았을 때
지방대학 국문과를 졸업하고
서정적인 시골 중학교 선생님이 된 나는
그놈들의 부르트고 째진 손등과
교실바닥에 나뒹굴던 해우무침 조각을 보고
바다를 따라 흔들리는 유채꽃의 희망과
황토밭을 흐르는 고구마 줄기의 자유에 대해서
나는 얼마나 오랫동안 생각했던 것일까.

해우 한 장보다도 얇은 졸업장을 주면서
바닷가 갯물냄새 투성이의 아이들과
마지막 뜨거운 악수라도 나누고 싶었지만
나는 빈 칠판에 갈매기 두 마리를 그리고
유리창 밑에 숨어 바다를 보며 울었다.

서울의 낯선 어둠을 깎는 대패질 소리와
절망마다 강하게 내리박는 못질 소리가
짧은 편지 가득 들려 오는데
앨범에 묻어두었던 흑백의 그리움이

문뜰나루 갈매기 울음소리에 섞여
옹암리 앞 푸른 바다로 출렁이는 것을 보았다.

　이 시의 핵심은 제목에서 드러난다. 「겨울 수화」라는 제목은 "겨울"과 "수
화"로 분리된다. "겨울"은 현실의 추위와 어둠을 반영하는 것이고, "수화"는
농아자가 온몸으로 말하는 언어 표현 방식이라는 점에서 현실의 절망적 상황
에 대한 항거의 몸짓이자 뜨거운 긍정의 표상이라는 상징성을 지니는 것이다.
이 시에서도 "보이지 않았다", "흐느끼게 할 때", "부르트고 째진 손등", "서울
의 낯선 어둠" 등과 같이 부정적, 비관적 현실 인식이 두드러진다. "지방대학
국문과를 졸업하고/서정적인 시골 중학교 선생님이 된 나"를 시점으로 택한
것 자체가 소외된 삶 또는 변두리적 삶의 양식에 대한 페이소스를 바탕으로
하고 있음을 말해 주는 것이 된다. 그러면서도 이 시가 감동을 유발하는 것은
어두운 현실의 구체적 삶을 생생하게 드러내면서도 그것을 서정적 생명 감각
과 연결시켰으며, 그 속에 삶에 대한 따뜻한 사랑과 뜨거운 긍정을 담고 있기
때문으로 풀이된다. 이 시 역시 다소 정감에 치우치는 등 부분적 약점을 지닌
것이 사실이지만, "바다를 따라 흔들리는 유채꽃의 희망과/황토밭을 흐르는
고구마 줄기의 자유"를 간직하는 가운데 "서울의 낯선 어둠을 깎는 대패질 소
리와/절망마다 강하게 내리박는 못질소리"를 통해서 있어 희망과 자유가 얼
마나 소중한 명제이며, 삶에 대한 긍정과 사랑이 어떻게 인간을 인간답게 하
는가를 조용히 일깨워 준 것은 소중한 일이 아닐 수 없다.
　최영철의 「연장론」은 올해의 신춘문예 시 가운데 필자에게는 비교적 아쉬
움이 덜한 시로 받아들여졌다. 그 까닭은 이즈음의 신진의 시들이 일반적으로
결여하고 있는 한 단점인 사물과 존재에 대한 깊이 있는 성찰을 이 시가 어느
정도 보여주고 있는 것으로 판단되기 때문이다.

우리가 잠시라도 두드리지 않으면
불안한 그대들의 모서리와 모서리는 삐걱거리며 어긋난다
우리가 세상 어딘가에 녹슬고 있을 때
분분한 의견으로 그대들은 갈라서고
그 벌어진 틈새로 굳은 만남은 빠져나간다
우리가 잠시라도 깨어 있지 않으면
그 누가 일어나 두드릴 것인가
무시로 상심하는 그대들을 아프게 다짐해 줄 것인가

그러나 더불어 나아갈 수 없다면
어쩌랴 아지못할 근원으로 한 쪽이 시들고
이 오늘의 완강한 지탱을 위하여 결별하여야 할 때
팽팽한 먹줄 당겨 가늠해 본다
톱날이 지나가는 연장선 위에
천진하게 엎드려 숨죽인 그대들 중
남아야 할 것과 잘려져 혼자 누울 것은
무슨 잣대로 겨누어 분별해야 하는가를

또다시 헤어지고 만날 것을 빤히 알면서
단호한 못질로 쾅쾅 그리움을 결박할 수는 없다
언제라도 피곤한 몸 느슨히 풀어 다리 뻗을 수 있게
일자(一字)나 십자(十字)로 따로 떨어져
스스로 바라보는 내일이 있기를
수없이 죄었다가 또 헤쳐놓을 때
그때마다 제각기로 앉아있는 그대들을 바라보며

몽키 스패너의 아름다운 이름으로
바이스 프라이어의 꽉 다문 입술로
오밀조밀하게 도사린 내부를 더듬으며
세상은 반드시 만나야 할 곳에서 만나
제나름으로 굳게 맞물려 돌고 있음을 본다

그대들이 힘 빠져 비척거릴 때
낡고 녹슬어 부질없을 때
우리의 건장한 팔뚝으로 다스리지 않으면
누가 달려와 쓰다듬을 것인가
상심한 가슴 잠시라도 두드리고
절단하고 헤쳐놓지 않으면
누가 나아와 부단한 오늘을 일으켜 세울 것인가

이 작품은 대패, 톱, 못, 망치, 몽키 스패너, 바이스 프라이어 등의 연장과 그 쓰임새의 비유를 통해서 인간과 인간, 인간과 세계, 존재와 사물의 관계를 적절하게 형상화하고 있어서 관심을 끈다. 각각의 연장들은 각기의 생김새와 쓰임새를 지니며 세계 위에 존재한다. 이것은 마치 각개의 인간들이 그들 나름의 고유한 생김새와 개성 및 고유한 기능을 갖고 이 세상을 살아가는 것과 대응된다. 그러면서도 각개의 연장들은 서로 상보적인 관계를 유지하는 데서 일을 바람직하게 달성할 수 있다. 인간이 개인적 존재이면서 집단을 이루고 있으며, 개인과 집단이 협동과 화해를 성취함으로써 비로소 바람직한 인간 세계를 이끌어갈 수 있다는 깨달음이 제시된 것이다. 현실의 세계상은 "삐걱거리며 어긋나고/갈라서고/빠져나간다"와 같이 분열과 갈등, 혹은 굳어 있음의 모습을 지니는 것이 사실이다. 그러나 연장의 다양한 종류와 그 쓰임새로 인해서 세상의 일이 원활히 이루어지듯이 인간 하나하나도 자신의 일을 충분히 수행하면서 세계와 교섭하고 조화를 이룸으로써 화해로운 세계에로 나아갈 수 있다는 화해의 철학, 평화의 사상이 피력되어 있다는 데서 이 시의 의미가 드러난다. 연장과 일의 관계, 인간과 사회의 관계가 결코 분리되는 것이 아니라, 개성과 다양성을 유지하면서도 하나로 통일되고 화해되는 데서 바람직한 현대적 삶의 지평이 획득될 수 있다는 시인 나름의 인생관을 비유를 통해서 적절히 표출한 점에서 이 시의 우수성이 드러나는 것이다.

이처럼 이번 신춘문예를 통해서 선보인 새로운 시인들은 현실을 비관적으로 바라보는 가운데서도 젊은이다운 의욕과 패기를 바탕으로 앞날의 삶에 대한 희망과 애정을 간직하고 있다는 점에서 앞으로의 가능성을 점칠 수 있게 해준다. 우리 시의 미래는 항상 이들 새로운 젊은이, 무서운 신인들의 노력에 의해 조금씩 앞으로 나아간다는 점에서, 이들 신진 시인들의 정진과 대성을 기대한다.

1986년

제3장 추위와 어둠의 시

겨울의 시는 대체로 추위와 어둠을 노래하기 마련인가 보다. 『문학사상』 송년호에 실린 다섯 작품 중에 네 작품이나 겨울 또는 추위를 다루고 있는 점으로 비춰보아도 그러하다. 이 중에서 정진규와 고정희가 유독 추위를 더 타는 듯하다.

정진규의 시 「따뜻한 상징」은 겨울의 추위와 어둠을 노래하면서 삶에 있어 따뜻함과 밝은 빛이 얼마나 소중한가를 일깨워주고 있다.

> 어떤 밤에 혼자 깨어 있다 보면 이 땅의 사람들이 지금 따뜻하게 그것보다는, 그들이 그리워하는 따뜻하게 그것만큼씩 춥게 잠들어 있다는 사실이 왜 그렇게 눈물겨워 지는지 모르겠다 조금씩 발이 시리기 때문에 깊게 잠들고 있지 못하다는 사실이 왜 그렇게 눈물겨워 지는지 모르겠다 그들의 꿈에도 소름이 조금씩 돋고 있는 것이 보이고 추운 혈관들도 보이고 그들의 부엌 항아리 속에서는 길어다 놓은 이 땅의 물들이 조금씩 살얼음이 잡히고 있는 것이 보인다 요즈음 추위는 그런 것 때문이 아니라고 하지만, 요즈음 추위는 그런 것 때문이 아니라고 하지만, 그들의 문전마다 쌀 두어 됫박쯤씩 말없이 남몰래 팔아다 놓으면서 밤거리를 돌아다니고 싶다 그렇게 밤을 건너가고 싶다 가장 따뜻한 상징, 하이얀 쌀 두어 됫박이 우리에겐 아직도 가장 따뜻한 상징이다
>
> —「따뜻한 상징」

이 시의 배경이 되는 것은 겨울의 추위이며 밤의 어둠이다. 다시 말해서 겨울과 밤이 환기하는 추위와 어둠이 이 시의 모티브가 된다. 이것은 어쩌면 시인 자신의 비관적 현실 인식을 대변하는지도 모른다. 또한 지금 이 땅의 어두운 상황을 암유하는 것일 수도 있다. 이 땅의 많은 사람들은 "춥게 잠들어 있는" 실정이며, "깊게 잠들고 있지 못하고 있는 상황일 수 있기 때문이다. 아니면 이것은 지금 당대인들의 뿌리깊은 불안 이식과 강박 관념, 또는 위기의식의 반영일 수도 있다. "꿈에도 소름이 조금씩 돋고 있는 것이 보이고/추운 혈관들도 보이고/부엌 항아리 속에서는 길어다 놓은 이 땅의 물들이 조금씩 살얼음이 잡히고"라는 구절에서 볼 수 있듯이, "소름/추운 혈관/살얼음" 등의 이미지가 선명히 제시되어 있기 때문이다. "소름/추운 혈관/살얼음"이라는 이미지는 그러한 불안 의식과 강박 관념, 또는 위기의식이 피상적인 것이 아니라 상당히 육화된 모습으로 작용하고 있음을 증명해 주는 것이 된다. 그러나 결구 부분에 이르러서는 이러한 불안감이나 위기의식이 단순히 시대 상황이나 현실 상황에 말미암은 것은 아니라는 점이 시사되어 있다. 이것은 "문전마다 쌀 두어 됫박쯤씩 말없이 남몰래 팔아다 놓으면서 밤거리를 돌아다니고 싶다 그렇게 밤을 건너가고 싶다"라는 구절 속에 극명하게 나타난다. 이 시대에 우리들이 유독 추위를 더 느낄 수밖에 없는 것은 정치 현실 등 외부 상황의 어려움에도 기인하지만, 더 근본적인 것은 인간과 인간 사이의 단절, 혹은 따뜻함과 아름다움으로서의 인간애의 상 실 때문인 것으로 풀이된다. 가난한 문전마다 "쌀 두어 됫박쯤" 나누어 놓고 싶은 것은 바로 상실해 가는 인간애에 대한 강력한 그리움을 표출 한 것이다. 나날이 메마르고 살벌해 가기만 하는 현대 사회에서 인간과 인간 사이의 장벽과 단절을 극복하고 싶다는 아름다운 소망이 피력된 것이다. 특히 여기에서 "쌀"이 오브제로 등장한 것은 이 시를 성공시키는 포인트가 된다는 점에서 적절하다. 쌀은 식량(먹이)으로서의 의미를 지니지만, 동시에 흰 빛이라는 속성으로 인해서 이중 상징성을 지닌다. 쌀은 우리 겨레가 수천 년래 주식으로 해온 생존과 생활의 표상이다. 특히 쌀(벼)은 민중의 애환을 담고 있는 우리 민족적 삶의 실체이자 원동력에 해당한다. 아울러 흰 색은 우리의 민족성이 배어 있는 고유의 색깔, 전통의 색깔로서의 의미를 지닌다. 동시에 친근감과 그리움의 빛깔로서 밝음 지향성과 순결 의지를 표상하기도 한다. 이 점에서 쌀은 민족적, 민중적 삶의 표상이자 전통적, 인간적 삶의 표징으로서의 의미를 지닌다. 그렇기 때문에 단절과 불신으로 가득 찬 현대적 삶 속에서 쌀을 나눈다는 상징적 행위는 그러한 현실의 추위와 어둠을 극복하고자 하는 의지를 반영한 것이 된다. 쌀이 지닌 식량으로서의 열(熱)의 이미지는 현실의 "추위"를 이기게 하는 힘이 되는 동시에 흰 색깔로서의 "빛"의 이미지는 현실의 짙은 어둠을 밝게 만들어 주는 인간애의 등불이 되기 때문이다.

한편 고정희는 "옷"이라는 오브제를 통해서 현실의 어둠과 추위 그리고 삶의 허적을 노래하고 있다.

> 언제부턴가 그 여자의 벽장 속에는
> 심장을 도려낸 마네킹 하나
> 고요히 세워져 있었읍니다
> 추운 거리에서 돌아온 밤이나
> 마음이 허전한 날이면 여자는
> 그 벌거벗은 마네킹을 꺼내놓고
> 이 세상에서 가장 따뜻한 옷들을
> 입혀보는 버릇이 생겼읍니다
> 오랜 동안 교분을 나눈 사람에게
> 침묵의 몌별사를 쓰는 날이나
> 음습한 골목에 퇘, 퇘,
> 침을 뱉고 돌아온 밤에는
> 여자 스스로 마네킹이 되어

하늘 빛깔의 옷을 입어 보다가
무덤 빛깔의 옷을 입어 보다가
그래도 추위에 들볶이면
이판사판,
신칼과 무구를 걸치고
슬픔의 작두 위로 올라갔읍니다
작두날 위에서 여자는 신기를 받고
바들바들 떨며 신기를 받고
사람들 모여사는 마을로 내려가
마네킹과 진배없는 사람들에게
두 시간짜리
개벽 천지에 관한 공수를 전했읍니다

—「마네킹」

이 시에도 역시 깊은 추위와 어둠이 짙게 깔려 있다. 현실에 대한 기본 인식
이 추위와 어두움으로 가득 차 있는 것이다. 먼저 이 시에는 "마네킹"이라는
상징이 등장한다. 이 마네킹은 시의 퍼스나인 "여자"의 애호물로서 옷을 갈아
입혀 보는 대상이 된다. 그러나 이 마네킹은 피가 통하지 않은 하나의 물체에
지나지 않기 때문에, 아무리 옷을 따뜻하게 입혀보아야 도로에 지나지 않음을
발견하게 된다. "벌거벗은 마네킹을 꺼내놓고/이 세상에서 가장 따뜻한 옷들
을/입혀보는 버릇이 생겼습니다."라는 구절은 온갖 불신과 단절로 가득 차 있
는 현대를 마치 냉혈 동물, 또는 로보트처럼 살아가고 있는 인간 모두에 대한
깊은 탄식을 드러낸 것이다. 옷은 추위를 가려주는 도구로서의 의미를 지니지
만, 여기에서는 인간적인 체온의 상징으로 쓰이고 있다. 그것은 추위를 차단
하는 것이지만, 따뜻함을 간직해 주는 수단이 되기도 하기 때문이다. 또한 "마
네킹"은 마네킹 그 자체가 아니라는 깨달음이 제시되어 있다. 마네킹은 하나
의 사물이 아니라 퍼스나의 대리 자아이며, 동시에 현대인 모두의 자화상에

해당하는 것이다. 현대인 모두는 따뜻함과 그리움을 간직한 인간으로서가 아니라 단순한 하나의 마네킹이 되어 있을 뿐이다. 이 점에서 퍼스나인 여자 자신이 옷을 입어 보는 행위가 나타난다. 퍼스나 자신도 어느새 또 하나의 마네킹이 되어 있기 때문이다. 그래서 또다시 옷을 입어 보지만, 이미 이 옷은 현실의 두터운 어둠과 추위를 차단할 수 있는 힘이 없다. 마네킹과 마찬가지로 퍼스나도 온갖 모순과 부조리의 어둠, 또는 추위를 이겨내기에 역부족인 것이다. 따라서 "이판사판/신칼과 무구를 걸치고/슬픔의 작두 위로 올라갈" 수밖에 없게 된다. 이미 추위와 어둠은 외면의 옷으로는 감당할 수 없기 때문에, "신기"라고 하는 내면의 열기를 갈구하게 되는 것이다. 이렇게 본다면 이 시는 현실의 온갖 폭력이나 부조리가 환기하는 외면의 추위로부터 벗어나고자 하는 의지를 담고 있는 것으로 이해된다. 그러나 더욱 중요한 것은 "마네킹"이 상징하듯 더욱 기계화되고 상품화되어 가는 현대적 삶 속에서 어떻게 인간적인 체온과 그 따뜻함을 확보할 수 있을 것인가 하는 문제로 집안도 따뜻함과 그리움으로서의 고향과 인간을 상실해 가고 있는 현대인 모두의 삶에 대한 깊은 탄식을 드러내면서, 인간 회복 또는 인간애의 철학이 얼마나 이 시대의 소중한 명제인가를 일깨워주는 것이다. 실상 현대는 얼핏 보면 "쌀"과 "옷"이 휘황찬란하게 풍요로운 세상인 것 같지만, 사실은 그 어느 때보다도 참으로 먹을 만한 깨끗한 쌀과 입을 만한 따뜻한 옷이 없는 가난하고 고단한 시대, 혹은 춥고 배고픈 시대가 아닐 수 없다는 점에서 이 시편들의 의미가 두드러진다.

이 달에는 송년을 맞아 많은 시집과 앤솔로지가 발간되어 신년 시단을 풍성하게 장식하였다. 이 달에 읽은 시집 중에서 김경린의 『태양이 직각으로 떨어지는 서울』, 박희진의 『라일락 속의 연인들』, 오세영의 『모순의 흙』, 오규원의 『희망 만들며 살기』, 허형만의 『모기장을 걷는다』를 주목할 수 있었다. 『태양이…』는 모더니즘 시를 써서 50년대에 크게 센세이션을 일으켰던 김경린의 첫 시집이라는 점에서 의미를 지닌다. 『라일락…』은 주로 박희진이 그간

써온 시 가운데 연애시에 속하는 것만 모은 것이라는 점에 특징이 놓인다. 이 것은 연전에 정한모가 자신의 사랑의 시편만을 모아『사랑 시편』을 낸 것과 좋은 대조를 이룬다. 추위와 어둠이 유독 깊어가는 이 한겨울에 따뜻한 사랑의 불씨를 간직하게 해준다는 점에서 소중함을 안겨준다.『모순의 흙』은 오세영의 자선 시집인데, 여기에서 그가 "그릇" 또는 "모순의 흙"이라는 틀로서 인간 혹은 생의 본질을 천착하려 노력한 것은 생철학적인 명상이 부족한 작금의 시단에 좋은 교훈을 던져 준다. 또한 오규원의 시집은 자신이 그간 추구하던 언어와 정신과의 싸움을 끈질기게 보여주었다는 점에서, 또한 허형만은 어두운 현실에 대한 끈질긴 목숨의 응전력과 생명력을 제고하고 있다는 점에서 각각 의미를 지닌다. 무엇보다도 시집『나귀의 눈물』로서 예술원상을 수상한 조병화의 활약은 주목할 만하다. 육필 시화집『해가 뜨고 해가 지고』, 시선집『바람의 둥지』, 영역시집『조병화 영역 시집』, 그리고 전집 첫째 권 등 수많은 시집, 선집을 묶음으로써 노익장을 과시하고 있는 것 이다. 또한 등단 20년 만에 첫 시집『떠돌이별』(1984)을 내고 다시 1년 만에 연작시집『사랑굿』을 낸 김초혜의 활약이 두드러지며, 그 외 등단 15년 만에 첫 시집『바람이 남긴 은어』를 낸 임영조의 새 출발과 1985년 한 해에 시선집『백지 위에 별빛을』을 낸 직후 다시 시집『허심송』을 낸 조정권의 정열이 높이 살만하다.

연말에 새로 출간된 앤솔로지『정통문학』과『시정신』도 관심을 끈다. "정음사"에서 중진, 중견, 신진을 망라하여 간행한 무크지『정통문학』은 그야말로 "정통 문학"을 표방한다는 점에서 앞으로의 향방이 자못 궁금하다. 한편 김원호, 김종철, 박제천, 강우식, 이탄, 이영걸 등의『손과 손가락』동인을 주축으로 하고, 정진규, 민용태, 이건청, 홍신선, 김여정 등이 새로 모여 발간한 시전문 무크지『시정신』은 "꼿꼿한 정신, 아름다운 감성을 위하여"라는 캐치프레이즈를 내걸고 신선하게 출발하였다.

아무튼 송년의 시단이 어둠과 추위 속에서도 따뜻한 인간애를 갈망하는 시편들이 쓰이는 가운데 새로운 시집과 앤솔로지가 활발히 간행됨으로써 1986년 신년 시단의 신선한 출발을 예감케 해주었다는 점에서 고무적인 일로 받아들여진다.

1986년

제4장 시의 본도(本道)

바야흐로 봄이 무르익어 가고 있다. 어둠과 추위에 깊게 잠겨 있던 이 땅의 대지가 새 봄의 맑고 은은한 향기에 깨어나고 있다. 이 달에는 『문학사상』에 실린 설창수의 『고희 특집 시선』과 박성룡의 『삼월의 산, 사월의 산』 등이 관심을 끈다. 설 시인의 시는 시정신의 본원이 미의식과 인간애, 그리고 연정과 향수에 자리잡고 있음을 잘 보여 주었으며, 박 시인의 시는 서정과 지성의 육화를 성공적으로 성취한 것으로 판단됐기 때문이다.

먼저 설 시인의 「마리나 크리노바」는 부제 그대로 세계 정상의 스케이팅 선수를 노래한 작품이다. "오싹 추운 얼음 벌판 위/한창 봄을 불러 난무하는 마술사/…중략…/매끄럽게 도망치는 무당/스스로 황홀하여 그려내는 윤무의 선들, /스케이팅 왈츠에서 껑충 솟는 폭스트롯트, //슬라브의 곰족이라기엔 인어같은 요정,/극지의 야정이 꿈꾸는 오로라의 분신"이라는 구절들에서 보듯이 "마리나 크리노바"는 마술사, 무당, 요정 등으로 묘사되어 있다. 그만큼 신비하고 열정적이며 환상적인 미의 화신이 라는 말이다. 이밖에도 크리노바의 춤은 시인에게 우아, 섬세, 유려, 환상, 환희, 포옹, 도취로서 받아들여지는 등 생명적 율동의 극치이자 미의 절정으로서 받아들여진다. 무게와 부피를 지닌 인간의 육신이 선율과 어울려 빚어내는 율동이야말로 인간의 육신이 창조해 낼 수 있는 가장 미다운 미가 아닐 수 없는 것이다. 이러한 미에의 찬탄과 경이가 바로 시정신의 중요한 한 모티브가 된다는 점을 이 시가 말해 주는 것이다. 시 「임의 심술」은 시정신의 본도가 인간애의 길에 놓임을 제시해 준다. 시인 자신의 산문에서 짐작할 수 있듯이, 화상을 당해 불구가 된 한국 고아를 한 번 만나보았을 뿐인 미군 대령 부인 파니 카터가 수년 만에 다시 찾아와 그 고아 와 모자의 정을 맺었다는 내용이 담긴 미담의 신문 기사에서 취재한 시이다.

어린 고아 용진아기가 불탄 얼굴인 채,
어미 아비도 잃은 모습을 알고서도
"메모"없이 돌아갔던 가책으로 되돌아와
두 해를 찾다 못해 싫던 신문내기로
경기도 부천 은광원에서 찾아낸 끈기.

"은광학원 1학년 이용진 8살"
"친구 이귀현"
손가락 세 마디 중 한 마디 밖에 없는 손으로
글씨도 곧잘 쓴다고,
추잉검을 포켓에 넣어주며 "하둘 셋 넷…"

참아닌 가짜 인연의 핏줄일 뿐이었나,
어미 아빌랑 불타 죽고 끊어진 인연을 바꾸어
태평양을 건너와서 나란히 이마 맞댄 모자(母子) 사진으로
돌샘 솟듯 고마워 웃고 있는 관음보살 엄마.

하얀 얼굴 카터엄마,
까만 얼굴 용진아들,
그들 본인연을 되찾아 주기 위하여
어린 얼굴을 불로 지진 임의 심술이란
차라리 눈물 마른 이땅 어미를 형벌함이었을까.
　　　　　　　　　　　　　　　　　　　—「임의 심술」

이 시의 핵심은 카터 부인의 모성애와 인류애로 요약할 수 있다. 천애의 고아를 그것도 이민족인 불구의 고아를 잊지 못해 다시 찾아오고, 화제의 주인공이 되기를 꺼려해서 2년여나 수소문으로 찾아다닌 카터 부인의 행적은 참된 인간애의 한 귀감이 아닐 수 없다. 더구나 그것이 한때의 값싼 동정심이나 선전 효과를 노린 데서 비롯된 것이 아니라 "오른손이 한 일을 왼손도 모르게 하라"라는 그리스도의 말씀처럼 깊고 은밀한 사랑의 실천 정신에 바탕을 둔 것이라는 점은 사랑과 인정에 마른 현대인들에게 값진 가르침을 던져준다. 그것은 목숨에 대한 따뜻한 긍정이며 사랑이고, 인류애의 뜨거운 발현이다. 그러기에 "임의 심술"이라는 아이러니컬한 제목이 가능한 것이다. 고아가 된 것이나 불구가 된 것이 천형에 해당하는 운명적 불행이라면, 새로운 모자의 인연을 맺고 새 인생을 시작하게 된 것은 값진 행복이 아닐 수 없기 때문에 이리 모든 일들이 "임의 심술"이라는 운명의 아이러니로 받아들여진다. 이 한 목숨에 대한 따뜻한 긍정, 불행한 이웃에 대한 사랑의 정신이야말로 인간 상실의 현대에 있어서 가장 소중한 시의 원천이 되는 것이다. 인종과 국가, 민족과 지역을 초월한 진정한 인류애의 정신에 의해 인류의 삶이 보다 인간다운 위의와 품격을 확보할 수 있음은 당연한 일이다. 시「사화아가씨」는 시정신의 또 다른 한 원천이 육신의 고향에 대한 향수와 함께 이성에 대한 애틋한 연정에서 출발하고 있음을 적절히 보여 준다. "내 고향 앞 들판의/사화마을 아가씨, //내사 하얀 머리칼/고희 영감 됐지만//겨우 스물 남짓한/샛풀 향기 아가씨.//소매 살짝 스쳐도/전생 인연이란데/…중략…//내가 고향 떠날 땐/겨우 열에 다섯 살,//아가씰 마주 봐도/귀밑까지 붉던 정//속맘은 그대론데/차마 말도 못한 양,//어쩌면 또 만날까/헤어지기 아쉬운//…중략…/나 옛날 고향 총각/고향 처녀야 안녕"이라는 구절들 속에는 떠나온 고향에 대한 담고 있는 것이다. 본능적인 그리움과 함께 잃어버린 젊은 날의 연정에 대한 아련한 미련을 담고 있는 것이다.

실상 이러한 옛날의 고향 상실과 젊은 날의 연정 상실이 불러일으키는 안타까움과 그리움의 마음이야말로 시정신의 가장 중요한 바탕이자 원천이 아닐 수 없다. 잃어버린 시간, 다시는 돌아올 수 없는 그 시간들에 대한 추억과 회상은 정리기에 접어든 노시인에게 있어 가장 절실하면서도 애틋한 상상력의 광맥이 되기 때문이다. 이러한 설 시인의 근작 시들은 1947년 동인지『등불』에 시「창명」을 발표한 이래 40년 이상의 오랜 시작 활동을 전개해 온 원로 시인의 현주소를 알려주는 좋은 자료가 된다는 점에서 의미를 지닌다. 파성이라는 그의 아호대로 의(義)의 성 진주에 머물면서 중앙 문단이나 명리에 크게 연연해하지 않고, 이 땅에서 가장 전통 있는 문화제인 개천 예술제를 설립 개최하고 백여 회의 시화전을 펼쳐가는 등 지역 문화의 창달자이자 지조 있는 시인으로서 생애를 일관하고 있는 노시인의 현황을 엿볼 수 있게 해준 것 이다. 실상 설 시인의 이러한 생의 자세와 시작의 태도는 모든 것이 중 앙 집중화하고 권위주의화해 가고 있는 근래의 사회 풍조와 문단 추세에 비추어 뜻깊은 일이 아닐 수 없다. 문학의 본래 의미가 인간의 고향과 뿌리를 찾으려는 영원한 순례의 길이라는 점에서 설 시인의 자세는 더더욱 소중한 의미가 놓여진다.

박성룡의「삼월의 산, 사월의 산」은 산의 표상을 통해서 역사의 굽이침과 그 험난함을 암유하고 있다.

> 이른 봄 山에서는
> 짙은 살냄새가 난다.
> 불수(不隨)가 되어가다 다시 피가 도는
> 이 고달팠던 땅의 살냄새가 난다.
> 더우기 그 어느 해의 일들에
> 연유시켜 보면
> 이른 봄 삼월의 山,
> 사월의 山에서는
> 거의 사경(死境)에 이르다가

회생했던 이 땅의
짙은 살냄새가 난다.

山중에 들어 생각해 보면
山은 항상 하늘과 땅, 그 한복판에 누워 있고,
나 또한 항상 그 山의 한복판 허리를 딛고
서 있음에 놀라게 된다.

이, 山, 山,山, 山. 山과 山, 山너머 또 山.
이 험준한 山들의 끊임없는 꿈틀거림
삼월의 山들, 사월의 山들의
끊임없는 꿈틀거림.
그것은 단순한 기지개만은 아니다.
그것은 독한 홍역의 몸살이다.

서로 괴로운 이웃끼리
서로 살과 피가 통하는 사람끼리
굶주림에 시달리며, 추위에 떨며
자유(自由)를 고파하며
오랜 세월 꺼안고 몸부림치다가 몸을 풀어주는
그런 순간의
그 기진한 몸짓들이다.

새 봄 삼월의 山,
사월의 山에서는 그래서
더운 입김, 뜨거운 땀내,
황토빛 흙냄새가 피어오른다.
코를 찌르는 송진냄새가 삐져나온다.

　　모두 여섯 연으로 짜인 이 시는 자연사와 인간사의 화응과 교감을 밀도 있게 제시한다. 먼저 첫 연에서는 자연의 순환을 인체의 그것과 육화시켜 드러내준다. 대지에 겨울이 가고 봄이 오는 모습을 "이른 봄 산에서 살냄새"가 나고, "불수가 되어 가다 다시 피가 도는" 모습으로 묘사한다. 자연과 인간은 이미 별개의 것이 아니라 하나로 육화되어 있는 것이다. 이른바 대지의 정령화에 해당한다고 할 것이다. 이것은 그만큼 시인의 자연을 보는 눈, 세계를 받아들이는 눈이 인간적인 것으로 육화되어 있으며 심도를 획득하고 있음을 반영한다. 둘째 연은 첫 연을 부가, 확장한 내용이다. 즉 삼월의 산, 사월의 산이라는 알레고리를 통해서 이 시에서의 산이 단순한 자연의 표상이 아니라 역사적 사건의 지평으로 열려 있음을 암시해 주는 것이다. 이것은 두말할 것 없이 1960년의 4·19 체험이며, 4·19라는 역사적 사건이 내포한 민주화의 봄에 대한 강렬한 열망에 해당한다. "사월의 산에서는 거의 사경에 이르다가/회생했던 이 땅의/짙은 살냄새가 난다"라는 구절 속에는 4월 체험이 해방 후 이 땅의 역사에 있어서 하나의 "봄 상징"으로서 존재한다는 날카로운 역사 인식이 깃들어 있다. 얼어붙었던 겨울의 동토에 어김없이 찾아오는 봄과 같이 역사에도 순환의 법칙이 작용하고 있어서 새로운 봄이 살아나고 있다고 보는 것이다. 따라서 1연에서의 "대지 인간"이 2연에서 "대지-인간-역사"로의 상승을 보게 된다. 이러한 역사 인식으로의 이행은 3, 4연에서 더욱 분명히 자리잡게 된다. "산 중에 들어 생각해 보면 산은 항상 하늘과 땅, 그 한복판에 누워 있고/나 또한 항상 그 산의 한복판 허리를 딛고/ 서 있음에 놀라게 된다"라는 구절 속에는 산이 그러하듯이 인간 또한 인간의 세계, 그 역사와 현실의 한가운데 놓여 살아가고 있다는 인간 존재에 대한 재발견에서 오는 경이가 담겨져 있다. 산이 하늘과 땅의 중간에 혹은 수많은 산의 한가운데에 하나의 존재로서 놓여 있듯이, 인간 역시 세계의 한가운데 혹은 역사의 한복판에서 예외적인 존재가 될 수 없다는 역사적 존재, 사회적 존재로서의 인간 인식이 자리잡고 있는 것이다. 어쩌면 이것은 "세계는 나의 표상"이며 "우주의 중심으로서의 나"라고 하는 쇼펜하우어의 자아 확인과 연결되어 있는지도 모른다. 실상 확고한 자아 인식 이 없이는 역사 인식이나 사회 인식 또한 불가능하리라는 것이 자명한 이치이기 때문이다. 4연에서는 공간 인식이 시간 인식(역사 인식)으로 전치되어 있어서 주목된다. "아, 山, 山, 山, 山. 山과 山, 山 너머 또 山. /이 험준한 山들의 끊임없는 꿈틀거림/삼월의 山들, 사월의 山들의 끊임없는 꿈틀거림"이라는 구절은 공간 존재인 산을 시각적으로 배열, 이 동 시킴으로써 시간적인 흐름 또는 역사의 진행을 묘사하고 있다. 다시 말해서 산들의 공간적인 전개를 시각적으로 파노라마화함으로써 시간의 점진적 흐름 또는 역사의 시간적 굽이침으로 형상화하는 탁월한 기교를 보여준 것이다. 동시에 산이 역사의식의 표상으로 상승된다는 점을 제 시한 것이다. 이러한 산의 역사 표상성은 이미 육당의 경우(「태백 산 시집」, 「백팔번뇌」 등에서 "산" 의 이미지가 역사의식의 표상으로 제시됐다)에서도 확인할 수 있었던 내용이다. 그러나 이 시에서는 "산들의 꿈틀거림/사월의 산들의 꿈틀거림" 등과 같이 역동적, 능동적인 역사 인식으로 고양되어 있다는 점이 크게 진일보한 것으로 판단된다. 산이 표상하는 자연과 공간 인식을 시간 인식으로 전치함으로써 역사의식으로 상승시킨 데서 그 의미가 드러나기 때문이다. 따라서 마지막 5, 6연에는 이 시의 주제가 선명히 부각된다. 먼저 5연에서는 해방 이후 이 땅에서의 역사적 시련들이 하나씩 떠오른다. "굶주림에 시달리며, 추위에 떨며/ 자유를 고파하며/ 오랜 세월 껴안고 몸부림치며"라는 구절이 그것이다. 온갖 험난한 역사의 소용돌이를 헤쳐온 이 땅 민족의 모습이 안쓰럽게 묘사된 것이다. 이러한 구절 속에는 이 땅에서의 최대의 명제가 진정한 역사의 봄을 실현하는 것이라는 확실한 인식이 담겨 있는 것으로 보인다. 온갖 역사의 어둠과 추위, 그 시련을 딛고 일어서서 이 땅에 진정한 자유의 봄, 역사의 새 봄이 도래하기를 갈망하는 안쓰런 희원이 제시되어 있는 것이다. 그렇기 때문에 마지막 연에는 역사의 봄이 다가온다는 확고한 믿음과 신념이 봄의 강렬한 향취로 살아 오르는 모습으로서 묘사된다. "새 봄 삼월의 산/ 사월의 산에서는 그래서/ 더운 입김, 뜨거운 땀내/ 황토빛 흙냄새가 피어오른다/ 코를 찌르는 송진냄새가 삐져나온다"라는 결구 속에는 겨울 다음의 봄의 도래가 자연의 영원한 법칙이듯이 역사에 있어서도 진정한 자유의 새 봄이 펼쳐지리라는 당위론적 확신이 제기되어 있는 것이다. 역사를 이끌어 가는 본원적인 힘이 자유에 대한 갈망에 자리잡고 있으며, 그것은 새 봄의 강렬한 체취처럼 역사 속에서 지속적으로 더욱 강한 힘으로 살아날 것이라는 신념이 피력되어 있는 것이다. 이렇게 볼 때 이 시는 자연과 봄을 노래한 평범한 서정시처럼 보이지만, 기실은 인간과 역사의 순환 원리와 이념론 내지 당위론적 명제를 형상화한 작품임을 알 수 있다. 다시 말해서 자연사를 인간사와 결합하고, 이것을 다시 역사와 현실 의식의 차원으로 상승시킨 주목할 만한 작품에 해당하는 것이다. 이 점에서 이 시는 이상화의 시 「빼앗긴들에도 봄은 오는가」를 연상케 해 준다. 왜냐하면 이상화는 주권과 국토를 빼앗긴 일제 식민지하의 동토적 상황 속에서 빼앗긴 봄의 되살아남이라는 대자연의 항구 불변한 섭리를 노래함으로써 민족혼의 살아있음과 그 불멸함을 노래하였기 때문이다. 식민지 현실을 "남의 땅/ 쎄앗긴들"이라고 상징하면서도 "그러나 지금은──들을 빼앗겨 봄조차 쎄앗기것네"라는 구절에서 볼 수 있듯이 민족의 봄, 역사의 봄에 대한 뜨거운 고대와 갈망을 대지 사상과 봄의 비유를 통해서 인간사와 육화시켜 노래한 데서 이상화 시의 아름다움과 치열성이 드러난다. 이와 마찬가지로 박성룡의 「삼월의 산, 사월의 산」은 박 시인이 자연사와 인간사의 결합을 통해서 역사의식의 육화된 모습을 성취하였다는 점에서 뛰어난 작품으로 판단된다. 실상 박 시인이 「교외」 등 연작시에서 수십 년래 추구해 오던 자연사와 인간사의 친화와 교감의 문제는 이러한 근자의 시편들에 이르러서 역사적 지평을 획득해 가고 있기 때문에 특히 주목되는 것이다. 뚜렷한 역사의식과 날카로운 현실 인식을 담고 있으면서도 그것을 목소리 높여 외치거나 생경하게 제시하지 않고 자연사와 결합하여 서정적인 형상화를 성취함으로써 시의 본도를 뚜렷이 제시한 것이다.

지금까지 살펴본 것처럼 새 봄의 시단에서 설 시인과 박 시인의 시편들은 시정신의 원형과 시의 본도를 성공적으로 보여주었다는 점에서 주목에 값하는 것으로 판단된다.

1986년

제5장 비관적 세계 인식과 인간애

이 달에는 이탄의 「뒷걸음질」 등 아홉 편(『현대문학』 4월)을 관심 깊게 읽었다. 이 작품들은 이 씨가 「바람불다」 이래 지속적으로 해 오던 존재와 서정의 상호 침투와 그 역학 관계의 문제들을 데 보다 성숙된 진전을 보여 준 것으로 판단되었기 때문이다. 특히 이 시편들은 점차 인간 상실의 시대로 치닫고 있는 현대적 삶에 비관적 성찰을 제기하는 것과 아울러 사랑의 정신에 바탕을 둔 휴머니즘의 소중함을 새삼 일깨워준 데서 의미를 지니는 것으로 보인다.

밤마다 별 하나가 별 하나를 사랑한다.
들풀 하나가 곁에 있는 들풀하고 어깨를 부비고 속삭인다.
낮달이 눈부신 태양을 먼발치에서
가슴죄며 보다가 밤을 맞는다.
슬픈 새들이 산에 와서 울면 바위도, 눈물 짓는다.
열매는 떨어져 먹이가 되고 열매는 떨어져 싹이 된다.
한 줌 흙에서도 꽃이 피는데

아, 요즘 사람들은 뒷걸음질치다가 부딪히거나 달려가다 엎어지기를 잘하는구나.

사랑이여 부싯돌처럼 반짝이고 타지 않는 사랑이여
우리를 제대로 걷게 하고
보이지 않는 것도 보이게 하여라.

―「뒷걸음질」

　이 시는 삶의 자세에 대한 온건하면서도 정확한 통찰을 제시하고 있다는 점
에서 의미를 지닌다. 이 시에서 세계를 바라보는 시선은 근원적인 면에서 비
극적인 것으로서 특징 지을 수 있다. "가슴죄며 보다가 밤을 맞는다/ 슬픈 새
들이 산에 와서 울면 바위도 눈물 짓는다"라는 구절처럼 세계 인식의 태도가
비극적인 그것과 맞닿아 있는 것이다. 그러나 이 시는 비관적인 세계 인식을
드러내고자 하는데 목표가 있지는 않은 것으로 보인다. 그것은 오히려 비관적
인식을 넘어서서 소박한 삶, 잊혀진 삶, 약한 삶의 양식에 대한 따뜻한 긍정과
옹호를 말하고자 하는 데 주안점이 놓여진다. "밤마다 별 하나가 별 하나를 사
랑한다/ 들풀 하나가 곁에 있는 들풀하고 어깨를 부비고 속삭인다"라는 구절
속에서 "별 하나" "들풀 하나"로 표상되는 서민적인 삶 또는 외로운 삶에 대한
따뜻한 긍정과 함께 애정의 눈길이 담겨져 있는 것으로 해석되기 때문이다.
또한 "낮달이 눈부신 태양을 먼발치에서/ 가슴죄며 보다가"에서처럼 잊혀져
있는 것에 대한 외로움과 안타까움을 투시한다는 점에서 짙은 페이소스를 담
고 있는 것이다. 그러면서도 "열매는 떨어져 먹이가 되고 열매는 떨어 견 싹이
된다/ 한줌 흙에서도 꽃이 피는데"에서 보듯이 "떨어짐"과 "싹이 됨"의 대응,
"흙"과 "꽃"의 조응을 통해서 존재의 순환 원리를 긍정적인 각도에서 파악하
게 된다. 따라서 이러한 비관적 세계 인식의 기본 시각에도 불구하고 세계와
일정한 거리를 유지할 수 있고 또한 견고한 생의 관점을 마련할 수 있게 되는
것이다. "아, 요즘 사람들은 뒷걸음질 치다가 부딪히거나 달려가다 엎어지기
를 잘 하는구나"라는 구절 속에는 무수한 흔들림 끝에 얻게 된 정확한 자기 위
치의 깨달음과 그에 대한 조심스런 확신이 내포돼 있는 것으로 이해된다. 이

러한 견고한 시선과 확신이야말로 시인 자신의 오랜 "뒷걸음질 치기"와 "달려가다 엎어지기"라는 시행착오의 체험 뒤에 비로소 획득하게 된 소중한 생의 자세가 아닐 수 없다. 바로 이 점에서 다소의 호들갑과 과장기가 섞여 있던 이탄의 종래의 시들에서 이 작품이 보다 성숙한 시정신을 획득하고 있는 것으로 판단되는 소이가 있다. 실상 이즈음에 이르러서는 사랑조차도 "사랑이여 부싯돌처럼 반짝이고 타지 않는 영혼 같은 사랑이여"처럼 차분하게 가라앉고 성숙된 모습으로 심화돼 있는 것이다. 더욱이 이러한 성숙되고 심화된 사랑으로 하여금 "우리를 제대로 걷게 하고/ 보이지 않는 것도 보이게 하여라"라고 하는 올바른 삶, 신념 있는 삶에 대한 갈망을 펼칠 수 있게 만들어 주게 되는 것이다. 이렇게 볼 때 이 시 「뒷걸음질」은 비관적 세계 인식을 바탕으로 하면서 사물의 존재성을 섬세하게 투시하는 가운데 정확히 자기 위치를 파악하고, 이러한 것들을 과장하지 않고 차분히 또한 견고하게 형상화하려 노력했다는 점에서 주목에 값하는 것으로 이해된다. 이러한 성숙된 자기 인식의 태도와 견실한 세계 이해의 태도는 갖가지 자기주장과 변명, 그리고 편견이 범람하는 이즈음의 현대시에 하나의 은밀한 내성을 요구하는 것으로 판단되기 때문이다.

이러한 생에 대한 비관적 인식과 이것을 넘어선 성숙한 외로움 그리고 궁극적인 의미에서 생의 긍정과 옹호의 시선은 다른 작품에서도 지속적으로 나타난다.

① 담배 한 대를 피우면서
  그저 담배 한 대 태우는 동안만큼 사는 것이라는 생각을 한다.

  그러나 사랑은 여전히 지구를 돌리고,

  만남은 대지를 푸르게 한다
  다만 가슴 빈자리는 빈자리로

사는 시간을 따라간다

담배 한 대만큼 사는 것인데…

—「담배 한 대」 부분

② 지는 해를 볼적마다
　마음이 편치 않다

　정말이지 내 마음 같아서는
　그러면 잡은 손이
　놓기가 무섭게 식거나 구겨지는 것을

　어디 한두번 보았나
　그런 일에도 익숙해졌거늘

　지는 해는 여전히
　편치 않은 마음을 남기고 진다.

—「저녁」 부분

③ 만물을 창조하고 하늘에 계신 하나님
　하늘에만 계시지 말고 이따금 내려와 피부로 느껴도 보세요
　어쩌자고 만물을 창조하셨나요
　많다고 좋은가요 창조할 것만 하시잖구

　…중략…

　노여움 푸시고 오서서
　나무가 나무처럼
　새들이 새처럼
　동산에 있게 하십시오
　하느님 너무 오랫동안 하늘에만 계시지 말고 밤마다 별빛처럼

사랑을 뿌리며 오세요.

—「편지」부분

　　인용한 세 편의 시에 공통되는 것은 비관적 세계 인식과 함께 생에 대한 궁극적인 긍정의 자세이다. 먼저 ①에는 인생의 무상함을 인식하는 지점에서 깨닫게 되는 사랑의 소중함을 일깨워 준다. "담배 한 대 만큼 사는 것"으로서의 짧은 인생인데도 헐뜯고 싸우며 살아가는 우리의 모습 되돌아보게 하는 것이다. 이 점에서 사랑의 마음, 용서하고 화해하는 마음의 소중함을 조심스레 일깨워준다는 데 의미가 놓인다. ②에도 세상살이의 고달픔을 말하는 가운데 참된 인간애의 소중함을 강조하고 있다. "잡은 손이/ 놓기가 무섭게 식거나 구겨지는 것을/ 어디 한두번 보았나"라는 구절 속에는 염량세태의 비정한 현대를 살아가는데 대한 뼈아픈 탄식이이 깃들어 있다. "지는 해"의 모습과 같은 인간의 실존이 보다 깊은 신뢰와 견고한 사랑에 뿌리내리지 못하는데 대한 안타까움을 드러낸 것이다. ③에서도 마찬가지이다. "하느님 너무 오랫동안 하늘에만 계시지 말고 밤마다 별빛처럼/사랑을 뿌리며 오세요"라는 결구를 통해 날이 갈수록 비정화해 가는 현대적 삶에 있어서 사랑의 소중함을 강조하는 것이다. "나무가 나무처럼/ 새들이 새처럼"이라는 구절 속에는 사람다운 사람, 삶다운 삶을 갈망하는 휴머니즘의 안간힘이 개재해 있는 것이다. 실상 비관적 세계 인식을 넘어서서 도달하게 되는 생의 긍정과 그에 대한 애정의 시선은 이미 그것 자체가 인간애의 소중한 반영이며, 동시에 휴머니즘 구현의 안간힘이 아닐 수 없기 때문이다. 이들 시편 이외에도 「종이학」「눈물 감추기」「친구의 사무실을 찾아가는 길에」「우리 선생님은 큰 새랍니다」 등 대부분의 시편을 관류하는 시정신은 바로 이러한 비관적 세계 인식과 이를 넘어서서 생을 긍정적으로 바라보려는 휴머니즘에의 갈망과 지향인 것이다. 그것은 근원적인 면에서 약한 것, 외로운 것, 슬픈 것, 착한 것으로서의 생에 관한 긍정과 애정에 연결돼 있다는 점에서 이즈음과 같은 인간 상실, 인간 소외의 시대에 은은한 감동을 지속해갈 것으로 보인다. 실상 시가 감당해 갈 수 있는 것은 이러한 휴머니즘의 지향과 갈망 그 이하의 것도 그 이상의 것도 아닌, 인간성 탐구의 노력 그 자체에 있다는 점을 일깨워주기 때문이다.

1986년

제6장 대춘부

이달 치 『문학사상』에 실린 8편의 작품을 읽으면서 필자는 새삼 이 땅의 시가 얼마나 깊은 어둠과 추위에 사로잡혀 있는가를 생각하지 않을 수 없었다. 거의 대부분의 작품들이 삶에 대한 탄식과 현실에 대한 절망을 노래하고 있는 것으로 판단되기 때문이다. 원로 시인으로부터 신진 시인에 이르기까지 이러한 부정적인 현실 인식 또는 비극적 세계관이 깊숙이 침투되어 있는 것이다.

박두진의 시 「절벽에게」에는 인생의 유한과 시대에 대한 깊은 절망이 드러나는 것과 함께 그에 대한 강력한 초극 의지가 표출되어 있다.

> 어떻게 당신의 절벽을 올라갈 수가 있을까요.
> 얼음 꽝꽝 얼음의 절벽을
> 올라갈 수가 있을까요.
> 십억 십천 십조 억억의 절대 절정 절벽.
> 푸르디 푸른 당신의 절벽을
> 올라갈 수가 있을까요.
> 별들이 모여서 올라가다가
> 그 아래 떨어져 날개로 푸득이고,
> 햇살도 올라가다가 얼어서 떨어져
> 그 아래 하얗게 서릿발 푸득이고,

바람 윙윙, 바다 윙윙
노을도 무지개도 그 아래 흐느끼고,
우리들의 철학,
이념도 사상도 올라가다가 떨어져
그 아래 날갯짓 얼어서 푸득이고
평화와 자유, 혁명과 야망,
전쟁도 학살도 기어오르다가 곤두박혀
그 아래 즐펀히 피묻어 푸득이고,
꿈, 믿음, 사랑, 혹은 울음
어떻게 어디로 올라가야 우리는 비로소
당신의 절벽을 오를 수 있을까요.
가슴속 타오르는 활활한 이 불,
가슴속 펄럭이는
황홀의 이 깃발,
어떻게 어느 때 당신의 그 절벽
아득하고 영원한 절정에
휘날릴 수가 있을까요.

이 시는 3 또는 6행이 내용 구조를 이루며 반복됨으로써 전체적인 면에서
안정감과 통일감을 지속시켜 준다. 이것은 자유시라 해도 한 경지에 이르면
내용과 형식 또는 혼과 양식이 전혀 분리될 수 없는 육화와 통일을 성취하게
된다는 점을 시사해 준다. 이 시에는 첫 행부터 좌절과 절망의 인식이 두드러
진다. "어떻게 당신의 절벽을 올라갈 수가 있을까요/얼음 꽝꽝 얼음의 절벽을/
올라갈 수가 있을까요"라는 구절 속에는 "당신"으로 표상되는 절대 세계에 대
한 아득한 단절감과 함께 그에 대한 극복의 갈망과 희원이 담겨져 있는 것이
다. 여기에서 "당신"이란 "십억 십천 억조 억억의 절대 절정 절벽"으로 표상되
어 있는 바, 이것은 절대 경지 또는 이데아의 표상이기도 하지만, 동시에 그에
이르는 길의 험난함과 그 불가능함을 강조한 것이 된다. 이 점에서 "당신"이

란, 세속의 그것이라기보다는 신성적인 표상 혹은 절대자에 대한 갈망의 상징으로 볼 수 있다. 아울러 이 "당신"의 세계는 지상 위에서는 쉽게 도달하거나 성취될 수 없는 무한에의 지향 또는 영원에의 동경에 해당하는 것이다. "푸르디 푸른 당신의 절벽"은 "별들이 모여서 올라가다가 그 아래 떨어져 날개로 푸득이고, 햇살도 올라가다가 얼어서 떨어져/그 아래 하얗게 서릿발 푸득이고"와 같이 별이나 햇살이라는 자연사 또는 우주론적인 차이의 그 너머에 존재한다. 더구나 그것은 철학이나 이념, 사상, 평화, 자유, 혁명, 야망, 꿈, 믿음, 사랑 등 인간사로서는 도저히 도달할 수 없는 그 높디높은 경지에 놓여 있는 것이다. 그런데 중요한 것은 이 "당신"이 절벽으로 표상되어 있을 뿐만 아니라, 그에 이르는 길이 "떨어져/얼어서/푸득이고/곤두박혀/피묻어/푸득이고/떨어져"와 같이 무수한 추락으로 이어지는 절망 체험 또는 수난 의식으로 표출되고 있다는 점이다. 이것은 실상 절대자에 이르는 길, 또는 진리에의 길이 멀고 험난함을 의미한다. "올라가다가 떨어져/얼어서 푸득이고/기어 오르다가 곤두박혀/피묻어 푸득이고"라는 구절은 절대자를 향한 것이든 현실에 대한 것이든 간에 이러한 절망이 비극적 황홀을 성취하고 있으며, 하나의 비극적 세계관을 형성하고 있다. 그리고 여기에는 "가슴속 타오르는/활활한 이 불/가슴속 펄럭이는/황홀의 이 깃발"이라는 결구처럼 영원과 자유에의 갈망을 통해서 인간으로서의 한계 의식을 극복하고 현실의 절망을 뛰어넘으려는 초극 의지, 또는 부활의지가 꿈틀거리고 있다는 점이다. 어쩌면 이 험난한 역사와 현실 앞에서 우리 모두는 절벽 앞에서 "올라가다가 떨어져/얼어서/푸득이고/흐느끼는" 군상들인지도 모른다. 그만큼 이 시대의 삶은 높디높은 절벽과 깊디깊은 어둠에 잠겨 있는 것이다. 그렇지만 박두진은 이러한 현실의 어둠과 추위를 그것 자체로서 생경하게 노출시키지 않고, 유한자로서의 한계적 인간이 겪을 수밖에 없는 절망과 고통으로 암유, 상승시켰다는 점에서 예술적 자유와 저항의 한 단계 높은 차원을 성취하고 있는 것으로 판단된다.

홍윤숙의 「첫겨울」도 현실에 대한 추위와 적막을 노래하고 있다.

> 구월 국진 시월 단풍
> 꿈같이 지고
> 서울역 광장 시계탑 위에
> 함박눈 내리는 밤
> 경의선 급행열차 히
> "히까리" 지붕에도 함박눈 내리는 밤
> 정주 고독면 달운리 안마을엔
> 별이 뜨고
> 열 여섯 뽀돗이 안으로 눈뜨던
> 외투 속 첫겨울은 따뜻했었다.
>
> ―「첫겨울」 부분

후반부를 인용해 본 이 시는 잃어버린 시간과 장소로서의 고향과 어머니, 그리고 자신의 소녀 시절에 대한 그리움과 애수를 표출하고 있다. "긴긴 겨울 밤/잠 아니 오는 시름/손끝에 달래시던" 모습의 어머니와 "열 여섯 뽀돗이 안으로 눈뜨던/외투 속 첫겨울은 따뜻했었다"로 회상 되는 퍼스나의 모습 속에는 상실로서의 인생과 부재로서의 현실에 대한 절망감과 함께 탄식이 담겨 있는 것이다. 다만 이 시는 이러한 절망감과 탄식이 그리움과 애수의 정조로 채색됨으로써 보다 서정적인 느낌을 불러일으키게 된 것으로 이해된다.

이성부의 시 「다 자란 어둠을 보며」에도 어둠으로서의 삶에 대한 절망과 탄식이 담겨져 있다.

> 그대의 어둠은 너무 깊고 길어서
> 그 뜻을 가늠할 길이 없다.
> 다 부숴놓고 쫓겨가는 시간이 멀리서 울지 않느냐.
> 북북 칠해진 물감 속에서 칼자국이 드러나고

말라 비틀어진 그리움 속에서는 아우성이 들린다.
벌린 두 다리 그늘에서도 신(神)이 보인다.
오. 끊임없이 저를 가두어 불타는 그대,
가두어서 더욱 터져나오는 그대!

─「다 자란 어둠을 보며」 부분

'손상기에게'라는 부제가 달린 이 작품은 허무와 절망을 딛고 일어서려는 군건한 생명 의지 또는 불굴의 예술 의지를 표출한다. 시인 자신의 산문에 따르면 이 화가는 "어두움을 아버지로, 슬픔을 어머니로 삼고 태어난" 육체적인 불구의 사람이다. 그렇다면 이 화가의 절망은 몇 가지로 요약할 수 있다. 하나는 불구라는 실존적인 삶의 어려움에서 오는 절망과 비애이며, 다른 하나는 예술적인 삶의 고통에서 오는 창조적 절망이며 그 아픔이다. 그리고 나머지 하나는 허무와 고독으로서의 생의 보직에 대한 절망이며 탄식인 것이다. 아울러 "빈 들판/철조망 가시 울타리 / 황토 언덕" 등이 의미하는 현실의 불모성과 파행성에 대한 분노이거나 우울일 수도 있는 것이다. 따라서 마지막 구절에서 "오, 끊임없이 저를 가두어 불타는 그대/가두어서 더욱 터져나오는 그대"라는 역설이 가능해진다. 역설이란 모순된 시대와 부조리한 인생에서 삶의 진실을 수호하고 정신의 빛을 간직할 수 있는 방법이며 안간힘에 해당하기 때문이다.

강은교의 「지금은」에도 비관적 현실 인식과 부정적 세계관이 강하게 드러나 있다.

지금 나에겐 손이 없다.
지금 나에겐 만져 볼 이슬이 없다.
지금 나에겐 말이 없다.
지금 나에겐 밟아 볼 땅이 없다.
지금 나에겐 눈이 없다.
자취 없는 허공의 바람뿐

지금 나에겐 바라볼 하늘이 없다.
지금 나에겐 고동칠 가슴이 없다.
들쥐라고 말하는 붉은 입술밖에 없다.
이 발과
이 손과
이 눈과
이 가슴이
통일되기를 기다리는
지금은.

　이 시의 구조는 매우 간단하다. "지금 나에겐…없다"라는 구절이 여러 차례 반복됨으로써 구호적인 메시지를 담고 있다. 마치 신 엽이 「껍데기는 가라」에서 "가라"를 여덟 번이나 반복하여 부조리한 시대 상황과 대결하려 하던 모습과도 유사하다. "자취 없는 허공의 바람뿐"이 현실에 대한 강한 절망과 함께 그에 대한 분노를 담고 있는 것이다. 무엇보다도 이 시에서 "이 발과/이 손과/이 눈과/이 가슴이/통일되기를 기다리는/지금은"이라는 결구 속에는 각 부분 혹은 저마다의 사람들이 제 몫을 다하지 못하고 서로 삐그덕거리는 분열된 현실에 대한 아픔이 드러나 있다. 당대 현실의 불모성과 불구성에 대한 통렬한 절망과 함께 뼈아픈 탄식이 조화와 통일에 대한 의지와 기다림으로 표출된 것이다.
　신진 시인 안도현의 경우에도 부정적인 현실 인식과 비관적인 세계 인식이 두드러지게 나타난다.

하늘에 팽팽히 걸린 거대한 다리가 아니라
이리역 지하도는 굴다리, 땅속을 흐른다.
이곳을 통과하려면 딱정벌레같이 어깨를 접어야 하리
누군가 보면 물이 되어 스며드는 것처럼,

빈부격차가 없는 흐린 불빛 속으로 가면
지아비가 끌고 지어미가 미는 과일 손수레도
밝은 세상 가자고 부지런히 삐그덕거린다.

　　　　　　　　　　　—「이리역 굴다리」부분

이 시의 핵심은 "이리역"과 "굴다리"라는 소재에 놓여진다. 이리역은 몇 년 전 폭발 사고가 일어났던 장소로서 이 시에서 수난의 상징으로 제시되어 있다. 또한 굴다리는 땅 속으로 난 지하도로서 어둠의 상징으로 받아들여진다. 두 가지가 모두 신뢰할 바 없는 현실의 불모성과 이 땅 어둠의 역사에 대한 아픔을 상징하고 있는 것이다. "이리"라는 지명과 "지하도/땅속/굴다리"라는 어둠의 표상 속에는 "춥고 어두운 공터" 혹은 "핏물처럼 뚝뚝 떨어지는 찬 물방울"로서의 비관적 현실 인식이 암유되어 있는 것이다. 그러면서도 이 시에는 "막노동꾼/단발머리 여학생/붕어빵 굽는 할아버지" 등을 통해서 밝은 세상을 향해 나아가고자 하는 신선한 삶의 의지를 표출함으로써 희망을 간직하고 있는 것이 특징이다. 이렇게 본다면 특히 이즈음 절후가 겨울이라서 그런지, 아니면 당대 현실이 어려운 시대라서 그런지 이 시대의 시들은 하나 같이 비관적인 현식 인식에서 크게 벗어나고 있지 못한 것이 사실이다. 시란 어느 시대에 있어서나 그 시대정신의 섬세한 촉수이자, 날카로운 중추 신경에 해당한다. 따라서 그 시대의 아픔과 절망을 가장 예민하게 포착하여 포괄적으로 탄력 있게 제시하는 특징을 지닌다. 그러면서도 그러한 시대의 추위와 어둠을 벗어나려는 끈질긴 노력과 암투를 보여주는 것이 시인이 며 그의 시인 것이다. 아울러 미래에 대한 꿈과 소망을 간직함으로써 현실에서 꺾이지 않고 부패하지 않으며, 역사의 아침을 예감하는 예언자적 지성이 바로 시인이며 그의 시인 것이다. 이즈음 시들이 유독 추위와 어둠을 지속적으로 노래하는 것도 실상은 그러한 추위와 어둠을 극복하고자하는 살아 있는 정신의 발현이며 열린 정신의 표출이 아닐 수 없다. 겨울의 추위와 어둠이 매섭고 두터운 것일수록 봄날의 기쁨은 크고 화사한 것이며, 그 열매 또한 굳고 빛나는 것이기 때문이다. "지금 눈내리고 매화향기 홀로 아득하던" 광야에서 홀로 씨앗을 뿌리던 시인 이육사의 절망적인 삶과 예술이 이 시대에 더욱 싱싱하게 빛나는 것도 그 겨울이 모질고 길었기 때문인 것이다.

1986년

제7장 사는 법과 인간의 조건

이 달의 시 중에서 이관묵의 「끈」(『한국문학』 3월호), 신협의 「바람 곁에서」(『심상』, 3월호), 허형만의 「허송씨에게」(『마침내 시인이여』), 그리고 홍윤숙의 「사는 법·1」(『사는 법』) 등은 삶의 양식에 대한 개성적인 투시를 보여준다는 점에서 관심을 끈다.

먼저 이관묵은 온갖 구속과 조건에 시달리는 인생의 모습을 "끈"으로 비유함으로써 생의 고달픔을 예리하게 드러낸다.

어린 꼬마들이 앨범 속의 내 사진을 놓고 서로 "우리아빠"라고 우겨댄다. 한참을 팽팽하게 맞서다가 드디어 서로 합의점(合意點)에 이르러서는 얼굴 한중간에 반듯이 끈을 매놓고 그리고 반반씩 나누기로 했다. "반은 우리아빠, 반은 너의아빠." 정말 그뿐일까.

아니다 방금 다녀간 월부책 수금원이 매달고 간 끈, 이미 직장에선 국어선생(國語先生)이라고 매달아 놓은 끈, 매달 꼬박꼬박 동회비 납입자로 매단 끈, 어디 그 뿐이라 세무서에선 세금 납입자로 전기 회사에선 전기 세입자로 읍사무소에선 주민세 납입자로 계에선 계돈 불입자로 은행에선 적금 불입자로 매단 끈, 끈, 끈.

> 얘들아 보이지 않느냐 너희들의 반반씩 나누기로 한 아빠의 얼굴
> 에 치렁치렁 매달린 끈, 저렇게 많은 끈을 매달아 놓고 즐거워하는 사
> 람들, 끈으로 갈기갈기 분할(分割)된 "아빠"의 얼굴에 오늘도 금긋는
> 소리만 가득하구나 진실로 너희 몫의 "아빠"는 어디 있는가.
>
> —「끈」

　　이 시에서 "끈"은 실존적인 인간 조건으로서의 끈이며, 동시에 운명적인 구
속의 끈으로 작용한다. 실존의 모습은 월부책값 납입자, 국어 선생, 동회비 납
입자, 세금 납입자, 전기세 납입자, 주민세 납입자, 계돈 불입자, 그리고 적금
불입자 등 다양하게 나타난다. 이것들은 인간으로서 현실을 살아가기 위해서
는 감내하지 않으면 안 될 "인간의 조건"들인 것이다. "아빠의 얼굴에 치렁치
렁 매달린 끈/끈으로 갈기갈기 분할된 이 얼굴"은 바로 온갖 조건과 질곡의 현
실을 살아가는 현대적 삶의 모습을 반영한 것으로 보이기 때문이다. 여기에서
실존적 삶은 낙관적으로 받아들여지기보다는 불행한 것 또는 고통스러운 것
으로서 비관적 양상을 지닌다. "끈으로 갈기갈기 분할된 '아빠'의 얼굴에 오늘
도 금긋는 소리만 가득하구나"라는 구절 속에는 조건적인 삶에 대한 탄식과
함께 육신의 무게에 대한 우울한 페이소스가 담겨져 있다. 그러나 이 시가 말
하고자 하는 것은 실존의 어려움에 대한 탄식과 우울 그 자체가 아니다. 그것
은 오히려 보다 근원적인 데 자리하고 있는 바, 그것은 본원적인 나의 상실 혹
은 진정한 나의 소외에 대한 존재론적 고뇌에 놓여 있는 것으로 보인다. 온갖
현실적 구속과 인간 조건에 시달리는 삶의 와중에서 과연 진정한 나는 어디에
있으며, 나의 몫의 삶은 어디에 있을 수 있는가 하는데 대한 고통스런 질문이
제기돼 있는 것이다. 이 점에서 이 시는 복잡다기한 실존의 굴레에서 벗어나
인간다운 삶, 나의 나로서의 참다운 삶의 실현에 대한 안타까운 동경과 갈망
을 노래한 것으로 보인다.

　　신협의 시도 삶이란 과연 무엇이며, 진정한 나는 어디에서 찾을 수 있는가

하는 데 대한 질문을 제기하고 있다.

목숨은 바람일러라
구름으로 떠다니고
물거품으로 떠다니고
돛단배로 떠다니고
고향 찾아 헤맬러라

인생은 바람일러라
먼지로 떠돌다가
가랑잎으로 떠돌다가
나그네로 떠돌다가
바람따라 가보았으나
어딜가나 고향은 아닐러라.

시 「바람 곁에서」에는 잃어만 가는 것, 떠다니는 것, 떠도는 것으로서의 인생에 대한 비관적 인식 또는 허무의 자각이 드러나 있다. 목숨은 바람으로 떠다니다가 이윽고 사라져 가는 허무한 존재이다. 목숨은 또한 구름으로, 물거품으로, 돛단배로 떠다니다가 바람처럼 사라지는 덧없는 실체인 것이다. 인간의 본원적 모습을 찾을 수 있는 장소, 현실 속에서 잃어버린 나를 회복할 수 있는 소중한 곳으로서 고향을 찾아 헤매는 과정이 바로 삶의 모습으로 묘사돼 있다.

또한 인생은 "먼지"이며, "가랑잎"이고, "나그네"로서 묘사돼 있다. 먼지에는 삶의 피곤과 우울이, 가랑잎에는 실존의 허약함과 덧없음이, 그리고 나그네에는 단독자로서 삶을 살아가는 외로움과 그 비애가 각각 담겨져 있는 것으로 보인다. 그러나 중요한 것은 "어딜가나 고향은 아닐러라"라는 구절 속에 내포된 비관적 생의 인식에 놓여 있다. 이 구절 속에는 현실의 그 어느 곳에서도 결코 인간다운 삶을 구현할 수 있는 장소 혹은 나를 찾을 수 있는 구원의 장소로서의 고향은 부재한다는 절망감이 깃들어 있다. "떠다님, 떠돌음, 헤맴"으로 요약되는 이 시의 기본 정감에는 풍진 세상을 방황하며 살아가는 인생의 모습이 선명히 제시돼 있다. 또한 허무한 것, 부재하는 것으로서의 생에 대한 부정적이면서도 비관적인 인식이 드러나 있는 것으로 해석된다.

한편 허형만의 시에도 인생이란 무엇이며, 그 삶의 길이 얼마나 고달프고 덧없는 것인가 하는 문제를 다루고 있다.

> 시월이라 청자빛 우리나라 하늘 닮은
> 만고에 순하디순한 우리네 허송씨(許松氏)는
> 일자나 한자도 무식에 무식이지만
> 아들 딸 서울 유학에 발톱 빠진 許松氏는
> 젊었을 적엔 머슴도 했다 소작도 했다
> 고향 그리워 고향 찾아 돌아오던 날 밤
> 제 먼저 물꼬부터 훑으면서 눈물 씹던 許松氏는
> 애국이 무언지 몰라도 권력이 무언지 몰라도
> 하늘이 주신 햇살 받아 얼굴 검은 許松氏는
> 국법을 조심하고 국토를 중히 하야
> 전라도 순천땅 닷마지기 논빼미에 혼을 거두는
> 초야의 잡초보다 질긴 심줄 許松氏는
> 이마에 흐르는 땀이 푸르딩딩 번득거린
> 허허청청 달도 밝은 이 한밤
> 짚가리 옆에 쭈그려 지성으로 낫을 가는 許松氏는
> 조선낫이사 잘 들어야지야, 암 잘 들어야지야 다짐하며
> 황토내음 오금 박힌 손바닥에 탁탁 침 뱉는 許松氏는
> 살아야 밍(命)인께, 먹어야 복(福)인께
> 푸른 댓잎 서걱이는 소리로
> 하얗게 하얗게 밤이슬에 젖어드는
> 낼 모레가 환갑이신 우리네 許松氏는.
>
> ─「허송씨에게」

이 시 「허송 씨에게」에는 고달픔으로서의 생과 한으로서의 농민의 삶이 묘사돼 있다. 또한 "초야의 잡초보다 질긴 심줄"처럼 끈질기면서도 강인한 농부의 생명력에 대한 외경심이 드러나 있는 것이다. 닷마지기 논빼미에 혼을 거두는 허송씨의 한 생애는 그대로 이 땅의 많은 농민들의 고달픈 모습을 드러낸 것이 된다. 그것은 "살아야 밍인께, 먹어야 복인께"처럼 먹고 사는 문제에 매달려 사는 생의 고달픔과 그에 대한 탄식이 깃들어 있는 것이다. 그러면서도 불만족하거나 절망적인 포즈를 취하지 않고 "푸른 댓잎"처럼 꿋꿋하게 살아가는 모습을 보여준다. 흙 속에 전생애를 걸고 그 속에서 묵묵히 살아가야 하는 인고와 한으로서의 생의 조건이 제시돼 있는 것이다. 이 시에는 고달픈 생의 가운데에서도 회의와 절망보다는 목숨의 조건에 순응하고 견뎌나가는 긍정적 생의 인식이 표출돼 있는 것으로 보인다.

홍윤숙의 「사는 법」에는 온갖 구속과 조건으로 가득 차 있는 생의 다중성에 대한 총체적 인식이 제시돼 있다.

잠자는 법 눈뜨는 법
걸음 걷는 법
하루에 열 두 번도 하늘 보는 법
이를 빼고 좀 한 뭉치 틀어막는 법
한 근씩 살 내리며 앓는 법 배워요
눈물의 소금으로 혓바닥 절이며
열 손가락 손톱마다 동침 꽂고 손 흔드는
이별법도 배워요
입술 꼭꼭 깨물며 눈으론 웃고
목구멍 치미는 악 삼키는 법 배워요
가슴 터져나도 천리(千里) 긴 강물 붕대로 감고
하루에 열 두 번씩 죽는 법 배워요

시 제목 「사는 법」에서 "법"은 사는 데 필요한 조건이며, 동시에 극복 해 나 아가야 할 운명의 짐들로 볼 수 있다. "법…배워요"로 요약할 수 있는 이 시의 기본 구조는 목숨의 조건과 그에 대한 초극의 문제가 핵심이 된다. 그것은 바로 온갖 생의 "법"들을 체험함으로써 그 체험을 통한 배움과 깨달음 속에 생의 진실이 드러날 수 있음을 드러낸 것이 된다. "배우는 것/희망을 간직하는 것/고통을 참는 것/앓는 것/헤어지는 것/가면을 쓰는 것/절망하는 것" 등으로 연속되는 삶의 모습은 그 모두가 초극해야 할 대상들이다. 무엇보다도 "하루에 열 두 번씩 죽는 법 배워요"라는 구절 속에는 고통의 삶 속에서 죽는 법까지도 익혀야 하는 생의 운명적 조건에 대한 예리한 투시가 담겨져 있다는 점에서 특히 관심을 끈다. 배워야 할 "법"으로 연속되는 인생은 온갖 조건으로 짐 지워져 있는 인생의 모습을 반영한 것이며, 이 점에서 인생의 참된 가치는 이러한 인간 조건을 깨닫고 하나하나 극복해 가는데서 드러날 수 있음 제시한 것이 된다. 실상 홍윤숙 씨의 시집 『사는 법』 속에는 생의 다중성과 그 조건에 대한 총체적 인식 속에서 자기 극복을 성취하려는 성숙된 의지가 내포되어 있음을 발견할 수 있다.

지금까지 살펴본 것처럼 이즈음의 시들은 온갖 조건으로 짐 지워져 있는 현대의 삶 속에서 본원적인 자기를 발견하고 그 인간 조건을 극복하려는 노력을 보여주고 있는 것이다.

1984년

제8장 현실 비판의 몇 가지 방법

이 달의 시 중에서는 박희진의 「연꽃 속의 부처님」, 「송광사 밤 뜰」 외, 오탁번의 「하관」, 「천둥산 박달재」 외, 황동규의 「풍장」 시리즈 그리고 박남철의 「잠실 통신」(『현대문학』, 9월호) 등이 관심을 끈다.

박희진의 시들은 작금의 한국 현대시에서 가장 부족한 요소의 한 가지인 종교적 명상의 그윽한 깨달음을 보여 준다는 점에서, 오탁번의 시들은 소설과 시 그리고 문학 연구를 넘나들던 그가 오랜만에 발표한 시 작품이라는 데서, 그리고 황동규의 시들은 그가 근래에 몰두하고 있는 죽음과 자유에 관한 지속적인 성찰을 보여준다는 점에서 의미를 지니는 것이다.

먼저 박희진은 부처님, 스님, 사찰 등의 불교적 소재를 형상화함으로써 종교적 명상의 진지함과 그 교감의 그윽함을 드러내 준다.

연꽃 속의 부처님
살 속의 피 속의 뼈 속의 바람 속의
연꽃 속 이슬 속의 미소하는
부처님 내장 속을 흐르는 강물에
부침(浮沈)하는 중생(衆生)의 발톱 속 무수한 티끌 속에
저마다 삼천대천세계(三千大天世界)가 들어 있다

연꽃이 피어 있다
또 그 무수한 연꽃 속 이슬 속엔
저마다 미소하는
부처님이 들어 있어
무량광명(無量光明)을 뿜고 있다

—「연꽃 속의 부처님」

　이 시에서 부처님은 실재하는 형상으로 존재하지 않는다. "연꽃, 바람" 등
의 보조 심상과 "살, 피, 내장"이라는 육감적인 시어가 있지만 어디까지나 부
처님은 마음속에서 온 누리의 어둠을 밝혀 주는 절대자, 무한자로 존재하는
것이다. 온 우주의 삼라만상을 포용하면서 삼천대천세계의 어둠을 불 밝히고,
중생의 티끌을 씻어 주면서 무량과명(無量光明)을 발하는 것이다. 깨달음을
완성한 자로서의 부처님은 마침내 스스로 발광체가 되어 진흙 속에서 연꽃을
피우듯이 "탐(貪), 진(瞋), 치(癡)"에 사로잡힌 "발톱 속"과 "티끌 속"의 중생을
미소로써 구원하게 된다는 깨달음을 보여 준다.

　또한「어느 스님 소묘」에서는 깨달음을 얻은 한 승려로부터 마음의 평화와
정신의 구원을 얻을 수 있다는 믿음을 드러낸다. "몸과 마음이 하나가 되어/걸
림이 없는 스님/깨달음을 얻은 분/티 하나 없는 홍안(紅顏)의 아름다움/일거
일동이 자연스러우면서도/법도에 어긋나는 일이 없음이여/어린애처럼 안시
(顏施)만으로도 족하신 스님"이라는 구절 속에는 수행하는 자, 깨달음을 얻는
자로서의 승려의 진면목이 어떠하며, 또 그 본도가 어떠해야 하는가를 제시한
것이 된다. 여기에서 "어느 스님"은 실제의 스님일 수도 있고 상상의 존재일
수도 있다. 다만 중요한 것은 이 시가 근자의 신흥사 사건 이래 그 어느 때보다
도 위기에 처한 불교계에, 또한 그 어느 때보다도 오염되고 타락한 승려들이
많은 것처럼 보이는 이즈음의 현실에 각성을 촉구한다는 점이다. 모든 승려들
이 지향해 나아가야 할 법도는 "불가사의한 향기를 풍기면서 미소하고 있음/

그 미속 속에 휘말려 들어가면 심신이 탈락됨"(「무제」 3,4행)의 경지이어야 한다는 것이다. 이러한 경지에 들어서야만 자아 해탈을 이루고 중생 제도의 실천이 비로소 시작될 수 있음은 물론이다.

시 「송광사 밤 뜰」은 불교적 명상의 그윽함을 더욱 실감 있게 묘사하고 있다.

> 대기 오염에 찌든 지구가
> 그래도 본래의 정하디정한 들숨과 날숨으로
> 화엄경(華嚴境)을 이룩한 곳,
> 한국 남단의 송광사 밤 뜰.
>
> 일찌기 고려때엔 십육 국사를 배출하였거니,
> 그 드높은 영성(靈性)의 향기가 별들에 닿음일까
> 밤마다 어질어질 취한 별들은 이곳에 내려온다.
> 귀신도 모르게, 은밀히, 소리없이
>
> 새로 세시쯤 되었을까 모르겠다.
> 요사 채에서 냇가에 나온 나는
> 스스로의 소변을 은하수(銀河水)라 생각다가,
>
> 무심코 하늘을 우러러 보았더니
> 바로 머리 위의 버드나무가지까지
> 내려왔던 별들이 소스라치며 승천하는 것이었다.

이 시에는 전통 있는 승보 사찰(僧寶寺刹)인 송광사의 밤이 아름답게 그려져 있다. 수만의 승려들이 구도(求道)에 정진하여 불법을 깨우치고 십륙 국사(十六國師)를 배출할 정도로 드높은 영성(靈性)의 향기가 가득 차 있는 명찰 송광사의 밤풍경은 바로 진세(塵世)의 더러움, 즉 "대기 오염에 찌든 지구"를 정화시켜 주는 힘으로 작용한다. 고승(高僧)들의 살아 있는 영성의 향기는 대자연의 정령(精靈)들과 결합하여 지상의 모든 어둠과 더러움을 씻어 주는 것이다. "어질어질 취한 별" "별들이 소스라치며 승천하는 것" 등의 구절은 자연과 인간의 교감이 마침내 불(佛)과 법(法)과 승(僧)의 일체화를 성취하는 모습을 보여 준다. 이 점에서 "송광사"는 인간이 지향하는 천진무구의 마음, 순수 자연의 마음이 화엄경(華嚴境)을 이룩하는 정토(淨土)의 표상인 동시에 영원한 도량(道場)을 상징한 것이 된다.

이렇게 볼 때 박희진(朴喜進)이 말하고자 하는 바는 불교적 내용 그 자체가 아님을 알 수 있다. 오히려 그의 시편들은 온갖 더러운 욕망에 찌들고 공해에 오염된 현대인의 자기 분열 증상을 치유하고, 인간 구원 취할 수 있는 유일한 길일 수 있다는 점에서 깊은 의미를 지닌다.

오탁번의 「하관(下棺)」 등도 씨의 새로운 변모를 보여 준다는 점에서 관심을 끈다. 신선한 서정과 세련된 언어 감각을 추구하던 첫 시집 『아침의 예언』에서 차츰 현실적인 삶과 밀착되는 경향을 지니게 된 것이다.

> 이승은 한 줌 재로 변하여
> 이름모를 풀꽃들의 뿌리로 돌아가고
> 향불 사르는 연기도 멀리멀리
> 못 떠나고
> 관을 덮은 명정의 흰 글자 사이로
> 숨는다
> 무심한 산새들도 수직으로 날아올라
> 무너미재는 물소리가 요란한데
> 어머니 어머니
> 하관의 밧줄이 흙에 닿는 순간에도
> 어머니의 모음을 무르는 나는
> 놋요강이다 밤중에 어머니가 대어주던
> 지린내나는 요강이다 툇마루 끝에 묻힌
> 오줌통이다 오줌통에 비치던
> 잿빛 처마끝이다

이엉에서 떨어지던 눈도 못 뜬
벌레다
밭두렁에서 물똥을 누면
어머니가 뒤 닦아주던 콩잎이다 눈물이다
저승은 한 줌 재로 변하여
이름모를 뿌리들의 풀꽃으로 돌아오고

이 시에는 돌아가신 어머니의 죽음을 새삼 추모하는 가운데 날이 갈수록 깊
어만 가는 어머니에 대한 그리움이 애절하게 담겨져 있다. "한 줌 재"로 변하
여 사라져 간 육신에 대한 허무감과 함께 "풀꽃들의 뿌리로 돌아가고"와 "뿌
리들의 풀꽃으로 돌아오고"의 대응을 통해 생명의 인과율과 대지의 순환 질
서를 자각하게 된 것이다. 비록 어머니의 육신은 떠나갔지만, "나"와 "어머니"
사이에는 핏줄로서의 끊어지지 않는 영혼의 끈이 이어지고 있으며, 그것은 영
원한 것으로 살아서 되돌아오리라는 믿음이 피력되어 있는 것이다. 특히 "지
린내나는 요강" "오줌통" "범지, "물똥" "콩잎" 등의 흙냄새 물씬한 시어들의
채용은 육신의 생명 감각을 강하게 드러내는 동시에 어머니에 대한 육친애의
그리움을 더욱 진솔한 것으로 만들어준다. 이렇게 볼 때 이 시는 오탁번 시의
중요한 변화를 예감케 해준다는 점에서 주목을 요한다. 다분히 감각과 서정에
주로 의지했던 초기시에서 벗어나, 목숨과 대지 등 현실적인 생명력에 뿌리를
내리기 시작한 것으로 보이기 때문이다. 이러한 점은 「어필을 보며」에서는 역
사의 어둠과 생의 비애를 결합함으로써 역사의식의 문제를 천착하기 시작한
다. 또한 「천둥산 박달재」에서는 고향과 유년에 대한 회상 속에서 되살아나는
이 땅 역사의 어둠과 삶의 어려움에 대한 탄식을 드러내기도 한다. 「천둥산 박
달재」는 단순한 유년에 대한 그리움의 표상이나 그 어떤 고유 명사로서의 지
명이 아니다. 그것은 이미 우리의 가슴 속에 육화된 추억으로서 살아 있는 잃
어버린 고향이며, 동시에 이 땅의 불행한 역사를 대변하는 한의 대명사인 것

이다. 「왕릉에서」는 왕조 중심으로 전개돼온 이 땅 역사의 허위에 대한 야유
와 함께 민중 시대의 도래 에 대한 예감을 제시한다. 이러한 역사와 현실에 대
한 야유 속에는 지식인의 무력함에 대한 탄식이 깃들어 있다. 「하늘에게」에서
의 자조와 야유, 「무등산」에서의 깨달음에 대한 상징적 처리, 「개꿈」 「여기쯤
에서」의 희화와 비판 의식의 교차 등은 이러한 오탁번의 변모를 확인할 수 있
게 해준다. 실상 오탁번의 시는 앞으로 더욱 대지와 삶에 굳건한 뿌리를 내리
는 데서 그 시적 생명력을 확대하고 공동체 의식에 바탕을 둔 시적 설득력을
강화해 갈 수 있을 것이다.

황동규의 「풍장」 5 · 6 · 7 · 8은 1 · 2 · 3 · 4에서 추구하던 죽음과 자유의 문
제를 지속적으로 확대, 전착하고 있다.

> 까마귀들 날고 떠들며
> 머리맡에서 서성댈 때
> 한눈 팔다가 한눈 파먹히고
> 팔 휘둘러 쫓으며 비스듬히 누워
> 한눈으로 보는 세상
>
> 고개 숙이고 나무들이 나직이
> 주고받는 말 들린다
> 저녁 바람이 차다고
> 가을의 한가운데가 지금 지나간다고
> 가을의 한가운데, 저 외마딧 구름장을 뱉어내는
> 더 작은 구름장, 자지러지며 다시 내눈을 뱉어낸다.
> 뛰고 날고 참 잘들 논다!
>
> 아직 목과 입이 남아 있다니!
> 슬며시 돌아누워 날개 달린 자들에게
> 나머지 한눈까지 내어맡길까

아니면 헌 신발을 머리에 얹고
덩실덩실 춤추며 내려가볼까
한쪽 눈으론 웃고 다른 한쪽은 캄캄히 타오르며
맨발로 덩실덩실 내려가볼까

—「풍장」5

이 시의 시적 성공의 포인트는 시점(point of view)과 목소리(voice)의 독특성에 놓인다. 사자의 시점과 사자의 목소리는 현실적인 제약이나 풍속의 한계를 벗어나서 자유롭게 바라보고 말할 수 있다는 점에 있다. 사자의 시점이나 목소리는 이미 현실의 그것이 아닌 바, 구태여 그것의 시와 비, 선과 악, 미와 추를 운위하거나 시비할 아무런 근거가 없는 것이다. 이른바 "초월적인 시점과 목소리"를 통해 어지러운 세상과 비뚤어진 인간성에 대한 풍자와 야유, 그리고 비판을 마음껏 펼칠 수 있으며, 동시에 현상에 얽매여 바라볼 수밖에 없는 삶의 본질을 보다 넓고 깊게 꿰뚫어 볼 수 있는 강점을 지니기 때문이다. 인용시에서도 세속인들에 대한 야유와 비판을 자유롭게 개진하고 있다. 한눈 팔다가는, 코 할 것 없이 베어 먹히고 마는 현실의 냉혹함에 대한 탄식이 드러나 있는가 하면 "까마귀" "날개 달린 자" 등을 통해 세상에는 온갖 타락한 욕망으로 간교한 재주를 넘으며 악덕과 비리를 서슴지 않고 자행하는 무리들이 활보하고 있음을 풍자하기도 한다. 따라서 사자는 "뛰고 날고 참 잘들 논다!"라고 신랄한 야유를 퍼붓게 되는 것이다. 특히 「풍장·8」에 보이는 "빈정나라에서 욕나라로 막 들어온 멍청한 개처럼 걷다가 뜻없이 컹컹 짖어…" 라는 구절은 불신과 야유 그리고 적개심이 판치는 현실에 대한 적나라한 비판을 전개하고 있는 것이다. 이 점에서 연작 시 「풍장」은 황동규의 예리한 비판 정신이 생생하게 살아나는 상징의 공간으로서, 황동규 시세계의 새로운 가능성을 열어 주는 한 전환점이 될 수 있을 것으로 기대된다.

신인들의 시 중에서는 박남철의 「잠실 통신」을 문제작으로 꼽을 수 있을 것이다. "눈도 없고 귀도 없고 입도 없다/그저 몸뚱어리만 있어 다만 꿈틀거릴 뿐이다/그래 서로가 서로에 대하여 징그러울 뿐이다"라는 구절 속에는 인간다운 인간으로서의 "살아 있는 정신"을 잃고 누에처럼 무기력하고 비겁하게 살아가는 이 땅의 삶의 모습에 대한 통렬한 야유와 비판이 담겨 있다. "눈도 없고 귀도 없고 입도 없다"의 반복과 어순의 도치 속에는 시대와 현실에 대한 깊은 부정과 함께 불신과 반항의 정신이 내포돼 있다. 이 땅 현대인의 삶이 누에화 현상을 보이는 데 대한 개탄이 뒤틀린 구문을 통해 짙은 패러독스로 살아나고 있다는 점에서 시인 정신의 날카로움과 준열한 시의식을 읽을 수 있고 이 시인의 앞으로의 가능성을 기대해 볼 수 있으리라 생각한다.

이 달의 시는 풍성한 가운데 이 땅에서의 실존이 당면하고 있는 문제점을 폭넓게 시 속에 수용하고 있는 것으로 보인다.

1983년

제9장 실락원의 시

60대 노시인들인 황순원, 최재형, 그리고 조병화는 최근 시를 통하여 인생에 대한 깊이 있는 통찰과 투시를 보여준다는 점에서 관심을 끈다.

특히 소설 창작에 있어 일가를 이루고 있는 노작가 황순원 씨가 세 편의 시를 발표한 것과, 해방 전에 활약하다가 오랫동안 침묵해 온 노시인 최재형 씨가 수십 년만에 신작 6편을 문학지에 집중적으로 발표했다는 것은 사실 그 자체만으로도 화제가 될 만한 일이다. 아울러 조병화 씨의 「이봉구」는 전후 명동 문단 시대의 낭만적 신화의 종언을 추도시로 형상화한 것이라는 점에서 상징적 의미를 내포하고 있다. 이들 세 시인의 시편들은 이순을 넘어선 시점에서 그들 각자가 새삼 깨닫게 되는 생의 무상함과 그 쓸쓸함, 그리고 날이 갈수록 낭만과 꿈 등 의 인간적 체온을 잃고 각박해져만 가는 세상살이에 대한 탄식을 표출하고 있다는 점에서 공통점을 지닌다.

먼저 1930년대 이미 시집 『방가』(1934)와 『골동품』(1936)을 발간했던 황순원 씨가 다시 시를 발표했다는 것은 조금도 이상한 일이 아니다. 그러나 소설가로서 이미 독보적인 위치를 확보하고 있는 그가 새삼 시를 발표한 데는 그 나름의 이유가 있을 것이 자명하다. 소설은 작가가 말하고자 하는 바를 비교적 자유롭고 직접적인 방식으로 개진 할 수 있는 장르이다. 그런데 그가 시라는 형식을 선택하여 무언가 표현해 보고자 한 것은 소설과 시의 장르적 특성과 기능이 서로 확연히 구별되기 때문인 것으로 이해된다. 소설이라는 개방적, 직접적인 진술 양식으로는 도저히 표현할 수 없는 압축적, 상징적인 기능이 시에 있기 때문일 것이다. 어느 한 순간 돌연히 깨닫게 되는 삶의 빛나는 진실이나 감동을 보석처럼 반짝 드러내는 요약적, 조명적 기능이 시에 존재하기 때문인 것이다.

시 「낭만적」은 우선 제목 자체가 아이러니컬한 풍자적 의미를 내포하고 있음을 알 수 있다.

> 같은 학교 동료로 지난해 고희를 맞은 이가 한 분 있는데 이 양반이 술을 좋아한다. 그리고 술이 흥감해지면 집으로 가는 버스같은 걸 탔다가도 곧잘 도중에 내려 걷기를 잘한다. 그날밤도 걷기 시작해 통금(아직 통금이 있을 때)이 가까와서야 포장마차를 끌고 돌아오는 사람에게 여기가 어디냐고 물었더니 노고산 밑이라는 것이었다. 실은 서대문 인왕산 방면으로 가야 하는 건데 신촌 노고산 밑까지 왔던 것이다. 그러나 조금도 당황한 빛 없이, 인왕산이면 어떻고 노고산이면 어떠냐 인간도처유청산이니라. 그리고는 노고산 밑 한 곳에서 별하늘을 이불삼아 하룻밤을 지냈다. 이 얘기를 듣고 학생들은 아주 낭만적이라고 크게 손뼉을 치며 웃었다. 이 양반의 속깊은 쓸쓸함일랑 아랑곳도 없는 듯이.

> 이 양반이 한번은 또 엔간히 흥감스런 기분에 젖어 교외 들길을 걸었다. 휘영청 달밝은 밤이었다. 입에서 절로 흥얼거림이 새어 나왔다. 동창이 밝았느냐 노고지리 우지진다 소치는 아이놈은 상기 아니 일었느냐…그러다가 걸음을 멈췄다. 길 아래에 희한한 일이 벌어져 있었던 것이다. 웬 암록색의 우단이 깔려 있는 게 아닌가. 그게 달빛과 어울려 한없이 부드러웠다. 아, 누가 날 위해 이런 걸 베풀었누, 사양 말고 받아들여야지. 지체없이 길 아래 우단으로 내려가 네활개를 뻗고 편히 드러누웠다. 실은 그곳은 모를 내기 전의 모판이었다. 이 얘기를

듣고 학생들은 역시 낭만적이라고 박장대소를 했다. 이 양반의 행위 속에 담겨진 쓸쓸함일랑 또한 눈치채지 못하고.

　이 양반보다 세 해 아래인 나는 술을 마시고 나선 뭐든 타고 곧장 집으로 온다. 버스일 경우에 술을 먹었건 안 먹었건 손잡이를 잡고 서서 온다. 빈자리가 있더라도 그렇게 한다. 차체에 따라 이리저리 흔들리는 것으로 운동을 삼기 위해서다. 이는 대학 시절 한 노교수가 한 말을 상기한 뒤부터다. 노교수는 만원 버스를 타고 좌우 젊은 여자와 부딪치는 걸로써 건강법의 하나로 삼는다고 했다. 이 말에 학생들은 외설 건강법이라고 웃어댔었다. 그러나 나는 혹 곁에 젊은 여자가 있더라도 부딪칠 생각을 못하고 있다. 외설건강법을 삼가려는 게 아니고 그럴 만한 기운이 내게 없는 것이다. 바로 어젯밤 집으로 돌아오는 버스에서다. 손잡이를 잡고 혼자 속으로 별 맥락도 없이, 가야바의 집이 어디냐 오늘도 해갈을 하며 쏘다녔지만 정작 닭 울기 전 세 번 모른다고 할 사람이 내게는 없구나…그러고 있는데 커브를 도는지 차체가 약간 기울며 옆에 있던 젊은 여자와 부딪쳤다. 그리 센 부딪침도 아니었다. 술이 많이 취해 있었던 것도 아니었다. 그런데도 나는 손잡이를 놓치고 나뒹그러지고 말았다. 차내의 사람들이 킥킥 웃어댔다. 학생들의 얼굴이 떠올랐다.

　산문시로서 쓰인 이 작품은 메시지를 담고 있다. 고희를 넘긴 한 노 교수가 "별하늘을 이불삼아 하룻밤을 지냈다"거나, "모판 위에 편히 드러누웠다"라는 구절은 자연도 잃고 꿈과 낭만 그리고 여유와 웃음마저 잃어버리고 살아가는 현대인을 야유한 것으로 볼 수 있다. 또한 그러한 미친 듯한 일탈 혹은 낭만적이라 웃어넘길 수 있는 행위의 배면에는 삶의 깊이 속에 감춰진 본질적인 허무와 고독이 자리잡고 있다. 아울러 현실의 권태와 무기력에 대한 페이소스를 표출한 것이라 볼 수도 있다. 또한 버스 안에서 젊은 여자와 부딪혀 나뒹그러지고만 자신에 대한 묘사 속에는 노인으로서 느낄 수밖에 없는 소외감과 무력감 그리고 늙어감에 대한 탄식과 쓸쓸함이 잠재해 있는 것이다. 이렇게 볼 때 "낭만적"이란 제목 속에는 얽매인 일상성으로부터 벗어나 보고 싶은 인간적 충동과 잃어버린 자연에 대한 낭만적 귀환 의지가 담겨 있으며, 동시에 그에 대한 덧없음과 쓸쓸함을 깨닫는 데서 오는 자조가 아이러니컬하게 내포되어 있다. 또한 얼마 전 옛 주인의 어린이를 구한 의견(義犬) 사건과 10대의 이웃집 세 어린이 살해 사건을 소재로 한 시 「메모」에는 인간적인 따뜻함과 아름다움을 잃고 사는 현대인의 살벌한 실상이 드러나 있다. "얼마 전 한 고장에서 개가 물에 빠진 애를 구조하여 화제가 된 일이 있다 그런데 며칠 뒤 그 얘기는 사실이 아니고 꾸며낸 것으로 판명됐다. 그러나 나는 애들이 나무랍거나 속은 게 억울하지가 않았다. 오히려 미소마저 지어졌다. 그건 아마도 애들이 그 얘기를 만들어낸 상상력이 어떤 공간에서 합치점을 볼 수 있었기 때문이리라" 라는 구절 속에는 낭만적 신화를 잃고 사는 현대의 삶에서 차라리 지어서라도 따뜻한 인간의 이야기를 간직해보고 싶은 슬픈 꿈이 담겨져 있다. 실상 이리 꾸며낸 이야기, 많은 사람을 그럴 듯하게 속여넘길 수 있는 아름답고 따뜻한 이야기를 짓는 것이 소설 창작이라면 이 의견(義犬) 이야기는 사람답게 살아가지 못하는 사람이 너무나도 많은 현실에서는 대단히 소설적인 테마가 될 수 있는 것이다. 그러기에 "상상력이 어떤 공간에서 합치점을 볼 수 있었을 것"이라는 결구가 가능해지는 것이다. 이 점에서 「메모」 뒷부분은 세 어린이를 죽인 10대 소년의 비정한 인간 상실을 예리하게 풍자하고 있다. 이 비정한 소년의 이야기는 물질문명과 상업주의의 폭력적인 횡포 속에서 점차 야수화해 가는 인간 실존을 개탄한 것이며, 동시에 각박한 현대의 삶 속에서 인간적 신화를 창조하여 휴머니즘을 회복해 가고자 하는 뜨거운 외침을 내재하고 있는 것이다. 이 점에 서 황순원의 시편들은 현대인이 처한 인간 상실의 위기와 인간성 회복의 열망을 상징적으로 요약 제시한 것이 된다.

시인 최재형은 1939년『조선일보』 신춘문예에 시 「여름 산(山)」이 당선된 이래『조광』지 등에 「밤길」 「지도」 「묵상」 등의 생활적인 시를 주로 썼으며

6·25사변 중에는 박기원 등과 『한화집』을 발간한 바도 있는 노시인이다. 그는
6편의 시를 통해 지나간 삶에 대한 통한과 함께 뿌리깊은 허무와 절망을 드러
내고 있다.

나는 평생
세월의 문이 열릴 때마다 울며 살아왔다.

세월은 예고 없이 바뀌고, 그때마다
운명(運命_이 문을 하나씩 열었다.

문이 열리면
언제나 앞이 벽(壁)이었다.

혹은 사랑의 진실이 배신당하고,
혹은 남의 전쟁에 끌려나가고,
혹은 억울한 누명으로 횡액(橫厄)을 당하고,
혹은 어린 자식들과 생이별하고,
혹은 아내가 졸지에 먼저 가고,
…중략…

이제는
운명의 문이 다 열리고, 또 문마다
얽혔던 한(恨)많은 사연들도 다 흘러가 버리고
그 사이 나는 속절없이 늙었다.

얼마나 기구한 세월이었는가.
평생을 죄스럽게 살아왔지만
사실 나는 지금
무엇인가를 더 기다리며 오늘을 살아가고 있다.

아직 나에겐

문이 하나 더 남아 있다고 생각한다.

어쩌면 그 마지막 문이 열리는 날, 그곳에서
나는 당신을 만나리라.

—「세월의 문」

당신의 뜻에 따라 우리는
오늘을 열심히 살아가고 있다.

이렇게 열심히 살아가다가
끝내는 모두 늙고 병(病)들어
마지막 자리에 눕게 된다.

인간의 본연(本然)한 귀결(歸結)은 그러하지만…
당장 눈앞에 꽃밭이 있고 또는 달콤한
사랑이 있고 또는 막강한 권좌(權座)가 어른거리면
그것만으로도
인생(人生)은 더없이 황홀한 것이다.

육친(肉親)이 죽으면 잠깐 모여 앉아
서로 허무함을 눈물짓지만
실은 내가 오늘 살아가는 게 더 급한 것이다.
사는 날까지는 살아야 한다는 이 절실한 명제(命題)—
마지막 병상(病床)이 허망한 것을 미리 염려할 겨를도 없이
인생(人生)은 시시각각으로 안타까움이 더욱 사무치는 것을.

유한(有限)한 내일을 향하여 오늘을 숨가쁘게 줄달음질 치는 저 사람들을
어찌 어리석다고 하랴.

다만 우리는 가련한 인간(人間)일 뿐
당신의 뜻에 그냥 따르는 것이다.

—「살아가는 명제」

실로 오십년(五十年)만에
나는 이 골목을 찾아왔다.
이 골목은
그 옛날 내가 사랑하던 소녀(少女)가 살고 있던 곳,

지나간 시간이 문득 오늘을 보고 싶어
잃어버린 기억을 찾으러 왔다.

그 많은 세월이 다 어디로 갔을까.

세월에 밀려 옛 사연은 어디에도 남아 있지 않고
현실은 너무나 낯이 설다.

사실 지나간 일은 다 부질없는 것,
내가 이 세상을 살다간 흔적은 바로 이런 것이다.

이제 여기서
무엇을 더 생각하랴.

나는 지금
지나간 어느 시간에도 돌아갈 수 없고, 또
찾아나설 현실도 없이,

다 늦게 이 골목을 찾아와서
혼자 비를 맞고 서 있다.
—「어느 골목에서」

이 시편들은 지나간 인생에 대한 과거적 상상력을 바탕으로 하여 비관적 인생관을 표출하고 있다. 고통과 슬픔으로서의 인생사 속에서 속절없이 늙어가다가, 새삼 늙음을 인식하면서도 끝내 목숨의 법칙에 순응하려는 인간적인 우울이 깃들어 있다. 이 시에도 역시 낯설어만 가는 현실 속에서 느끼는 소외와 좌절감을 드러내는 동시에 잃어버린 인간의 체온을 회복하고자 하는 슬픈 갈망이 개재해 있는 것이다.

조병화 씨의 「이봉구」는 시인 이봉구씨의 죽음을 추도하여 쓴 추도시로서, 허무한 것으로서의 인생, 비어만 가는 것으로서의 현존재의 비극성을 선명히 제시하고 있다.

> ① 당신은 이제, 세월 속으로
> 사라진 이름
> 한 백 년, 한 오백 년 후에나 솟아오를까
> 무거운 시간 밑으로 캄캄히
> 한없이 가라앉아 간다
>
> 당신이나 나나, 한국의 예술가들이
> 가난으로 끼니를 이으며
> 정신의 고향을 상실한 채
> 불안한 연대를
> 자존과 양심
> 그 의지할 곳을 찾아
> 절어드는 고독을 마시며 떠돌던
>
> ②명동은, 지금
> 돌체도, 모나리자도, 갈채도, 동방싸롱도
> 무궁원, 명동장, 명천옥, 갈리레오, 은성도
> 흔적 없이 사라지고
> 돈이 흐르는 골목 골목
> 어제와 내일이 아랑곳없는 사람들의 물결
> 팽창한 현실이다.

변한다, 변한다! 하지만
이렇게 변할 줄이야!
그 옛날 몽파르나스의 밤을 거느리던
시(詩)도 폴 포르 (Paul Fort)의 파리
그 파리의 향기는 지금도 남아
늙을 줄을 모르는 사랑의 노래를
엮어내리지만

③ 명동(明洞)의 백작(伯爵)으로 당신이 군림하던
그 명동은 지금
여인의 구두와 잡화의 범람
당신이 그리던 예술의 바람은 간곳이 없다

엘레지! 당신이 좋아하던
예술에 있어서의 엘레지 문학은
거센 인파에 떠내려가고
남은 언덕
남은 언덕 위에서
남은 사람들이 당신을 묻는다

어디서 다시 만날 수 있을까
그 재치, 그 웃음
밤마다 주점에서 우릴 즐겁게 하던
당신의 명동 목소리
밤이 텅 비어가오.

①에서는 존재와 시간의 상관관계를 통해 죽음의 문제를 다루고 있다. 직접적인 비탄이 아니라, "세월 속으로 사라진 이름/시간 밑으로 캄캄히 한없이 가라앉아 간다"와 같이 보편적인 인간의 시간적 존재성을 구명하는 철학적인 시선을 보여준다. ②에서는 물질과 상업주의가 범람하는 현실에 대한 문명 비

판을 시도한다. 특히 ③에는 고인에 대한 추모의 정과 함께 물질문명의 질곡 속에 살아가는 현실에 대한 비판이 깃들어 있다. "명동의 백작"으로 불리던 이봉구 씨의 죽음을 애도하는 동시에 살아 있음의 현실에 대한 안타까움을 드러낸 것이다. 예술도 잃고, 인생도 잃어버린 냉랭한 현실만이 떠있는 명동을 유추하여 이봉구의 프로필을 조각하고 낭만적 신화를 잃고 살아가는 현대인, 우리 모두의 자화상을 선명히 비판해 주고 있는 것이다.

이처럼 세 노시인의 시들은 낭만적 신화를 잃고 살아가는 현대적 삶의 비인간화 경향을 원숙한 시선과 기법으로 형상화하고 있다. 물 흐르듯 흐르는 세월 속에서 사라져 가는 시간적 존재로서의 인간의 숙명성을 깨닫게 하는 동시에 사람답게 살아가는 노력의 중요성을 우리 모두에게 일깨워 주는 소중한 교훈이 담겨져 있는 실락원의 시인 것이다.

1983년

제10장 휴머니즘과 잠언

　이 달에 필자가 읽은 시 가운데서는 김광림의 「사랑」 외 6편(『현대문학』 10월호)과 손기섭의 「회전의자」(『한국문학』 10월 호), 시집으로는 조우성의 『아프리카·기타』와 김용범의 『잠언집』이 관심을 끈다.

　김광림의 시편들은 설화 '지귀'의 낭만적 사랑을 테마로 하여 현대인들의 도식적이고도 각박한 삶에 원시적 사랑의 향수를 불러일으켜 준다는 점에서, 또한 손기섭의 시는 날로 탈처럼 굳어만 가고 자명종화 돼가는 현대적 삶의 양식에 예리한 풍자를 제시한다는 점에서 의미를 지닌다. 또한 조우성의 시편들은 비관적인 세계 인식을 내밀하면서도 날카롭게 묘파해준 점에서, 김용범의 시들은 극기와 절제의 치열한 노력을 신선한 언어 감각으로 형상화한 점에서 각각 돋보인다. 먼저 김광림의 시편들은 사랑을 지속적으로 노래하고 있다.

> 갈릴리 호수(湖水)가
> 다문다문 피어 있는 황국(黃菊)
> 코로넬리아 꽃잎이
> 가볍게 흔들린다
> 먼 곳
> 새소리

湖面 그득한 햇살
고달프고
지친
마음을
어루만지듯
바람이
아아 예서 그는 사랑을 배웠구나

——「사랑」

　이 시에는 "호수, 새소리, 햇살, 바람" 등의 원형적 전원 심상과 "황국, 꽃잎" 등의 식물적 이미지로 가득 차 있다. 이러한 것들은 온갖 시멘트와 철근, 그리고 오일과 플라스틱의 광물적 이미지와 그에 상응하는 비정한 상업주의와 물질주의가 휩쓰는 현대의 풍속도와는 어울리지 않는 것으로 보인다. 또한 이 시에서 "사랑"이라는 테마 자체가 진부한 것으로 생각될 수도 있다. 그러나 전원 심상과 식물적 이미지를 "사랑"의 테마와 호응시킨 것은 적절한 배려인 것으로 판단된다. 왜냐하면 "아아 예서 그는 사랑을 배웠구나"라는 결구 속에는 이 "사랑"이 하늘과 땅 그리고 인간을 결합하고 교감시키는 절대자 혹은 예수 그리스도의 초월적 인간애를 상징하고 있는 것으로 보이기 때문이다. 이 점에서 "사랑"은 대자연의 아름다운 질서와 이에 어울리려는 휴머니즘의 몸짓인 것을 알 수 있다. 이러한 자연애, 인간애의 호응과 상호 교감은 연작시 「지귀담」에서는 낭만적 사랑으로 구체화되어 나타난다.

　① 제 신분도 모르는 촌놈
　　제 행색도 헤아리지 못하는 얼뜨기
　　그저 우직하고 착하기만 해
　　한번 먹은 마음
　　고쳐 먹을 줄 몰라

먼 발치에서
힐끔 우러른 용안에
홀딱 반해
시골에 두고 온
정혼한 가시네두 까마득히 잊고
걸음도 제대로 가누지 못하는 주제에
다가가려다
저지당하고,
허우적거리다
야단맞고
경을 쳐도
막무가내

─여왕님
제 여왕님

만백성의 지엄한 어버이를
다만 애정의 대상으로 감히 넘보다니
기차게 얼빠진
어이없는 이 사내
병신 육갑한다고
얻어터지고
미친놈 지랄한다고
걷어채고
엉망진창으로 녹초가 돼도
그래도 마음만은 신바람나게 흐뭇해
여왕님 곁이라면
죽어도 그만 좋아라

─「죽어도 그만 좋아라」

② 저라요 소란 피운 게
　저라요 무엄하게 군 게
　여왕님 뵈옵던 순간
　저는 아찔했어요
　그만 눈이 멀었어요
　속도 비고 정신도 나가고
　단맛 쓴맛 다 잃었어요.
　뵈는 게 없고
　두려운 게 없어졌어요
　저는요
　솔직하고 단순해요
　소탈하고 천연스러워요
　예의 범절은 거치장스러워
　아예 걸치고 다니질 않아요
　그래서 버릇없고
　무지막지한
　고얀놈이라나 봐요
　욕먹어도 싸죠
　매맞아도 싸죠
　하지만 전 알아요
　여왕님 생각에
　가슴에 피멍이 들고
　머리가 홱 돌아버린 것을
　제 병은요
　아무리 용한 의원이라도 못 고쳐요
　제 사랑은요
　워낙 사나운 포졸이라도 잡아 가둘 수 없어요
　이게 저라요
　몽땅 저라요

　　　　　　　　　　　　　　—「가슴에 피멍이 들어」

③ 지귀야
　내사 한 여인으로 태어나
　천지간에
　오직 단 한번
　처음 듣는
　벅차게 기막힌
　네 사연을

　내칠 수도 걸을 수도 없구나
　(실은 듣고도 못 들은 척
　알아도 모르는 척할 일이로되)
　너야말로
　참으로 용기 있는
　바보 사내
　눈멀고
　미치다가
　황홀하게 불타 버리는
　사랑을
　진정 너만은 알아
　지귀야
　짐의 마음 설레도다
　심히 어지럽도다
　엄히 이르노니
　네 목숨 다할 날까지
　한눈 팔지 말고
　딴전 피지 말고
　어가 맨 뒤꽁무니
　따르도록 하라

─「황홀하게 불타버리는」

④ 어가 맨 뒤꽁무니를 쫓아다니며
　그래서 신바람이 난
　어기적대는 꼬락서니라니
　일찍이 감히 누가 어전에서
　사랑을 실토했을까만
　제 정신 아닌 황홀하게 미쳐 버린 이 사내
　장수의 칼도 대적치 못했다
　시샘은 심통을 부리고 지나는 바람
　백관의 망측한 눈초리도
　어느새 빛을 잃었다.
　때로
　먼 발치에서
　단 한번
　눈길이 마주치게
　내내 뒤쫓아 다닐 수만 있다면
　그만
　그맨 점화된 육신이여
　활활 타오르겠다
　폭삭 꺼지는 영혼이여
　재가 되겠다

—「단 한번의 눈길을」

　이 시편들에는 직정적인 사랑의 애소와 그 열망의 몸부림이 담겨 있다. 이
룰 수 없는 사랑의 한을 품고 죽어 간 지귀의 슬픈 사랑이 애절하게 묘사된 것
이다. ①에는 죽음을 넘어선 맹목의 사랑이, ②에는 목숨을 건 사랑의 치열함
이, ③에는 사랑의 황홀한 광기가, ④에는 생명의 연소로서의 영원한 사랑이
각각 드러나 있다. 이러한 지귀의 눈먼 사랑, 목숨을 걸고 또 목숨을 넘어선 사
랑의 모습은 마치 컴퓨터처럼 정확하게 저울질되고 조건 지어지는 현대인의
사랑의 풍속으로 비춰 볼 때는 환상적인 옛 이야기이거나, 아니면 유치한 센

티멘탈리즘의 반영으로 보일는지도 모른다. 그러나 지귀의 슬픈 사랑이야기 속에는 메마른 기계 문명화 경향과 통속화 풍조에 거세되어 가는 인간성과 인간애의 따뜻한 체온을 회복하고 그것을 영원히 간직해 가려는 아름다운 휴머니즘의 열망이 담겨 있는 것으로 보인다. 닳고 닳은 흔한 사랑 타령이 아니라 고전 속의 소재를 새롭게 발굴하여 지속적으로 천착해 가는 것은 현대시 의 매너리즘을 극복하는 데도 일조를 할 것이 분명하다는 점에서 이러한 노력은 바람직한 작업으로 판단된다.

손기섭은 현대인이 기계화, 자동화되어 가는 모습을 보다 직접적으로 묘사한다.

　　　때에 절은 탁자를 끼고 앉아
　　　빈대떡에 막걸리를 기울이며
　　　비둘기를 거침없이 날리던
　　　그때 그 친구가 아니다
　　　낡은 음반의 되풀이 같은 말은
　　　흔히 우리들이 쓰는 말이 아니다
　　　눈과 코와 입은
　　　바람과 눈치로 굳어버린 봉산탈이다
　　　물기도 말라버린 몸은
　　　배설조차 하지 않는 것 같다
　　　아무리 흔들고
　　　두드려 보아도
　　　빈 항아리 같다
　　　비서가 감아 놓은
　　　태엽에 의해 돌아가는
　　　낡은 자명종이다.

　　　　　　　　　　　　　　　　　　　　　　　　　—「회전의자」

이 시의 테마는 현대인의 인간성 상실에 대한 탄식과 비판이다. 현대인의 모습은 "낡은 음반의 되풀이/굳어버린 봉산탈/물기도 말라 버린 몸/빈 항아리/낡은 자명종" 등으로 묘사돼 있다. "낡은 음반의 되풀이"는 현대인의 도식적이면서도 기계적인 생활상이, "굳어버린 봉산탈"은 위선과 무표정으로 비정화해 가는 자화상이, "빈 항아리" "물기도 말라 버린 몸" 등은 인정을 상실하고 껍질만 남은 실상이, 그리고 "낡은 자명종"은 통속적으로 하루하루를 때워 가는 실존의 초라함과 무력이 각각 풍자적으로 표현된 것이다.

이렇게 볼 때 손기섭의 시 역시 도식화, 기계화, 상품화, 통속화, 비정화해 가는 현대적 삶에 대한 풍자를 통해서 체온이 있는 삶, 꿈과 낭만과 사랑이 넘치는 삶에 대한 동경과 지향을 노래한 것으로 보인다. 이것은 바로 그의 시정신이 휴머니즘의 갈망과 그 실천에 놓여 있다는 점을 말해 주는 것이 된다.

한편 조우성과 김용범의 시는 요즘 젊은 시인들의 현실을 보는 눈과 시작의 태도를 엿볼 수 있게 해 준다.

먼저 조우성의 시에는 현실에 대한 비관적 인식이 짙게 깔려 있음을 본다.

> 아주 조용히
> 관심 밖에서 흰 새들이 날아간다
> 저보이지 않는 유리에
> 작은 머릴 짓찧고 떨어지는
> 새들이 즐비하다
> 어제보다 더 절망적이다
> 독한 술 한잔 없다
> 아, 가난한 시대는 일찍 소등하라
> 한조각 빵이 썩는 방에서
> 끊임없이 날아오르는 새들을
> 보라, 아주 조용히 아주 조용히 꿈 속에서
> 관심 밖에서 내가 죽는다
>
> —「풍경(風景)」1

이 시에는 "관심 밖에서, 보이지 않는, 짓찢고 떨어지는, 절망적이다. 술 한 잔 없다, 소등하라, 빵이 썩는, 내가 죽는다" 등의 어사(語辭)에서 보듯이 부정적이고 비관적인 현실 인식의 태도가 두드러진다. "조용히, 아주 조용히, 관심 밖에서" 등의 내밀한 부사어들이 은근하고 조심스런 정신의 내면 풍경을 보여 주지만, 세계를 보는 눈 자체는 어둡고 불안하며 슬프기까지 한 것으로 가득 차 있다. 항상 불안하고 소외된 실존은 "관심 밖에서" "이 세상의 밖에" 놓여 있을 뿐이며, "연안부두 찬 달빛 아래 저 쓸개 하나 나뭇가지에 쓸쓸히 걸려 있을 뿐"(「풍경」 5)이다. 그런데 여기서 중요한 것은 그의 시편 도처에 "쓸개"와 "칼" 및 "꽃"과 "피"의 이미저리가 나타난다는 점이다.

① 이 세상
　한 잔의 술
　말이야
　밥보다
　온화하지만
　난처하게 살면서
　이리 취하면
　쓸개 하나 깨물며
　웃어 사느니,
　내 정신없구나
　오장육부까지 뒤집혀
　정신없구나

—「한 잔의 술」

② 나는
　무엇으로 사는가
　참 막막해 질 때는
　칼을 갈 일이다

마음 먹고 한 세상
날을 세울 일이다
예술도 학문도
싯푸름이 없다면
한 그릇의 밥이 더
눈물겨운 일
그러나 그러나
사는 일 모두
막막해 질 땐 눈을 감을 일이다
조용히 앉아서
그 마음 속의 칼
한 자루 갈 일이다.

　　　　　　　　　　　　　　　　　　　　　　　—「나는 무엇으로 사는가」

③ 내가 뽑은 비수(匕首)보다
꽃병에 꽂혀 있는 꽃이
더 먼저 흘리는 피
아무리 날카롭기로
날카로운 피보다는
무딘 이 비수(匕首)
겁이 난다 한밤에
혼자 꺼낸 비수(匕首)를 다시
무딘 가슴에 꽂는다.

　　　　　　　　　　　　　　　　　　　　　　　　　　　　—「꽃」

　　①에서 "쓸개"는 척박한 삶에서 자기나름의 심지를 간직하려는 최후의 안간힘을 상징한다. 따라서 "쓸개를 깨물며 웃어 사는 일"은 참담한 현실에서 스스로를 일으켜 세우려는 휴머니즘의 몸부림이다. ②에서 "칼을 가는 일" 역시 적막한 인생에서 나름대로의 생의 지표를 세우려는 몸짓이다. 그것은 회의와

불신의 시대에 지조 있는 삶을 지향하는 처절한 노력이며, 어쩌면 시를 쓰는 일로써 생의 허망을 극복하려는 열린 정신의 반향인지도 모른다. 따라서 그는 "유서쓰기와 같이/시를 썼다"(「한밤의 담배」에서)처럼 담대한 자기 고백을 펼칠 수 있게 되는 것이다. ③에는 "꽃-피-비수"의 상징적 대응으로 "삶=진실=시"의 등식을 만들어 내게 된다. 이렇게 볼 때 그의 시정신 속에는 "조용하게/쓸쓸하게/멀리멀리/무심하게/막막히"라는 부사에서 볼 수 있는 은근하면서도 조심스런 은둔자적 모습과 "전혀/필사적으로 봉두난발의/아무도/날카로운" 등과 같은 전면 부정어의 강렬한 지사적 절조가 함께 자리잡고 있는 것으로 판단된다. 이것은 어지러운 현실을 효과로 극복하고 감내하기 위한 과정에서의 참담한 절망의 소산이며 극기의 숨은 노력이 아닐 수 없다.

김용범의 『잠언집』에도 비관적 세계 인식과 함께 자기 극복과 절제의 노력이 나타나 있다.

정직(正直)한 사람들의 최후(最後)처럼
참죽나무
한 그루만
서있는 지평(地平).
비둘기들이
평화(平和)스럽게 날고 있다.

—「잠언」 1

빈 배만 저어 왔다네. 달빛이 소금처럼 깔린 강안(江岸)에 허허(虛虛)한 마음으로 서있었다네. 떠나지 못한 후조 몇 마리. 가을밤은 칼날처럼 예리했다네

—「잠언」 20

두 편의 시에 공통적으로 보이는 것은 어두운 현실 인식과 극도로 절제된

표현의 언어이다. "참죽나무/한 그루만/서있는 지평"과 "빈 배 달빛, 소금, 후조, 가을밤, 칼날" 등의 시어들의 조응이 빚어내는 날카로운 언어 감각은 차라리 신선한 것이 아닐 수 없다. 그의 시집 도처에 나타나는 명사형 종지와 예리한 비유어 그리고 단시 형식은 절제된 정신과 견고한 지성에 대한 향성을 반영한 것으로 보인다. 그러면서도 서정적 따뜻함을 잃지 않으려는 안간힘을 통해서 감정의 낭비를 잘라내고 정신과 서정의 조화 있는 알맹이를 얻어내려 노력하고 있는 것이다. 이러한 시를 통한 극기와 절제의 노력은 번잡하고 소란한 현대 생활 속에서 참담한 패배를 일삼는 현대인의 삶을 지탱하려는 치열한 노력이 아닐 수 없다. 앞으로 조우성이나 김용범의 시적 노력이 성공적인 결실을 거둘 수 있을지는 미지수이지만, 이들의 정신이 지향하는 날카로운 심지와 절제된 언어는 미래의 가능성을 예견하기에 충분한 것으로 판단된다.

이달의 시편들에서 새삼 확인할 수 있었던 것은 시가 결국 메마르고 어지러운 현실 속에 삶의 뿌리를 든든히 내리기 위한 휴머니즘의 몸부림이며 사랑의 안간힘이고, 동시에 시인들이 시인 스스로에게 자기 다짐하는 잠언의 성격을 지닌다는 점이다.

1983년

제11장 은둔과 절조

권달웅의 시는 어둡고 때묻은 현실에서 벗어나 청정하고 꿋꿋한 심성을 노래하는 특징을 보여준다.

> 몸을 씻고
> 바위에 누워
> 울고 내려오는 물소리를
> 들어 봅니다
> 사람을 멀리하고
> 허욕을 버리고
> 짙푸른 소나무 산에서
> 있는 마음 그대로 내려오는 물이
> 소란한 내 귀를 씻고
> 사라집니다
> 선유동 고요한 숲속에서
> 깃이 고운 새 한 마리 날아와
> 내 마음 가까이서
> 놀다 갑니다.
>
> ―「소요풍」 1

이 시에는 티끌세상의 온갖 허욕을 버리고 자연과의 교감 속에서 맑은 정신, 밝은 마음으로 살고자 하는 초연한 심사가 묘사돼 있다. "바위, 물소리, 소나무, 산, 숲속, 새"들의 조응이 빚어내는 자연의 그윽함 속에서 "몸을 씻고 귀를 씻는" 은둔자의 초탈한 경지가 그려진 것이다.

「소요풍·2」에는 이러한 초탈의 심경이 한층 더 그윽하게 드러나 있다.

> 버드나무 푸른 그늘에 앉아 하루종일 버드나무 잎이 흔들리는 소
> 리를 들어 봅니다
> 흰 고무신을 베고 누운 노인은 버드나무 그늘에 배꼽을 드러내놓
> 고 불리장생 용꿈을 꾸며 쉬고 있습니다
> 가지가 휘휘 늘어진
> 버드나무야,
> 잎이 흔들리고
> 가지가 휘어져도
> 끝내 꺾이지 않는
> 푸른 버드나무야,
> 너는 뜻이 높다
> 너는 뜻이 넓다
> 너무 푸르러서 휘어지고
> 휘어짐으로써 꺾이지 않는
> 버드나무야,
> 바람에 흔들려서
> 더 높은 마음에 이르는 푸른 힘을
> 내 다 안다
> 바람에 흔들려서
> 더 넓은 마음에 이르는 푸른 힘을
> 내 다 안다
> 알 수 없어라 텅빈 내 두 손으로 무엇을 움켜쥘 수 있는가
> 알 수 없어라 그날 이후 무슨 상형(象形)인 양 내 두 손에 무수히 그
> 어진 금들이 무엇을 뜻하는가

"버드나무 푸른 그늘에 앉아 하루 종일 버드나무 잎이 흔들리는 소리를 들어 봅니다/흰 고무신을 베고 누운 노인은 버드나무 그늘에 배꼽을 드러내놓고 불로장생 꿈을 꾸며 쉬고 있습니다"라는 시적 배경 설정은 마치 신선도에나 나옴직한 노장풍의 명상을 보여준다. 어느 면에서는 진부하고 퇴영적인 것 같은 분위기 설정임에도 불구하고 이 시는 다음의 독창적인 이미지와 연결됨으로써 개성 있는 심상을 성공적으로 이루어 낸다. 그것은 "버드나무" 라는 관습적 상징을 통해 한국적인 은둔의 정신과 그 속에 숨겨진 청정하면서도 꿋꿋한 정신력을 보여 준다는 점에 있다. "잎이 흔들리고/가지가 휘어져도/끝내 꺾이지 않는/푸른 버드나무야"에서처럼 온갖 현실적 고초와 간난에도 끝내 꺾이지 않는 굳은 생명력과 지절을 노래하고 있는 것이다. 그러므로 "너무 푸르러서 휘어지고/휘어짐으로써 꺾이지 않는/버드나무"로서 험난한 현실을 굳세고 청정하게 이겨나가는 이 땅 실존의 모습을 묘사하게 된다. 온갖 소란과 잡담 속에서 찌들대로 찌든 현실을 벗어나, 거칠 것 없고, 얽매일 것 없는 무소유, 무애의 심경을 노래하게 된 것이다. 따라서 "바람에 흔들려서/더 높은 마음에 이르는 푸른 힘/바람에 흔들려서/더 넓은 마음에 이르는 푸른힘"을 정신 속에 간직하게 된다. 이러한 "높은 마음/넓은 마음/푸른힘"은 실상 오염되고 타락된 현대를 살아가는 모든 사람이 지향해 나아가야 할 정신의 대도일지 모른다. 이렇게 볼 때 권달웅의 시편들은 목전의 현실에 얽매여 부질없이 살아가는 현대인들에게 더 높은 세상, 더 넓은 세계가 엄연히 존재함을 소중하게 일깨워 주는 것으로 보인다. 권달웅의 이러한 자연과 교감에 의한 현실 초월이 패배적인 의미에서 현실 도피를 뜻하는 것은 아니다. 오히려 현실과의 적절한 거리를 유지함으로써 정신의 탄력과 절조를 간직하려는 자의적인 현실 격리 혹은 현실 초극 의지를 내포한 것으로 판단된다. 그것은 온갖 이해로 찌들고 허욕으로 더럽혀진 현실을 살아가면서도 이에 물들지 않고, 본원적인 자연 자체처럼 *꿋꿋하고* 청정한 정신의 절조를 지님으로써, 오히려 이 시대에 살아남을 수 있다는 소중한 인간애와 자연의 깨달음을 보여준 것으로 보이기 때문이다.

이처럼 권달웅의 시편들은 비극적인 현대에 역사적인 삶 혹은 전통적인 정신을 노래하는 가운데 청정하고 매운 지절을 추구함으로써 현실 초극을 성취하려는 노력을 보여 준다는 점에서 의미를 지닌다.

1983년

제12장 생애사와 역사적 순응주의

    연작시 「안 잊히는 일들」은 서정주가 자신의 생애를 시로서 형상화한 문학적 초상화(literary portrait)에 속한다. 전기 형식으로 구성된 이 시는 「유년시절」(①, ②), 「소년행」(③, ④), 「이십대 시편」 상·하(⑤, ⑥), 「삼십대 시편」 상·하(⑦, ⑧), 「사십대 시편」 상·하(⑨, ⑩), 「오십대 시편」 상·하(⑪, ⑫), 그리고 「육십대 시편」(⑬회) 등 모두 91편의 시로 짜여 있다. 또한 그 전개 방식은 시간적인 순서로 되어 있어 생애사적 사건과 함께 일제하에서 최근에 이르기까지의 역사적 흐름을 읽을 수 있다. 필자는 이 자리에서 그 개요를 살펴보고자 한다. 먼저 「유년시절」에서는 유년의 아련한 동심과 그 애수가 드러나 있다.

> 봄에서 가을까지 마당에서는
> 산(山)에서 거둬들인 왼갖 나무 향내음.
> 떡갈나무 노가주에 산초서껸 섞어서
> 아버지가 해다 말리는 산(山)엣나무 향내음.
>
> 해가 지면 이 마당에 멍석을 펴고
> 왼식구가 모여앉아 칼국수를 먹었네.
> 먹고선 거기 누워 하늘의 별 보았네.
> 희한한 하늘의 별 희한스레 보았네.

떡갈나무 노가주 산초냄새에
어무니 아부지 마포 적삼냄새에
어린동생 사타구니 꼬치냄새에
더 또렷한 하늘의 별 왼몸으로 보았네.

―「마당」

어머니 할머니까지 왼집안 식구가
들에 일하러 나간 낮에는
나는 혼자서 텅 빈 집을 지킵니다.
뒷결에서 늑대가 들이닥치면 어쩔까,
중이 와서 어머니를 업어갔으면 어쩔까,
그런저런 걱정에 가위 눌려서
뒷마룻가에 걸터앉아 두 다리를 까닥이다간
툇마루의 다듬잇돌에 머리 대고 뺨 대고
그렁그렁 어느 사이 잠이 듭니다.
먼산(山)에서 울려오는 뻐꾸기소리
다듬잇돌에도 스미는 뻐꾹이 소리에
무섬무섬 안기어 잠이 듭니다.

―「어린 집지기」

　시 「마당」은 "산초냄새/적삼냄새/꼬치냄새" 등의 후각적 이미지와 "뻐꾹이
소리/다듬잇돌" 등의 청각적 이미지로서 유년의 심상을 효과적으로 조형해
준다. 아울러 "어무니/아부지" 등의 향토적 방언으로 어린 날의 동심과 육친
애를 환기해 준다. 특히 「서리 오는 달밤 길」은 "밝은 달빛/수탉 울음소리/아
버지의 하얀 무명두루매기/기러기 한떼/강물/추위" 등의 공감각적인 이미지
를 환상적으로 결합하여 유년의 정서를 탁월하게 묘사하고 있다. 이 외에도
「백학명 스님」「당음」「용샘 옆의 남의 대가집에서」「반공일날 할머니 집 찾
아가는 길」 등의 시편에는 고전적인 전통의 혈맥과 함께 토속적인 정감이 따
뜻하게 자리잡고 있다. 또한 「첫이별 공부」「어린 눈에 비친 포라는 곳」 등에

는 어린 시절의 생애상이 잘 드러나 있다. 「소년행」에서는 유년의 동화적 회상으로부터 현실과 자아에 대한 눈뜸이 드러나기 시작한다. 먼저 자아에 대한 눈뜸은 성(性)에 대한 관심으로 나타난다.

> 내가 열 세 살때 나를
> 이성(異性)으로 처음으로 안아주었던 가시내
> 그 '긴쓰루향유(香油)'의 쌍내 싸아하게 풍기던
> 땋아늘인 머리채가 허벅지까지 닿던
> 그 묘포(苗浦)의 중국인(中國人) 우동집 갈보 금순(錦順)이는
> 지금은 어디서 무얼 하는고?
>
> 내 소학교(小學校) 오학년(五學年)때 급우(級友)―스무 살짜리
> 김막동(金莫同)이가
> 장가간 턱으로 중국(中國)집 우동을 한 사발씩 친구들한테 샀을 때
> 그 우동상(床) 옆 갈보로 취직해 다붙어 있던 가시내.
> 끄니와 옷과 능욕(凌辱)가음으로만 취직해 있던 가시내.
> 임질(淋疾)이니 매독(梅毒) 그런 병(病)도 그네는 꽤나
> 치르었을 것인데,
> 그런 걸로 문드러져서
> 지금은 어느 무덤 속에 백골(白骨)로나 안착(安着)했는고?
>
> 나같은 어린애들도 가위 바위 보로
> 그네를 어떻게든 맡아 다룰 수도 있었던,
> 그래 내가 이겨 골방으로 끌고 들어가기도 했던,
> 그러나 아직도 사내노릇을 모르는 나같은 애숭이는
> 그저 그저 끌어안고 딩굴어 주기만도 했던
> 금순(錦順)이 금순(錦順)이 우리 금순(錦順)이는 지금 어디 있는고?
>
> 닐니리 노랫소리도 꽤나 이뿌던,
> 눈매 가냘프던,

이빨도 쪼록쪼록은 회던
그 금순(錦順)이는 시방 무엇이 되어 있는고?
——「중국인 우동집 갈보 금순이」

    환상적이고 동화적이던 유년의 테마가 「중국인 우동집 갈보 금순이」와 같이 성적 관심과 현실적 소재로 변모된 것이다. 특히 「동정상실」에서는 "그 여자가 그만 나를 잡아당겨서/나도 그만 그 여자를 보듬고 딩굴어서 눈깜짝새 ××를 벼락치듯 했는데"라는 구절처럼 외설에 가까운 동정 상실의 고백을 하고 있다. 이러한 성에 관한 관심과 고백은 지속성에 연유하여 부끄러운 것, 금기, 또한 추한 것으로서의 성 문제가 오히려 신선한 것으로 받아들여진다. 또한 현실적인 것에 대한 관심은 「광주학생사건」 등에서는 항일 운동에 관련된 문제와 「혁명가냐? 배우냐? 또 무엇이냐?」 등에서는 인생 진로의 결정에 따른 갈등과 번민으로 나타난다. 그리고 이즈음에서 「석전 박한영 대종사의 곁에서」 「금강산으로 가는 길」 등과 같이 불교에 대한 관심과 함께 운명적인 해후가 피력된다. "자네 그러지 말고/우리 불교 전문학교에나 들어갈 채비를 하게/거기 가서 제자백가시문 배워서/시인이나 되는 게 그중 나을라나봐/그러셔서, 나는 또 학교 갈 준비를 하고/그 덕으로 해방 뒤엔 동국대 교수도 되어서/안 굶고 시를 쓰며 살게도 되었다"와 같이 생애의 진로가 결정된 운명적 사건을 제시한 것이다. 이처럼 「소년행」에서는 현실과 성(性)이라는 생의 본원적 문제에 부딪히는 과정과 그 눈뜸을 술회하고 있다.

    「이십대 시편」에는 「성인 선언」 「시인 당선」 「ㅎ양」 「우리 시인부락과 일당」 「나의 결혼」 등과 같이 생의 온갖 문제에 직접적, 구체적으로 부딪히는 모습이 드러나 있다. 문단 데뷔의 사연과 문학 동인 그리고 『화사집』에 얽힌 이야기 등, 문인으로서 공인적 출발과 함께 「ㅎ양」 「나의 결혼」 「해인사, 1936년 여름」 등 개인적인 출발의 사연을 기술하고 있는 것이다. 유년의 환상이나 동심 그리고 소년기의 방황과 갈등에서 벗어나 어느 정도 사회적, 개인적인 자아로 자립해 가는 과정이 드러나 있는 것이다. 또한 「장남 승해의 이름에 부쳐서」 「조선일보 폐간기념시」 「만주에 와서」 「동대문여학교의 운동장에서」 등의 시에서는 현실의 어두운 그림자가 조금씩 생의 전면에 드리워지게 된다. 아울러 삶이 현실에 뿌리내리는 과정과 함께 「학질 다섯직 끝에 본 이조백자의 빛」에서는 고전 정신에 대한 지향성이 나타나게 된다. 60년대의 시집 『신라초』의 전통적 감각이 서서히 자리잡게 된 것이다.

「삼십대 시편」에서는 정치사적인 사건이 시에서 큰 비중을 차지하게 된다. 먼저 그것은 해방이라는 역사적 사건으로부터 비롯된다. "동포들은 두루 다 대통령이나 소통령은 될 것이라고/그러니 우선 먼저 실컷/허기졌던 창자부터 채우고 보고자/농우를 마구 죽여 고길 만들고/서울행의 차란 차의 유리창은 다 박살나고"라는 구절처럼 혼란된 해방 공간의 모습이 잘 표현돼 있다. 따라서 「반공운동과 밥」 「이승만 박사의 곁에서」 「인촌어른과 동아일보와 나」 「3급갑류의 행정서기관이 되어서」 등의 시에서 볼 수 있듯이 정치사적인 사건과 인물들이 이 시에 주로 등장하고 있다. 또한 「1949년 가을, 플라워다방」 「1950년 6월 28일 아침 한강의 다이빙」 등과 같이 역사적인 어려움과 그 수난이 클로즈업됨과 동시에 개인적인 삶의 어려움이 절실하게 표출된다.

> 1951년의 전주의 여름동안을 나는
> 어떻게 하면 자살하되
> 남에겐 자연사로만 보이게 죽는가
> 그것 한가지만을 골몰히 생각하고 지냈다.
> 그래도 후세(後世)에 받을
> '자살(自殺)한 약자(弱者)''의 지탄(指彈)만은 싫었던 것이다.
> 그래 어느때 미열(微熱)이 생기자
> 이걸 학질(虐疾)이라고 나는 우기고
> 알맹이들이 학질(虐疾)약 한병을 구해오게 해
> 그걸 몽땅 한꺼번에 먹어버렸다.

이건 오인분(五人分)의 치사량(致死量)이라던가,
그러니 죽음은 이미 다섯갑절로 보장되었지만
나는 진달래빛의 피를 토하면서도
'빨리 나으려고 그랬어…그랬어…'
자살(自殺)이 아닌 걸 열심히 변명해 뇌까리고만 있었다.
그러나 이것도 운(運)이 안 닿으면 소용이 없는 것이다.
시인(詩人) 이철균(李轍均)이가 꼭 좀 맞게 이때에 찾아들어
가까운 병원(病院)의 양의(良醫)를 데려다가
모조리 모조리泄瀉(설사)를 시켜버리고 만 것이다.
그래도 나는 그뒤 이십년(二十年)쯤은
'빨리 낭려고 그랬는데…' 거짓말 한마디로
이 자살미수(自殺意圖)만큼은
아무에게도 말하지 않고 아주 잘 숨겨왔다.
육신(肉身)이 아니라 정신(精神)이
빨리 평안해지려고
그랬던 것도 또 사실은 사실이었으니까…

—「자살미수」

　이러한 삶의 가혹한 시련과 절망은 죽음에 대한 본능적 유혹과 갈등을 겪게
된다. "그러신데 좀 덜 독한 약일랑은/시민들이 이미 모두 다 사 가버리시고/
아조 쓰린 청산가리밖에 안 남아서요/그러나 겨우 구해놓았으니 노나가이소"
(「청산가리 밖에는 안 남아서요」)라는 시에는 이러한 자살 충동이 개인적인
이유에서라기보다는 역사적인 상황에 기이한 시대고에 연유한다는 점을 말
해 주는 것이 된다. 또한「명동 명천옥 친구들」에서는 1950년대 말의 우울과
폐허 그리고 낭만적 비애가 담담하게 표출돼 있다.

　「사십대 시편」에서는 다시 60년대의 정치사적 소용돌이와 그 실존적 어려
움을 주로 묘사하고 있다.

"설마가 사람 죽인다고,

혹시 모르니

오늘은 각별히 조심해라."

알구육십년(一九六十年) 사월(四月) 십구실(十九日) 아침

나는 아무래도 예감이 좋지 않해

내 큰자식 숭해(升海)의 대학(大學) 등교(登校)길에

이렇게 간절히 당부하고 있었다.

그랬더니, 아니나 다를까.

이날 경무대(景武臺)로 몰려가던 학생(學生)데모대(隊)의 선봉(先鋒)은

돌연(突然)한 발포(發砲)로 죽기도 했는데

내 아들은 그 도중(途中)에서 내 당부가 생각나

통의동(通義洞) 골목으로 새어 살아 왔대나.

시(是)보담도 비(非)보담도 무엇보담도

이것 하나는 정말 다행한 일이었다.

　　　　　　　　　　　—「일구육십년 사월 십구일」

　이러한 4·19에 관련된 시편에서 미당은 소리 높여 투쟁 정신이나 저항 의지를 표출하려 하지 않는다. 이념이나 주장보다는 아버지로서 정감, 평범한 인간으로서의 사고방식이 숨김없이 드러나 있다. 특히「횡액」등의 시에서는 "어허허허! 이 세상에 발붙이고 살아가자면 이것 참 주의해서 살 일이라고!"라는 구절처럼 현실의 험난함을 피해 가려는 평범한 자세가 진솔하게 나타나 있다. 애써 위선적이거나 위악적인 제스처를 쓰지 않는 점에서 오히려 소박한 느낌을 불러일으킨다. 또한 40대 후반에서 느끼는 연정 혹은 바람기를 솔직하게 표출함으로써 진실한 고백록을 작성하려 애쓴 흔적을 보여준다.「하늘이 싫어할 일을 내가 설마 했겠나?」「중년 사나이의 연정 해결책」등의 시에 나타나는 장년의 바람기는 교활하다기보다는 오히려 신선한 느낌을 주기까지 한다. 이것 역시 미당이 정치사적인 면에서 평범한 사람의 행동 방식을 솔직하게 드러냄으로써 소박한 감동을 불러일으킨 것과 같이 연정도 사련(邪戀)으

로 느껴지는 것이 아니라 오히려 낭만적인 친근감을 불러일으킨다. 이처럼 40대의 시편들은 생생한 현실과 직접적으로 부딪히며 겪게 되는 불안과 갈등이 구체적으로 표출되는 특징을 지닌다.

「50대」에서는 안정돼 가는 삶의 모습이 담담하게 그려져 있다. 「공덕동 살구나무집과 택호—청서당」「주봉야청」「박기원」「울산바위 이야기」 등과 같이 산전수전을 겪은 후에 가라앉은 심사를 조용하게 드러내고 있다. 그러면서도 「김치국만 또 마셔보기」 등과 같이 현실에서의 패배감 또는 좌절 의식이 드러나기도 한다. 그러나 근본적인 인생관은 「또 한개의 전화위복」이라는 시에서 볼 수 있듯이 행복과 불행이 서로 얽히면서 갈등과 화해가 이루어지며 그 속에서 삶의 의미가 존재한다는 순응주의적 태도를 확립하고 있다. 「사당동과 봉천동의 힘」「선덕여왕의 돌」「꿩 대신에 닭」 등의 시편은 이러한 순천제명의 순응주의적 인생관이 잘 피력된 작품이 된다. 이러한 50대의 정지적 인생관은 오랜 편력과 방랑 끝에 얻어진 인생의 지혜이며 슬기인 것이다. 또한 험난한 역사의 격랑에서 스스로 터득되어진 정신적인 응전 방식인 것이다.

끝회 연재인 「육십대 시편」에는 달관과 체념의 순응주의적 인생관이 분명히 자리잡게 된다. 그리고 「회갑」「진갑의 박사 학위와 노모」, 「먼 세계 방랑의 길」「명예 교수」 등에서는 정리기에 접어든 인생에 대한 표표하고 담담한 자세가 더욱 두드러진다.

> 할아버지 산소(山所)에서
> 아내가 캐어온
> 춘란(春蘭)에
> '지손란(知孫蘭)'이라 이름붙이는 날
> 먼 나라에 가 공부하는
> 내 손자(孫子) 거인(居仁)이의 일
> 유난히는 삼삼히 생각키어라.

이러한 「지손란」에서의 운명에 대한 관조와 순응의 따뜻함은 "할아버지→나→손자"로 연결되는 역사 감각 내지 역사의식으로 승화됨으로써 시적 깊이와 넓이 그리고 높이로 고양된다. 결국 연작시 「안 잊히는 일들」은 시로 쓴 자서전이며, 문학적 자화상이다. 생애의 어려움과 역사의 험난함이 진솔하게 함께 드러남으로써 시적 갈등과 객관적 설득력을 불러일으키는 생활시로서의 의미를 갖는 것이다.

1982년

제13장 보수주의와 진보주의

오규원의『우리 시대의 순수시』와 오세영의『담장이 덩굴』은 시작(詩作)의 방법과 시정신에 있어 상이한 편차를 드러낸다. 우선 이름하여 기존의 언어 감각과 시법 그리고 긍정적 사물 인식을 보여주는 오세영의 태도를 보수주의, 그리고 기존의 시방법이나 도덕적 편견에 대한 부정과 야유를 보여주는 오규원의 태도를 진보주의라 불러보자.

먼저 오세영은 종래 그의 시작 태도인 이미지의 실험이나 관념적 추구에서 벗어나 인생론적인 인식을 심화하고 있다.

① 누구나 인생(人生)은 표(標)를 산다
　서울을 가든, 부산을 가든
　만나러 가든, 떠나러 가든
　누구나 인생은 자리를 산다

　1981년을 눈보라 속을 달리는
　운명(運命)의 그림자

　　　　　　　　　　　　　　　　　—「티켓」부분

② 흙이 되기 위하여
　흙으로 빚어진 그릇
　언제인가 접시는
　깨진다

　생애(生涯)의 영광(榮光)을 잔치하는
　순간에
　바싹
　깨지는 그릇
　인간(人間)은 한번
　죽는다

　물로 반죽되고 불에 그슬려서
　비로소 살아 있는 흙
　누구나 인간(人間)은
　한번쯤 물에 젖고
　불에 탄다

　하나의 접시가 되리라
　깨어져서 완성(完成)되는
　저 절대(絶對)의 파멸(破滅)이 있다면

　흙이 되기 위하여
　흙으로 빚어진
　모순(矛盾)의 그릇

　　　　　　　　　　　　　—「모순의 흙」

③ 채워도 채워도 남는
　튜브 속의 공간
　사람은 누구나

빈 공간(空間) 위에서 산다

―「만년필」 부분

　예문 ①에서는 삶의 법칙으로서의 운명과 목숨의 무게에 대한 투시를 보여준다. 특히 "그의 의자가 간다/결코 그 누구도/영원한 주인이 될 수 없는/영원한 목적이 될 수 없는"이라는 구절은 정처없는 삶에 대한 덧없음과 쓸쓸함이 상징화되어 있다. 이러한 덧없음과 쓸쓸함의 근저에는 스스로의 목숨의 분량에 대한 순응과 달관의 자세가 자리잡고 있다. 또한 예문 ②는 "그릇"과 "인간"의 상징적 유추를 통해 삶의 본질에 대한 인식을 심화하고 있다. "흙으로 빚어진 그릇/생애의 영광을 잔치하는/순간에/바싹/깨지는 그릇"과 "누구나 인간은/한 번쯤 물에 젖고/불에 탄다"라는 신선한 아날로지는 "인간은 한번/죽는다"라는 상식적 주제를 철학적 깊이로 고양시킴으로써 시적 성공을 보여준다. 생과 소멸의 인간 법칙을 「모순의 흙」으로 예리하게 묘파한 것이다. 예문 ③ 역시 "비어 있음"과 "가득 차오름" 즉 만년필의 비유를 통해 충만과 소멸의 목숨 법칙을 효과적으로 표상하고 있다. "한 줄의 시를 쓰기 위하여/채워도 채워도 남는 공간"은 바로 학문으로도, 예술로도, 사랑으로도 결코 채워질 수 없는 존재의 본질적 허무를 드러낸 것이다. 또한 "빈 공간 위에서 산다"라는 구절은 허무를 살아가면서도 항시 삶이 미래적인 가능성 속에 의미를 부여하면서 지탱해갈 수밖에 없음을 말해준다. 이러한 시 편들은 목숨의 법칙과 삶의 무게에 대한 새삼스런 깨달음과 순응의 자세를 평이한 어법을 통해 표출하면서도 상징적 깊이와 비유의 넓이를 잃지 않음으로써 오세영의 시적 형상력이 이제 견고한 바탕을 형성하게 되었음을 웅변해 준다. 실상 『현대시』 동인으로서 초기시에 보이던 추상적 관념과 난삽한 이미지 조형의 애매모호성이 그의 시에 있어 부정적 요인으로 작용해 왔음에 비추어 이러한 전신은 그의 시의 새로운 가능성을 예견케 해준다. 그러나 그의 시에 새롭게 나타나기 시작한 순응과 달관의 긍정적 세계관이 오히려 단순한 체념과 타협의 무기력 내지 도피주의로 굴절할 우려가 있다는 점을 경계해야 할 것이다. 삶에 대한 긍정과 달관이 보다 깊은 철학성을 획득하고 상징과 비유의 예술적 형상성을 심화해 갈 때 그의 시의 새로운 지평이 열릴 수 있기 때문이다. 이런 점에서 우리는 그가 조금 더 치열한 시정신을 발굴하고 시작에 전력해 줄 것을 희망한다.

이에 비해 오규원은 현실과 삶에 대해 조소와 야유를 노골화하고 기존의 언어 감각과 어법을 혼란시킴으로써 부정과 비판의 진보적 시관을 표출한다.

1
　밤 사이, 그래 대문들도 안녕하구나
　도로도, 도로를 달리는 차들도
　차의 바퀴도, 차 안의 의자도
　광화문(光化門)도 덕수궁도 안녕하구나

　어째서 그러나 안녕한 것이 이토록 나의 눈에는 생소하냐
　어째서 안녕한 것이 이다지도 나의 눈에는 우스꽝스런 풍경이냐
① 문화사적(文化史的)으로 본다면 안녕과 안녕 사이로 흐르는
　저것은 보수주의(保守主義)의 징그러운 미소인데
　안녕한 벽, 안녕한 뜰, 안녕한 문짝
　그것 말고도 안녕한 커어튼, 안녕한 커어튼 사이로 언뜻 보여주고
　가는 안녕한 성희(性戲)…
　어째서 이토록 다들 안녕한 것이 나에게는 생소하냐

② 진리란, 하고 누가 점잖게 말한다
　믿음이란, 하고 또 누가 점잖게 말한다
　진리가, 믿음이 그렇게 점잖게 말해질 수 있다면
　아, 나는 하품을 하겠다
　세상(世上)에 어차피 별일 없을테니까
　16세기나 17세기 또는 그런 세기에 내가 살았다면

나는 그 말에 얼마나 감동했을 것인가
청진동(淸進洞)도, 그래 밤 사이 안녕하구나
안녕한 건 안녕하지만 아무래도 이 안녕은 냄새가 이상하고

③ 나는 나의 옷이 무겁다 나는
나의 옷에 묻은 먼지까지 무게를 느낀다
점잖게 말하는 점잖은 사람의
입속의 냄새와
아침마다 하는 양치질의 무게와 양치질한
치약의 양의 무게까지 무게를 느낀다
이 무게는 안녕의 무게이다 그리고
이 무게는 안녕이 독점한 시간의 무게
미래가 이 지상(地上)에 있었다면 미래 또한
어느 친구가 독점했을 것을
이 무게는 미래가 이 지상(地上)에 없음을 말하는 무게

그러니까 이건 괜찮은 일—
어차피 이곳에 없으니 내가 또는
당신이 미래인들 모두 모순이 아니다

그대 잠깐 발을 멈추고, 그대 잠깐
사전을 찾아보라 보수주의(保守主義)란
현상을 그대로 보전하여 지키려는 주의(主義)
그대 잠깐 발을 멈추고, 그대 잠깐
사전을 찾아보라 아침의 무덤이 무슨 말 속에 누워 있는지

말이 되든 안되든 노래가 되든
안되는 중요한 것은 진리라든지 믿음이라는
말의 옷을 벗기는 일
벗긴 옷까지 다시 벗기는 일

나는 나의 믿음이 무겁다

정말이다 우리는 아직도 패북(敗北)를 승리로 굳게 읽는 방법을
믿음이라 부른다 왜 패북(敗北)를
패북(敗北)로 읽으면 안되는지 누가
나에게 이야기 좀 해주었으면
그 믿음으로 위로를 받으려고 하는 사람들이여
나에게 화를 내시라 불쌍한
내가 혹 당신을 위로하게 될 터이니까

3

④ 어둠 속에 오래 사니 어둠이 어둠으로 어둠을 밝히네. 바보, 그게
　아침인 줄 모르고, 바보, 그게 저녁인 줄 모르고.

　진리는 진리에게 보내고
　믿음은 믿음에게 안녕은
　안녕에게 보내고 내가 여기 서있다

　약속이라든지 또는 기다림이라든지 하는 그런 이름으로
　여기 이곳의 주민인 우편함을 들여다보면
　언제나 비어서 안이 가득하다
　보내준다고 약속한 사람의 약속은
　오랫동안, 단지 오랫동안 기다림의 이름으로 그곳에 가득하고

⑤ 보내고 안 보내는 건 그 사람의 자유니까
　남은 것은 우편함 또는 기다림과 나의 기다림
　또는 기다리지 않음의 자유
　거리에는 바람이 바람을 떠나 불고
　자세히 보면 나를 떠난 나도 그곳에 서있다
　유럽의 순수시(純粹詩)란 생각컨대 말라르메나

발레리라기보다 프랑스의 행복수첩(手帖)
말라르메는 말라르메에게 보내고 나는 청진동(淸進洞)에 서서

발레리는 발레리에게 보내고 나는
청진동(淸進洞)에 서서
우리나라에게 순수시(純粹詩), 순수시(純粹詩)하고
환장하는 이 시대의 한 거리에 내가 서서

4
비가 온다. 오는 비는 와도
오는 도중에 오기를 포기한 비도
비의 이름으로 함께 온다.
비가 온다. 오는 비는 와도
청진동(淸進洞)도, 청진동(淸進洞)의 해장국집도 안녕하고
서울도 안녕하다.

⑥ 안녕을 그리워하는 안녕과 안녕을 그리워했던 안녕과 영원히 안녕
을 그리워할 안녕과, 그리고 다시 안녕을 그리워하는 안녕과 안녕
을 다시 그리워할 안녕이 가득 찬 거리는 안녕 때문에 붐빈다. 그렇
지, 나도 인사를 해야 지. 안녕이여, 안녕. 보수주의(保守主義)여 현
상유지주의여, 밤 사이 안녕, 안녕.
여관에서 자고 해장국집 의자에 기대앉아
이제 막 아침을 끝낸
이 노골적으로 안녕한 안녕의 무게가

비가 오니 비를 떠나 모두 저희들끼리 젖는데
나는 나와 함께 아니 젖고
안녕의 무게와 함께 젖는구나.
그래, 인사를 하자. 안녕이여
안녕, 빌어먹을 보수주의여, 안녕.
　　　　　　　　　　　　　　　　　　　—「우리 시대의 순수시」

이미 「이 시대의 순수시」, 「등기되지 않은 현실」 등의 시를 통해서 우리는 그의 전통적 작시법의 파괴와 기성관념에 대한 신랄한 야유와 조소를 익히 접해 왔기 때문에 이 시가 특별한 관심을 새삼 끄는 것은 아니다. 더구나 장황한 인용 예문을 들어본 것은 그의 시의 탁월성을 강조한다는 뜻과 전혀 무관하다. 단지 다시 한 번 그의 시적 태도와 지향을 당대적 각도에서 파악하고 확인해 보고자 할 따름이다. 어느 면에서 1930년대 이상(李箱)의 실험이나 1950년대의 『후반기』 동인들의 시도의 연장선상에서 파악될 수 있는 이 시는 전대의 시들보다 부정 정신과 비판 정신을 예화하고 있다는 점에서는 우선 그들을 극복하고 있는 것으로 판단된다. 예문 ①은 관념어와 사물을 작위적으로 결합함으로써 기존의 의미 질서를 해체한다. 이러한 의미질서 해체와 새로운 결합은 사물의 새로운 모습에 대한 재인식을 꾀하는 쉬르레알리즘적 기법에 그의 시가 기초하고 있음을 말해준다. 예문 ②는 위선이 지배하는 통속적 현실에 대한 조소와 야유를 보여줌으로써 그의 시정신이 긍정보다는 부정을, 순응보다는 거역이라는 비평정신에 뿌리박고 있음을 알 수 있게 해준다. ③은 물질이 지배하는 삶, 운명적 조건들의 무게에 대한 바는 드러내며, 이는 순응하는 삶의 길들어가는 모습을 역설로써 표출하고 있다. 여기에서 간과할 수 없는 것은 이러한 조소와 야유의 시니시즘(냉소주의), 그리고 역설의 이면에는 짙은 삶의 우수가 잠재해 있다는 점이다. 그의 부정과 비판이 거세면 거셀수록 이러한 슬픔의 질량은 더해지고 깊어지는 것이다. 언어 자체를 부정하고 왜곡하지 않으면서 충분히 쉬르적 효과를 보여주는 점과 함께 슬픔의 아이로니를 냉철하게 내재시킬 수 있는 이점들이 바로 오규원이 전대의 유사한 시들을 어느 정도 극복할 수 있는 원동력이 된다. 예문 ⑤는 기다림의 구속과 자유의 자유로움을 비유하고, ⑥은 요설적인 표현을 통해 정상적인 어법으로 표현할 수 없는 내면적 언어의 질서를 재구성하여 사물과 언어의 또 다른 면모를 보여준다.

이렇게 볼 때 오규원은 오세영의 시작 태도와 정신이 긍정적 세계관의 보수주의적 측면에서 삶의 진실을 탐구하는 것과는 상대적으로 기존 시법과 관념적 질서를 부정하고 비판함으로써 세계 인식의 새로운 질서를 추구하는 진보주의적 성향을 보여주는 것으로 판단된다. 이러한 두 가지 정신과 기법은 어떤 것이 옳은가 또는 바람직한가라는 문제보다는 그것들이 어떻게 정신의 치열성과 예술적 형상성을 효과적으로 획득 해가는가에 그 성패의 관전이 달려 있는 것이다.

한편 마종기는 「그림그리기·2」에서 "신유년의 수탉을 그리기로 했다. …온 힘으로 그리고 탈진했을 때 한 독자가 옆을 지나갔다. 별것아니군, 수숫대로 엮어 만든 수수빗자루군"과 같은 구절을 통해 세속적 통념이나, 시각에 구애받지 않고 신념으로 사는 삶의 소중함을 묘파하였다. 그 외 윤지용의 「활자의 노래」도 시적 가능성을 보여준다는 점에서 언급하고 싶으나 유보하기로 한다.

1981년

제14장 존재와 무(無)의 현상학

홍희표의 「박용래IV, V」와 김원호의 「만남」 그리고 김성춘의 「새똥」 등 세 시인의 시는 삶과 죽음의 대응 관계 즉 존재와 무의 시적 만남이라는 문제를 제기한다는 점에서 관심을 끈다. 홍희표와 김원호는 알려진 시인인 공약 인물 故 박용래와 조지훈을 시 속에 이끌어 들이고 있으며 김성춘은 혈육인 어머니를 형상화하고 있다. 그러면서도 세 시인은 똑같이 죽음의 세계와 삶의 세계와의 거리를 무(無)의 존재화 내지 무의 현상화를 시도함으로써 단축하려 시도하고 있다. 사람의 죽음에 대한 경험, 즉 무화(無化, néantisation)에 대한 살아 있는 자로서의 의식과 정서가 시적 형상화 과정을 통해 명확히 실재의 모습으로 나타나고 있는 것이다.

노랑 대가리 범벅상투
마음의 끝 버들붕어같이
함초롬히 모으고
상치꽃 상치꽃 필 때
싸락눈 싸락눈 올 때
무릎 세우고 만나
늘 한 잔(盞) 술

웃으며 마셨네라.
희끗희끗 산문(山門)에서
서로 목을 안고 울어
바위 눈물 될 때까지
구구새모양 서서 울어
베짱이 베짱이끼리
까까중 까까중끼리
무릎 세우고 만나
늘 한 잔(盞) 술
웃으며 마셨네라.

—「박용래 V」

　이 시는 박용래의 시구를 연상케 하며, 실제로 "반백" "백발의 꽃 대궁" "눈발" 등의 시어와 "상치꽃" "싸락눈" "잔 "사문" 등의 시어는 박 시인의 기본 시세계를 그대로 드러내 준다. 특히 박 시인이 '홍희표에게'라는 부제를 붙였던 시 「산문에서」의 시 정서와 화응(和應)을 이루어 현상학적 환원을 보여주는 동시에 죽음과 삶의 양면성과 거리를 실감나게 한다. 이러한 무와 존재, 죽음과 삶이 시 「산문에서」와 시 「박용래」에서 살아서 만나고 있는 것이다. 이러한 박용래의 시적 대상화와 현상적 현현은 저 유명한 사르트르(J. P. Sartre)의 "무는 존재하지 않는다. 무는 있어져 있다"라는 명제와 "무는 무 자체를 무화하지 않는다"라는 예리한 지적을 환기해 준다. 박용래의 현상적 소멸은 육신의 무화 작용을 거쳐 홍희표의 시정신 속에 현존재로 다시 살아나고 있는 것이다. 이렇게 볼 때 무에 대한 시인의 경험은 근원적으로 함께 소여된 것이며, 동시에 내면에 소유되어 있다고 볼 수 있다. 박 시인의 시적 삶은 죽음을 통하여 비로소 완성되는 것인지도 모른다. 삶의 총체적 모습은 삶과 죽음을 포함하는 것이며, 흔한 비유처럼 햇빛이 마치 빛과 그림자의 그 본질적인모습을 드러내 보여주는 것과 같다. 이런 점에서 훌륭한 시인과 시는 시사 속에서 그

참된 모습을 드러내며 서서히 완성되어가는 것이 확실하다고 생각된다.

김원호의 시도 과거적인 상상력을 바탕으로 조지훈과의 영적 교섭을 이루고 있다.

꿈에
조선생(趙先生)님을 뵙다
눈발에 옥양목 두루마기를 날리며
얼어붙은 성북천(城北川)을 굽어보시던.
나는 찬 땅에 무릎을 꿇고
큰절을 하려다
잠이 깼다.

문패 대신
조그만 명함이 꽂혀 있는
성북동 60의 44.
화로를 끼고
책을 읽으시던 선생님은
온화한 얼굴로
별로 말이 없으셨다.
잊혀져 가는 민속(民俗)을 걱정하시고
집필 중인 '독립운동사'를 보여주시며
가끔 괴로운 기침을 하셨다.
둘러싸인 우중충한 한적(漢籍) 틈에서

손수 도안(圖案)하신 격자창(格子窓)으로 스며들던
그 따스한 겨울 햇빛이 떠오른다.

사위어가는 선생님을 바라보며
문갑위에 놓인 난초가
유난히 싱싱하다고 생각했다

시의 본도(本道)는 서정인데…
한탄하시던 음성이 생각난다

더러운 물이 흐르는
성북천을 끼고 걸으며
이십년전 처음 찾아뵌
이조(李朝)의 마지막 선비
趙芝薰 선생을 생각한다.

—「만남」

이 작품도 역시 "소멸하는 삶의 모습"과 "살아나는 시의 모습"이 함께 형상화되어 있다. 조지훈의 육신의 소멸이 소멸로 그치지 않고 김 시인 전시 속에 살아 새로운 의미의 변용을 이루고 있는 것이다. 인간의 육신 속에 어둠과 밝음이 공존하듯이 인간의 죽음은 소멸과 생성의 변증 내적 과정을 통해 새로운 존재 개명을 획득하게 된다. 죽음은 무화의 과정을 통하여 삶의 본질을 살아있는 인간에게 되돌려주며 아울러 새롭게 깨닫도록 강요하는 것이다. 이렇게 볼 때 무는 시인의 상상력 속에서 삶의 이면 양식으로 존재하며 또한 시적 초월을 이룰 수 있는 근원적인 힘을 제공한다. 시 「감나무 밑에서」도 이러한 시적 초월 속에서 무와 존재의 만남을 성취하고 있다. "증조 할아버지/아버지" 등의 가족주의적 발상법을 바탕으로 무화된 할아버지와 아버지의 삶이 시 속에 현전하게 되는 것이다. 여기서 한 가지 지적할 것은 그의 시편이 대부분 과거적 상상력을 근간으로 하는 회상의 미학 내지는 순응주의로 이루어져 있는 사실이다. 과거적 상상력은 미래를 거부한다. 그러므로 그의 시는 좀더 젊어져야 할 필요가 있는 것으로 판단된다. 왜냐하면 이러한 회상의 순응주의는 그 자폐성으로 인해 언제든지 허무주의적 애상 내지 패배주의로 굴절해 갈 염려가 있기 때문이다.

김성춘의 시는 이러한 존재와 무의 변증법적인 현현을 성공적으로 형상화하는 한 시범을 보여준다.

지팡이도 없이 떠나신
어머님 묘소(墓所)를 찾은 겨울
유인남원양씨지묘(儒人南原梁氏之墓)위
녹슨 강아지풀 몇 개, 처음보듯 낯설다.

노을이 쓸리는 이승과 저승의 끝
갑자기 내 귀에
생시(生時)의 어머님 목소리가 탁 번져 왔다.

내가 죽으모 니 보고 싶어 우야꼬
니는 내가 보고 싶어 우얄래….

세상의 어떤 꽃잎보다, 어떤 노래보다도
사무치게 투명하던 그 목소리
묘비(墓碑) 사이로 지금은 돌아눕는 바람뿐
내 슬픔과는 아랑곳 없이
산새 한놈 묘소(墓所) 위에 새똥을 갈긴다.
물끄러미 노을을 바라보는 새똥, 새똥을 보면서 나는
관(棺)속 헐벗은 육신을 생각했다.

그렇다, 죽음은 결국 새똥
아무리 집채보다 더 컸던 슬픔도
이제는 새똥
새똥처럼 묻힌 어머님을 생각하며
살아 있다는 뜨거움만 가슴에 사무쳤다.

황혼 무렵,
유인남원남씨지묘(儒人南原梁氏之墓), 그 버려진

새똥 하나
찬란히 불타오르고 있다.

—「새똥」

    어머님의 죽음이라는 육신의 소멸에 따른 존재의 무화와 이러한 무화에 대한 인식이 살아 있는 자들의 깨달음으로 나타난다. 어머님의 나에 대한 의미의 본질적인 한 양상이 현존재화하는 것이다. 이승과 저승을 연결해 주는 어머님의 살아 있는 목소리는 바로 어머님으로 표상된 인간의 참모습일 수 있다. 존재는 하나의 외적 모습을 지녀야 하며, 이러한 외적 모습이 "녹슨/강아지풀/목소리/새똥"으로 현재화되어 있는 것이다. 또한 "살아 있다는 뜨거움만 가슴에 사무쳤다"라는 존재의 확인은 죽음을 통하여 비로소 확인될 수 있는 존재의 상대적 속성을 의미한다. 하이데거의 미소인 것이다. 그러나 김 시인의 시의 중요한 점은 이러한 삶의 양면적 구조성을 드러내는 데 목표가 있지 않다는 점에 있다. 오히려 그의 시는 그를 통한 존재의 확인과 "무의 살아남"을 밝혀 주는 것과 함께 이러한 무의 살아남을 애상으로 처리하면서도 애상을 극복하려는 비극적 세계관을 보여준다는 데 성공의 포인트가 있다. 「청유동에 가서」 「솔베이지송」 등도 똑같이 과거적 상상력을 바탕으로 하면서도 이러한 비애의 정서를 공감의 영역으로 전이시키고, 객관적 상관물 "별빛으로 빛날 때/그녀 시신위로 누더기같은 겨울비만 추적추적 내리고 있었다"를 활용함으로써 지적 절제를 보여준다는 점에서 시적 가능성이 드러나게 되는 것이다. 물론 「풀잎제」가 이러한 죽음의 문제를 다루면서 다소 감정의 격동을 보여주고 있지만, 이 시 역시 이러한 격정의 개방을 통해 오히려 삶의 비극성을 극복하려는 몸부림을 보여준다. 이러한 정감의 흔들림은 실상 살아 있음에 대한 감동이며 존재 확인에 대한 기쁨일 수 있기 때문이다.

    지금까지 살펴본 것처럼 죽음의 문제는 시의 중요하면서도 원형적인 테마가 된다. 동시에 죽음의 문제는 시에 철학적인 깊이를 부여하는 모멘가 될 수 있다. 실상 삶의 총체적이며 본질적 모습은 삶과 죽음의 상보적 관계에서 드러나는 것이며, 바로 이 점에서 한국 현대시가 조금 더 이러한 존재론적 깊이를 탐구하고 형상화하는 데서 한 걸음 나아갈 수 있음을 확인할 수 있다.

1981년

제15장 생략과 부연

　　정진규의 「별낳기」와 이유경의 「사도들」은 생략과 부연의 대조적 방법으로 삶의 양면성에 관한 투시와 상징의 깊이를 보여준다는 점에서 관심을 끈다. 정진규는 줄글 형식의 산문시적 개방과 경어체를 통해 치렁치렁한 여유의 힘과 호소력을 유발해 내는 데 비해 이유경은 10행 내외의 단연, 혹은 6, 7행 2연의 비교적 짧은 형태 속에 비유의 절제된 밀도를 보여준다는 점에서 이를 "부연과 생략의 미학"이라 불러보기로 한다. 먼저 정진규의 「별낳기」는 별을 낳는다는 독특한 알레고리를 사용하여 어둠과 밝음으로 대응되는 삶의 내면을 극명하게 드러내 준다.

　　매일 저녁 저는 별을 낳는 사람입니다. 이건 헤프다고 설사기(氣)라고 생각을 하면서도 도리없이 별을 낳는 사람입니다. 이세상에 별은 있어도 밑빠진 항아리나 다름이 없습니다. 모두 별에 배고픕니다. 먹어도 먹어도 고픕니다. 빛이 그립습니다. 대단 송구스럽사오나 이에 저는 별 공장(工場) 주인이 되고자 결심한 사람입니다. 하늘 가득 별을 낳고 싶은 사람입니다. 무상(無償)으로 나누어드리고자 합니다. 인사불성으로 아픔이 아픔인줄 모를때까지 별낳기, 별낳기로 쓰러지고 쓰러집니다. 실로 어렵게 어둠을 밀어내는 빛의 집합(集合)들. 작은 반짝임들. 그런 까닭만으로 저는 이토록 쓰러지고 쓰러집니다. 그래서 또

살아남습니다. 어쩔 뻔했나요, 그대 없으시다 하였다면. 아, 하늘이란
나의 모국어(母國語), 나의 별밭.

이 시의 메시지는 모두 "별에 배고픕니다" "빛이 그립습니다" "무장으로 나
누어드리고자 합니다" 의 세 구절로 요약할 수 있다. 그러나 이 핵심 구절은
많은 보조 심상의 구절들로 둘러싸여 시적 행간 사이의 여유의 포근함과 따뜻
함을 유발하고 있다. 긴장의 예화보다는 행간 사이의 율감이 정진규 특유의
"송구스럽사오나/그대없으시다 하였다면" 등에서 보이는 경어체의 어조(tone)
와 결합되어 부연의 미학을 형성한다. 또한 이 산문시의 유장한 율감과 부연
미는 별이 상징하는 선성(善性)에 대한 지향과 서정의 힘이라는 주제가 적절
한 조응을 이룸으로써 시적 고양을 성취한다. 그러므로 "실로 어렵게 어둠을
밀어내는 빛의 집합들, 작은 반짝임들"처럼 별은 어둠을 밀어내는 힘, 다시 말
해 현실 극복의 원동력이 될 수 있는 것이다. 또한 "그런 까닭만으로 저는 이
토록 쓰러지고 쓰러집니다. 그래서 또 살아남습니다"라는 역설의 주제를 효
과적으로 형상화하게 된다. 이렇게 볼 때 이 시는 "밤" "어둠" "유상"이라는 현
실과 "별" "무상"이라는 이념의 갈등으로 이루어져 있으며, 따라서 '별낳기'라
는 독특한 제목은 시에 대한 의지인 동시에 인간답게 살려는 휴머니즘적 몸부
림을 표상한 것으로 보인다.

또한 시 「예외」에서도 욕심을 덜어가는 삶의 편안함을, 목숨의 분량대로
살아가며 어진 이웃을 사랑하려는 따뜻함 그리고 잊혀진 것들에 대한 깊이 있
는 응시가 산문시의 유장한 호흡과 경어체의 특유한 가락으로 잘 조화되어 있
다. "보이는 것만 보았습니다/한치도 열고 들어가지 못했습니다"라는 삶에 대
한 반성은 "궁그는 돌멩이 못생긴 돌멩이 하나를 두고도 캄캄하고 무거운 어
둠들 어둠들을 밀고가는 사람들 그런 행렬을 보아내야만 했습니다/그런 행렬
들 속에 나도 서있어야 했습니다"와 같이 중복되는 산문의 부연미를 통해 자

아에 대한 깊이 있는 성찰을 가능하게 한다. 중복되는 표현 속에는 시선의 깊이와 함께 인간애의 따뜻함이 스며들어 있는 것이다. 이러한 자아 성찰은 "오늘은 우선 어느 한촌에나 머물고자 합니다/이쯤에서 혼자 남아 있고자 합니다/가슴에 있는 건 세한도(歲寒圖) 한 폭뿐"과 같이 삶과의 일정한 거리를 두는, 다시 말해 현실과 적절한 거리를 유지할 수 있는 정신의 힘과 여유를 얻게 되는 동인이 된다. 그러므로 물질의 무게를 벗어나는 정신의 자유로움, 홀로 대지를 딛고 외로이 서 있는 자아의 고적한 원래 모습을 발견하게 되는 것이다. 이러한 자아에 대한 새로운 투시를 통해 비로소 살아있음 그 자체에 대한 은총과 감사를 느낄 수 있게 됨은 물론이다. "밤이 오겠지요, 바람이 고꾸라지고 고꾸라지며 달려가는 벌판이라 할지라도 감사하고 감사하고자 합니다"라는 결구 속에는 삶을 긍정하고 열심히 살려는 운명애(amorfati)의 시선이 경건성을 획득하고 있음을 알 수 있게 해준다. 밤과 어둠으로 표상되는 현실의 어려움은 "예외"된 자아의 투시를 통해 비로소 운명애의 자세로 극복될 수 있는 것이다. 이러한 정진규의 휴머니즘에 대한 응시와 지향은 산문시의 부연미와 경어체를 통해 여유와 따뜻함을 형성하고 또한 시적 경건성을 효과적으로 성취하게 된다. 특히 이 점에서 앞으로 정진규의 시들은 어둠과 밝음이 대응하는 삶의 진실과 휴머니즘의 지향을 추구한다는 점에서, 역설에 대한 다양한 탐구를 통해 좀더 끈질긴 극복의 힘과 그 모순된 삶의 진리를 발견해 감으로써 설득력을 고양해 나갈 수 있을 것이다.

　한편 이유경의 연작시 「마른 풀에의 헌사」와 「사도들」 등의 시편은 잘 다듬어진 연과 행 속에서 시어의 밀도와 깊이를 보여준다.

　　　　서슬 푸른 낫이 섬뜩섬뜩 초록을 지워갔다.
　　　　상처난 풀냄새가 다른 풀들을 울게 하고
　　　　사람의 손이 그 울음들을 밀치고 나갔다.
　　　　그러나 베어진 풀들은 다소곳이 모여앉아

아침 한때의 이슬을 포도주처럼 나눠 마셨다.
풀짐 위에 실려 가면서도 춤추는 사도(使徒)들이여

교회종소리가 맑게 울리며 하늘로 돌아갈 때도
귀먹은 풀들은 바람에 뒤척거리고 있다.
하느님! 하고 풀들은 갈라진 목청의 기도를 하고
이윽고 정오의 햇살이 풀들의 목을 죄다 죄었다.
구비구비 어둠이 몰려와 잦아드는 저녁무렵엔
마른 풀들이 속죄양(贖罪羊)처럼 잠들고 있었다.
　　　　　　　　　　　　　—「사도(使徒)들」(방점 필자)

　2연, 각 7행 각 6, 7어절로 절제된 생략미와 형태적 안정성을 보여주는 이 시는 감정 이입의 정령론적 은유(animistic metaphor)를 통해 섬세한 서정을 지성으로 전치시키는 성공을 보여준다. "풀"이 상징하는 생명력과 인간애는 풀의 정령화를 가능케 하는 것이다. "상처난 풀/베어진 풀들 다소곳이 모여앉아/귀먹은 풀/갈라진 목청/뒤척거리고/풀들의 목" 등에서 볼 수 있는 사물의 인간화는 자연물과 인간, 객관과 주관의 거리를 단축함으로써 사물과 인간의 친화력을 고양시키는 것이다. 특히 "낮이 섬뜩섬뜩 초록을 지워가고/사람의 손이 그 울음들을 밀치고/교회의 종소리 맑게 울리며 하늘로 돌아가고" 등의 섬세한 비유의 서정은 풀의 정령화와 결합되어 시적 깊이와 밀도를 성취하게 된다. 특히 각 행 구성에 있어 주관과 객관, 묘사와 서술의 교차는 시적 긴장의 지속과 이완을 거듭함으로써 심미적 긴장 체계(aesthetic crystallization)를 형성하게 하는 근간이 된다. 이렇게 볼 때 이 시는 한 어절과 행 및 연 그리고 시 전체가 극도의 절제된 생략의 형태미를 이루고 있으며, 아울러 생명력에 대한 투시와 애정이라는 주제의 깊이를 획득하게 되는 것이다. 이러한 생략과 절제에 의한 형태적 안정성과 비유의 섬세함, 그리고 감정이입의 다양함은 이 시 이외에도 「불탄 자리」 「근교」 「양계장 주변」 「힘과 초록」 등의 시편들을 통해 생활 주변에 대한 직관적 응시와 사물과의 감응을 통해 친화력과 설득력을 고양하고 있다. 특히 「힘과 초록」은 자연과 인간의 대응 속에서 보이지 않는 어떤 힘에 대한 외경감을 표출한다.

> 힘으로 마른 풀에 초록 되돌려줄 수 있다면
> 시(詩)같은 건 아무 소용이 없으리요,
> 신(神)이여 그대 봄에는 씨앗 일깨워
> 흰안개 속에 풀의 영혼 떠올려주시겠지요
> 힘이야 기계 혹은 사람의 분노에도 있겠지만
>
> 내 탓이오(가슴을 치며) 내탓이오 라고 무릎꿇고서
> 죄비는 자의 엄숙함에 비할 수 있으리오

기계 문명과 인간 그리고 자연의 대응 속에는 대자연의 섭리에 대한 경건한 응시와 외경감이 내재해 있다. 또한 삶에 대한 무력감과 덧없음이 행간 속에 깊숙이 스며들어 있는 것이다. 이렇게 본다면 이유경의 시는 자연사의 깊이 속에 감춰진 인간적 의미의 시적 비의를 보다 섬세한 비유와 상징을 통해 깊이 있게 형상화하는 노력 속에서 더욱 그 시적 지평을 열어갈 것으로 판단된다.

1981년

제16장 개방과 은폐

    강우식의 시 「파도조」와 한광구의 시 「찾아가는 자의 노래」는 서로 상이한 시정신과 방법을 사용하고 있다는 점에서 관심을 끈다. 「파도조」가 본능의 개방을 4행시로 압축하고 있는 데 비해 「찾아가는 자의 노래」는 욕망의 절제를 자유로운 행 구성으로 은폐하여 시도하는 특징을 지닌다.

> 바닷물도 계집의 궁둥이로 재개재개하는
> 제주도만큼 가서 좆물을 흘리고 싶다
> 한마리 순진한 조랑말 되어
> 유채꽃밭같은 데서 물건을 꺼내놓고
>   —「파도조」 22

    이 작품은 보통 시에서 금기어로 돼있는 "좆물" "물건" 등과 "재개재개하는" "조랑말 되어"라는 시어들을 과감히 결합함으로써 본능을 거리낌 없이 개방하고 있다. 생략과 암시, 응결과 은폐(condensation of emotion) 라는 전통적인 시 의식, 어느 면에서 보수적인 시작 태도에 반발하고 부정하는 강우식의 시적 지향은 일리가 있는 것으로 보인다. 허약한 서정이나 감상적인 센티멘탈리즘 및 모더니즘의 허황한 구호 그리고 난해시의 홍수 시대에 이러한 성의 개방이 주는 역동적 충격은 오히려 신선한 설득력이 있는 것으로 보이기 때문이다. 더구나 본능의 과감한 개방이 빠지기 쉬운 저질의 외설성을 "바닷물" "제주도" "조랑말" "유채꽃밭" 과 같은 신선한 시어와 결합시키고, 아울러 압축하고 절제된 시형인 4행 시형을 채택함으로써 가까스로 예술적 표현성을 획득하고 있는 점은 의미 있는 것으로 파악된다. 그럼에도 불구하고 이러한 금기어의 반복되는 직서(直敍)는 시적 긴장을 와해하고 성적 충동의 매너리즘을 형성하여 오히려 신선할 수도 있는 본능의 과감한 개방이 상투적인 성의 유희 내지 말장난으로 타락할 염려가 있다는 점을 지적하지 않을 수 없다. "섹스는 시다" "시는 오르가즘이다"라는 자못 도발적이고 충격적인 강 시인이 시관은 오히려 범람하는 성의 개방, 그 홍수 시대에 시정신이 편승하여 시의 생명인 독창성과 진지성을 상실할 염려가 있을 뿐 아니라 시정신이 상투화, 속물화되어 시의 생명과 위의(威儀)를 잃을 염려가 많기 때문이다. 성적 충동의 추구라는 생활의 본능적 직서는 마땅히 상징적인 내면 공간을 형성하는 시적 승화(sublimation) 또는 정화(purgation)의 진원으로 상승돼야 한다. 섹스는 시의 소재 내지 제재가 될 수 있을 뿐이며, 오르가즘 역시 시의 주제 내지 제재가 될 수 있을지언정 그 자체를 시라고 할 수는 없는 것이다. 따라서 시는 성의 노골적인 묘사나 본능의 개방으로 이루어지는 것이 아니라 그러한 개방의 자유 속에서 조금 더 은유화되고 심도 있는 상징, 역설을 사용함으로써 예술로서 상승되고 심화될 수 있는 것이다. 예술과 표현의 개방적 자유 속에는 오히려 더 무서운 타율의 구속이 있는 것이며, 이러한 절제와 구속의 힘이 문학을 더욱 문학답게 하는 것이고 실제 세계와도 다른 그 이념적 모습을 비로소 지닐 수 있게 하는 원동력이 되는 것이다. 이런 점에서 강우식의 시는 본능의 개방에 따른 충동의 힘을 구속하고 절제함으로써 성적 충동과 개방의 절제된 아름다움을 획득해 나아갈 때 더욱 설득력을 갖게 될 것이 확실 하다. 개방과 절제의 교차에 의한 성적 충동의 율감화와 탄력화가 더욱 긴절(緊切)한 것으로 판단되기 때문이다.

한편 「산행」 등 7편의 시로 되어 있는 한광구의 「찾아가는 자의 노래」는
욕망의 절제와 정감의 은폐를 보여줌으로써 시적 형상화에 성공하고 있는 것
으로 판단된다.

> 외길로 뻗힌 산(山)길 한쪽은 벼랑
> 벼랑따라 모여사는 수풀 속에
> 조용히 비껴앉은 그대를 뉘 알았으랴
> 외길로 뻗힌 듯 한 구비를 돌아설 때
> 문득 가슴을 치는 바람 한 자락
> 물결치는 마음에 일렁이는데
> 길은 점점 가파르고 가슴만 뛰어라
> 아득히 이어진 외길의 끝은 흰구름에 묻히고.
>
> —「산행」

이 시는 "외길로 뻗힌 산길" "수풀" "조용히 비껴앉은 그대" "바람 한 자락"
"외길의 끝은 흰구름에 묻히고"와 같이 삶의 허적과 외로움이 간결한 상징어
들을 통해 잔잔하게 표출되어 있다. 삶의 지향 없는 외로움과 그리움이 "외길"
"바람 한 자락" "흰구름" 등의 상징으로 은폐되어 있는 것이다. 실상 그의 많은
시편들이 「은자」「꽃말」「은자의 말」 등의 제목에서부터 사물의 숨겨진 비의
와 허허로움을 집중적으로 추구하고 있는 점뿐 아니라, "노송" "수풀" "흰구름"
"흰서리" "하늘"과 "붉은 꽃잎" "피" "신열" "강물" 등 자연과 인간사의 상징적
인 시어들을 적절히 결합하여 자연과 인간 속의 고뇌와 적막을 효과적으로 형
상화하고 있는 점으로도 한광구의 은폐의 시학을 짐작할 수 있는 것이다.

> 꽃이 지면 열매가 남지만
> 달이 지면 흔적도 없다네

눈은 감았어도 마음의 눈은 밝아
속세(俗世)의 어지러움을 꿰뚫을 수 있도다.
얽히고 설킨 인연
마음을 비우고 허공(虛空)을 안으면
어우러진 수풀 만공(滿空)에 가득하고
소리쳐 흐르는 강(江)물도 무상(無常)의 굽이굽이
꽃이 지고 열매맺는 일이
임간(林間)에 가득하나
무욕(無慾)의 깊이에 햇살 밝은 법
만욕(萬慾)일랑 바람에 주어버리고
가부좌나 틀고 앉아 장삼이나 깁는 걸세.

―「은자의 말」

이 작품 역시 꽃과 달의 상징적인 표현을 통해 자연과 인간의 순응을 추구
하고 아울러 인간의 본능적 욕망의 절제를 시정신의 근간으로 삼고 있다. 마
음의 눈의 개안을 통해 만욕에서 벗어나려는 이러한 시는 실상 그의 대부분의
시들이 "없어지는 것" "사라지는 것" "덜어 버리는 것" 등 소멸적인 결구(結構,
closure)를 지니게 되는 것과 무관하지 않다.

아득히 이어진 외길의 끝은 흰구름에 묻히고

―「산행(山行)」에서

홀로 피었다가 한숨으로 지는
이 내말을 아시나요, 아시나요

―「꽃말」부분

몸은 허공으로 날아
아득한 욕계(慾界)로 한없이 떨어져 갔다.

―「꽃을 꺾으며」부분

이 몇 편의 시적 결구는 욕망의 절제가 소멸의 시학으로 연결되고 있음을 말해 준다. 강우식의 시에서 볼 수 있는 본능의 개방과 역동적 시어의 동물적 이미저리와는 상대적으로 한광구의 시는 정지적이고 식물적인 이미저리로 가득 차 있다.

어느 면 도피 의식 내지 패배주의로도 볼 수 있는 이러한 식물적 상상력은 「파도조」의 동물적 성충동의 범람이 주는 징그러움과 속물적 인상과는 달리, 탈속적인 선시의 풍채를 보여준다. 이렇게 볼 때 문제가 되는 것은 "어느 것(주제론)"이 시의 주제로서 적당하냐 혹은 어떤 세계가 시로서 지향해 나아가야 할 가치가 있는가 하는 문제가 아니라, 그러한 주제를 "어떻게(방법론)" 예술적으로 형상화하느냐 하는 문제에 귀결되는 것임을 알 수 있다. 하고 싶은 말, 쓰고 싶은 말, 쓰고 싶은 것을 마음대로 충동적으로 개방하고 서술하는 것보다는 역시 시의 정도가 상징과 은유를 통해 인간 정신의 유현(幽玄)한 깊이를 발굴하고, 극도의 정서적 극기와 언어적 절제를 추구하는 데 있음을 알 수 있다. 지적으로 절제된 투명한 정감과 유현한 사상의 아름다움 속에서 시정신의 본질이 비로소 개방될 수 있는 것이다. 언어에 따라 충동의 직서와 본능의 개방은 산문의 차원으로 변모하고 마는 것이다. 시어는 어디까지나 정신과 언어의 은폐와 절제를 생명으로 하는 "시 자체"에서 벗어날 수 없는 숙명적 자유의 예술 양식인 것이다.

1981년

제17장 원숙과 달관

　　최근 우리 시단에서 중진들의 작품은 한국시의 특징과 가능성에 대한 현 좌표를 제시해 준다는 점에서 주목을 요한다. 대부분의 중진 시인들이 6·25를 전후해서 데뷔한 해방 후 시인들로서, 어느 의미로나 이 땅 현대시의 한 세계를 특징적으로 추구하고 있으며 한국 시단을 이끌어 가는 대표적 시인이기 때문이다. 이미 이순을 바라보는 이들 시인들의 시 작업을 해방 후 한국 현대시의 흐름을 단적으로 요약한 것으로도 해석할 수 있음은 물론이다.

　　김남조의 시「봄」등은 그가 지속적으로 추구해 오던 사랑의 시학이 이제 새로운 완숙기에 접어들고 있음을 암시해 준다.

　　　　있는 불이 다 타고 새로이 불붙는 불살들을 보시려면 창을 여십시
　　　요. 무명의 용사(勇士)와 무명의 성인(聖人)을 닮은 귀한 덕성(德性)으
　　　로 억만초엽(億萬草葉)이 눈뜸을 보시려면 창을 여십시오.

　　　　이제 와선
　　　　울려 못 견디겠는
　　　　참말로 사랑보다 더 좋은
　　　　자연(自然)을 만나실 거예요.

오늘은 이름도 안 붙은
어린 봄날일거예요.

이 시는 사랑도 이미 대지적 순응의 한 소우주임을 말해 주고 있다.

시집『목숨』의 열정적 사랑과『사랑초서』의 신앙적 사랑의 갈구가 이 시에
서 대지에 튼튼한 뿌리를 내리고 있는 것이다. "참말로 사랑보다 더 좋은/자연
을 만나실거예요"라는 깨달음은 목숨의 법칙으로서의 인간적 사랑으로 변모
해 가고 있음을 단적으로 제시해 주고 있기 때문이다. 이 점에서 시「봄」은 김
남조의 사랑 시학의 현주소를 보여주는 동시에 앞으로의 변모 방향을 예견케
해주는 것으로 판단된다.
　　김종길(金宗吉)의「임종」과「고갯길」도 시인 자신의 시적 특징을 요약적으
로 보여준다.

반쯤 눈을 뜨시고
쳐다보실 뿐

아무 말씀도 없다

그랑도 내 손을 잡으시는
여위신 손길

오십여년(五十餘年)의 부자(父子) 사이가
영결(永訣)하는 자리에

새삼 무슨 말씀이
필요하시겠는가

무슨 언어(言語)가 이 순간(瞬間)을
메울 수 있는가

—「임종」

이 시는 죽음의 세계에 깊이 연루되어 있다. "시골 옛집을 지나/뒷산 등성이를/오늘은 상여로 넘으시는 아버지"(「고갯길」)라는 구절에는 이 시인이 왜 이러한 죽음의 세계에 깊이 이끌려 있는가 하는 근원이 드러나 있다. 아버지의 죽음이 주는 절망과 허무감이 "이른 봄 찬 날씨에/허허로운 솔 바람소리/아버지, 생전에 이 고갯길을/몇번이나 숨차시게 넘으셨던가요?"라는 구절 속에 적절한 회한과 그리움으로 형상화 돼 있는 것이다. 아버지의 죽음에서 기인한 회한이나 허무감은 실상 망이순(望耳順)에 다다른 시인 자신의 생에 대한 숙연한 적막감과 허무감을 표출한 것으로 생각할 수 있다. 망이순에 겪는 아버지의 죽음은 혈육의 정에서 우러난 슬픔과 함께 스스로의 생에 대한 비극적 인식의 그림자를 드러내 주고 있기 때문이다. 소멸해 가는 것으로서의 생에 대한 비극적 인식과 함께 그에 대한 순응의 담담한 자세가 시의 주조를 이루고 있다.

김종삼의 시 「추모합니다」도 삶의 허허로움에 대한 비극적 인식에 바탕을 두고 있다.

작곡가 윤용하(尹龍河) 씨는
언제나 찬연한 꽃나라
언제나 자비스런 나라
언제나 인정이 넘치는 나라
음악의 나라 기쁨의 나라에서
살고 있을 것입니다.

유품(遺品)이라곤 유산(遺産)이라곤
오선지 몇 장이었읍니다.

허름한 등산모자 하나였습니다.
허름한 이부자리 한 채였습니다.
몇 권의 책이었습니다.

이 시는 "찬연한 꽃나라/음악의 나라"와 "유품이라곤 오선지 몇 장/허름한 이부자리"의 대응에 의한 서술적 이미지로 한 예술가의 외롭던 생애와 예술을 진솔하게 회고하고 있다. 이러한 가난하고 외로운 예술가 윤용하에 대한 추모 속에는 역시 가난하고 어려운 현실을 살아가는 시인 자신의 동지애와 함께 운명에 대한 순응의 자세가 깃들어 있는 것이다. 이 시는 이미 인생이나 시에 대해 확고한 관점과 표현 방법을 지닌 이순의 시인으로서 자기 확인을 보여주고 있는 것이다.

박용래의 시 「안행」과 「곡」도 "소묘조"의 간결한 형식 속에서 과거적인 것에 대한 회상과 깊은 애착을 보여주고 있다.

오동나무 밑둥
한쪽만 적시는
가랑비
지난날을 울어
저 철로 건널목
어른대는 역부(驛夫)
하얀 수기(手旗)에
돌을 쪼으듯 울어

아아 인간사
스무살까지라는데
젊어서 그랬듯
서서 울어

―「곡」

이 시는 과거적 상상력에 바탕을 두고 "가랑잎" "역부" "젊음" "울음"을 대응시킴으로써 회상의 미학, 감상의 미학을 형상화하고 있다. 특히 소멸해 가는 것, 잃어가는 것으로서의 삶의 원상을 울음의 이미지를 통해 선명히 드러내고 있는 것이다. 실상 이러한 울음의 이미지 속에는 삶에 대한 깊은 애착과 함께 뿌리깊은 애수가 자리 잡고 있는 것으로 판단된다. 울음은 인간성의 순수한 감동으로부터 유발되는 것이기 때문이다. 박용래의 시가 울음의 이미지와 과거적 상상력에 뿌리를 두고 있으면서도 단순한 감상으로 떨어지지 않는 것은 그의 시가 짧고 간결한 형식의 몽타주(montage) 수법을 특징으로 하고 있기 때문이다. "보름 장날 막버스/차창밖 꽂히는 기러기떼/아, 어느 강마을"(「안행」)과 같이 군더더기를 붙이지 않고 간결한 이미지로 자르는 과감한 언어의 극기, 배제의 날카로움을 보여 주기 때문인 것이다. 이 시인은 간결한 몽타주 수법으로 과거적 상상력이 빠지기 쉬운 센티멘탈리즘의 유혹을 예리하게 배제해 내는 시적 기교의 원숙성을 터득하고 있는 것이다.

송욱의 「사람 마음씨는 마음대로 뿐…」 「문둥이는 말한다」도 그가 지속적으로 추구하던 한국어와의 싸움과 생명적인 몸부림을 함께 보여주고 있다.

> 나는 십년 동안을 나그네였다.
> 항시 굶주리고 춥고 구슬픈…
> 삼년 동안 벼슬을 하는 사이
> 편지에도 부끄러워 말못한 사연만이 쌓였을뿐
> 술을 마실 틈이
> 산(山)을 오를 틈이 어디 있었으랴
> (한평생 소원이 이것이 아니었는데)
> 끌리고 매인 몸이 풀리면서
> 고향에 돌아온 하루아침엔
> 마치 닻을 올려 돛을 달고 떠나가는 배…
> 마음은 세상 밖에

기쁨도 밖에 슬픔도 밖에…
하루를 그냥 먹고
한해를 그냥 입고
날씨가 추워지면 게으름핀다
며칠에야 한번쯤 머리를 빗어
아침잠을 다하고야 겨우 일어나
밤이면 술 마시며 취해서 잔다
사람 마음씨는 마음대로 뿐…
마음내키는대로가 아니면 무엇대로 무엇대로?
젊어서 떠돌며 나그네길에
세상 인심 풍속을 익혀왔지만
나이들어 황송한 자리에서
대궐(大闕) 안을 골고루 살펴봤지만
떠돌이는 정말 어렵고
한자리를 하기란 더욱 못할 짓…
하물며 둥글게는 못생긴 내가…
바른 말이 허물을 짓는 고장에서…
쑥덕도 아양도 비위에 거슬리어
이렇게 십년… 가슴 조인 십년…
뜬구름이 부러워라 가벼운 마음이여!
홀분한 몸뚱어리여!

　　　　　　　　　　—「사람 마음씨는 마음대로 뿐…」

　이 시에서 보듯이 도도한 서술적 구문 속에는 치렁치렁한 율문의식과 함께
생래적인 비판 의식의 예리함이 자리잡고 있다. 이 시의 행간 속에는 역시 짙
은 회상과 성찰의 깊은 응시의 시선이 깔려 있음을 볼 수 있다. 시집 『하여지
향』이나 『해인연가』 시절의 날카롭고 생경한 역설과 풍자는 어느새 깊은 탄
식과 깨달음의 세계로 변모해 있는 것이다.
　우연의 일치인지도 모르지만 지금까지 살펴본 이 땅 중진 시인들의 시는 대

부분 인간 본연의 외로움에 뿌리를 둔 회상과 반 과거적 상상력에 깊이 연관돼 있음을 보여주었다. 이들의 시는 망이순의 경지에 다다른 시적 저력의 원숙함을 보여줌으로써 현대시의 난해성을 차분하게 극복하는 모범을 보여줌과 동시에 한국시의 가능성을 새롭게 확인해 주었다는 점에서 주목에 값하는 것으로 판단된다.

1979년

제18장 중진의 시, 신진의 시

근자의 시에서 중진들과 신진의 시들은 현저한 특징의 차이를 드러내고 있다. 편의상 해방 무렵에 데뷔한 시인을 중진이라 부르고 근년의 시인들을 신진이라 구분한다면, 거기에는 단순히 시공적인 차이가 아닌, 보다 본질적인 시관의 현격한 상거(相距)가 놓여 있음을 볼 수 있다.

이 달에 발표된 시 가운데 이동주, 김춘수, 신동집 등의 시편들은 중진 시인들의 시적 특징을 선명히 보여주고 있다.

이동주의 「낙일」은 "이미 귀에 익은 음성/넘칠듯 말듯/차분히 고인 눈물//우리 어머님 걷던 길엔/기러기가 떠 있었네/외줄기 외씨버선//우리 어머니 바탕이야/비단 아니었나/찬바람에 누워계신 잔디밭에/해가 저문다"와 같이 과거적 상상력에 뿌리를 두고 있다. 특히 「귀로」는 "춤추는 가락도/고향을 들추면 슬프구나//스쳐간 마을처럼/멀어만 가는가"와 같이 과거적 상상력을 바탕으로 잃어버린 것, 스쳐가는 것, 쫓겨가는 것들에 대한 깊은 연민과 애한(哀恨)을 형상화하고 있다. "명의도 수저를 놓아/초읽기에 몰리는 귀로"라는 구절 속에는 소멸하는 것으로서의 삶에 대한 안타까운 집착과 갈망이 표출되어 있다. 또한 「손」의 "가난은 슬프지 않아도/주고싶어 쓸쓸하다"라는 구절은 삶의 속 깊이에 정의 뜨거움이 잠재해 있음을 말해 준다. 특히 "지금은 내 품에 없는/아득한 그날의 구슬//등을 지고 흐르는/이 안타까운 세월에도"(「만월」)라는 시구는 이동주 시의 근간이 과거적 상상력을 뿌리로 한 삶의 애한과 정의 뜨거움에 자리잡고 있음을 단적으로 드러내 주는 것이 된다.

김춘수의 「노새를 타고」도 과거적 상상력과 삶의 애수에 근거를 두고 있다. "기러기는 울지마//바람은 죽어서 마을을 하나 넘고 둘 넘어/가지마, 멀리 멀리 가지 마//왜 이미 옛날에 그런 말을 했을까/도요새는 울지마"와 같이 소멸해 가는 것으로서의 존재에 대한 깊은 애정이 행간 속에 응축돼 있다. 다만 김춘수의 상상력은 이동주의 그것과 달리 "언뜻언뜻 살아나는 풀무의 풀꽃/풀무의 파란 불꽃"에서 보듯이 현재적인 것과의 섬광적 마찰에 의해 시적 긴장력을 획득하고 상징성을 예화하는 데 특징을 두고 있다.

신동집의 「명상」은 과거적 상상력을 바탕으로 현재의 의미를 추구하고 나아가서 삶의 존재 의의를 드러내 보여주려 시도한다는 점에서 주목을 요한다. "우리들의 몸이나 마음속에는 수없는 지난날이 가득히 고여 있다. 기억도 없는 먼 우주의 그런 일들이 모이고 모여, 쌓이고 쌓여 우리들의 오늘을 있게 한 것이리라"와 같이 과거적 상상력을 모티베이션으로 하여 현존재의 의미를 추출해내고 있다. 시간의 집합으로 이루어지는 존재의 성층을 깊이 응시함으로써 현재적 삶의 소중함을 형상화하고 있다. "보아라 태아는 태내에서 우주의 지난 내력을 다 살고 태어나선 이승의 짧은 이 한때, 우주의 전미래와 종말을 제 미리 살다가는 것이리라"라는 구절은 마치 엘리어트의 "현재와 과거는 미래에 나타나고 미래는 다시 과거에 포함된다"는 '네 개의 사중주들'(four quartets)을 생각나게 하는 동시에 이 시인의 시간관을 밝혀 주는 것이 된다.

이렇게 볼 때 신동집의 과거적 상상력은 그 자체의 회상의 미학에 초점을 두고 있는 것이 아니라 시작의 모티베이션으로 활용되는 데 특징이 있다. "조금씩은 나도 죽어가는 것일까/죽어가며 조금씩/내가 되어가는 것일까/무엇이 두려우랴, 귀한 이 한때/찰랑이는 햇빛과 바람/풀잎이 또한 나를 노래하고 있으니/한동안 무한을 보는 사람"(「귀한 이 한때」)에서 보듯이 신동집의 과거적 상상력은 과거 속에서 현재를 보고 미래를 보며 마침내는 영원을 보는 것이다. 순간적인 존재로서 현재를 살아가며 영원을 추구하는 삶의 의미를 조명해내고 있는 것이다. 이처럼 중진들의 시의 한 특징은 그들의 시가 과거적 상상력에 뿌리를 두고 있으며, 특히 사물의 존재성과 시간성에 깊은 응시를 보여주고 있다는 점에 있다.

이에 비해 이진화, 이태수, 이준관 등은 신진 시세계의 한 특징을 드러내준다.

이진화의 「막차를 타고」는 "이 서늘한 밤의 빨랫줄에/때절은 내의처럼 걸린 사내여.//밤이 내리는데/눈가리개처럼/굴뚝처럼/깊은 밤이 내리는데"와 같이 현실을 어둡게 수용하는 짙은 허무주의를 드러내고 있다. "각진 유리창 속 흔들리는 얼굴이여"에서 보듯이, "밤"이 상징하는 시대적 불안과 함께 흔들림은 신뢰할 수 없는 스스로의 현실적 삶을 시사해 준다. 이러한 허무와 불안 의식은 「휴전선」에서 비극적인 역사 인식으로 확대되어 나타남으로써 신진시의 한 특성이 비극적 현실 인식과 함께 뿌리깊은 허무와 불안 의식에 연루돼 있음을 제시해 준다. 특히 이진화 시의 짙은 허무주의는 허무주 그 자체로서가 아니라 자조를 표면으로 사물의 밑바닥을 꿰뚫어보는 날카로운 비판 정신에 바탕을 두고 있다는 점에서 앞으로의 가능성을 예견케 한다.

이태수의 「휴지처럼 먼지처럼」도 "두려워요/가슴이 식어요/캄캄한 길 홀로 비칠거리며/미리미리 갈 길은 잊고"처럼 현실을 어둠과 불안으로 파악하고 있다. 또한 「물 위의 기름방울 혹은 뜬구름」에서도 "아아 그랬었군요, 나는/물 위의 기름방울/혹은 뜬구름"처럼 신뢰할 수 없는 현실에 대한 비극적 인식을 보여주고 있다. 이태수의 비극적 현실 인식도 "바람에 묻어 어른대는 얼굴 얼굴들/빈 의자 모서리에 그 때의 뜨거운 꽃봉오리들이/남아 술렁이었어요//피의 귀한 빛깔들을/붙들어 안았어요/내 눈은 어두우나 눈부시던 날의 그 성난 목소리"(「다시 사월은 가고」)처럼 비판 의식에 바탕을 둔 건전한 사회의식으로 확대됨으로써 허무주의를 극복하고 있다.

이준관의 「더 깊은 겨울」도 "밤과 밤끼리 서로 차갑게 겹쳐지는/이 깊디깊은 겨울 속에서 /무슨 소용이랴, 우리들의 맹목적인 슬픔/헛되이/헤매임만 오락가락 어두운 눈발이 된다"라는 구절처럼 사물과 현실에 대한 비극적 인식에 바탕을 두고 있다는 점에서 앞의 두 시인의 시와 공통성을 지닌다. 특히 이 시는 이미지 구조의 탄력성을 획득하고 있으며, 현실 비판 내지는 사회의식으로 곧 바로 이행되고 있지 않다는 점에서 또 다른 시적 가능성이 지적될 수 있다.

이처럼 중진의 시가 과거적 상상력을 근간으로 삶의 애수와 존재성을 형상화하는 데 중점을 두고 있음에 비해, 신진의 시는 현실에 대한 비극적 인식에 바탕을 두고 허무와 불안을 추구하며 사회의식으로 확대될 가능성을 지닌다는 점에서 그 한 특징이 드러난다. 중진의 과거적 상상력이 나약한 회상의 미학으로 전락해서는 안 되듯이 신진의 현실 인식도 섣부른 사회의식이나 목적의식으로 굴절돼서는 안 될 것이다. 이 점에서 중진과 신진이 모두 함께 생각해 볼 문제점이 놓이게 된다고 본다.

1979년

제19장 상상력과 서정의 힘

이유경의 「초락도·6」과 「초락도·8」, 그리고 이성애의 「어느 봄」 등의 시편은 통찰의 깊이에서 우러난 상상력의 힘과 맑은 심성에서 연유된 투명한 서정이 행복하게 결합하고 있다는 점에서 주목을 요한다.

> 파도가 자꾸 무너지다가 지쳐서
> 뻘밭에 묻혀서 신음소리만 낸다
> 흔들리는 다박솔 사이를
> 모기들이 자욱히 잠깨고 있다
> 어둡다 어둡다 소리치는 갈매기들이 바다 속으로 하얗게 잠겨갔다
> 살점 하나 찾지 못한 갈매기들은
> 어둠 속을 사정없이 싸우고 있었다
>
> ─「초락도」6

이 시는 사물을 꿰뚫어서 그 사물의 본질을 시적 관념의 깊이 속으로 육화(incarnation)시키는 상상력의 힘을 보여주고 있다. 이러한 사물을 꿰뚫는 힘으로서의 통찰력은 "뒤채어도 잠들 수 없는 잠 깨어서 그대는 창가에 누워 다시 앓으니 사방에 뿌옇게 흩어지는 저 강설의 무심함 녹슬어 녹는 눈의 안타까움 어찌하리요"(「삼월강설」)처럼 사물과 관념의 대응에서 유발되는 긴장과 탄력

속에 뿌리깊은 삶의 허적을 결합함으로써 서정의 아름다움을 형상화하는 데 성공하고 있다. 특히 「등나무」「초락도·8」 등의 시는 사물의 흔들림에 대한 미세한 성찰과 함께 투명한 직관의 날카로운 힘을 보여준다는 점에서 그의 시가 상상력의 유연성과 서정의 섬세함의 긴장 관계에 근거하고 있음을 밝혀주고 있다.

「어느 봄」도 사물을 삶 속으로 끌어들이는 상상력의 유연성과 그 힘 속에 삶의 긴장과 탄력을 부여하는 서정의 아름다운 힘을 보여주고 있다.

> 메마른 봄이 잇몸을 드러내고
> 밭두렁에 아지랭이보다 짙은
> 연초(煙草)의 푸른 한숨이
> 죽은 보리의 넋 위에 떠돈다
> 솟아오른 무성한 여름의 뿌리 아래
> 이슬진 물끼처럼 지난 봄이 잠시 매달려 기우는 햇빛에 반짝이는
> 것일까

이 시에서 읽을 수 있는 시적 탄력과 서정의 투명성은 그것이 삶에 대한 비극적 인식의 바탕에서 비롯된 것으로 판단된다. 그러나 이러한 비극적 인식은 "주름진 얼굴의 이랑 사이에/자꾸만 넘치는 고달픈 생애엔 항시 기나긴 봄이 놓여 있고/기나긴 기다림이 놓여 있다"와 같이 그의 포에지가 기본적으로 생에 대한 따뜻한 긍정과 함께 명상과 기도에서 오는 삶의 애정에 근원을 두고 있음을 상대적으로 드러내 주는 객관적 상관물이 된다.

> 헐벗은 고요함 속에서 나는 아름다운 비밀을 본다.
>
> 몇 개 음(音)이 남아
> 빛나는 씨알로 흙에 잠듦을 본다

발목을 덮은 눈은
기다림으로 끝없이 따뜻해져가고
긴 겨울의 가난함 아래
어느 날짐승의 것보다 튼튼한
무수한 날개 푸득이는
드맑은 소리를 듣는다

특히 이 「낙오된 철새의 노래」는 사물과 관념의 친화력 속에서 드러나는 싱싱한 삶의 생명력과 함께 청신한 감각으로 통일되는 감성과 지성의 섬세한 조화를 보여준다는 점에서 시적 성공을 얻고 있다.

박용래의 「한」(『현대시학』)과 「여우비」(『문학과 지성』 가을호, 1979)도 사물 속에 잠재해 있는 삶의 허적을 서정으로 치환함으로써 사물과 삶의 긴장력을 이끌어내고 있다. "문득 바위틈에 물든 산호 단풍을 보고 너는 우정이라 했어라/어느덧 우정의 잎은 지고 모조리 지고 이제 희끗희끗 산문에 손가린양 날리는 눈발 넌 또 뭐랄 것인가"라는 구절은 사물을 관념으로 치환함으로써 상상력을 서정으로 이념화하는 시적 승화(sublimation)를 획득하고 있다. 특히 박용래는 「여우비」 「어스름」 「허수아비」 「대추량」 「황산메기」 등의 시에서 사물을 몽타주 수법으로 결합하여 서정의 아름다움 속에 가라앉아 있는 생래적인 삶의 허적을 투시하고 있다는 점에서 박용래 서정의 가능성을 확대하고 있다.

한편 박성룡의 「상처」 및 「산 언덕에 올라」(『현대문학』)와 장영수의 「치악산 VI」(『월간문학』)은 과거적 상상력의 변용을 통해서 삶의 힘을 추구한다는 점에 특징이 있다.

상처(傷處)가 아물고 있다
균열진 육체(肉體)가 아물고 있다
금이 간 마음도 함께

아물고 있다.

—「상처」

「상처」는 시의 모티베이션을 과거적인 것에 두고 있다. 이러한 과거적 모티베이션은 유년 체험을 이끌어내게 된다.

> 늦가을 아침 山 언덕에 올라 발밑을 내려다본다.
> 우리는 서로 사소한 일로도
> 헐뜯고 살아가게 마련이지만
> 한발짝 이렇게 높은 데서 바라보면
> 모두가 부질없는 것이었음을 깨닫게 된다
> 먼곳에 펼쳐진 黃土 밭마저가
> 아름다운 꽃밭으로만 보였던 내 젊은 날의 이야기들
> 가난한 농민(農民)들만이 모여살던
> 우리 고향 내 생가(生家)가 문득 생각난다
>
> —「산(山) 언덕에 올라」에서

"바닷물" "물새울음" "대나무숲" "붉은 동백꽃"과 같은 공감각적 이미지로 표상되는 유년 체험은 "지금 이순간 내 앞의 도시풍경들은/어쩌면 그때의 고향 마을처럼도 보인다"(「산 언덕에 올라」)에서처럼 실존적 삶의 어려움을 완충시켜 주는 상상력의 힘을 제공해주고 있다. 유년 체험의 과거적 상상력은 체험의 회상 자체에 소중함이 있을 뿐 아니라 실존적 삶을 이끌어가는 창조적 에너지가 된다는 점에서 의미를 지니게 되는 것이다. 이 두 편의 시는 실상 박성룡의 정서의 비밀이 유년 체험의 상상력과 실존적 삶의 대응에서 비롯된다는 점을 새삼 확인해 준다.

「치악산」도 유년 체험의 명암을 대조함으로써 상상력의 힘을 이끌어내고 있다. "무실리 초가집에 그을음이 가득했다/컴컴한 구석에선 대낮에도 도깨비 한마리쯤 나올 것만 같았다"처럼 "어두움" "무서움"으로 드러나는 유년 체험의 회상 속에는 "할아버지는 흰 수염 흰 머리칼과 함께 낮잠을 주무셨다/흰 모시적삼, 흰 낮달, 흰 솜구름"과 같은 밝음의 세계, 빛의 향성이 대응됨으로써 그의 시가 과거적 상상력에 중요한 한 뿌리를 두고 있음을 보여준다.

1979년

제20장 관념의 힘과 이미지즘

　박철석의 「명지」 「신마산」과 오세영의 「한 알의 모래」 「하이얀 손」과 김선영의 「소외」는 간결한 비유에 의해 선명한 시적 심상을 조형해 주고 있다는 점에서 고찰을 요한다.

　먼저 「명지」는 짤막짤막한 행 구성 속에 간명한 심상이 결합됨으로써 이미지즘적인 지향을 보여주고 있다.

> 청대잎이 어둠에 젖는다.
> 황령산(荒嶺山) 뼈얄이
> 조금씩 혼들리고
> 사나이들의 삽질이
> 끝난 벌판
> 아직 떠나지 못한
> 희미한 햇빛들이
> 낡은 먼지를 턴다.
> 부러진 이빨 두 개가
> 강바닥에 썩고 있다.
>
> ―「명지」 1

이 시에서 보듯이 "…다"로 끝나는 행배치의 규칙성과 명사형 종지의 절단 및 연결 어미의 동태성은 이 시를 역동적 심상의 이미지즘 시로 규정할 수 있음을 말해 준다. 특히 "청대잎" "사나이들의 삽질" "부러진 이빨 두 개"가 상징하는 공감각적 심상은 현대인의 복합적 정서를 시각적 영상을 통하여 함축적으로 표현하고 있어 새로운 언어와 정서의 가치를 창조하려는 이미지즘의 원리(C.E. Pulos, *The New Critics & the Language of Poetry*, 34쪽)와 그다지 먼 것이 아니다. 또한 "바래진 들꽃 하나가 언땅을 파고 있다/베타니아의 낮은 집들이/수백 년을 앓고 있다/남루한 사나이의 피가/갯벌에 얼어붙고 있다"(「명지·2」)라는 구절이나 "얼어붙은 혼령들이/늪에서 깨어난다/달 반쪽이 기우는 벌판/지워지지 않는/어둠이 길을 막고 있다"(「명지·3」)라는 시구들은 한결같이 이 시인의 지향이 사물과 관념을 은유적으로 결합함으로써 정서의 순간적 감응 방식으로 형상화하려는 데 있음을 말해 준다. 시 「신마산」에 있어서도 "늑골이 잘린 철선하나 불을 뿜고 있었다/잔해만 저켠/갈매기 바다가 지워지고 있었다/가을꽃이 휠체어에 실려 가고 있었다"와 같이 선명한 은유적 이미지의 조형을 통해 정서를 활물화하고 있다. 이 점에서 이 시인의 시적 심상의 선명성과 방법적 세련을 볼 수 있다. 그러나 이러한 이미지즘적인 시들이 한때 우리 시단을 풍미하던 과도한 은유의 난해시 내지 이미지를 위한 이미지 조형의 작위적인 유행 시를 연상시켜 준다는 점에서는 오히려 진부한 느낌을 배제하기 어렵다. 또한 수많은 오브제들의 나열에서 오는 소재에 대한 지나친 욕심이 드러난다는 점에서 조금 더 긴장력 있는 절제의 힘이 필요한 것으로 판단된다. 조금 더 과감한 소재의 절제에 의해 관념과 이미지의 탄력을 획득할 때 이 시인의 시가 훨씬 공감대를 형성하리라는 것이 자명하기 때문이다.

　「명지」에 비해 오세영의 「한 알의 모래」 등은 화려한 이미지의 조형을 보여주고 있지 않지만 오히려 압축된 서정과 관념이 간결한 구성에 의해 설득력을 유발시켜 주고 있다.

결국은 한알의
모래가 된다.

파멸이 저 존재(存在)의 중심(中心)에서
깨어진 접시가
이루는 완성(完成).

결국은 한알의
정이 된다.

깨어지고 깨어져서
이겨내는 외로움,
그는 시방
바닷가에 서 있다.

들려오는건
허무의 바람소리와
애중의 기슭에서 부서지는 파도소리

가장 밝은 지상에서 뒹구는
결국은 한알의
모래가 된다.

해조음(海潮音_이 된다.

　　이 시는 한 알의 모래에서 생의 쓸쓸함과 허무를 보며 동시에 삶의 어려움
을 꿰뚫어 보는 직관의 힘을 보여주고 있다. 한 알의 모래가 상징하는 삶의 소
멸과 응결 과정은 "파멸이 저 존재의 중심에서/깨어진 접시가/이루는 완성"이
라는 빛나는 관념적 이미지로 형상화됨으로써 이 시 의 관념의 힘을 드러내주

고 있다. 특히 "한알의 모래" "허무의 바람 소리" "애중의 파도소리" "해조음"의 청각적 이미지에 의한 "깨어지고 깨어져서/이겨내는 외로움"의 부각은 그의 시력(詩力)의 깊이가 기교적인 것보다는 삶에 대한 투철한 신념에 기인한 본질적 통찰력에 자리잡고 있음을 단적으로 드러내주는 것이 된다.

또한 「하이얀 손」에서 "내가 잠든 뒤에도/빨래는/어둠을 지킨다/늘어진 운명의 줄을 붙잡는 하얀 손/그는 스스로/절대의 허무앞에 던져지기 위하여/체온을 버린다/스스로 육신을 포기하는 자의/저 완벽한 절망"이라는 간결한 형식을 통한 사물에 대한 투시와 관념으로 끌어당김은 이미 이 시인의 시적 안목이 한 수준에 올라 있음을 보여준다. 시집 『반란하는 빛』 무렵의 지나친 관념성과 이미지의 난삽성에서 벗어나 언어와 사물이 시인의 생명 속으로 육화돼 들어가고 있음을 확실히 보여주고 있다. 다만 두 시에 공통적으로 포함돼 있는, "허무" 등과 같은 관념어가 다른 시편에도 반복적으로 들어가지 않는다면 시적 설득력이 더욱 고양되어 시 세계가 확장될 수 있지 않을까 하는 점이 지적된다. 시적 인식의 심화와 함께 시 세계의 확대가 절실한 것으로 판단되기 때문이다.

김선영의 「소외」도 간명한 비유적 심상으로 삶의 외로움을 선명히 드러내주고 있다.

> 최후로 꽃을 부르면
> 그것들마저 나무 꼭대기로 몰려간다
> 길에 오점(汚點)처럼
> 홀로 내가 찍혀 있다.
>
> 한 꽃나무가 멈춰선다
> 머리에 제가 이었던 꽃
> 한그루를 벗어준다
> 빼앗을 맘 없이 걸어가면

문득 누가 보이지 않는 꽃나무
하나를 내부 가득히 들여놓는다
꼭지에서 꼭지까지 가늘게
떨리며 꽃나무가 춤춘다.
노래부른다.

아득히 높은 곳에서(신(神)의 마을쯤)
눈물 한방울이 떨어진다.
굴러굴러 뿌리를 적신다.

내가 공간에 꽃을 벌려준다
몇송이 꽃보다 빠르게
향기가 먼저 달려나가고
향기로 싸맨 우주와 사람들이
향기 속에서 내다본다.

길도 풀밭도 아닌 곳에
꽃나무 하나가 걸어가고 있다.

내가 다시
꽃을 부르면
아득히 가슴 속에서 가늘게
내가 대답한다.

    이 시는 "꽃"과 "나"의 대위법으로 구성돼 있다. "길에 오점처럼 홀로 내가 찍혀 있다"라는 간결한 비유는 삶에 대한 자성적 관찰을 바탕으로 삶에 대한 외로움을 표상하고 있다. 이러한, 외로움은 "내가 다시/꽃을 부르면/아득히 가슴 속에서 가늘게 내가 대답한다"라는 시구를 통하여 뿌리깊은 외로움의 자아의식을 선명히 드러내 준다. 이런 점에서 꽃이라는 상대성에 대한 믿음은 오히려 자아의 문제로 회귀하게 되는 것이다. 따라서 "꽃"과 "나"의 대응은 인간관계의 실존적 한 모습을 상징적으로 드러내 주는 두 축이 된다.

지금까지 살펴본 것처럼 박철석의 시는 이미지즘적인 지향을 통해 현대인의 심성 속에 자리잡고 있는 서정의 한 모서리를 드러내 주고 있으며, 이에 비해 오세영의 시는 이미지 추구의 한 극점에서 관념의 힘을 형상화하고 있다는 점에서 주목을 요한다. 김선영의 시 역시 이미지와 관념의 대응을 통해 실존의 외로움을 적절히 묘파해 주고 있다. 그럼으로써 이 세 시인은 흔히 문제시되는 현대시의 난삽성을 효과적으로 극복하는 한 전범을 보여 주었다. 바로이 점에서 이 세 사람의 시가 돋보이는 것이다.

1979년

제21장 젊은 세 시인의 허무주의

　　1970년을 전후해서 등장한 젊은 시인들을 편의상 70년대 시인이라 부를 때, 거기에는 단순한 시간적 근접성 외에도 간과할 수 없는 특징의 유사성이 있다.

　　정희성의 「청명」과 김종철의 「비의 외출」 및 박정만의 「요즈음의 날씨」 등은 안정된 시의 저력을 보여주는 이상으로 짙은 허무주의를 드러내고 있다는 점에서 문제점을 지닌다. 이들의 등단 무렵의 초기시에 충만했던 신선한 감각과 날카로운 지성, 당당한 패기는 어느새 둔화되어 현실에 대한 회의와 삶에 대한 허무감 내지 좌절감으로 변모되어 있다. 이러한 이들 시의 변모와 굴절이 시대, 상황에 대한 그들 나름의 절망적 인식에서 비롯되는지, 아니면 개인적 삶의 어려움에 대한 좌절감에서 연유하는지, 혹은 현실 만족에서 오는 무기력 내지 안일함의 자연 발생적 귀결인지 알 수 없다. 다만 분명한 것은 이들 시의 전면에 좌절의 체험에서 기인한 것으로 판단되는 사물에 대한 비극적 인식의 허무주의와 삶에 대한 소극적 긍정의 순응주의가 짙게 깔리어 있다는 점이다.

> 황하도 맑아진다는 청명날
> 강대리에 나가 술을 마신다
> 봄도 오면 무엇하리

온나라 저무느니 버
드나무에 몸을 기대
머리칼 날려 강변에 서면
저물어 깊어가는 강물위엔
아련하여라, 술취한 눈에도
물머금어 일렁이는 불빛

—「청명」 부분

    정희성의 시 「청명」을 관류하고 있는 것은 짙은 허무주의다. "버드나무" "강" "머리칼" "술" 등의 치렁치렁한 한시풍의 고전적 가락 속에는 현실에 대한 깊은 절망과 함께 삶의 속 깊은 외로움이 잠재해 있다. "황하도 맑아진다는 청명날"과 "술취한 눈에도 물머금어 일렁이는 불빛"의 대응은 현실과 삶을 바라보는 시인의 눈이 결코 밝은 것, 그 자체에 뿌리박고 있지 않음을 말해 준다. 오히려 "맑음"과 "술취함"의 대응은 혼탁한 현실 상황을 직시할 수 밖에 없는 시인의 아픔을 선명히 드러내 주는 것이 된다. "봄이 오면 무엇하리/온 나라 저무느니"라는 구절 속에는 현실에 대한 부정적 인식의 팽팽한 긴장보다는 어쩔 수 없음에 대한 짙은 냉소주의가 깔려 있는 것이다. 이러한 정희성의 허무주의적 씨니시즘은 자신의 데뷔작 「변신」 무렵의 강인한 비판 정신이나 「세한도」 무렵의 날카로운 지사의식에서 한 걸음 나아간 것이라기보다는 오히려 뒷걸음 내지는 주저앉아 있음이라는 비판을 모면하기 어려운 것이다.

참솔가지 몇개로 견디고 있다.
완당(阮堂)이여 완
붓까지 얼었던가
생각하면 우리나라의 추위가 이속에도 있고
누구나 마른 소나무 한그루로
이 겨울을 서 있어야 한다

—「세한도 송」

이 시에서 볼 수 있듯이 참솔가지처럼 팽팽한 비판 의식과 극복 의지의 투철함이 예화되고 심화될 때 정희성의 시는 더욱 생명력을 획득하고 확고한 시사적인 자리 매김을 얻을 수 있을 것이다. 실상 이 시인에게 절실한 것은 허무주의에 대한 고뇌 그 자체에 있는 것이 아니라, 그 아픔에 대한 투명한 직시와 극복 의지의 발현인 것이다. 허무주의에의 지나친 경도와 순응은 시정신의 소모를 초래한다는 점에서 위험한 경계 요소가 되기 때문이다.

김종철의 「비의 외출」은 그 부제에서 알 수 있듯이 목월 선생님을 생각하며 쓴 작품이다.

> 그가 임종했던 날 밤에 내린 비가
> 오늘 다시 내렸다.
> 나는 초인종(招人鍾)을 다시 확인하고
> 그가 누워 있는 한자락의 산을
> 입김으로 유리창에 그려본다
> 산(山)이 발바닥을 드러내고
> 천천히 걸어와서 이를 맞추었다
> 잠든 머리맡에 펼쳐둔
> 성경 몇 귀절이 속살로 나와
> 산을 마주하며 같이 젖는다
> …중략…
> 어서 떠나거라 떠나거라 떠나거라
> 빗방울은 산(山)의 일박(一泊)과 함께
> 생전(生前)의 눈물의 가슴 가까이로 모여들고
> 아무도 하산(下山)한 한 장의 잎이
> 급한 물소리로 떠돌고 있음을 보질 못한다

이 작품의 기본 발상법은 비와 죽음과의 자연스런 대비에서 비롯된다. 떠남과 만남의 생명적 상징물인 비는 목월의 죽음을 표상하는 동시에 외로운 영혼의 살아있음에 대한 이미지를 환기한다. 이 점에서 이 시는 삶의 본질이 하나의 빗방울처럼 우주의 한 원리로서 "한 장의 잎이 급한 물소리로 떠돌고 있음"과 같이 허무 그 자체임을 말해 준다. 다만 삶과 죽음의 세계는 "초인종" "입김" "유리창"으로 분리된 세계일 뿐 빗속에서 항상 잇닿아질 수 있는 하나의 세계인 것이다. 이 시인의 허무에 대한 응시는 「아내는 외출하고」에서 "아내는 외출하고/어린 두 딸과 잠시 빈방을 채우며 뒹굴다가/그들이 눈을 부치는 사이/적막같은 비가 한 줄기 쏟아진다/나는 적막이 되어/유리창끝에 매달리고"와 같이 가족주의적 순응주의 속에 잠재한 삶의 적막이라는 허무주의로 심화돼 나타난다. 데뷔작 「재봉」에서의 투명한 삶의 감각과 맑은 지성, 그리고 「서울 둔주곡」 무렵의 날카로우면서도 다소 과장적이던 현실 감각은 현실적 삶의 긴장 속에서 순응주의와 허무주의로 변모돼 있는 것이다.

박정만은 「풍리의 바람」에서처럼 「요즈음의 날씨」에서도 삶의 적막함과 부질없음에 대한 절망적 인식을 보여주고 있다.

> 모든 것이 부질없구나
> 잠자는 南冥의 바다 위에 눈꽃은 지고
> 젊은 날의 내 야심도
> 저 바다의 꽃잎같이 스러졌구나
>
> 한창때는 나도
> 불같이 뜨거운 사랑을 품었는데요
> 눈에도 가슴에도
> 불같이 뜨거운 사랑을 품었는데요
>
> 내가 탐한 하늘은 어디로 지고
> 가슴에는 한평의 적막만 살아
> 아서라, 이 몹쓸 놈의 병(病),

한 마디 뒤채는 고요의 병을 얻어
몇 점(點) 새소리로 애간장을 삭이는도다.
네게는 이제 바람뿐
바람 앞에 스러지는 눈보라뿐
눈보라 잠재우는 끝없는 기다림뿐
기다림 끝난 곳에 타는 모닥불뿐.
이제 모든 것이 부질없구나
잠은 갈수록 고요하고
맑은 이마에는 수정(水晶)의 그늘이 피어
어둠 속에 보이느니 어둠의 나라.

　이 시는 발상법부터가 짙은 허무주의로 이루어져 있다. "모든 것은 부질 없구나"라는 깊은 탄식 속에는 시대적 절망과 함께 개인의 생애사적 좌절이 깊이 연루되어 있다. 그럼에도 불구하고 "꽃잎같이 스러졌구나/뜨거운 사랑을 품었는데요/한마디 뒤채는 고요의 병을 얻어/눈보라 잠재우는 기다림뿐/기다림 끝난 곳에 타는 모닥불뿐/사랑이여"라는 치렁치렁한 율문 속에는 허무주의에 대한 뜨거운 응시와 함께 애정의 아름다운 표현의 미학을 구축하고 있는 것을 볼 수 있다. 이 시인의 데뷔시인 「겨울 속의 봄 이야기」에서처럼 "아침 한때의 순금의 부리도 빨갛게/새들은 남은 잔설을 쪼아대고"와 같은 청순한 감수성은 어느새 허무주의에 대한 깊은 응시와 몰두로 변모돼 있는 것이다. 이러한 허무주의의 요인이 어떤 것에서 연유한다 하더라도, 이 시인의 삶에 대한 절망적 인식은 어느 면에서 탐미적인 요소를 지니고 있으며 아울러 비장미를 이루고 있는 것으로 간주된다. 삶에 대한 투명한 애정을 잃은 반면에 탐미적인 허무주의의 미학을 형성하고 있는 것이다. 이 점에서 앞으로의 이 시인과 시의 변모 방향은 커다란 흥미와 관심을 불러일으키기에 충분하다.
　지금까지 살펴본 것처럼 비슷한 시기에 등장한 세 젊은 시인들의 시정 신의 내면에는 짙은 허무주의가 깔려 있음을 알 수 있다. 초기시의 신선한 감수성과 날카로운 예기(銳氣), 그리고 삶에 대한 애정은 현실 생활에의 밀착 과정 속에서 삶에 대한 비극적 인식으로 굴절돼 가고 있는 것이다. 앞으로 이들이 어떤 방향으로 변모해가든, 이들 시가 70년대 젊은 시인들의 정신사적 위상의 한 특징을 드러내 주고 있다는 점은 분명한 사실이다.

1979년

제3부

1980년대 문학의 비평적 성찰

제1장 1980년대 비평의 한 양상

서론

80년대 문단에서 운위되던 문제의 하나는 비평의 부재에 관한 것이었다. 50년대 초의 급격한 정치, 사회적 변화는 문학에도 심대한 영향을 미쳤던 것이 사실이다. 60~70년대의 뜨겁던 문학 열기는 70년대 말 10·26 사태와 80년 초의 정치적 소용돌이로 인해 급속히 냉각되었으며, 그 결과 문단 일각에서는, 80년대는 문제작이 탄생되지 않는 문학의 위축기로 접어 들고 있는 것은 아닌가 하는 우려까지 낳게 되었다. 그리고 이러한 문학 창작의 침체 원인은 정치적 상황의 경색과 더불어 본격적인 비평 활동의 부재에 기인한다는 진단으로 연결되기도 하였다.

그러나 80년대 중반에 해당하는 84년에 이르러서 문단은 새로운 국면에 접어들게 되었다. 학원 자율화 정책에서 시발된 사회 전반의 자율화 바람은 문학에도 여러 가지 영향을 미쳤다. 70년대에 억압받던 문인의 상징으로서 대표적 인물인 김지하의 해금과 활동은 80년대 문학의 새로운 풍향을 예고하는 것이었다. 김지하, 고은 등의 해금 시인들이 주축이 되어 펴낸 사화집 『마침내 시인이여』가 일약 베스트셀러의 반열에 오르고, 김지하의 『황토』, 『남』, 『밥』

등이 센세이셔널하게 인구에 회자되면서 민중 문학과 그 비평론이 크게 부상되기 시작했다. 이러한 민중 문학론은 "실천, 민중, 현장, 제3세계, 민족" 등의 단어로 대변되는 이른바 "운동권" 문학 운동으로 전개되면서 문단과 사회 전체에 영향력을 확장해 갔다. 이들 중의 일부 젊은 층은 "유격성, 전투성, 선동성"이라는 어휘까지 구사하여 문학의 사회적 효용성 내지는 정치적 기능을 단적으로 강조하기도 하였다. 이러한 경향을 평론 쪽에서는 크게 보아 "민중 문학론, 민족 문학론, 제3세계 문학론" 등으로 요약할 수 있다. 먼저 민중 문학론은 70년대 초 3선개헌, 10월 유신 등의 비민주적 정치 상황에 반발하면서 문학을 통해 민주, 민중 의식을 강조하는 학론으로 출발하여 80년대에 들어서서 막연하나마 어느 정도 개념이 형성되어 가고 있는 것으로 판단된다. 그러나 이러한 민중 문학론은 최근에 이르러 "민중 자신이 생산 주체가 되는 문학"을 주장하면서 전투성, 유격성, 선동성을 강조함으로써 다분히 정치 운동으로 연결되는 면이 있는 것도 사실이다. 따라서 문학 작품 자체에 출발하는 문학 비평이 아니라 비평가 자신의 신념이나 세계관에 작품 자체가 지배되는 특성을 지닌다. 한편 민족 문학론은 구한말 이후 외세의 침탈 속에서 민족적 주체성과 자국 문학의 독자성을 확보하기 위한 노력으로 배태되었다. 이후 1920년대의 계급주의 문학론과 상대적인 각도에서 일제의 식민지 침탈에 대항하는 저항 문학의 성격을 지니면서 성장하여, 해방 후 외국 문학의 급격한 유입으로부터 민족적 주체성을 확보하기 위한 노력으로 활발히 전개 되었다. 이후 60-70년대에 들어서서 급격한 근대화에 따른 사회의 구조적 모순과 부조리에 대한 비판과 함께 전통의 계승 문제가 대두되면서 그 입론점으로서 민족 문학론이 크게 부각되게 된 것이다. 따라서 민족 문학론은 근대 이후의 사회 변동에 따른 인간성의 주체적 자각과 그 회복 노력에 뿌리를 두며, 민주, 민중 운동의 성격을 논리적 바탕으로 한다. 그러나 민족 문학론은 그 대항주의적 속성으로 말미암아 자칫 폐쇄적인 국수주의 또는 편협한 민족주의로 굴절될 염려가 없지 않다. 아울러 제3세계 문학론은 비평의 방법이라기보다는 민중 문학, 민족 문학의 연장선상에서 취하게 되는 비평 시점의 문제에 속한다. 그것은 동, 서 또는 남, 북 대립이라는 양극적 패권주의의 대립과 팽창으로 말미암아 소외되고 억압받는 약소 국가 또는 민족을 제3세계로 호칭하면서 그들의 국가적 생존권과 민족적 자립권을 확보, 강조하려는 입장에서 출발한다. 그러나 이 제3세계 문학론 역시 일종의 저항성 또는 투쟁성을 전제로 해서 성립되기 때문에 민중 문학론이 지니기 쉬운 이념적 도그마와 민족 문학이 지니는 국수주의적 편협성 등의 문제점들로부터 벗어나기 쉽지 않다는 취약성을 지닌다. 민중 문학론, 민족 문학론, 제3세계 문학론 등의 운동적 문학론은 현대와 같은 여러 가지 정치적, 경제적, 사회적 폭력이 난무하는 인간 상실의 시대에 있어서 이념적 지향의 선명성이나 비평적 도그마의 확립이라는 비평 방법론으로서 뚜렷한 설득력을 발휘할 수 있는 것이 사실이다. 그러나 이 비평 이론들은 그 논리를 위한 논리로서의 성격과 함께 대항 이론적 속성으로 말미암아 적용상의 단순화를 초래하는 경우가 많게 됨으로써 객관적 신뢰도와 비평적 설득력을 약화시키는 것이 한 약점으로 지적된다. 이러한 비평론들은 비평에 있어 하나의 방법론 또는 전체적인 포괄성 속의 한 중요한 관점으로 인식돼야 함에도 불구하고 그것을 유일화 또는 전체화하여 정치, 사회학적 차원으로 이행시킴으로써 문학의 자유를 스스로 축소하고 제한할 수도 있다는 점에서 문제점으로 지적된다. 모든 문학 비평의 방법론이나 관점은 문학 작품으로부터 출발하여야 하며 그것은 세계와 인간에 대한 총체적 인식과 이해의 시선에 바탕을 두고, 역사적 가치와 함께 예술적 가치에 대한 판단의 문제로 집약돼야 할 것이 자명한 이치일 것이다.

이 점에서 본다면 1984년에 있었던 문협과 시협, 그리고 예술원의 문학 심포지움은 평단에 있어서 하나의 분명한 쟁점을 표면화한 계기가 된 것으로 풀이된다.

먼저 10월 17일-18일 유성에서 있었던 문협 심포지움은 선명하게 민중 문학론에 대한 비판을 기했다는 점에서 주목을 끌었다. '인간과 사회와 문학'이라는 제목으로 전개된 이 심포지움에서 윤재근은 '인간과 사회와 문학', 서동훈은 '소설의 사회적 효용', 정의홍은 '사회와 한국시의 현주소' 등을 발표하여 1984년에 들어 본격적으로 부상된 민중 문학론에 대한 반성과 함께 비판을 제기하였다. 특히 정의홍은 "문학의 현실 고발의 의의는 고발 행위 자체에 있을 뿐 시다움을 상실한 선전성이나 목적성에 있는 것은 아니다"라고 주장하여 민중 문학에 대한 비판을 가하였다. 그는 시의 사회적 기능을 극단적으로 강조하는 민중시, 농민시가 "계층간의 갈등에서 파생된 민중만 있고 개인은 없으며, 민중의 감정만 인정할 뿐 개인의 정서를 부인한다"고 비판하였으며, 아울러 "민중이라는 말만 붙이면 모든 것이 정당화되는 풍토가 풍미해서는 안 된다"고 경고하였다. 특히 그는 "해학과 풍자 그리고 저속적인 독설의 장식에 불과한 김지하의 시가 지대한 관심을 끌 뿐만 아니라, 우수작으로 오인되고 있다"고 지적하고 그것이 화제작, 문제작은 될지언정 우수작은 될 수 없다고 주장하였다. 그러나 정의홍 씨의 주장이 관심을 끄는 것은 민중 문학에 대한 비판이 제기되었다는 사실 자체에 있는 것이 아니다. 그것은 오히려 정의홍 씨가 "인간의 삶이 다양한 것처럼 그 인간의 삶을 고귀하게 만드는 방법 역시 다양하다"라고 주장하고 이 "시의 역할을 일원론에 의해 해결하려는 배타적 노력이야말로 문학의 질을 망각한 도그마적 태도"라고 주장함으로써 다치(多置)적 방법론에 의해 문학 창작과 비평이 이루어져야 하며, 그렇게 될 때, 비로소 한국 문학의 성숙이 이루어질 수 있음을 주장한 데서 찾아질 수 있다. 정의홍 씨의 이러한 주장은 다분히 민중 문학론에 대한 비판을 위한 비판이라는 인상을 불식하기 어렵다. 그렇지만 민중 문학론의 획일화와 운동권 문학의 경직성에 대한 진지한 자기반성을 촉구했다는 점에서는 의미있는 일로 받아들여진다.

이러한 운동권 문학과 그에 따른 민중 문학론에 대한 비판은 10월 26일 세종문화회관에서 개최된 예술원 심포지움에서도 제기되었다. 선우휘는 이 심포지움에서 주제 발표를 통해 문학에 있어 필요한 것이 예술성인가, 사상성인가 하는 문제를 제기하였다. 그는 70년에 들어와서 본격화한 문학의 사회 참여 내지 행동화를 고찰하기 위해 그 구성 요소인 민족주의와 리얼리즘, 제3세계 문학론을 살펴보았다. 선우휘 씨는 우리나라의 운동 문학이 내세우는 민족주의는 계급 혁명과 상통하는 민족적 해방을 내세우고 있고, 리얼리즘은 루카치의 이중적 사회주의 리얼리즘에 기울어 있다고 진단하였다. 또한 그는 제3세계 문학 이론의 무비판적 수용을 경계하면서 문학이 정치 이데올로기에 좌우될 때, 문학의 예술성은 상실되며, "우리 문학은 어떤 타 문학의 추종과 모방을 경계해야 하며, 나를 위해 나에게 맞는 나에 의해 만들어진 이론으로 한국 문학 비평의 방법론이 형성돼야 한다"고 주장한 것이다. 선우휘의 이러한 주장에 대한 타당성 여부는 논외로 하고서라도 그의 주장이 민중 문학, 민족 문학론의 문제점에 대한 반론으로 제기됐다는 사실을 지적할 필요가 있을 것이다. 또한 10월 21일 대구 매일 신문 강당에서 개최된 '시적 현실의 문제'라는 주제의 시협 세미나에서도 이러한 민중, 현실 문학에 대하 반성과 비판 문제가 제기되었다. 이형기는 '시와 현실', 권기호는 '시적 현실이란 무엇인가', 신달자는 '시가 현실을 어떻게 수용해야 하는가' 등의 평론을 통해 운동권 문학에 대한 반성을 촉구한 것이다. 특히 권기호는 "민중 문학의 경우 소외 문제가 어느 정도 충족될 경우, 그것이 어떻게 지속되어 갈 것이냐 하는 근본 문제가 남게 된다"라고 전제하고, "이들의 경우 소외 해소에 성급한 나머지 시적 안목으로 사회를 보는 것이 아니라 사회학자나 역사가의 안목으로 시를 보고 있다. 또한 이들에겐 민중의 소외 문제만 있고 죽음과 운명, 자연이 주는 우주적 감수성과 애정에 대한 존재론적 질문은 없는 것이다. 그것은 민중이라는 이름으로 문화를 후퇴시키는 일이 되며, 민중 편식에서 오는 문화의 빈혈 현상을 초래한다"라고 하여 민중 문학론에 대한 문제점을 비판하고 있는 것이다.

이렇게 볼 때, 이들 단체들의 세미나들은 1984년 비평계의 핵심 문제가 민중 문학론과 그에 대한 비판론에 중점이 놓인다는 점을 단적으로 웅변해 준 것으로 풀이된다. 이러한 민중 문학론에 대한 긍정, 부정적 평가의 관점은 실상 80년대 한국 문단 특히 문학 비평계에 있어 가장 중요한 이슈가 되어 왔으며, 이 논쟁은 앞으로도 지속될 것이 틀림없는 사실이다. 그러나 이러한 논쟁은 전문 비평가들에 의한 비평문을 통해서 보다는 각종 기관, 단체에 의해 주도되었으며, 그것도 전문 평론가보다는 시인 작가들을 중심으로 전개되었다는 점에서 평단의 본격 논쟁으로 보기에는 미흡한 감이 없지 않다. 신문의 문화면, 예를 들어 「민중 시대와 영웅시대」(『조선일보』, 12. 4) 「민중시의 조그만 비판」(『조선일보』, 11. 20) 등과 권영민의 「문학 비평의 당면 과제」(『한국일보』, 12. 29) 등의 정도에서 제기되었을 뿐, 비평가들에 의한 비평이나 논문에서 논쟁의 전개를 찾아보기는 어려운 실정이다.

다음으로 1983년 비평계에서 지적할 수 있는 특징적 경향의 하나는 신진 시인들에 의한 비평 겸업 행위가 상대적으로 증가되었다는 사실이다. 일찍이 창작과 평론을 겸업하는 일이 없었던 것은 아니지만, 이 해에 들어 젊은 층을 중심으로 한 겸업 비평 행위가 크게 늘어난 것이다. 그 중에는 비평만으로 등장한 사람들도 있지만, 대략 이 범주에 포함할 수 있는 사람들로는 김진경, 장석주, 김사인, 황지우, 채광석, 박덕규, 남진우, 민병국, 김혜순, 김정환, 최두석, 이윤택 등을 꼽을 수 있을 것이다. 이들은 주로 무크지, 동인지, 계간지, 평론 모음집 등을 중심으로 80년대의 평론 부재 현상을 비판하면서 창작과 비평을 겸하여 활동하고 있다. 이들은 1980년대에는 창작에 뒤따르는 평론이 부재했기 때문에, "시로는 다 충족할 수 없는, 하고 싶은 말이 있어서" 등의 주장을 내세우면서 활발한 비평 활동을 전개하고 있다. 이들 시인 겸 평론가들은 80년대 들어서 문단 등장 방법의 다양화와 더불어 문단의 보수성에 반발하면서 등장했는데, 대부분 이들은 민중 문학론의 광범위한 영향권에서 비평 활동을 전개하고 있는 것이 특징이다.

이외에도 1984년에 쟁점으로 떠올랐던 문제는 월평의 객관성과 공정성에 관한 문제였다. 뒤에 논의하겠지만 소장 작가와 한두 평론가 사이에 전개되었던 이 문제는 비록 일회적, 국부적인 논쟁에 불과했지만, 이즈음의 일부 한국 비평, 특히 월평이 비난받고 있는 문제점인 비평의 편파성과 상식성, 그리고 전문성 부족에 대한 비판의 제기였다는 점에서 그 의미가 놓인다.

1. 1984년 비평의 개황

1984년에는 대부분의 현역 비평가들이 비평에 참여하였다. 80년 초부터 한동안 침묵의 자세를 취하던 일부 비평가들도 나름대로 다시 비평 작업을 전개하였으며, 신진 비평가들의 활약도 두드러졌다. 그러면 먼저 비평가들의 1984년도 비평 작업의 상황을 개괄적으로나마 살펴보기로 한다.

구중서는 「활기 속의 한 반성」(『마당』 2월호) 등을 발표하였다. 권영민은 「한국 근대 소설론의 쟁점」을 『소설문학』에 연재하는 한편, 「민족 문학과 이데올로기의 문제」(『현대사회』 봄호)와 「작가 김원일에 던져진 과제」(『마당』 11월호) 등을 발표하였다. 김병익은 「80년대 문학의 천착」(『문예중앙』 여름호)을 통해 80년대 문학의 특성과 문제점을 폭넓게 고찰하였다. 김열규는 「죽음에 부치는 오늘의 공수」(『문학사상』 8월호)와 「원한과 문학의 만남」(『한국문학』 12월호) 등을 발표하였다. 김용직은 「한국현대시사」를 『현대문학』에 연재하는 한편 「한국 근대시의 정신사적 성격」(『현대시』 창간호)을 발표하였다. 김우종은 「우리 시대의 리얼리즘」(『소설문학』 1월호), 「전쟁 문학과 리얼리티」(『광장』 2월호), 「인간시장의 사회학」(『마당』 9월호) 등의 평론을 발표하였다. 이중에서 「우리 시대의 리얼리즘」은 과거 순수 문학의 현실 도피, 은

폐성 등을 비판하고, 사회와 역사라는 시공간적 영역 속에서 개인의 삶을 파악하고 궁극적으로 분단 상황의 극복 문제가 리얼리즘론에 있어 커다란 과제임을 강조하였다. 「인간시장의 사회학」은 김홍신의 『인간시장』이 팔리는 이유를, 고민하지 않는 사회의 병리 현상에 대한 치료제 역할을 하고 있기 때문인 것으로 풀이함으로써 긍정적인 평가를 내리고 있어 관심을 끈다. 특히 그는 이 시대를 민중이 위축되어 버린 시대, 보도 기능이 주눅 든 시대, 말 못 해서 생긴 민중의 병의 시대로 진단함으로써 『인간시장』을 울분의 치료제 또는 억압 욕구를 충족시켜 주는 운명적 산물로 받아들이고 있다.

김우창은 「리얼리즘에의 길」(『문예중앙』 가을호), 「아름다움의 거죽과 깊이」(『예술과 비평』 봄호) 등을 통해서 문학과 사회와의 대응의 문제 등을 천착하였다.

김윤식은 1984년의 비평계에 있어 가장 의욕적인 활동을 보여 준 비평가 중의 한 사람이다. 그는 『한국 근대 문학 사상 연구』, 『한국 근대 문학 사상사』, 『황홀경의 사상』, 『한국 근대 문학과 문학 교육』 등의 무게 있는 네 권의 문학 논저를 상재하였다.

또한 그는 많은 비평문을 발표함으로써 평단의 주목을 환기시켰다. 김윤식 씨는 『문학사상』에 연재해 오던 「이광수와 그의 시대」를 지속하는 한편, 「한국 근대 문학의 한 모습」(『문예중앙』 봄호), 「우리 현대 시상 방법론 비판」(『현대시』 창간호), 「중간 세대의 문학과 그 형식」(『세계의 문학』 여름호), 「최재서론」(『현대문학』 8, 10월호 연재), 「우리 80년대 소설의 내적 형식」(『소설문학』 9, 10월호) 등을 발표하였다. 특히 이중에서 「한국 근대 문학의 한 모습」은 영국 런던대학 아시아-아프리카 연구소에서 열린 한국 문학 심포지엄과 프랑스 파리 문화원에서 열린 한국 근대 문학 강연에서의 주제를 정리한 것이었다. 이 글에서 김윤식은 한국문학의 독창성을 수난의 역사 속에서 자기 동일성을 확인하려는 강한 욕망의 발현으로 파악하고 있으며, 그 예술적 특성을 "멋"(외국의 것을 주체적으로 수용하기 위해 변용시켰다는 뜻)과 "한"(주어진 운명에 순응함으로써 슬픔을 승화시켰다는 뜻)으로 요약하였다. 또한 「중간 세대의 문학과 그 형식」에서는 이문열, 김성동, 김원우 등 젊은 작가들의 특성을 각각 비개입의 형식, 목마름의 형식, 작가 개입의 형식 등으로 파악하고 이들의 문제점이 지방적 성격의 초극에 있음을 주장하였다. 아울러 「우리 80년대 소설의 내적 형식」에서는 60년대 이래 우리 문학이 이룩한 성과의 하나가 귀향의 형식과 속죄 의식의 형식을 창조한 점과 이산 문학의 대두, 그리고 시에서의 노래체화 현상에 있음을 강조하고 있다.

김재홍은 「운명애와 부활 정신」(『현대문학』 5, 6월호), 「자기 극복과 초인에의 길」(『현대시』 창간호), 「사랑 시학의 한 지평」(『문학사상』 8월호), 「운명론과 자유의 문제」(『현대문학』 8월호), 「한국시의 한과 그 극복의 양상」(『한국문학』 12월호), 「만해의 장르 선택과 정신사」(『불교사상』 6월호)를 발표하는 한편 시론집 『시와 진실』(이우출판사)을 간행하였다.

김종길은 신석초의 『바라춤』 분석론인 「영혼과 육체의 드라마」(『문예사상』 8월호) 등을 발표하였다.

김주연은 「한국 문학, 왜 감동이 없는가」(『문예중앙』 여름호), 「문화 산업 시대의 의미와 그 위험성」(『예술과 비평』 봄호) 등을 발표하였다. 그런데 김종길 씨는 현대 문화의 세속성이 리얼리즘의 발달과 모더니즘의 팽배에서 비롯됨을 지적하고, 그것을 이른바 초월성의 결핍으로 이해하고 있다. 따라서 근래의 한국 문학이 안고 있는 문제점은 본질에 관한 물음을 외면한 채 지금 이 땅 위의 현실만을 포착하려는 데 있다고 비판하였다. 그러므로 오늘의 한국 문학은 리얼리즘이냐, 모더니즘이냐 하는 부질없는 양자 선택의 강박에서 벗어나야 하며 한국인의 기본적인 정신 구조에 대한 역사적, 사회심리적, 철학적 고찰과 끈질긴 탐구 자세가 요망됨을 강조하였다. 김주연 씨의 글은 70년대의 문학을 점검하면서 그 문제점을 지적하였다. 김주연 씨는 이 글에서

가부장적 문단 질서의 동요, 현실 의식의 대두, 대중 문학, 통속 문학, 상업주의 논란의 대두로서 70년대 문학의 특성을 요약하고, 각 문학인들과 동인들의 열려 있는 다양성, 끊임없는 자기 부정의 정신, 초월성과 세속성 사이의 건강한 관계 성취 등이 앞으로의 과제임을 제시하였다.

김준오는 「서술 주체와 수용 주체의 만남」(『심상』 5월호)과 「70년대 시와 형상화 문제」(『현대시』 창간호) 등을 발표하였다.

김치수는 평론집 『문학과 비평의 구조』(문학과 지성사)를 간행하는 한편 「언어와 문학 행위」(『월간조선』 1월호)를 발표하였다.

김현은 「의미없는 세계에서 살기」(『현대문학』 8월호) 등의 평론을 발표하였다. 아울러 『책읽기의 괴로움』(민음사)이라는 평론 모음집을 간행하였다.

신동욱은 「소설에 나타난 사회 계층의 의미 시론」(『현대문학』 1월호) 등을 발표하였다.

오세영은 「감동으로의 회귀」(『문학사상』 1월호), 「제 목소리 갖는 시」(『소설문학』 1월호), 「80년대 동인 운동의 특질」(『문예중앙』, 봄호), 「박목월의 「윤사월」론」(『문학사상』, 8월호) 등을 발표하였다.

원형갑은 「김남조와 시적 언어의 권리」(『현대문학』 10월호)를 발표하였다.

유종호는 「시와 구비적 상상력」(『예술과 비평』 봄호), 「거짓 화해의 세계」(『문예중앙』 봄호), 「변두리 형식의 주류화」(『문예중앙』 가을호) 등의 평론을 발표하였다. 「시와 구비적 상상력」에서 그는 시집 『마침내 시인이여』(고은 외), 『아니다, 그렇지 않다』(김광규)에 주목하면서 화자의 다양화를 통한 다채로운 관점, 특히 민중적 시각의 적극적 도입, 즉각적인 이해의 촉구, 옛것의 새로운 변용 등 구비적 상상력의 시가 거둔 성과가 괄목할 만한 것이었음을 강조하였다. 무엇보다 그가 구비적 상상력이 현대 사회에 있어서 시인의 소외나 독자와의 괴리를 극복시켜 줄 수 있는 하나의 가능성으로 제시한 것은 의미 있는 일로 이해된다. 「변두리 형식의 주류화」는 근래의 문학 형식에서 산문,

얘기, 민담, 편지, 여행기, 수기, 회고록과 같은 변두리 양식 또는 하위 형식의 문화적 주류화를 논한 평론이다. 만해의 내간체 도입, 소월의 민요시 채용 등에서 볼 수 있었던 변두리 양식의 문학적 변용은 근래에 와서 김지하의 작품에서 찾아 볼 수 있으며, 이것이 민중적 관점의 격상을 의미하는 것으로 이해한 점에서 이 평론의 의미가 있다. '거짓 화해의 세계'는 근래의 문화 예술 현상에 있어서의 문제점을 비판한 글이다. 이 글에서 그는 안이한 거짓 화해, 위장된 도덕주의, 내면성의 결여, 몽매주의의 전파 등으로 대중문화의 취약성 또는 문제점을 요약하고, 과부족 없는 자기 인식과 시민 정신의 획득, 그리고 심미적 세련을 성취하는 일을 가장 간절한 과제로서 제기하였다.

윤재근은 「만해 시 연구의 방향」(『현대문학』, 7월호), 「만해 시의 미적 질료」(『월간문학』 6월호) 등 만해론을 주로 발표하였으며, 그 외 「황홀한 체험—전봉건의 시집 『돌』을 중심으로」(『현대문학』 12월호) 등을 발표하였다. 이동하는 「70년대 시와 현실 인식」(『현대시』 창간호) 등을 발표하여 '대한민국 문학상 신인평론상'을 수상하였다. 이명재는 「평론계의 반성과 작가의 문제」(『소설문학』 5월호)를 써서 비평의 객관성, 성실성 문제에 관하여 신인 작가 정현웅과 논쟁을 전개하였다. 이상섭은 『님의 침묵의 어휘 구조와 그 활용』을 상재하는 한편 오정희론인 「별사의 수수께끼」(『문학사상』 8월호) 등을 발표하였다.

이승훈은 김춘수의 「꽃」 분석론인 「존재의 기호학」(『문학사상』 8월호)과 「시와 수학」(『문예중앙』 가을호) 등을 발표하였다.

이재선은 「우리 문학은 어디서 왔는가」를 『소설문학』에 연재 하는 한편 「30년대 소설의 장편화 경향」(『한국 현대 소설사 연구』 민음사) 등을 발표하였다.

이태동은 선우휘의 「불꽃」론인 「역사적 인간과 실존적 체험」(『문학사상』, 8월호)을 발표하였다.

전영태는 「우리 소설의 표정」(『소설문학』 1월호), 「하근찬 론」(상동, 2월호) 등을 발표하였다.

정한모는 「한국 현대시 연구의 반성」(『현대시』창간호)을 통해서 한국 현대시 연구에 대한 총체적인 점검을 시도하였다. 특히 정한모씨는 현대시의 기점이 1930년대 시문학파 또는 모더니즘시에서 비롯된 것으로 이해했던 종래의 견해들에 수정을 촉구하였다. 정한모씨는 현대시의 기점이 20년대 소월의 「진달래꽃」, 만해의 「님의 침묵」 등 민족 문학 작품들과 정지용 등 새로운 감수성의 작품들의 상호 관련성 속에 파악돼야 한다고 주장함으로써 현대시 연구의 새로운 시야를 열어 주었다. 특히 외래적 관점에 치우친 문학과 문학사 연구 태도를 지양하고, 전통과 주체성에 입각한 문학 연구를 강조함으로써 한국 문학사의 자율성, 주체성 제고에 주력하였다.

정현기는 김승옥의 「무진 기행」론인 「보여지는 삶과 살아가는 삶의 확인 작업」(『문학 사상』 8월호) 등을 발표하였다.

조남현은 비평집 『문학과 정신사적 자취』(이우출판사)와 『한국 지식인 소설 연구』(일지사) 「피해자의 삶과 논리」(『소설 문학』 8월호), 「70년대 시단의 흐름」(『현대시』 창간호), 「문화 속에 숨어든 표절 시비」(『신동아』 11월호) 등의 평론을 발표하는 등 의욕적인 활동을 보여주었다.

최동호는 「한국문학 1984년」(『문예중앙』 봄호), 「80년대 문학 비평의 방향」(『소설 문학』 1월호) 등을 발표하였다. 천이두는 「전쟁과 사랑의 생태」(『현대문학』 11월호)와 「한의 미학적, 윤리적 위상」(『한국문학』 12월호) 등을 발표하였다.

2. 비평집 개관

1984년에는 문학 비평집 또는 문학 연구 논저의 간행이 활발하였다. 많은 경우 이러한 비평 논저들은 기왕에 발표된 평문들을 모은 것이지만, 때로는 새로 연구된 결과를 단행본화한 경우도 적지 않았다. 그 중 중요한 논저를 살펴보기로 한다.

김봉군, 이용남, 한상무 공저의『한국 현대 작가론』은 대학에서 문학 연구에 몰두해 온 강단 비평가들의 작가 연구서이다. 김봉군은 주요한에서 구상에 이르기까지의 시인론을, 이용남은 김동리에서 최인훈까지의 작가론을 그리고 한상무는 이광수에서 이무영에 이르기까지의 작가론을 전개하였다.

김열규는『시적 체험과 그 형상』을 간행하였다. 이 책은 기간의『한국인의 시적 고향』을 개정 증보한 에세이 타입의 비평서이다. 김우종은 김혜니와의 공저로『비평문학론』을 상재하였다. 이 책은 「비평 원론」, 「서양 비평 문학의 확립 과정」, 「한국 비평 문학에서의 '쟁점'」 등의 글을 중심으로 작품 연구에서 비평이 실제로 어떻게 적용될 수 있는지를 탐구한 문학 연구 방법론의 성격을 지닌다.

김윤식은『한국 근대 문학 사상 연구』에서 도남 조윤제와 최재서를 중심으로 하여 근대 문학 사상의 갈래를 신민족주의와 낭만주의 입장에서 논하면서 근대 문학 사상 형성의 정신적 내면 구조를 검증하였다. 또한『한국 근대 문학 사상사』에서 개화기부터 8·15 해방 전까지의 일제 식민지 시대에 전개된 근대 문학을 대상으로 문학 사상의 흐름을 살펴보았다.

시인 김장호는『한국시의 전통과 그 변혁』을 출간하였다. 3부로 구성된 이 책은 「한국 근대시 형성」에서는 한용운, 김소월 등을, 「한국시의 전망」에서는 현대시의 방법 등을, 그리고 「현대시와 반성」에서는 난해시의 문제, 시극 운동 등에 관해 폭넓은 성찰을 보여 주었다.

김재홍은 첫 비평 모음집인『시와 진실』을 상재하였다. 이 책은 「한국 문학의 비평적 성찰」 등 비평론과 「현대시의 사적 전개」 등 문학사론, 「현대시의 이해 방법」 등 원론적인 것, 「현대 시인 편론」 등의 시인론 그리고 「분석과 감상의 실제」 등의 작품론으로 구성되었다.

김치수는『문학과 비평의 구조』를 간행했다. 이 책은 주로 70년대 말부터 최근까지 쓰인 평론을 모은 비평집인데, 제1부는 문학 이론 소개, 2부는 황순원, 김동리로부터 이인성, 현길언에 이르는 작가론, 3부는 김수영, 오규원 등의 시인론, 4부는 1982-1983년에 발표된 소설 총평 등을 다루고 있다. 김치수는 이 책에서 특히 현대 사회와 일상성에 은닉된 함정인 의식마비 증후에 대한 강력한 경고를 표출하였다.

김화영은『미당 서정주 시에 대하여』를 통해서『미당 서정주 전집』의 전체적 맥락과 개별 작품의 의미 구조를 분석하였다. 또한 그는 편역서『프랑스 현대 비평의 이해』를 상재했는데, 여기에서는 주로 20세기 중반 강단 비평의 경직성에 대한 반성 이후 뚜렷한 변모를 보여주고 있는 프랑스 현대 비평이 주요 이론을 여러 연구가들을 통해서 소개하고 있다.

김현은『책읽기의 괴로움』이란 평론집을 상재했다. 평론집『문학과 유토피아』이후에 쓴 평론을 묶은 이 책은「김춘수에 대한 두 개의 글」,「깃발의 시학」,「현대 프랑스 소설의 수용」등 작가론, 작품론, 서평, 문학론 등으로 구성되어 있다.

백승철은 비평집『상황과 비평 의식』을 간행했는데, 이 책은 주로「역사와 예술」,「이어령의 소설 세계」,「언어와 미디어의 확대」등과 같은 문학 시론, 작가론 등을 다루었다.

백낙청은 문학론 모음집『리얼리즘과 모더니즘』을 편술하였다. 이 책은「카프카 문학과 서구 리얼리즘의 한계」(염무웅),「모더니즘에 관하여」(백낙청),「서사극과 리얼리즘」(정지창) 등 리얼리즘과 모더니즘에 관한 작가 작품론을 집중적으로 수록하였다. 이 책은 특히 영, 도, 불 등 외국 문학 전공의 이론가 비평가들만에 의한 문학 논저라는 점에서 큰 특징을 찾아 볼 수 있다.

성민엽은『민중 문학론』이라는 비평 모음집을 편술하였다. 이 책은 70년대 초부터 시작해서 80년대에 이르기까지의 민중 문학론이 형성되는 과정을 보여주는 글들로 짜여 있다. 김지하의 「풍자냐 자살이냐」, 신경림의 「문학과 민중」, 백낙청의 「민족 문학의 정립을 위해」 및 편자 자신의 「민중 문학의 논리」 등의 글이 주요 내용이다.

신동욱은 비평 이론서인 『문예 비평론』을 편하였다. 이 책은 박찬기, 송재영, 이상섭, 송효섭 등에 의한 외국 문학이론 소개를 집중적으로 수록하였다. 박찬기는 수용 미학 비평을, 송재영은 문제 미학적 비평을, 이상섭은 러시아 형식주의 비평 을 그리고 송효섭은 프라그 학파의 언어 문학 비평 같은 동유럽권 비평을 소개하였다.

윤병로는 『한국근대비평문학론』을 간행하였다. 이 책은 「비평 문학의 쟁점」 등 근대 문학사의 주요 비평 논쟁을 논한 글과 「비평 문학 논고」 등 근대 문학에 미친 외국 문학(주로 일본 문학)의 영향을 춘원과 동인을 중심으로 분석한 글로 짜여 있으며, 그의 시평, 월평을 담고 있다.

이기서는 『한국 현대시 의식 연구』를 간행했다. 이 책은 3, 40년대 시인들을 중심으로 하여 추출한 시인 의식을 "세계 상실 구조"로 유형화하면서 한국 현대시의 의식사적 계보의 체계화를 시도하였다.

이보영은 『식민지 시대 문학론』을 간행했다. 이 책은 식민지적 조건의 극복을 위한 노력을 보여 주는 작품들을 정신사적 관점에서 고찰했는데, 이 저서로 이보영 씨는 제3회 '조연현문학상'을 수상하였다.

이봉채는 「소설 연구 방법론」 「소설의 구조」 등 비평원론을 담은 문학 이론집 『소설 구조론』을 상재하였다.

이상현은 『조선일보』를 통해 발표되었던 문학 시평 모음집인 『문화 문단, 민중 의식』을 간행하였다.

이오덕은 전래 동화와 그 전통의 계승 문제 등 아동 문학의 문제점을 다루면서 바람직한 동화 창작의 길을 모색한 아동 문학 평론집 『어린이를 지키는 문학』을 간행하였다.

임형택은『한국 문학사의 시각』이란 문학 논저를 상재하였다. 고전 문학 연구가인 임형택 씨는 이 책에서 민족 문학, 민중 문학의 논리를 바탕으로 하여『홍길동전』, 박지원의 한문 소설 등을 새로운 관점에서 고찰하면서「동국 시계 혁명과 그 역사적 의의」,「황매천의 시인 의식과 시」,「항일 민족시」등 개화기 문학론과「신문학 운동과 민족 현실의 발견」,「분단 시대의 국문학」등 현대 문학에 관한 비평론까지를 시도하여 관심을 끌었다.

조남현은『한국 지식인 소설 연구』를 상재하였다. 이 책에서 조남현은 지식인 소설의 개념을 지식인이 주요 인물로 나타날 것, 현실적 욕구와 이상 사이의 갈등이 메인 플롯으로 제시될 것, 지식인의 본질과 역능 등에 관한 사유와 각성이 포함될 것 등으로 규정하면서 1920-30년대 단편 소설을 중심으로 주제 의식과 구성 유형을 분석하였다. 이와 함께 조남현 씨는 비평 모음집『문학과 정신사적 자취』를 간행하였는데, 이 책은「전통 문화론의 재검토」등 원론적인 글과「70년대 문학론」등 구체적인 작가론을 전개하였다.

이 밖에도 소설가 한용환(韓龍煥)은『한국 소설론의 반성』에서 이광수를 중심으로 한 소설론을, 시인 허소라(許素羅)는『한국 현대 작가 연구』에서 김소월, 김수영 등 시인론을 주로 전개하였다.

특히 전광용 교수 정년퇴임을 맞아 제자들에 의해『한국 현대 소설사 연구』가 간행된 것은 이채롭다. 이 책은「개화기 소설의 문제점」(김윤식),「1920년대 소설의 시대적 특질」(신동욱),「1930년대 소설의 장편화 경향」(이재선),「1950년대 소설의 변화」(박동규) 등의 기조 논문을 바탕으로 이인직으로부터 장용학에 이르는 24명 작가들에 관한 집중적인 소설사적 검토가 이루어진 것은 의미 있는 일로 여겨진다. 또한 한국 비평가 협회에서는『한국 문학의 현장 의식』을 간행했는데, 이 책은 일반론, 시론, 소설론 등의 내용으로 구성되었다.

이렇게 볼 때, 84년은 문학 비평 논저가 예년에 비해 비교적 활발히 간행된 해로 기록될 수 있을 것이다. 그리고 그것은 강단 비평과 문단 비평이 점차로 통합되는 양상을 지니면서 문학 이론 연구와 실천 비평 전개, 그리고 문학사 탐구가 함께 진행되는 특징을 지니는 것으로 이해된다.

3. 월평의 문제

월평(月評)이란 그달그달 발표된 작품들 중에서 평자가 나름으로 문제작을 선정해서 그에 대한 분석, 평가 등 비평 작업을 전개하는 일이다. 이 월평의 객관성, 공정성에 대한 논란과 함께 월평의 무용성 논쟁이 끊임없이 이어져 온 것은 주지의 사실이다. 그럼에도 불구하고 월평은 창작 현장과 가장 가까운 거리에서 이루어지는 구체적, 직접적 비평 행위로서의 의미를 지니는 것으로 인식되어 꾸준히 지속돼 왔다. 1984년의 월평은 문예지인『현대 문학』의 '이 달의 화제', 『한국 문학』의 '이 달의 문학', 『문학사상』의 '이 달의 문학', 『월간 문학』의 '이 달의 문제작' 등의 지면과 시전문지인『현대 시학』, 『시문학』, 『심상』그리고 일간지인『동아일보』, 『중앙일보』등에서 취급되었다. 참고로 1984년에 동원된 월평 필진을 살펴보면 다음과 같다.

> 『현대 문학』: 조남현, 백승철, 천이두, 박동규, 최일수, 김우종, 송하춘, 김시태, 김선학, 박이도, 이승훈, 홍신선, 권두환, 박재삼, 김종철, 박철희
> 『한국 문학』: 최동호, 권영민, 오세영, 김윤식, 김재홍, 김종철, 김시태, 이명재, 신동욱, 정진규, 박진환, 이선영, 박동규
> 『문학 사상』: 이승훈, 김용직, 이재선, 권영민
> 『소설 문학』: 조동민, 전영태
> 『심상』: 박호영, 김시태, 정진규, 윤삼하, 신세훈, 김종철, 유시욱
> 『현대 시학』: 조남익, 남송우, 박영교, 차한수, 구재기, 박청융, 박찬선, 정시운, 김몽선
> 『동아일보』: 조남현, 김우종, 박동규, 김해성

『중앙일보』: 김치수, 최원식, 성민엽, 염무웅
『한국일보』: 권영민
『신동아』: 오세영

　이상의 필진 명단에서 알 수 있는 것은 월평이 전문 비평가들에 의해서 이루어지기도 하지만 때로는 시인, 소설가 등에 의해서 쓰이는 경우도 많다는 점이다. 이러한 현상은 근년에 들어 더욱 늘어난 추세인데, 이것은 전문 비평가들이 월평 참여를 꺼려하는 경우가 많은데 따라 상대적으로 창작과 비평을 겸하고자 하는 시인, 작가가 늘어난 때문으로 풀이된다. 실상 많아야 20매를 넘지 않아야 하는 지면의 제약은 전문적인 비평 행위가 이루어지기 어려울 수밖에 없으며, 따라서 전문 비평가들에게 있어서는 도로에 가까운 일로 여겨져서 참여를 기피할 수밖에 없는 일이다.

　1984년 월평에서 특기할 만한 것은 월평에 대한 논쟁이 한두 차례 전개됐다는 사실이다. 신인 작가 정현웅은 「비평을 비평한다」라는 글(『소설 문학』 4월호)에서 월평에 대한 비판을 시도하였다. 정현웅 씨는 이 글에서 최근 월평들의 문제점을 비평가의 성실성 부족, 확신 없는 비평 언어의 구사, 비평 이론의 미정립, 정실 비평 성향 등으로 요약하면서 이명재, 오세영, 신동욱, 김양수, 강성천 등의 월평을 직접 거론하여 비판하고 있다. 이에 대한 반론은 이명재에 의해 이루어졌는데, 이명재는 「평론계의 반성과 작가의 자세 문제」(상동, 5월호)라는 글을 통해서 정씨의 글이 단편적인 말꼬리 잡기와 피상적인 관찰에 치우쳤다고 주장하면서 평소의 꾸준한 비평 활동을 총체적으로 예의 주시해야 함을 하였다. 그러면서도 이명재는 비평 이론의 부재와 파벌 의식에 관한 문제에 이르러서는 비평가들이 진솔하게 받아들여야 할 점이 있음 긍정하면서 월평의 문제점을 부분적으로 수긍하였다. 이러한 두 사람의 논쟁은 그것이 신인 작가와 한 비평가 사이에 전개됐다는 일회성, 국부성에도 불구하고 이즈음의 월평 나아가서는 근년의 비평이 안고 있는 문제점들의 한 모서리를 제시한 것이라는 점에서 충분히 주목에 값하는 것으로 보인다.

4. 무크지 비평의 양상

1984년 비평에서 특히 주목되는 것은 흔히 무크(Mook : Magazin Book)지를 통한 비평 활동의 전개이다. 이것은 기존의 문학지, 시지, 계간지들을 중심으로 한 기성 비평가들의 비평 행위와는 달리 신진 비평가들의 활동이 주류를 이룬다. 이러한 무크지의 발간은 물론 기성 문예지들의 보수주의, 권위주의적인 편집 성향으로 말미암아 신진들이 지면을 얻기 어려운 실정에도 기인하지만, 유사한 문학관을 가진 신진 시인, 작가, 평론가들이 자신들의 문학적 신념을 확인하고 주장하기 위한 공동의 목적에서 비롯되는 경우가 많다. 80년대 들어서서 『열린 시』『시운동』『국시』『미래시』『수화』『시와 자유』『응시』『황토』『시와 경제』『평민시』『오월시』『암호』 등의 시동인지가 대거 등장한 것도 이러한 사정에 연유한다. 특히 80년대 들어서서 발행되기 시작한 무크지는 1984년에도 『실천 문학』(5집), 『공동체 문학』(2집), 『지평』(3집), 『삶의 문학』(6집), 『시인』(2집), 『언어의 세계』(3집) 등이 간행되었다. 『실천 문학』에는 송건호의 「분단 상황 속의 민중상」, 박현채의 「문학과 경제」, 백원담의 「현대 중국의 노동 문학」, 김영호의 「농민 문학론의 새로운 전망」 등 문학의 사회, 경제사적 관련성의 문제를 검토한 비평이 주로 수록되었다. 『공동체 문학』에는 이오덕의 「시정신과 유희 정신」과 백낙청의 「리얼리즘과 모더니즘」 등 기성 평론가의 글이 재수록돼 있다. 『지평』에는 하창수의 「소망과 현실의 변증법」, 송희복의 「소설의 역사적 상상력」, 구모룡의 「회의와 완전 지향의 양극성」 등 신인의 평론이 실려 있다. 『삶의 문학』에는 김영호의 「농민 시의 가능성」이, 『시인』에는 채광석의 「시를 생각한다」, 백원담의 「인간 해방의 정서와 의지의 형상화」, 현준만의 「시와 정치적 상상력」 등 신진 평론가들의 글이 수록돼있다. 특히 현준만의 평론은 김지하에 대한 비평문으로서 오랫동안 터부시했던 김지하의 문학을 다룬 데서 주목을 환기했다. 시동인지인 『오월시』에 최두석이 「시와 리얼리즘」을 발표한 것도 이채롭다. 또한 『언어의 세계』에는 이남호의 「동인지 시대의 비판적 검증」, 이윤택의 「삶의 양식을 위한 입론」, 박덕규의 「부정 정신의 시적 변용」 등 신진 평론가들의 비평이 수록되어 있다.

또한 비평 전문 무크지인 『한국 문학의 현단계』 3집이 다시 간행되었다. 계간지 『창작과 비평』이 폐간된 이후 무크지로 탈바꿈하여 세 번째 간행된 이 비평 모음집에는 세칭 창비 계열 평론가들의 비평이 집중적으로 수록되어 있다. 먼저 1부에는 백낙청의 「1983년의 무크 운동」 등 8편, 2부에는 박태순의 「문학의 세계와 제3세계 문학」 등 5편, 3부에 전인순의 「80년대 시의 나아갈 길」 등 8편의 평론이 실려 있으며, 그 외 여기에 참여한 사람들은 최원식, 김종철, 성민엽, 최동호, 윤영천, 채광석, 김도연, 김방옥, 홍기선, 김창남, 홍윤기, 박진기, 이운용, 김영호, 민현기, 정영희, 이해찬, 김진균 등을 들 수 있다.

1984년에 특기할 것은 현대시 비평, 학술, 창작 전문 무크지인 『현대시』가 창간된 일이다. 한계전, 오세영, 김재홍 등 국문학을 전공한 중견 시학자, 비평가들이 편집 위원으로 참여한 이 시지는 "삶다운 삶, 시다운 시"를 모토로 하여 한국 현대시의 정통성 확립과 시 연구의 주체성 회복을 강조하였다. 이들은 특히 이 시대의 시가 구체적 삶과 현실을 바탕으로 하되, 이것이 전통에 뿌리를 박고 있어야 하며, 또한 철학적 깊이를 지니면서도 예술적으로 승화돼야 함을 강조하였다. 이 책은 먼저 '한국 현대시 연구 총점검'이라는 큰 제목 아래 정한모, 김용직, 김윤식, 오세영 등이 학술 논문을, '70년대 시의 반성' 아래 조남현, 김준오, 이동하 등이 비평을, '윤동주 연구' 제하에 홍정선, 김현자, 김재홍, 박호영 등이 본격 시인론을 전개하는 등 중진으로부터 소장에 이르는 학자, 비평가, 시인들이 대거 필진으로 참여하였다. 특히 전원이 국문학 전공자들인 이 필진들은 신문학 이래 한국 문학 특히 비평이 외국 문학 전공자들에 의해 주도되어 온 사실을 주목하면서 한국 시의 연구와 비평에 있어서의 전통성 회복과 주체성 확립의 제고를 주창하여 주목을 끌었다. 또한 이들은 이즈음의 시와 비평이 지나치게 상황과 밀착되어 "단순화" 하거나 또는 순수라는 명목 아래 "난해화"로 치닫는데 대한 사려깊은 자기 성찰의 필요성을 환기 했다는 점에서 관심을 불러 일으켰다.

이렇게 볼 때, 1984년의 무크지를 통한 비평 활동은 그것들의 비평 관점과 방법론의 면에서 보다 다양화하였다는 데서 그 특징이 발견된다. 아울러 일부 젊은층을 중심으로 전개되었던 전년도의 무크지 운동이 중진, 중견들의 참여로까지 확대되었다는 점에서 바람직한 전개를 보여 준 것으로 이해된다.

6. 결론

이렇게 볼 때 1984년은 비평계에 있어 80년대 들어서의 한 특징적 흐름이던 민중 문학론과 이에 대한 반성론이 활발히 제기됐다는 점에서 주목되는 한 해였다. 또한 젊은 세대들이 운동권 문학을 주창하면서 평단의 전면에 떠오르기 시작한 것도 특징적인 한 양상으로 지적될 수 있다. 비평의 시야 확대와 함께 신세대의 등장이라는 두 가지 특징은 1984년이 80년대 비평에 있어 하나의 전환점이 된다는 사실을 의미한다. 문학이 인간의 삶과 현실을 집중적으로 형상화한다는 점에서 문학이 실천화 또는 운동화하는 것은 당연한 일일 수밖에 없다. 그러나 그렇다고 해서 그 것이 비평적 관점이나 방법의 전체인 것으로 받아 들여져서 다른 비평 방법론이나 관점의 상대적 가치를 부정하는 것이어서는 안 될 것이다. 바로 이 점에서 서론적이나마 이에 대한 반성과 검토가 평단에 제기됐다는 것은 중요성을 지니지 않을 수 없다. 관점과 방법의 다양화는 바로 가치의 다원화를 의미하는 것이며, 이것은 자유와 평등의 문제를 핵심으로 하는 인간다운 삶의 본질에 밀접히 관련되는 문제이기 때문이다. 또한 신세대의 등장은 본격적인 해방 후 세대의 출현을 의미한다는 점에서 중요성을 지닌다. 이미 40대초 내지 30대 후반의 중견 비평가들에서 시작된 이러한 해방 후 신세대의 등장은 문단 중심의 비평이 다원화하는 데 결정적으로 작용한 것으로 보인다. 이들은 문단 중심 비평에서 강단 중심 비평으로 비평의 장을 확대하였으며, 따라서 필연적으로 비평의 관점과 방법을 다원화하게 되었었다. 여기에 다시 30대 초반 내지 20대 후반 신인 비평가들의 등장은 한국 문학 비평계가 이제 문단이나 강단만이 아닌 현실의 전면 내지 생활의 현장 비평으로 이행되기 시작하고 있음을 암시하는 것으로 보인다.

이러한 문제와 함께 서구 지향적인 비평 시각에 대한 근본적 반성이 촉구됐다는 점도 중요한 의미를 지닌다. 지금까지 우리 비평이 서구적 관점에서 서구 비평 이론을 수용하는 데 급급해 왔던 것은 부인할 수 없는 사실이다. 이 점에서 한국 문학의 고유한 전통과 정신사적 특정으로부터 추출된 비평 방법론의 확립 및 그 관점의 확보는 무엇보다도 긴절한 문제가 아닐 수 없다. 이러한 점에서 국문학 전공 비평가들 중심으로, 한국 문학 연구와 비평에 있어서의 정통성 확립과 주체성 확보의 문제가 제기됐다는 것은 매우 중요한 의미를 지니고 있는 것으로 풀이된다.

결론적으로 1984년은 80년대 비평에 있어 하나의 전환점으로 받아들여진다. 80년대 비평의 핵심 문제인 문학의 사회적 효용에 관한 논의가 활발히 전개되었으며 한국 문학 연구와 비평의 전통성, 주체성 확보 문제가 본격적으로 대두되었고, 아울러 새로운 세대가 전면 부상하기 시작 했다는 점에서 1984년은 비평의 해라고 불릴 수도 있을 것이다.

1985년

제2장 무크지와 1980년대 문단의 한 동향

80년대에 들어서서 우리 사회는 정치, 경제, 사회, 문화 등 여러 면에 걸쳐 급변하는 양상을 보여 주고 있는 것이 사실이다. 10·26과 5월사태 이후 특히 문학계는 전반적인 변환의 시대에 접어들고 있는 것으로 보인다. 일제하에서 교육받은 문학 세대가 서서히 물러나고 6·25세대, 4·19세대를 거쳐 70년대 세대가 등장하면서 문학적 세대교체가 활발히 진행되고 있는 것이다. 따라서 기왕에 통용되던 문학의 개념과 목적, 방법과 기능 그리고 문단 데뷔 방법 등에 이르기까지 급격하면서도 다양한 인식의 변화가 일어나고 있다. 말하자면 80년대 초의 정치사적 소용돌이가 그동안 닫혔던 문학의 열기를 솟구쳐 오르게 하는 아이러니컬한 계기가 된 것이다. 여하튼 조금 더 열린사회로 전환하려는 치열한 암투가 문학 전반에 걸쳐 두드러지게 나타나고 있는 것이 80년대의 일반적인 양상이다.

80년대에 들어서서 가장 주목할 만한 문단 현상의 하나는 잡지 형태의 부정기 간행물인 무크지(Magazin Book의 약어인 Mook)의 활발한 간행과 이에 따른 무크지 문학 운동 혹은 운동권 문학 운동의 대두이다. 70년대의 기존 문단은 『현대문학』『문학사상』 등 보수적 경향의 문예 월간지와 『창작과 비평』『문학과 지성』 등의 이념 지향적인 계간지를 양축으로 전개되어 왔었다. 그러나 80년 초에『창비』,『문지』등이 타의에 의해 폐간됨으로써 문단은 문예 월간지 중심으로만 전개되게 된 것이다. 실상『창비』,『문지』등의 폐간이 무크지 운동을 유발한 직접적인 원인으로만 보기는 어렵다. 왜냐하면 이 잡지들도 이미 70년대 말부터는 젊은 세대들에 의해 보수적, 관념적으로 경색돼 있다 하여 비판받고 있었기 때문이다. 그보다는 오히려 이 무크지 운동이 그동안 양쪽 계절에서 모두 소외돼 있었던 새로운 문학 세대—이들을 흔히 5월 세대라 부르기도 한다—의 등장에 따른 자생적, 필연적인 움직임의 반영으로 이해하는 것이 옳을 듯하다. 왜냐하면 기존 문예지 중심의 보수적, 권위적인 제도권 문학이 신진층들의 팽창하는 진보적 욕구를 충족시키기는 어려웠으며, 또 상대적으로 이들 신인들에게, 문예지의 지면이 할애되기에도 쉽지 않았기 때문이다. 그러므로 이들 새로운 세대의 문학 경향은 반항적, 진보적 성향을 띨 수밖에 없었다. 이들은 자연스럽게 정치적인 면에서는 반체제 성향을, 문학적인 면에서는 반동적인 성향을 띠게 된 것이다. 특히 선도적인 무크지 동인들이 대부분 과격한 문학 전공의 운동권 학생들이었다는 점은 매우 시사적이다. 쉽게 잡지 인가가 나지 않는 현실 상황에서, 출판사 등록만 있으면 특별한 허가 절차 없이도 부정기 단행본으로써 출판이 용이하기 때문에 이들 나름의 이념을 실천적으로 주장하기에는 이 무크지가 적당한 도구로 부상했던 것이다.

이 무크지는 대체로 출판사 기획형의 종합 무크와 동인 주도형의 전문 무크로 대별될 수 있다. 전자는『실천문학』등이 대표적인 예이고, 후자는『오월시』『시와 경제』등이 그 예가 된다.

먼저 80년 이래의 무크지 창간 양상을 보면 다음과 같다.

　　80년 :『시운동』『열린시』『웅시』『청녹두』『황토』『예각』『암호』
　『절대시』『실천문학』
　　81년 :『시와 자유』『오월시』『시와 경제』『변방』『한국문학의 현
　단계』『17인 신작시집』

82년 : 『우리 세대의 문학』『언어의 세계』『수화』『진단시』『미래시』『제3문학』『작가』『한국문학의 현단계』『마산문화』『임술년』『시각과 언어』

83년 : 『공동체 문화』『르뽀시대』『삶의 문학』『민족과 문학』『일과 놀이』『시인』『민중』『실천불교』『문학의 시대』『지평』『살아있는 아동문학』『평민시』『국시』『민의』『민중시』

이들은 창간 이래 대략 1년에 1, 2회 지속적으로 발간되고 있는데 여기에 발표되는 작품의 양은 기존 문예지의 그것보다 상대적으로 많다. 가히 80년대 문단은 "무크지 시대" 혹은 "운동 문학 시대"라고도 부를 수 있을 정도로 열기를 더해 가고 있는 실정인 것이다. 이들 80년대 무크지 운동의 특징은 대략 다음과 같이 요약할 수 있다.

첫째는 이들이 이념 지향성을 지닌다는 점이다. 하나의 무크지는 그것이 사회적 관심을 표명하는 문학적 상상력을 강조하든 간에 그들 나름의 뚜렷한 이념을 내세우고 그것을 이론적으로 무장하고 있다는 데 큰 특징이 드러난다.

둘째는 이들 중 강세는 역시 민중 지향성을 띠는 계열이라는 점이다. 80년 초에 무크지의 선두주자로 나타난 『실천문학』에서 볼 수 있듯이, "민중의 최전선에 서서 새 세대의 문학 운동을 실천한다"는 모토 아래 민주화, 인권 운동의 차원에서 강력한 문학적 저항 운동을 전개하고 있는 것이다.

셋째는 이들이 문학 자체에 국한되지 않고 미술, 연극 등 예술 분야는 물론 농민, 노동계, 종교계, 정치계 등 사회 각층과 공동체 연합을 형성하고 있다는 점이다. 따라서 조직화, 집단화, 세력화함으로써 문단은 물론 정치, 경제, 사회, 종교 등에 광범위한 영향력을 행사하고 있는 것이다.

넷째는 이들이 저항성, 선언성, 파괴성 등 진보적 성향을 지닌다는 점이다. 원래 무크지가 비정기성, 비공식성, 단결력, 연속성, 선언성, 습격성 등의 성격을 지니기 때문에, 또한 젊은 신인층에 의해 주도되기 때문에 이러한 진보적

과격성을 띠는 것은 예상할 수 있는 일이다. 과격한 실천론으로 기우는 것도 이러한 진보적 성향의 당연한 귀결일 것이다.

다섯째, 문학 자체의 예술성, 전문성을 거부한다는 점이다. 이들은 "무엇을" 강조함으로써 "어떻게"라는 문제를 크게 의식하지 않는다. 따라서 내용에서는 물론 문학의 양식이나 방법에 있어서도 기존의 틀을 거부하고 해체함으로써 문학적 반체제를 최대한 구가하려 한다. 이 점에서 기성 문단과의 갈등이 나타나게 됨은 물론이다.

여섯째, 지방 자치적인 문단 현상의 대두이다. 기성 문단이 서울권, 즉 중앙 집권적 성격을 강하게 지닌 데 대한 반발로서 중앙의 문인, 타 지역의 문인 작품을 함께 수록함으로써 문학의 주체화, 문단의 평등화를 추구하는 것이다.

일곱째, 문단 등장의 자율화 현상이다. 기존의 신춘문예 내지 문예지 추천을 거부 또는 외면하여 자신들의 무크지로 직접 데뷔하는 방식인데, 특히 근로자, 농민 계층 등 비전문인들의 등장이 두드러진다. 문학의 대중화 내지는 민중화를 향한 문학 자유화 또는 문학 평등화 현상의 한 반영으로 이해된다.

이렇게 볼 때 80년대 문학은 제도권 문학과 비제도권 문학이라는 양축을 중심으로 전개되고 있음을 알 수 있다. 이것은 마치 정치, 경제 등 많은 부분이 장내, 장외라는 이중 구조로 전개되고 있는 것과 대응될 수 있을지도 모른다. 이 점에서 80년대 문학은 어쩌면 해방 후 이 땅 문학의 중요한 전환점 또는 분기점이 될 수도 있을 것이다. 그것은 보다 완전한 자유 민주주의 실현을 향한 이 사회 전체의 몸부림과 고민을 반영 한 것이기 때문이다. 보다 바람직한 것은 제도권, 비제도권으로 분류, 대립될 수밖에 없는 문단 현상을 보다 근원적, 총체적인 면에서 사회 전체를 열어 놓음으로써 이것들이 다양한 공동선으로 수렴화해 가는 길의 확보일 것이다. 문학은 자유와 평등의 실현을 위한 휴머니즘의 영원한 실천 의지이며 그것의 예술적 형상화이기 때문이다.

1985년

제3장 산문시의 제 양상

1

80년대에 들어서서 이 땅의 시는 몇 가지 면에서 주목할 만한 특징을 보여주었다. 그 하나는 이른바 민중시의 급격한 대두와 확산이며, 둘째는 서사시와 장시의 괄목할 만한 신장이고, 나머지 하나는 산문시의 유행이 그것이다. 이 세 가지 현상의 특징은 대체로 시 속에 이야기나 사건, 주장을 담음으로써 시의 현실적, 사회적 대응력을 확대하고 심화하고자 하는 움직임으로 요약할 수 있다. 특히 이 짤막한 글에서 주로 살펴보려고 하는 것은 86년에도 두드러진 양상을 보여준 세 번째 문제, 즉 산문시에 관한 논의가 된다.

그렇다면 왜 80년대에 들어서서 특히 산문시가 크게 성행하게 되었는가? 전봉건의 시집 『북의 고향』은 물론 정진규의 『뼈에 대하여』, 박제천의 『달은 즈믄 가람에』, 조정권의 『허심송』 그리고 황지우의 『새들도 세상을 뜨는구나』에 이르기 까지 산문시는 하나의 유행을 이루고 있다고까지 말할 수 있다.

단적으로 말해서 80년대에 산문시가 크게 유행하는 한 이유는 이미 80년대라는 시대적, 역사적 상황이 시로 하여금 단순한 서정의 세계 또는 노래의 영역에 머물게끔 하지 않고 있다는 데서 기인하는 것으로 보인다. 80년대의 제반 충격적인 사건과 상황들이 시인들로 하여금 아름다운 이미지를 조형하고 정서의 깊은 울림을 절제된 양식으로 표현하기 보다는 허무주의적인 시대의 기류를 산문적으로 서술하거나 현실의 제반 모순과 부조리를 두서없이 나열함으로써 독자들에게 고통스런 신음을 전달하고자 하는 의도를 강하게 지니고 있었기 때문이다.

> 포장술집에는 두 꾼이, 멀리 뒷산에는 단풍 쓴 나무들이 가을비에 흔들린다 흔들려, 흔들릴 때마다 독하게 한 잔씩, 도무지 취하지 않는 막걸리에서 막걸리로, 소주에서 소주로 한 얼굴을 더 쓰고 다시 소주로, 꾼 옆에는 반쯤 죽은 주모가 죽은 참새를 굽고 있다. 한놈은 너고 한놈은 나다. 접시 위에 차례로 놓이는 날개를 씹으며, 꾼 옆에도 꾼이 판 없이 떠도는 마음에 또 한 잔, 젖은 담배에 몇번이나 성냥불을 댕긴다, 이제부터 시작이야, 포장 사이로 나간 길은 빗속에 흐늘흐늘 이리저리 풀리고, 풀린 꾼들은 빈 술병에도 얼키며 술집 밖으로 사라진다 가뭇한 연기처럼, 사라져야 별수없이, 다만, 다같이 풀리는 기쁨, 멀리 뒷산에는 문득 나무들이 손 쳐들고 일어서서 단풍을 털고 있다.
>
> ─「흔들릴 때마다 한 잔」

앞의 시는 "소주" "죽은 참새" "포장 술꾼" 등의 이미지들을 산문적으로 나열함으로써 "어둠"과 "흔들림" 속에서 불안하고 덧없는 일상을 살아가는 이 땅의 현대적 실존을 효과적으로 형상화해 주고 있다. 이 땅에서 오늘날의 삶을 뒤덮고 있는 허무주의적 기류를 예리하게 제시하고 있다.

그렇지만 이 시대의 산문시가 반드시 당대적 삶의 고통이나 역사, 사회적 상황과 밀착되어 있는 것만은 아니다. 오히려 보다 원형적인 삶의 문제 또는 내면적인 삶에 대한 명상을 효과적으로 드러내기 위해서도 널리 쓰이고 있다.

풍경을 하나 얻었습니다. 옛절에 매달려 흔들리다가 고물상 한구석에서 이리 저리 뒤채이면서도 소리 한번 지르지 못하던 풍경을 얻어 내가 사는 아파트 베란다에 걸어 두었읍니다.

그옛날 산에서 불던 바람은 아니련만 바람이 불 때마다 몸을 흔들며 저도 모르게 아아 아아 기쁨의 소리를 온몸으로 토해내고 그러다가는 옛추억이 생각 난듯이 아아 슬픔의 울음소리를 길게 남기는 풍경이었습니다.

풍경의 기쁨이 무엇이고 슬픔이 무엇인지 알 길 없는 나는 오직 소파에 편히 누워 그녀석이 그래도 고물상에서 먼지를 뒤집어쓰고 있기보다는 나으려니여 길뿐입니다. 그뿐입니까 어느 누구도 알아듣지는 못하겠지만 딩그렁뎅그렁 제마음 속의 사연을 다 퍼내고 있지 않습니까

　　　　　　　　　　　　　— 박제천, 「풍경소리를 들으며」

가을이 다 가도록 마저 따지마라 타이르던 꼭대기의 홍시(紅柿)감
서너개 눈온 날 아침 일찌기 바라보는 홀로의 멋이네
어디선가 이름 잊은 새 한마리 마음껏 쪼아먹다 가게 두는 것도 짝
을 이루는 멋이네.

　　　　　　　　　　　　　　　　　　—「허심」 3

앞의 시는 풍경 소리를 오브제로 하여 삶의 존재론적 의미를 반추하고 있다. 풍경 소리 속에서 슬픔과 기쁨, 밝음과 어둠, 만남과 이별, 죽음과 삶이 교차하는 삶의 본원적 모습을 투시함으로써 자신의 생에 대한 깊은 내성을 성취하고 있는 것이다. 이 시에서 산문적인 리듬은 실상 삶의 산문적인 일상의 모습을 드러내면서 명상과 여유를 시 속에 불어넣는 역할을 수행하는 것으로 보인다. 뒤의 시에서는 회화적인 구도 속에 삶과 세계에 대한 선(禪)적 관조를 담고 있어서 관심을 끈다. "홍시 감"과 "새 한마리" "바라봄"과 "쪼아먹음"의 산문적 대비 속에 자연과 인간, 욕심과 허심, 홀로와 함께의 세계가 그윽하게

조화미를 성취하고 있는 것이다. 짤막한 생략과 절제를 보여주는 듯하면서도 유장하고 그윽한 허심의 세계를 조화롭게 보여줌으로써 산문시로서 성공한 한 전범이 된다.

이렇게 본다면 산문시는 이 시대의 산문화한 삶의 모습을 표출하는 데 적절한 양식이 될 수도 있을 것이다. 현실에 대한 강력한 발언을 제기하면서도 시적인 장치 속에 그것은 은폐시킬 수도 있으며, 현대의 삶 속에서 결여된 명상과 관조의 내밀함을 유장한 산문적 가락으로 내면화 할 수도 있기 때문이다. 짤막한 율문형의 정통적인 자유시형만으로서는 오늘날에 있어서의 팽창하는 삶의 내용과 현실의 제반 상황을 폭넓고 심도 있게 시 속으로 이끌어 들이는 데 취약성을 지닐 수밖에 없다. 오히려 산문시의 개방적인 형태의 자유로움 속에 현대적 삶을 열어놓음으로써 시성(詩性)과 산문 정신을 함께 공유할 수 있는 장점을 확보할 수 있는 것으로 판단되기 때문이다. 체험과 상상력의 변용이라는 양극성을 하나로서 결합하는 데도 산문시는 하나의 효과적 방법이 됨은 물론이다.

2

이야기를 적극적으로 전달하려고 한다든지 혹은 정밀하게 논리화하는 것이 목적이라면 아마도 소설이나 비평을 선택하는 것이 자연스럽고도 당연한 일이다. 산문시라고 하는 시의 양식을 택한 이상 산문시에서 말하고자 하는 내용은 시적으로 표출되어야 한다.

이러한 산문시를 시답게 만들어주는 시적 장치로서는 은유, 상징, 아이러니, 알레고리 등의 시적 방법과 함께 반복, 점층, 병치, 대조, 생략 등의 구문 형식이 활용된다. 따라서 근래의 산문시는 형태상 몇 가지 유형으로 구분할 수 있다.

첫째 형태는 일정한 센텐스가 정규적, 규칙적으로 반복, 부가된 중첩형 산문시의 유형이다.

> 필름이 자주 끊어진다 겁이 난다 막막하고 막막하다 소주 2홉이면 말짱할 것을 늘 4홉까지 갔다가 이런 일을 당한다 넘치는 일은 분명히 좋지가 않다 내가 넘친 2홉만큼의 나의 인생을 하느님은 어김없이 회수(回收)하신다 더 주시지 않는다 이튿날 아침 하나하나 짚어보면 바로 그 대목에서 필름이 딱 끊어진다. 기억할 수 없다 겁이 난다 막막하고 막막하다.
>
> —「끊어지는 필름」부분

올해에 아예 산문시만으로 짜인 시집 『뼈에 대하여』를 출간한 바 있는 정진규는 근래 이런 종류의 연작 산문시를 지속적으로 발표하고 있어 이에 주목된다. "필름이 끊어진다"라는 행위를 산문적으로 기술하면서 일상의 삶 속에서 "술에 취하는 행위"를 상징화하고 있는 것이다. 연소되는 의식의 흐름 또는 사건의 지속을 산문행으로 나열함으로써 의식이 "끊어지는" 행위를 효과적으로 형상화하게 된다. 특히 반복되는 "…다"의 서술형 종지를 통해서 일상을 살아가는 산문적인 삶의 모습을 형상하는 가운데 자연스런 이미지의 중첩과 내재율의 형성을 도모하게 되는 것이다. 보통의 경우는 센텐스마다 종지부를 찍지만 이 시에서는 전혀 종지 부호(period)를 사용하지 않음으로써 시의식의 단절을 제어하고 마지막 행까지 시를 열어놓을 수 있게 되는 것이다.

두 번째 형태는 사설조의 리듬을 지니고 있는 율문형 산문시이다.

> 대선생 도를 받아 평생을 지키시니, 검곡 깊은 골에 피어나는 꽃이여, 대천주(待天主) 조화무궁(造化無窮) 포덕의 길을 가니, 팔도 방방곡곡 나부끼는 천도의 기, 이 길이 내 길이다. 이 길이 네 길이다. 이 길이 모두의 길, 우리가 갈 길이다. 어둠에 횃불 같은 기치를 높세우고,

불꺼진 집, 물없는 골, 상해지수(傷害之數) 근심하며 왼발을 옮길 때엔 바른 발을 생각하고, 바른 발을 옮길 때엔 왼발을 근심하니…

―「길」 부분

이 형태는 앞에서의 산문율과는 달리 전통적인 사설조의 운율 형태를 지니고 있다. 일정한 행을 기계적으로 반복하는 것이 아니라 생략과 나열, 반복과 점층, 쉼표와 마침표의 교차 등을 통해서 사설조의 독특한 리듬을 형성하고 있는 것이다. 실상 이러한 사설조의 내재율은 산문시가 유장하면서도 리드미컬한 언어미를 획득하는 데 효과적인 장치가 된다.

셋째는 산문시 한 편 전체가 하나의 문장 형태로 짜인 문장형이다.

몸과 마음으로 온갖 정성 다하고 갖은 꾀를 부리고 가진 모든 것으로도 모자라서 남의 것을 도둑질하고 약탈한 것을 바치고 속이고 감언이설로 달래다가 안되면 서릿발 같은 칼을 그 가냘픈 하얀 목에 들이대도 너의 속눈썹 하나 까딱하지 못했을 뿐 아니라 …중략… 손톱 한 조각만한 눈흘김으로도 가장 깊은 잠에 쓰러진 새벽을 깨워 다스리고 남루 걸치고 고개 떨구고 선 빈 옥수숫대 같은 내 목에 비수로 온다.

―「그믐달」 부분

그믐달의 이미지를 "속눈썹"과 "손톱, 그리고 "비수" 등으로 상징화 하면서 시 전체를 하나의 흐름으로 묶어놓은 점에서 이 시는 산문시의 한 전형을 이룬다. 이미지와 이미지를 단절시키지 않고, 그것들을 중첩, 연결시킴으로써 그믐달을 효과적으로 형상화했다는 점에서 산문시의 효과를 최대한 획득한 것으로 보인다.

넷째는 산문 형태를 기본으로 하면서도 필요에 따라 행갈이를 교차시키는 교차형 산문시가 있다.

여느 새벽보다도 일찌기 화계사 숲속의 약수(藥水)터로 오르다가
보았다.
　　자색(紫色)안개에 휘감긴 아름드리 태고목(太古木)들의 숙연한 전
신침묵(全身沈默)을. 한결같이 그 주변에서 무릎을 꿇고 있는 큰 바위
들의 단좌(端座)를.
　　그때던가 어제까지도 죽었다고 생각해 오던 고목(古木)들의 출렁
거리는 뿌리둥치께에서 놋쇠와 부딪듯이 쩡, 하는 소리를 들은 것은.
　　나는 걸음을 멈추고
　　이 겨울내내 산중(山中)에서 두문불출(杜門不出)하고 있는 어느 강
철의 근육을 향그러운 쇠망치로 때려 깨우는 소리를 듣고 있었다.
　　　　　　　　　　　　　　　　　　　　　　　　　　　—「수유리시편」

　　이 시는 산문행을 기본 리듬으로 배열하는 가운데 짤막한 운문행을 교차시
키고 있는 것이 특징이다. 실상 이 시의 핵심이 동작과 정지, 울림과 침묵, 잠
듦과 깨어남, 광물성과 식물성이라고 하는 대표적인 양극의 세계를 서로 부딪
침으로써 자아와 세계의 충격적인 울림을 드러내려는데 놓여 있음을 감안한
다면 이러한 산문행과 운문행의 교차 또는 혼합이 매우 효과적인 시적 장치라
는 점을 확인할 수 있다.
　　다섯째는 산문시에 인용문을 삽입하거나 행갈이를 변칙적으로 시도함으로
써 형태적인 파격성을 보여 주는 혼합형 산문시형이다.

　　조간에는, 피맺힌 절규… 통한의 유랑길이라고 하고
　　석간에는, 우리는 결코 항복하지 않는다고 씌어 있다.
　　제목도 아침 저녁 형형 색색으로 뽑아 놓았다.

　　'나의 조국' 합창하며 투쟁다짐,
　　PLO떠나던 날 '우리는 조국 땅에 다시 온다.'
　　꺼지지 않은 채 흩어진 '불씨'

모든 길은 '예루살렘으로',

총구마다 아라파트 초상화,

'전세계서 지하 투쟁' 선언,

(아, 이 말이 모두 외신이라는 안도감!)

그리고 [베이루트 21일 AP 전송 ― 연합]으로 받은 사진들.

ⅰ) 털이 덥수룩한 중년 사내가 군복 차림으로 어린 딸과 작별한다.

ⅱ) 미제 M16과 소련제 AK47 소총을 든 앳된 소년 전사와 백발의 전사가 레바논

군 트럭에 실려 베이루트 항으로 향하고 있다.

ⅲ) 한 팔레스타인 여인이 아라파트 머리를 움켜 안고 이마에 키스하고 있다.

그는 어머니에게 하듯 고개를 숙이고 안겨 있다.

그 밑에 아라파트여 안녕…이라고 씌어 있고

그리고

ⅳ) 이건 진짜 작품인데, 특종인데,

한 전사의 부인이 두 손으로

소총을 하늘 높이 쳐들고 일그러진 얼굴로 입을 벌리고 있다.

(출산할 때의 표정 같기도 하고 욕을 볼 때의 표정 같기도 하다.)

그것을

조간은, 비통의 몸부림이라고 했고

석간은, 몸부림치는 '이별'이라고 써 놓았다.

이 무지막지한 이스라엘 군인 놈들아

내 자식 내 남편 내놓아라.

이 갈갈이 찢어 죽일 아브람, 모세, 다윗, 솔로몬의 새끼들아

통곡의 벽 안쪽은 그 벽 밖의

통곡이 들리지 않는 모양이다.

이 외신은 울음의 전도체인가, 아닌가

　　　　　　　　　　　　　　　―「베이루트여, 베이루트여」

이러한 시에서 보듯이 일상적인 삶을 그대로 옮겨놓음으로써 기존시의 개념에 대한 저항을 시도한다. 현실 상황의 왜곡된 모습을 산문으로 뒤틀음으로써 날카로운 비판을 전개하는 것이다.

이러한 파격적인 산문시형은 물론 이상의 경우나 50년대 "후반기" 동인들의 시에서 일부 시도된 바 있었던 실험적인 형태이다. 그렇지만 이러한 파격적, 전위적인 산문시 형태는 80년대 신진 시인들에게서 특징적으로 많이 발견되는 유형에 속한다. 80년대 젊은 세대들에 있어서의 가치관의 혼란 현상 또는 저항적, 혁신적인 시정신이 산문적인 뒤틀림의 시형으로서 분출된 것으로 이해할 수도 있을 것이다.

3

오늘날의 산문시는 이야기(혹은 사건, action)를 담고 있다거나 줄글 형식을 취하고 있다는 것만으로 산문시로서의 필요 충분조건을 충족시킨다고 할 수는 없다. 산문시는 현대인의 복잡하면서도 산문적인 삶의 모습을 시인 나름의 개성적인 시각과 리듬, 그리고 형태로서 포착함으로써 보다 자유로운 삶, 열린 정신을 지향해 나아가야 할 것이다. "갖춤"으로서의 시정신과 "드러냄"으로서의 산문 정신을 탄력 있게 조화시킴으로써 오늘날의 시인들은 이 땅 현대인들의 위축된 삶을 보다 확장하고 열어가는 데에 산문시를 적절히 활용할 수 있어야 하리라 본다. 산문시는 오늘날 현대의 급변하는 상황에 시가 효과적으로 대응해 나아갈 수 있는 유효한 양식으로 판단되기 때문이다.

1986년

제4장 민중시의 진로 점검

　1986년 가을 시단에 새로운 시집들이 다수 출간되었다. 그런데 이들 시집 들에서 큰 흐름을 형성하고 있는 것은 아무래도 현실에 대한 관심을 집중적으 로 드러내는 경향과 사랑을 노래함으로써 자기 구원과 극복을 성취하고자 하 는 경향으로 대별할 수 있다고 본다. 전자의 경우는 박봉우의 『서울 하야식』 을 비롯해서 김지하의 『애린』, 이시영의 『바람 속으로』, 김준태의 『넋통일』, 곽재구의 『한국의 연인들』, 그리고 김진경의 『광화문을 지나며』 등을 꼽을 수 있으며, 후자의 예로는 오세영의 『무명연시』, 김초혜의 『사랑굿』, 안혜초 의 『아직도』, 신달자의 『아가』 등을 들 수 있을 것이다. 그밖에도 주목할 만한 여러 시집이 많이 발간되었지만, 이 짤막한 글에서는 이시영의 『바람 속으로』, 김준태의 『넋통일』, 곽재구의 『한국의 연인들』을 살펴보기로 하겠다. 세 시 집은 모두 현실에 대한 집중적인 관심을 기울이면서 나름대로의 방식으로 저 항 의지 또는 극복 의지를 강력히 드러내는 공통점을 지니는 것으로 이해된다.

　먼저 1969년 『시인』지를 통해서 등장한 이래 시집 『참깨를 털면서』 『나는 하느님을 보았다』 『국밥과 희망』 『불이냐 꽃이냐』를 상재한 바 있던 김준태 는 이번 시집 『넋통일』을 통해서 분열로부터 화합으로, 폐쇄로부터 열림으로, 억압으로부터 해방으로의 길을 소리 높여 외치고 있다.

그의 시에는 부정적인 현실 인식 또는 비관적인 세계 인식이 짙게 깔려 있다.

> 넋이라면 넋이여 오라
> 철조망에 묶인, 그림자에 묶인
> 세상만사 헤매이는 넋이여
> 아아 봉화산 솔뿌리에 감긴 넋이여
> 강 건내 모래홁에 눌린 넋이여
> 덧없는 바람결에 흩날리는 넋이여
> 지금은 오라 지금은 현실적으로 오라
> 생살의 통일 생뼈의 통일
> 아아 생넋의 통일로 다시 와서
> 세상만사 총칼을 분질러 버리고
> 생넋이여 산처럼 솟아나거라
> 생살, 생뼈, 생넋의 가는 길이여
> 지금은 우리에게 현실적으로 오라
> 현실적으로 넋통일, 넋 부둥켜안음을 이루거라.
>
> ─「넋통일」

이 시에는 "묶인/헤매이는/감긴/눌린/흩날리는" 등의 어사에서 볼 수 있듯 현실이 억압하고 폐쇄된 어둠의 장소로서 받아들여지고 있다. 뿐만 아니라 이 시집에는 「광주여, 희망 통일하라」 「광주여, 목숨 통일하라」 등의 시처럼 "광주여…"가 반복됨으로써 이 시집의 근원적 동기가 80년대 초의 광주 체험으로부터 비롯되고 있음을 알 수 있게 해준다. 그러나 그의 시가 강한 설득력을 지니는 것은 그가 광주의 비극을 다루고 있기 때문에서가 아니다. 그의 시는 어두운 현실 또는 상처받은 광주에서부터 그 어둠과 절망을 넘어 일어서려는 끈질긴 생명력을 분출하는 데서 힘을 획득한다. 그에 있어서 어둔 현실은 부정되고 극복되어야 할 대상이며, 광주의 상처는 치유되고 극복됨으로써 새 역사의 길을 밝혀줄 빛으로 고양되어야만 하기 때문이다.

사람이 모두 벽이라고
아니야 아니야 아니야
사람은 모두 문이다
우리들이 몸부림쳐서라도
열고 들어가야 할
사람은 모두 찬란한 문이다

—「사람」

이 시의 핵심은 "벽"과 "문"의 상징성에 놓여진다. 벽은 어둠과 절망이 현실을 상징한 것이고, 문은 열림으로의 의지 또는 자유의 표상이다. 비록 현실은 폐쇄되고, 억눌리고, 절망적인 상황이지만, 그것을 열고, 뛰어넘고, 자유로워짐으로써 인간의 인간다움을 확보할 수 있는 것이라는 강한 깨달음과 함께 그에 대한 실천 의지가 작용하고 있는 것이다. 이러한 인간의 인간다움을 확보하고 삶답게 살아보려는 극복 의지와 실천 의지가 바로 "통일"에의 갈망과 지향성으로 표출된다. 그것은 대략 "광주여, 희망 통일하라"에서는 절망을 넘어선 희망의 철학으로, "광주여, 목숨 통일하라"에서는 참다운 인권 사상 또는 인본주의 사상으로, "광주여, 불알 통일하라"에서는 강인한 남성적 생명력의 획득으로, "광주여, 입맞춤 통일하라"에서는 화합과 화해 또는 포용의 정신으로, "광주여, 철학 통일하라"에서는 인간다운 삶, 평등과 자유의 철학으로, "광주여, 역사 통일하라"에서는 분단 극복 의지의 분출로 요약할 수 있다. 다시 말해서 그의 시에서 통일이란 부정과 극복을 통해서 마침내 이르게 되는 긍정의 세계 또는 고양된 화해의 세계를 의미한다. 그것은 참다운 자유와 평등, 화합과 조화, 평화와 사랑, 그리고 희망의 세계로 향한 의지의 구현이면서 진정한 인간 회복의 길로 나아가고자 하는 고통스런 몸부림에 해당한다. 그렇기 때문에 그의 시는 미래 지향의 역사의식을 드러내게 된다.

벌판을 바라보면
멀리서 누가 달려 오는 것 같아라
피어나는 꽃잎들에 얼굴을 부비며
혹은 우리가 사랑하는 모든 나뭇잎들에 넋을 부비며
멀리서 누가 달려 오는 것 같아라
우리가 일찌기 놓쳐버린 역사와 평화, 그리고 꽃 만발 아픔
아아 벌판을 바라보면
우리가 목숨을 다하여 찾아가야 할
그리움의 둥그러운 얼굴이 나부낄 것 같아라
벌판, 그대들의 벌판을 바라보면…

—「벌판을 바라보면」

   그의 시에는 유독 흙의 사상이 짙게 깔려 있으며, 아울러 "산"의 표상과 같이 솟아오름 또는 일어섬의 수직 상상력이 지속적으로 발현되고 있다. 또한 "하늘 중심까지 솟아, 빛나라!/너의 넋의 현실적 생살로 빛나라!" (「광주여, 역사 통일하라」에서)처럼 명령형 어미나 감탄어사 또는 의지보조어간이 습용되고 있는 사실 등에서 그의 시가 폐쇄보다는 개방에, 억압보다는 해방에, 절망보다는 극복과 희망의 정신에 바탕을 두고 있음을 알게 해준다. 따라서 그의 시는 부정적 현실 인식을 기반으로 하면서도 절망으로부터 일어서려는 극복 의지와 함께 새로운 희망의 세계로 나아가고자 하는 기다림의 사상을 보여 준다는 점에서 시적 건강성을 확보하고 있는 것으로 보인다.

   곽재구의 시도 기본적인 면에서 부정적인 현실 인식 또는 비관적 세계 인식의 태도를 지니고 있다. 그의 시에는 변두리적 삶의 양식에 대한 고달픔과 좌절을 담고 있는 동시에 그렇게 만든 힘에 대한 분노와 항거 의지를 드러내고 있다.

오복리 당숙은
잘 살아 보려고

논 서 마지기 탁 털어
서양소 네 마리 샀다
샀다가 2년 만에
사료값 인건비 방역비 빼놓고도
농협 빚만 두 배 늘었다
큰아들 길만이는
지방대학 4년 졸업반
취직 걱정 하느라 몸무게만
10키로 빠졌다
광주서는 선생 자리 하나에
700만 원 부르고
고졸 판매사원 모집에
대졸 이력서 산처럼 쌓여 웃겼다

—「오복리 당숙」부분

그의 시에는 "박마동/김춘동/오복리 당숙/이용달/아내" 등 가난과 고달픔으로 찌든 인간상이 주로 등장한다. 시적 오브제 역시 "공중전화/터미날/면장갑/쌀봉투/배추밭/농협/연탄불" 등 서민들의 궁핍한 현장과 연결되어 있는 경우가 대부분이다. 그만큼 곽재구의 시는 삶의 현장 또는 경험의 구체성으로부터 비롯된다고 할 것이다. 현실은 부정되고 극복되어야 할 대상으로 제시되면서도 그의 시에는 그러한 어둠과 절망으로부터 일어서고자 하는 끈질긴 생명력이 분출되고 있다는 점에서 특징이 드러난다. "황사바람 이는 산천/너의 이름 부르며 절며 가노니/ 한 움큼 걷다 보면/주먹꽃으로 일어서고/한움큼 걷다보면/ 조선낫으로 번쩍이고"(「쑥꽃」)라는 시구에서 보듯이, 절망을 딛고 일어서려는 극복 의지와 함께 끈질긴 생명력이 강하게 작용하고 있는 것이다. 아울러 그의 시에는 "연인들은 돌아가는 다이얼의 숫자에서/ 사랑의 뜨거움을 읽는다/챠르륵 차르륵 이어지는 기계음 사이에서/ 사람의 뜨거운 숨소리를 듣는다" (「공중전화」)처럼 현대의 소외된 삶, 좌절의 삶으로부터 따뜻한 사랑과 평화를 감지하고 이것을 수호해 나아가려는 사랑과 평화에의 의지가 선명히 드러난다는 점에서 소중한 의미를 지닌다.

무엇보다도 그의 시는 억눌리고 빼앗김으로써 초라해지고 소외된 삶을 다루면서도 감정적인 절제와 극기를 예리하게 보여 준다는 점에서 은은한 감동을 던져준다.

> 새벽 어둠 속을 걸어 나간다
> 어두운 시대에 가난한 시쟁이의 싸리꽃 지팡이로
> 아내는 오늘 무엇을 생각하며
> 골목을 벗어 나갈까
> 아름답게 살기 위하여
> 모든 것들이 새롭게 눈을 나는 새벽
> 방안에는 아내의 잠옷과 양발 조각이 뒹굴고
> 하늘 한쪽에서
> 아내의 눈에 맺힌 감자꽃만한
> 별똥꽃 한 잎이 어둠 속에 뚝 떨어졌다.
>
> ―「별똥꽃」 부분

가정사를 이야기하면서도 이 시는 감정에 치우치지 않는 것이 장점이다. 혈육의 정과 가난한 삶을 동시에 보여 주지만, "아내의 눈에 한 감자꽃만한/ 별똥꽃 한 잎이 어둠 속에 뚝 떨어졌다"라는 구절처럼 감정을 예리하게 객관화함으로써 시적 긴장을 지속시킨다. 비애의 감정과 울분을 감추고 아내의 고달픈 삶과 그에 대한 따뜻한 사랑을 함께 노래함으로써 가족사에 함몰되지 않고 보편적인 설득력을 확보하게 되는 것이다. 대체로 곽재구의 시들은 고통스런 삶의 현장에 구체적으로 밀착되어 있으면서도 그것들을 따뜻한 사랑으로 감싸 안으려고 노력한다는 점에서 따뜻한 공감을 불러일으키는 것으로 이해된다.

한편 이시영은 1969년 등단한 이래 첫 시집 『만월』을 내고 이번에 10년 만에 두 번째 시집 『바람 속으로』를 상재하였다. 그만큼 그가 과작이고, 발표에 급급하지 않는다는 사실을 뜻할 것이다.

이시영의 시도 앞의 두 시인과 마찬가지로 현실의 불모성과 비극성에 대한 좌절과 그에 대한 분노에서 출발한다. 그의 시는 「탄천」 등에서는 공해 문제를, 「이봄에」, 「삼십년」, 「지금은 갈 수 없는 땅」 등에서는 분단 문제를, 「깃발」 등의 시에서는 민주 회복의 문제를, 그리고 「서울행」 등에서는 가난과 소외의 문제를 다루는 등 현실의 모순과 부조리에 대한 탄식과 분노를 함께 표출하고 있다. 특히 「울엄니」, 「고모」, 「당숙이야기」, 「고려여인」 등에서는 험난한 이 땅의 역사 속에서 짓눌리고 파산당한 삶의 모습을 통하여 잘못된 역사 전개에 대한 통렬한 비판과 야유를 퍼붓고 있다. 그렇지만 시인이 관심을 갖고 있는 것은 과거의 역사가 아니라 오늘의 현실이며, 동시에 미래에의 전망이다. 그의 시에는 가난으로 찌든 농촌 현실과 함께 변두리 도시 빈민의 생활이 대비되어 나타난다. 그렇지만 도시 빈민의 고통스런 삶을 다루면서도 항상 그러한 고통과 절망을 딛고 일어서려는 극복의 의지가 안쓰럽게 표출되어 있다는 점에서 주목을 환기한다.

그렇기 때문에 그의 시는 두 가지 계열로 구분할 수가 있다. 하나는 현실의 모순과 부조리에 대한 비판 의식과 치열한 저항 의지가 분출되는 계열이며, 다른 하나는 그러한 절망과 고통으로부터 벗어나려는 날카로운 극복 의지와 고양의 정신이 드러나는 경향이 그것이다. 전자는 대략 이야기를 담은 설화시로서 비교적 긴 형식으로 표출되며, 후자는 과감한 절제와 극기로써 상징화된 짧은 서정시 양식을 취한다.

> 여수발 서울행 밤 열한시 반 비둘기호
> 말이 좋아 비둘기호 삼등열차
> 아수라장 같은 통로 바닥에서 고개를 들며
> 젊은 여인이 내게 물었다.

명일동이 워디다요?
등에는 갓난아기 잠들어 있고
바닥에 깐 담요엔
예닐곱 살짜리 사내아이
상기된 표정으로 앉아 있다
이 야덜 아부지 찾아가는 길이어요
일년 전 실농하고 집을 나갔는디
명일동 위디서 보았다는 사람이 있어.

―「서울행」 부분

기러기들 날아오른다
얼어붙은 찬 하늘 속으로 소리도 없이
싸움의 땅에서
초연이 걷히지 않는 땅에서
한 마리 두 마리 세 마리 네 마리
바람 속에서 오늘 눈감은 나의 형제들처럼

―「기러기떼」 부분

앞의 시는 이농하고 도시 빈민으로 흘러가는 한 가족의 비통스런 현실이 이야기체로 길게 서술되어 있는 데 비해, 뒤의 시는 "싸움의 땅/초연이 걷히지 않는 땅" 등과 같이 부정적 현실 인식을 담고 있으면서도 날카로운 시적 절제와 상징화를 성취하고 있다. 특히 후자는 부정적이고 비관적인 현실에 대한 절망과 분노를 담고 있으면서도, "기러기들 날아오른다"처럼 솟아오름과 일어섬으로서의 극복 의지, 상승 의지가 서정적으로 상징화됨으로써 비극적인 아름다움을 획득하고 있는 것이 특징이다. 이렇게 볼 때 이시영의 시는 후자의 경우에 더욱 수월성이 드러나는 것으로 보인다. 고통스런 현실을 사설체로 열거하는 것보다는 그것들을 과감히 절제하고 극기함으로써 보다 높은 서정의 차원으로 상승하는 데서 시적 감동과 설득력을 확보하는 것으로 판단되기 때문이다. 고통의 시와 극복의 시, 긴 시와 짧은 시, 이야기하는 시와 상징하는 시를 효과적으로 교차함으로써 시적 긴장을 지속시키고 감동을 유발하는 데서 이 시영 시법의 특징이 드러나는 것으로 풀이된다.

이제 이 땅의 민중시들은 하나의 전환점에 접어들고 있는 것으로 여겨진다. 도시 빈민과 농민들의 척박한 삶을 노래하면서도 그것이 전투적인 구호와 적개심을 드러내는 차원에서부터 벗어나 보다 큰 의미에서의 자유와 평등, 평화와 사랑을 담기 시작한 것으로 보인다는 말이다. 무엇보다도 도식적인 소재와 제재, 그리고 클리셰에 떨어진 분노와 저항의 목소리를 지양하면서 진정한 인간애의 길, 자유에의 길을 향한 자기반성과 자기 극복의 몸짓을 보여주기 시작한 것이다. 이미 김지하의 서정시집 『애린』이 그러했던 것처럼, 앞에서 논의한 세 시인의 시적 변모와 지향이 그러한 노력을 보여 주고 있기 때문이다. 김준태의 시는 현실에 대한 노호를 지속하면서도 절망을 딛고 더 큰 사랑과 평화의 세계, 즉 통일에의 길로 나아가려는 지난한 몸짓을 보여 준다. 곽재구의 경우에는 구체적인 삶의 현장에 밀착하면서도 분노를 사랑으로, 갈등은 화해로 극복하려는 노력을 보여줌으로써 오히려 페이소스를 자아낸다. 이시영의 경우는 특히 투쟁의 길과 예술의 길을 하나로 화해하면서 현실 극복과 자기 구원을 동시에 성취하려는 고통스런 안간힘을 표출하고 있다.

이렇게 볼 때 이들 세 권의 시집들은 이 땅의 민중시가 어느 방향으로 나아가야 할 것인가에 대한 갈등과 딜레마를 겪는 가운데 하나의 방향성을 조심스럽게 모색해 가기 시작한 것으로 판단된다. 그것은 이 시집들이 투쟁의 길과 예술의 길이 별개의 것이면서도 분리될 수 없으며, 분리 될 수 없으면서도 하나로 통일과 화해를 성취해 가야만 하는 고통스러운 자기 극복과 구원의 길이라는 점을 이 땅의 시인들에게 조심스럽게 일깨워주고 있는 것으로 이해되기 때문이다.

1986

제5장 현실과 극기, 1986년의 시

1

올해에는 주목할 시와 시집들이 부쩍 많이 출간되어 시단을 풍요롭게 만들어 주었다. 양이 반드시 질을 의미하는 것이 아니라 해도 우선 매달 발표되는 시와 발간되는 시집이, 일일이 읽어내기 어려울 정도로 양을 더해 가는 것이 사실이다. 80년대가 이제 문학적인 면에서 자리잡혀 간다는 점을 반영하는 한 증좌일지도 모른다.

이 짤막한 글에서 올해의 시를 총괄한다는 것은 어려운 일일 뿐 아니라 그러한 시도 자체가 무모한 일에 가깝다. 따라서 본고에서는 올해 발간된 시집들 중에서 필자가 읽을 수 있었던 주요 시집들을 중심으로 해서 몇 가지 특징적인 흐름만을 개괄해 보기로 한다. 어쩌면 이러한 개괄도 무모한 일이 아닐 수 없을 것이다. 한 편 한 편마다 각고정려 끝에 시를 써내고, 온갖 어려운 여건에서 시집을 펴내는 시인들의 입장을 생각할 때 이것들을 대충 읽어 선별하고, 간단히 언급한다는 것은 무례하기까지 한 일로 여겨지기 때문이다. 그렇지만 본고에서는 무리한 대로 몇 권의 시집을 통해서 올해 우리 시의 주요 특징을 간략히 살펴보기로 한다.

2

미국으로 건너가서 생활하고 있으면서도, 꾸준히 국내 문단에 작품을 발표해온 마종기가 다시 다섯 번째 시집 『모여서 사는 것이 어디 갈대들뿐이랴』를 상재하여 관심을 끈다. 그는 1959년 등단한 이래 인간 생명의 원상과 그 깊이 속에 감추어진 본원적인 쓸쓸함을 서정적인 가락으로 노래해 왔다. 특히 이번 시집에서 그는 이국생활에서의 고독과 허무감, 그리움과 그 비애를 절실하게 표출하고 있다. 특히 유랑민의 삶과 같은 이방의 현실 속에서 떠나온 고국의 현실에 대해 깊은 탄식을 드러내는 한편, 시 「폴랜드의 바웬사 아저씨」, 「외국어 시」, 「자유의 피」 등과 같이 인류애적인 고통으로 그것들을 감싸안으려 노력하고 있어 주목된다. 그러면서도 연작시 「밤 노래」 등에서는 "모든 인연에서 떨어져 나올수록/ 내게 더 가까이 다가오는 피부의 밤"과 같이 삶의 근원적 허적에 대한 투시를 보여준다. 그는 의업과 시업을 병행해가면서 인간애와 문학애야말로 인간이 인간답게 살 수 있는 가장 소중한 원천이라는 깨달음과 확신을 "시를 쓰는 행위"를 통해서 성공적으로 보여 주고 있는 것이다.

김석규의 제9시집 『저녁 혹은 패주자의 퇴로』가 또한 관심을 끈다. 씨의 현대 문학상 수상 시집이기도 한 이 시집은 경남 지역에 머물면서 묵묵히 시작에 정진해 온 성실한 한 시인의 현주소를 읽을 수 있게 해준다는 점에서 새삼 시를 쓰는 일이 무엇인가를 일깨워 준다.

> 적막한 밤에 홀로 시를 쓴다.
> 마을에 하나 남은 불빛
> 마침내 꺼져버리는 것을 지키며
> 새벽이 오기까지 시를 쓴다.
> 꼬박 스물다섯 해를 이어온 이 노릇이란
> 밤마다 유성이 되어 흘러가는 것이지만
> 지치고 고된 삶의 어두운 길

온몸으로 태운 섬광으로 밝히며
스스로를 지탱해 온 목숨
운명으로 와서 울던 폭풍의 저녁이 가고
다시 아침 햇살 속 새들의 지저귐
천지가 온통 깜깜한 절망과 좌절에서도
구원과 한 줄기 가능의 빛을 뿌리고
반쯤은 기쁨 반쯤은 슬픔 조금씩 나누어 받아서
세상의 햇빛도 여투어가며 살고
항상 깨어 있으므로 양심과 진실의 쪽
소중한 불씨를 지켜가기 위하여
눈을 열어 귀를 열어 또 한곳에 머무르지 않고
살아 있을 때까지 뜨거움으로
시를 쓴다.

시 「1,000」이란 특이한 제목을 가진 이 시는 아마도 1,000편째 쓴 시를 스스로 기념하기 위해서 붙인 제명으로 보인다. 한 시인이 생애에 걸쳐 1,000편의 "시"를 쓴다는 것은 쉬운 일이 아니다. 더구나 그것이 데뷔 이래 25년간에 걸쳐 쓴 것으로 밝혀져 있으니, 시인이 그동안 시를 쓰기 위해 기울인 정력과 시간을 가히 짐작할 수 있게 해준다. 그러면서도 김 시인은 항상 일정한 수준 이상을 유지하고 있는 것으로 보인다. 그의 시를 관류하는 것은 주어진 삶에 대한 탄식이면서 동시에 그에 대한 긍정이자 사랑이다. "그러면 또 가봐야 하리/ 일년 내내 속고 속아 온 나날/ 더러운 도적의 무리와 한 하늘 받쳐 살며/ 어두운 밤길 높은 담밑을 조심스레 걸으며/ 아— 십이월에 원수도 예쁘게 용서해야 하리"(「십이월에」)라는 구절처럼 잊혀진 삶, 외로운 삶의 양식에 대한 깊은 사랑과 애수를 과장하지 않고 조용하고 담담하게 노래함으로써 공감을 던져 주는 것이다. 온갖 종류의 폭력과 공해, 그리고 부조리가 횡행하는 현대적 삶 속에서 인간적인 체온과 숨결을 간직하고 인간성을 지켜나가고자 하는 애뜻한 갈망이 담겨 있기 때문이다.

　김여정의 제6시집 『날으는 잠』도 날로 황량해 가는 현대적 삶 속에서 인간의 내면을 깊이 있게 응시함으로써 시를 통한 자기 극복과 인간 구원을 성취하고자 하는 열망을 표출하여 관심을 끈다. 그의 시를 관류하는 것은 세계와 인생의 내질에 대한 깊이 있는 응시이며, 그 내질 속에 숨겨져 있는 인간적 진실에 대한 뼈아픈 깨달음이다. "눈물 보다 맑은 꽃이 있을까/ 4월은 꽃이 많은 계절/ 4월은 눈물이 많은 계절/ 맑은 꽃 속의 샘물에 뜨는 별/ 예사로이 보면 안 보이는 별/ 별이 안 보이는 눈에는/ 눈물이 없지/ 사람들은 꽃만 보고/ 눈물은 보지 않는다"(「맑은 꽃」)라는 한 시에서 보듯이 그의 시는 인생의 깊이 속에 감춰진 진실에 대한 빛나는 깨달음을 뜨겁게 수락하고 감싸안으려는 안쓰런 몸짓을 보여 준다는 점에서 내밀한 감동을 던져 준다. 그의 많은 시편들은 머리만으로 만들어지거나 손끝만으로 다듬어진 것 같지만은 않다. 그의 시집 도처에는 삶의 어려움에 대한 뼈아픈 깨달음을 제시하면서도 그것을 내세우거나 과장하지 아니하고 스스로의 진실로 간직하려는 눈물겨운 안간힘을 담고 있는 것으로 판단된다.

　　3

　앞의 시들이 현대적 삶에서의 고뇌와 그 외로움을 주로 드러내었다면 다음의 시편들은 그러한 것들이 고전적인 상상력 또는 한의 정서와 결합되어 나타난다. 오랜만에 시집을 낸 박정만과 광주에서 묵묵히 시업에 정진하는 강인한 이 그 대표적인 예가 된다.

　박정만의 제2시집 『맹꽁이는 언제 우는가』는 올해 시단의 한 성과라고 해도 과언이 아닐 것이다. 변변한 직업 하나 없이 떠돌면서 그가 피울음 섞어 토해내는 한과 눈물의 가락이야말로 메마른 현대적 삶 속에서 자동 인형, 기계

인형, 기계 인간으로 살아가는 우리 모두에게 신선한 감동을 심어 줄 것이 분명하기 때문이다. 1969년 등단 이래 박정만은 한국시의 전통적 가락인 한과 허무의 세계 또는 비극적 탐미주의를 집중적으로 천착해 왔다.

초롱의 불빛도 제풀에 잦아들고
어둠이 처마 밑에 제물로 깃을 치는 밤,
머언 산 뻐꾹새 울음 속을 달려와
누군가 자꾸 내 이름을 부르고 있다.

문을 열고 내어다 보면
천지는 아득한 흰 눈발로 가리워지고
보이는 건 흰눈이 흰눈으로 소리없이 오는 소리뿐.
한 마장 거리의 기원사(祈願寺) 가는 길도
산허리 중간쯤에서 빈 하늘을 감고 있다.

허공의 저 너머엔 무엇이 있는가.
행복한 사람들은 모두 다 풀뿌리 같이
저마다 더 깊은 잠에 곯아떨어지고
나는 꿈마저 오지 않는 폭설에 갇혀
빈 산이 우는 소리를 저홀로 듣고 있다.

아마도 삶이 그러하리라.
은밀한 꿈들이 순금의 등불을 켜고
어느 쓸쓸한 벌판길을 지날 때마다.
그것이 비록 빈 들에 놓여 상(傷)할지라도
내 육신의 허물과 부스러기와 청춘의 저 푸른 때가
어찌 그리 따뜻하고 눈물겹지 않았더냐.

사랑이여,
그대 아직도 저승까지 가려면 멀었는가.

제아무리 밤이 깊어도 잠은 오지 아니하고
제아무리 잠이 깊어도 꿈은 아니 오는 밤,
그칠 새 없이 내리는 눈발은
부칠 곳 없는 한 사람의 꿈없는 꿈을 덮노라.

시「오지 않는 꿈」에서 보듯이 그의 시는 한국인의 내면 깊숙이 자리잡은 한과 허무의 정감을 치렁치렁한 율감과 빛나는 감각의 이미저리로서 형상화하는 한 시범을 보여준다. 그의 시는 이 시대의 허무주의적인 기류를 전통시의 그것과 내밀하게 연결하면서도 과도한 감상에 빠지거나 군더더기를 덧붙이지 않는 예리한 절제와 극기의 아름다움을 드러내 준다. 비극적 세계관의 아스라한 깊이를 심도 있게 드러내면서도 그것을 극기(克己)의 미학으로 아름답게 이끌어 올리는 지난한 작업을 통해서 개인적인 허무와 이 시대의 적막을 이겨내려는 안간힘을 표출하고 있는 것이다. 데뷔한 지 20년 동안 그 흔한 문학상 하나 받지도 못하고, 참담한 고독 또는 허무와의 격투 끝에 가까스로 두 번째 시집을 펴낸 박 시인의 외로운 시혼 속에서 우리는 이 땅의 전통적인 시혼이 생생하게 숨쉬고 있음을 발견하게 되는 것이다.

강인한의 제4시집『우리 나라 날씨』도 시대의 깊은 어둠을 한의 맑은 정감으로 여과시키면서 서정적인 극기의 아름다움을 제시해 준다는 점에서 주목을 환기한다. 그의 시는 전혀 고함치거나 흥분하지 않으면서도 분노와 슬픔과 허적을 심도 있게 내면화하는 한 시범을 보여 주는 것이다.

한 시대가 물속처럼 깊어진다.
바람 푸르게 나부끼는 저녁 어스름
산발(散髮)을 한 이조선비들의 혼이 돌아온다.
근심을 다 두고 돌아온다.
새로 바른 창호지에 피묻은 귀를 대고
서릿발 속에다 치렁한 울음소리를 건지고 있다.

한 덩이의 산이 강물 속에
그 심심이 풀릴 때까지
　　　　　　　　　　　　　　　　　—「국화」

이 나라 목판본(木版本)의 가을
한 쪽으로 기러기떼 높이 날아
칼끝처럼 찌르는 일 획의 슬픔
—갈대여.

끝끝내 말하고 죽을 것인가.

어리석은 산(山) 하나
　말없이 저물어 스러질 뿐
역사란 별것이더냐
피묻은 백지, 마초 한다발
　　　　　　　　　　　　　　　　　—「가을 悲歌」

　　짧막한 이 두 편의 시는 강인한 시정신의 심도와 그 서정적 밀도를 단적으로
제시해 준다. 그의 시에는 날카로우면서도 치렁치렁한 지사적 기품이 은근하
게 자리잡고 있다. 부드러운 듯하면서도 날카로운 정신과 정서의 긴장이 탄력
있게 조화를 이루고 있는 것이다. 아울러 그의 시에는 박정만의 시와 마찬가지
로 전통적인 한의 정서가 밑바탕에 자리잡고 있으며, 그것이 이 시대의 허무적
기류와 결합되어 더욱 비관적인 아름다움을 환기해 주고 있다. 전통적인 비극
적 세계관을 바탕으로 하여 당대적인 허무 의식을 비극적인 아름다움의 차원
으로 상승시킨 데서 박정만 과 강인한의 독특한 개성이 돋보이는 것이다.

4

한편 현실에 대한 관심의 시들이 올해에는 더욱 다듬어진 모습으로 제시되어 관심을 끈다. 현실의 모순과 부조리에 대한 관심을 드러내면서도 그것들이 시적인 형상화를 성취해 감으로써 설득력을 고양하고 있는 것이다. 특히 이시영은 과감한 절제와 극기로서 더욱 예리한 현실 비판을 보여 준다.

이시영이 제2시집『바람 속으로』를 상재하였다. 1969년 등장한 이래, 1976년에 첫 시집『만월』을 낸 후 꼭 10년 만에 제2시집을 간행한 것이다. 그의 시는 크게 보아 이야기를 담고 있는 설화조의 비교적 긴 형식의 시와 그와는 달리 극도의 생략으로 과감한 절제를 이루고 있는 단형시로 나눌 수 있다. 대체로 긴 시들은 역사의 아픔이나 현실의 수난을 이야기체로 이해하기 쉽게 적어 내려가고 있음에 비해 단형시들은 그러한 역사의식이나 사회의식을 상징화하여 서정적으로 형상화하는 특징을 보여준다.

① 싸늘한 봄이 또 한차례 지나간 들판에서
  쓰디쓴 풀뿌리를 씹으며 쓴다 민주주의여
  그리워 목메인 너의 이름
  언제 어디에 써볼 것인가
  그대 승리할 날의 눈부신 펄럭임
  푸르른 날의 고요의 깃발이여

② 기러기들 날아오른다
  얼어붙은 찬 하늘 속으로 소리도 없이
  싸움의 땅에서
  초연이 걷히지 않는 땅에서
  한 마리 두 마리 세 마리 네 마리
  바람 속에서 오늘 눈감은 나의 형제들처럼

시①은「깃발」의 끝부분이고, 시②는「기러기떼」의 전문이다. 앞의 것은 광복 후 이 땅에서 되풀이되어 온 역사적 수난과 민주주의의 시련을 이야기하면서 참된 자유 민주주의의 정착을 갈망하는 내용이 핵심을 이룬다. 시②도 시정신의 밑바탕이 이 땅 역사의 아픔에 대한 분노이며 험난한 현실에 대한 탄식이라는 점에서는 시①과 마찬가지이다. 그렇지만 시②는 "얼어붙은 찬 하늘/ 싸움의 땅/ 초연이 걷히지 않는 땅"과 같이 비관적인 현실 의식을 예리하게 드러내면서도 "기러기들 날아오른다// 한 마리 두 마리 세 마리 네 마리/ 바람 속에서 오늘 눈감은 나의 형제들처럼"과 같이 극복 의지를 상징적으로 제시한 것이 특징이다. 비극적인 현실, 수난의 역사를 뛰어넘어 자유의 하늘, 열린 삶을 향하여 솟구쳐 오르려는 생명 의식과 극복 의지가 탁월하게 형상화된 것이다. 이처럼 이시영의 시는 부정적인 현실 인식을 바탕으로 하면서도 산문적인 부연 서술과 시적인 절제를 서로 교차시킴으로써 시적 탄력과 주제의 설득력을 고양하는 데서 그 장점이 드러난다.

이야기를 담은 비교적 긴 시형과 절제된 짧은 시형은 김용택과 김명수의 시에서 현저히 대조된다. 이들은 다 같이 현실 의식과 비판 정신을 바탕으로 하면서도 김용택은 그것을 서술체의 긴 시형으로 늘어놓는 데 비해 김명수는 짤막짤막하게 끊어서 핵심을 상징적으로 제시한다. 김용택은 그의 연작시「섬진강」을 1부로 하여 구성한 근작 시집『맑은 날』에서 온갖 수난과 역경 속에서 전개돼 온 이 땅의 어두운 역사에 대한 울분과 탄식을 드러낸다. 그러면서도 "누이에게/ 누님의 손 끝/ 아버지" 등과 같이 그러한 역사의 수난을 구체적인 삶의 현장과 접합시킴으로써 생생한 현실감을 고조시킨다. 그러나 그의 시에서 이러한 사설조는 동어 반복을 되풀이함으로써 식상한 느낌을 불식하기 어려우며, 또한 자칫 시성을 잃어버릴 위험마저 내포하고 있다. 김명수의 시는 짧은 시형 속에 날카로운 풍자를 담고 있어서 관심을 끈다. "여윈 어머님의 메마른 젖가슴과/ 주름진 아버지의 꺼칠한 얼굴들이/ 허옇게 피어 있는 갈대처럼 흔들린다/ 강물아, 강물아/ 고향아 다시금 고향이게 해주렴"(「강물아, 강물아」)이라는 시구 속에는 현실의 온갖 어려움 속에서 흔들리며 살아가는 민중들의 고달픈 모습을 드러내는 동시에 고향으로서의 인간 상실, 자연 상실을 예리하게 비판하고 있는 것으로 받아들여진다. 시집 『피뢰침과 심장』이라는 제목 자체가 인간 상실의 거친 세상에서 어떻게 뜨거운 인간애, 인류애를 간직하고 그것을 신장시켜 나아갈 것인가 하는 문제를 다루고 있기 때문이다. 길게 늘어놓거나 목소리 높여 강요하지 않으면서도 따뜻하면서도 맑게 현실 비판을 전개하는 데서 김명수 시의 장점이 드러남은 물론이다.

한편 박봉우의 시집 『서울 하야식』은 민족의 분단 현실에 대한 분노와 함께 통일에의 의지를 강렬하게 드러내어 주목을 끈다. 그의 30년에 걸친 시력(詩歷)을 압축하여 보여 주는 이번 시집은 분단으로 인한 민족의 고통과 그 극복에의 의지를 집중적으로 형상화하고 있는 것이다. 김진경의 근작 시집 『광화문을 지나며』도 분단 현실의 모순과 부조리에 대한 날카로운 응시를 보여주어 관심을 끈다.

5

올해에는 새로운 면모를 보여준 시인들이 또한 주목된다. 오랫동안 현실에 대한 비판과 풍자를 계속해 온 김지하가 아예 "김지하 서정시집"이라는 부제를 단 시집 『애린』을 한 해에 두 권이나 출간하였으며, 『현대시』 동인으로서 그동안 언어와 의식의 문제를 탐구해 오던 오세영이 사랑 시집 『무명연시』를 상재한 것이 그 한 예이다. 김지하가 근년에 탈 장르 또는 장르 해체를 시도한 이른바 대설 『남』 시리즈를 지속해 온 것은 주지의 사실이다. 그런데 시집 『애린』은 "애린"이라고 하는 상징적인 호칭을 사용하면서 현실상과 세계상에 대한 모순과 진상을 함께 서정적으로 투시하여 관심을 끄는 것이다.

버들잎 타고
천리를 흘러와
무에 좋아서 이러는가
어쩌다 또 귀양살인가
차차 눈 침침해 가는 이 나이에
해남 남동 남녘 끝까지 흘러흘러와.

　　　　　　　　　　　　　—「그 소, 애린」 8

　『애린』이 추구하는 것은 기본적으로 "밖"의 세계와 대응되는 "안"의 세계
이며, "이야기"의 세계와 호응되는 "상징"의 세계이다. 이러한 세계와 인생의
모순상, 양면상을 서로 대응시키면서 모순의 세계를 화해의 세계로, 양면성의
세계를 통일의 세계로 극복하고 고양시키려 노력하는 것이다. 앞으로 이 연작
시집이 완결되어야 비로소 그 총체적인 의도와 의미를 파악할 수 있겠지만,
우선 대설 시리즈가 서정 연작시로 변모했다는 것 자체가 중요한 시사를 던져
주는 것으로 보인다. 아마도 이 서정 시집은 대설 시리즈와 서로 대응이 되면
서, 그 짝이 되어 보다 큰 통일 또는 완성을 지향하는 한 시도의 일환이 될 수
도 있을 것이다.

　오세영의 『무명연시』는 모두 84편으로 짜인 연작시집이다. 이 시집의 구성
은 대략 84편의 봄(기), 여름(승), 가을(전), 겨울(결) 각 21편씩 꿰어져 있는 것
으로 보인다. 그리고 그 전체적인 내용은 대략 "떠남"에 서 "만남"으로 변증법
적 전이를 이루고 있는 것이 특색이다.

　① 님은 가시고
　　꿈은 깨었다.

　　뿌리치며 뿌리치며 사라진 흰옷,
　　빈 손에 움켜 쥔 옷고름 한 짝,

맺힌 인연 풀길이 없어
　　보름달 보듬고 밤새 울었다.

②화로(火爐)에 불을 지핀다.
　　빈 방 섣달 하순 어두운 밤,
　　기다려도 그대는 오지를 않고
　　뒷문 밖에는 갈잎 소리.

　①은 첫 시「님은 가시고」, ②는 끝 시「기다림」의 한 부분으로서, 이 시는 시 전체가 "이별"에서 "만남"으로 회귀되는 극적 구성으로 짜인 것이다. 근년에 사랑에 관한 서정시가 많이 쓰이고 있고 또 널리 읽히고 있는 것이 사실이지만, 시집 전체가 수미상응하는 연작시로 짜임으로써 하나의 체계 혹은 신념의 통일을 확보하고 있는 경우는 그리 많지 않았던 것으로 보인다는 점에서 이 시집의 의미가 드러난다.

　이들 이외에도 이승훈, 박의상 등『현대시』동인들이 기존 세계로부터의 변신을 모색하는 것과 더불어 홍희표, 문충성, 윤석산, 나태주 등이 새로운 변모를 모색하고 있는 것으로 보여 관심을 끈다.

　또한 신진 시인들로서는 이윤택의『춤꾼 이야기』, 이구락의『서쪽 마을의 불빛』, 윤승천의『안 읽히는 시를 위하여』, 박찬선의『상주』, 박진숙의『다른 새들과 같이』, 이은봉의『좋은 세상』, 최규창의『어둠 이후』, 곽재구의『서울 연인들』등뿐만 아니라 언급할 만한 시집이 많이 간행되었지만, 지면 관계 상 일일이 논급하지 못함을 아쉽게 생각한다.

　지금까지 살펴본 것처럼 올해의 시단은 그런대로 풍성한 느낌을 던져 준다. 80년대 들어서서 급격히 대두되었던 무크지 운동도 어려운 상황 하에서도 나름대로의 특징을 분명히 하면서 자리잡아 가고 있으며, 기존의 문예지 외에도『동서문학』과『문학정신』이 창간되어 문학의 넓이와 깊이를 더해 가고 있다.

시대 상황이 어려워 갈수록 시대정신의 중추이며 예술사의 꽃으로서의 시는 더욱 튼튼하게 이 땅의 어려운 현실에 뿌리내리며 아름다운 정신의 향기를 발해갈 것이 분명하다. 새해엔 역사의 깊은 어둠이 가시면서 새로운 희망의 태양이 밝아 올 것을 기대해 본다.

1986년

김재홍

1947년 충남 천안 출생으로 서울대학교 사범대학 국어교육과를 졸업한 후, 동대학원 국어국문학과에서 박사학위를 취득했다. 1972년 육군사관학교 전임강사를 시작으로 충북대학교, 인하대학교, 경희대학교에서 교수로 재직했으며, 2012년 경희대학교 문과대학에서 정년 연장 명예교수로 퇴직하였다. 현재는 경희대학교 명예교수이자 백석대학교 석좌교수로 있다.

1969년 서울신문 신춘문예에 평론이 당선되면서 본격적인 문단활동을 시작했다. 이후 시인론, 작품론 등의 실제비평 및 문학사와 문학이론 연구 분야에서 독자적인 학문적 영역을 구축했다. 이 과정에서 『한국 현대 시인 연구 1,2,3』, 『카프시인 비평』, 『한국 현대 시인 비판』, 『한국 현대시의 사적 탐구』, 『현대시와 삶의 진실』, 『생명·사랑·평등의 시학 탐구』, 『한국 현대시 시어사전』을 비롯한 40여권의 저서를 발표했다. 이외에도 국내 최장수 시전문지 계간 『시와시학』과 한국현대시박물관을 창간 및 설립, 사단법인 만해사상실천선양회 상임대표와 만해학술원장 등을 역임하며 시의 대중화 작업 및 인문정신의 실천적 활동을 주도했다.

<제1회 녹원문학상>, <제33회 현대문학상>, <제1회 편운문학상>, <김환태문학상>, <후광문학상>, <현대불교문학상>, <유심문학상>, <만해대상>, <서울특별시 문화상> <보관문화훈장> 등을 수상했다.

한국현대시 형성론
현대시와 열린정신

김재홍 문학전집 ③

| 초판 1쇄 인쇄일 | 2020년 3월 05일 |
| 초판 1쇄 발행일 | 2020년 3월 14일 |

엮은이	김재홍 문학전집 간행위원회
펴낸이	정진이
편집/디자인	우정민 우민지
마케팅	정찬용 정구형
영업관리	한선희 최재희
책임편집	정구형
인쇄처	으뜸사
펴낸곳	국학자료원 새미(주)

등록일 2005 03 15 제25100-2005-000008호
경기도 고양시 일산동구 중앙로 1261번길 79 하이베라스 405호
Tel 442-4623 Fax 6499-3082
www.kookhak.co.kr
kookhak2001@hanmail.net

ISBN	979-11-90476-15-7 *94800
	979-11-90476-12-6 (set)
가격	300,000원